GENEZA

Tej samej autorki polecamy:

Niewierny

Przywilej skóry

Tryptyk

Pęknięcie

KARIN SLAUGHTER

GENEZA

Przełożyła
Aleksandra Górska

DOM WYDAWNICZY REBIS
Poznań 2010

Tytuł oryginału
Genesis

Redaktor
Elżbieta Bandel

Projekt i opracowanie graficzne okładki
oraz ilustracja na okładce
Zbigniew Mielnik

Wydanie I

ISBN 978-83-7510-514-8

Dom Wydawniczy REBIS Sp. z o.o.
ul. Żmigrodzka 41/49, 60-171 Poznań
tel. 61-867-47-08, 61-867-81-40; fax 61-867-37-74
e-mail: rebis@rebis.com.pl
www.rebis.com.pl

Moim czytelnikom…
Dziękuję za wasze zaufanie.

PROLOG

Byli małżeństwem od czterdziestu lat co do dnia, a Judith nadal miała wrażenie, że nie wie wszystkiego o mężu. Czterdzieści lat gotowania obiadów dla Henry'ego, czterdzieści lat prasowania mu koszul, czterdzieści lat spania w jego łóżku, a on nadal pozostawał zagadką. Może dlatego właśnie ciągle robiła to wszystko bez słowa skargi – lub prawie bez słowa. Mężczyzna, który po czterdziestu latach nadal potrafi przykuć uwagę, wart jest takich poświęceń.

Otworzyła okno, wpuszczając do wnętrza samochodu trochę chłodnego wiosennego powietrza. Centrum Atlanty znajdowało się zaledwie pół godziny stąd, ale tutaj, w Conyers, spotykało się jeszcze obszary nieuprawnej ziemi, nawet kilka małych farm. Okolica była zaciszna, a Atlanta akurat na tyle daleko, by Judith mogła docenić panujący tu spokój. Jednak kiedy w oddali mignęły drapacze chmur, pomyślała z westchnieniem: Dom.

Trochę zdumiała ją myśl, że teraz właśnie Atlantę uważa za swój dom. Jeszcze do niedawna ich życie toczyło się na przedmieściach, na wsi nawet. Wolała otwarte przestrzenie od betonowych chodników miasta, choć przyznawała, że miło jest mieszkać w centrum i móc się wybrać do sklepiku na rogu albo małej knajpki, gdy tylko najdzie człowieka ochota.

Bywało, że całymi dniami nawet nie wsiadała do samochodu – jeszcze dziesięć lat temu nie marzyłaby o takim życiu. Wiedziała, że Henry czuje to samo. Wciskał głowę w ramiona i z pełną determinacji miną prowadził buicka po wąskiej wiejskiej drodze. Po dziesiątkach lat, w czasie których zjeździł niemal wszystkie autostrady i drogi międzystanowe kraju, instynktownie orientował się w objazdach, zakrętach i skrótach.

Judith ufała, że dowiezie ich bezpiecznie do domu. Rozsiadła się wygodnie w fotelu i wyjrzała przez okno, mrużąc oczy, tak by rosnące przy drodze drzewa przypominały gęsty las. Jeździła do Conyers co najmniej raz w tygodniu i za każdym razem miała wrażenie, że odkrywa coś nowego – jakiś mały domek, którego wcześniej nie zauważyła, albo mostek, na który nie zwróciła przedtem uwagi, choć tyle razy po nim przejeżdżali. Ot, życie. Człowiek nie ma pojęcia, co go mija, dopóki ciut nie zwolni, żeby lepiej się przyjrzeć.

Wracali z przyjęcia rocznicowego na swoją cześć, przygotowanego naprędce przez ich syna. Czy raczej przygotowanego naprędce przez żonę Toma, która prowadziła mu życie niczym asystentka zarządu, gospodyni domowa, opiekunka do dzieci, kucharka i – zapewne – konkubina w jednym. Narodziny Toma były wydarzeniem, które według lekarzy nigdy nie miało się ziścić, a on sam był radosną niespodzianką. Judith od pierwszego wejrzenia pokochała go bezgranicznie, przyjęła jak dar, by otaczać opieką i miłować całym jestestwem. Hołubiła i wyręczała go we wszystkim, i teraz, kiedy przekroczył trzydziestkę, wyglądało na to, że nadal chce, by się nim opiekowano. Może zatem to jej wina, może była zbyt konwencjonalną żoną, zbyt usłużną matką, że jej syn wyrósł na mężczyznę, który potrzebuje – oczekuje – żeby żona robiła wszystko za niego.

Judith z pewnością nie siedziała pod pantoflem męża. Pobrali się w 1969 roku, w czasach kiedy kobiety mogły już przejawiać ambicje inne niż upitraszenie doskonałej zapiekanki warzywnej czy odkrycie najlepszej metody wywabiania plam z dywanu. Od samego początku starała się, by jej życie było możliwie jak najciekawsze. Pracowała społecznie w świetlicy w szkole Toma. Była wolontariuszką w miejscowym schronisku dla bezdomnych i pomagała założyć grupę recyklingową w okolicy. Kiedy Tom trochę podrósł, pracowała jako księgowa dla lokalnych firm i trenowała do maratonów w parafialnej sekcji lekkoatletycznej. Ten aktywny styl życia bardzo się kłócił ze stylem życia jej matki, która u kresu swoich dni była już tak wyniszczona wychowaniem dziewięciorga dzieci, tak wyczerpana fizycznymi kosztami bycia żoną farmera, że w niektóre dni nie miała siły ani ochoty otwierać ust.

Choć Judith musiała przyznać, że początkowo sama hołdowała starym wyobrażeniom o roli kobiety. Jak wiele innych dziewcząt, o wstydzie, poszła na studia specjalnie z myślą o złapaniu męża. Dorastała w Pensylwanii, w pobliżu Scranton, w mieścinie tak zapadłej, że niezasługującej na punkcik na mapie. Jedynymi mężczyznami w okolicy byli farmerzy, którzy raczej nie interesowali się Judith. Nie winiła ich. Lustro nie kłamie. Miała ciut za dużo kilogramów, ciut zbyt wystające zęby i ciut za dużo wszystkiego, by pasować do ideału kobiety, którą mógłby poślubić farmer ze Scranton. No i był jeszcze ojciec, zwolennik surowej dyscypliny, którego żaden mężczyzna przy w miarę zdrowych zmysłach nie chciałby mieć za teścia, a przynajmniej nie w zamian za dziewczynę z króliczymi zębami i figurą gruszki, za to bez krztyny wrodzonego drygu do farmerki.

Prawda wyglądała tak, że Judith od zawsze była rodzinnym dziwadłem niepasującym do reszty. Za dużo czytała. Nie cierpiała pracy na farmie. Nawet jako mała dziewczynka trzymała się z dala od zwierząt i nie rwała do ich karmienia. Nikt z reszty rodzeństwa nie wyjechał dalej się kształcić. Miała dwóch braci, którzy nie dotrwali w szkole do matury, i siostrę, która dość pospiesznie wyszła za mąż, żeby siedem miesięcy później urodzić pierwsze dziecko. Choć oczywiście nikt nie zawracał sobie głowy liczeniem. Pogrążona w stałym stanie wyparcia matka do dnia śmierci powtarzała, że jej pierwszy wnuk był duży, nawet jak na noworodka. Na szczęście ojciec wyczuł pismo nosem, jeśli idzie o średnią córkę. Nie będzie małżeństwa z rozsądku z żadnym z miejscowych młodzieńców – oznajmił – zwłaszcza że żaden z miejscowych młodzieńców nie uważał Judith za choćby w przybliżeniu rozsądną kandydaturę. Uznał, że wyższa szkoła biblijna jest nie tyle ostatnią, ile jedyną jej szansą.

W wieku sześciu lat, kiedy biegła za traktorem, kawałek gruzu uderzył ją w oko. Od tamtej pory zawsze nosiła okulary. Z ich powodu ludzie brali ją za mądralińską, zupełnie niesłusznie. Owszem, uwielbiała czytać, ale jej gusta oscylowały raczej w pobliżu szmirowatych powieścideł niż literatury z prawdziwego zdarzenia. Mimo to etykietka przemądrzałej okularnicy przylgnęła. Jak to mówiono? „Zdejmij okulary, bo nie znajdziesz pary". Zatem było dla niej zaskoczeniem – nie, raczej szokiem – kiedy na pierwszych zajęciach pierwszego dnia w college'u, puścił do niej oko asystent.

Pomyślała, że coś mu wpadło pod powiekę, ale kiedy po zajęciach odciągnął ją na bok i spytał, czy nie wybrałaby się z nim do sklepiku na oranżadę, nie było już wątpliwości co do intencji Henry'ego Coldfielda. Najwyraźniej jednak na perskim oczku kończyły się jego umiejętności w dziedzinie flirtu i inicjatywa towarzyska. Bo w głębi duszy był bardzo nieśmiały, rzecz raczej dziwna, zważywszy na to, że później został czołowym akwizytorem u jednego z dystrybutorów alkoholi, którą to pracą serdecznie gardził zresztą nawet jeszcze trzy lata po przejściu na emeryturę.

Judith podejrzewała, że umiejętność wtapiania się w nowe środowisko ukształtowała się w Henrym jeszcze w dzieciństwie, kiedy jego ojciec był pułkownikiem Armii, i cała rodzina często się przeprowadzała, nie zagrzewając miejsca w żadnej bazie dłużej niż kilka lat. Ich dwojga nie połączyła namiętna miłość od pierwszego wejrzenia – ta zjawiła się później. Początkowo Judith najbardziej pociągał w Henrym fakt, że ona pociągała jego. To było zupełnie nowe doznanie dla gruszki ze Scranton, zwłaszcza że od zawsze wyznawała filozofię mocno przeciwstawną do tej Marksa – Groucho, nie Karola: była skłonna wstąpić do absolutnie każdego klubu, który chciał ją na członka.

Henry nie był ani przystojny, ani brzydki, ani specjalnie wyrywny, ani powściągliwy. Z tym swoim równym przedziałkiem i bezbarwnym głosem najprecyzyjniej dawał się określić słowem „przeciętny", co zresztą Judith później uczyniła w jednym z listów do starszej siostry, a ta skwitowała stwierdzeniem w rodzaju: „Cóż, chyba na więcej nie możesz liczyć". Trzeba przyznać na jej obronę, że była wtedy w ciąży z trzecim dzieckiem, podczas gdy drugie jeszcze nie wyrosło z pieluch, ale mimo to Judith nigdy jej nie wybaczyła tej zniewagi – nie tyle przez wzgląd na siebie, ile na Henry'ego. Jeśli Rosa nie dostrzegła jego wyjątkowości, to dlatego, że Judith nieudolnie władała piórem, a Henry był mężczyzną zbyt pełnym niuansów, by papier mógł je oddać. Być może zresztą dobrze się stało. Cierpka uwaga siostry dała Judith pretekst do zerwania z rodziną i przerzucenia wszystkich uczuć na tego introwertycznego, zmiennego mężczyznę.

Nieśmiała towarzyskość Henry'ego była zaledwie pierwszą z bardzo wielu sprzeczności, które zauważyła u męża przez lata wspólnego życia. Na przykład panicznie bał się wysokości, ale jako nastolatek zdobył licencję pilota amatora. Sprzedawał alkohol, ale sam nigdy nie pił. Był domatorem, ale większość dorosłego życia spędził w rozjazdach, jeżdżąc po całym Zachodzie – najpierw Północnym, a potem Środkowym, kiedy jego awanse rzucały ich z jednego miejsca kraju na drugie, podobnie jak jego ojca wojsko. Można było odnieść wrażenie, że życie Henry'ego sprowadza się do zmuszania się do robienia tego, czego robić nie miał ochoty. A jednak często powtarzał Judith, że jej towarzystwo jest jedyną rzeczą, która naprawdę sprawia mu przyjemność.

Czterdzieści lat i tyle zaskoczeń.

Niestety, Judith wątpiła, by jej syn miał w zanadrzu podobne niespodzianki dla swojej małżonki. Kiedy dorastał, Henry spędzał poza domem średnio trzy tygodnie w miesiącu i brał się do wychowywania syna gwałtownymi zrywami, które niekoniecznie ujawniały jego najbardziej wyrozumiałe oblicze. W konsekwencji Tom stał się dokładnie taki, jakim jawił mu się w dzieciństwie ojciec: surowy, nieugięty, zdeterminowany.

I wynikało to z czegoś jeszcze. Judith nie wiedziała, czy to dlatego, że Henry traktował pracę komiwojażera bardziej jak obowiązek wobec rodziny niż pasję, czy może dlatego, że tak bardzo nienawidził wiecznych rozjazdów, tak czy siak wydawało się, że każdy jego kontakt z synem naładowany był podskórnym napięciem: „Nie powielaj moich błędów", powtarzał mu nie raz, nie dwa. „Nie utknij w pracy, którą gardzisz". „Nie sprzeniewierzaj się własnym przekonaniom tylko po to, żeby mieć co włożyć do garnka". Jedyną pozytywną rekomendacją, jaką dawał chłopcu, była rada, żeby poślubił dobrą kobietę. Gdybyż tylko wyrażał się jaśniej. Gdybyż tylko nie był taki surowy.

Czemu mężczyźni są takimi wymagającymi ojcami dla synów? Judith domyślała się, że chyba chcą, by synowie odnieśli sukces tam, gdzie im samym się nie udało. Na początku małżeństwa, kiedy była w ciąży po raz pierwszy, na myśl o córce czuła nagły przypływ ciepła na sercu, po którym zaraz pojawiała się fala przejmującego zimna. Młoda dziewczyna taka jak Judith, sama w świecie, buntująca się przeciw matce, buntująca się przeciw światu. To pomagało jej zrozumieć pragnienie Henry'ego, by Tom osiągnął więcej, lepiej się urządził, miał wszystko, czego chce.

W pracy Tom bez wątpienia odniósł sukces, ale jego myszowata małżonka okazała się rozczarowaniem. Za każdym razem, kiedy Judith stawała twarzą w twarz z synową, musiała gryźć się w język, żeby jej nie powiedzieć, by stała prosto, mówiła głośno i, na litość Boga, wykrzesała z siebie ciut charakteru. Jedna z wolontariuszek w kościele stwierdziła kiedyś, że mężczyźni żenią się ze swoimi matkami. Judith się z nią nie spierała, ale była gotowa zwrócić honor każdemu, kto dopatrzyłby się choćby cienia podobieństwa między nią a żoną syna. Gdyby nie pragnienie kontaktu z wnukami, mogłaby bez żadnego uszczerbku dla swego samopoczucia nigdy więcej nie oglądać synowej na oczy.

Wnuki zresztą były jedynym powodem, dla którego przeprowadzili się do Atlanty. Porzucili spokojne życie emerytów w Arizonie i przenieśli się przeszło trzy tysiące kilometrów do tego gorącego miasta pogrążonego w smogu i ulicznej przestępczości, żeby być blisko dwójki najbardziej rozpuszczonych i niewdzięcznych istot po tej stronie Appalachów.

Judith zerknęła na Henry'ego, który nucił coś fałszywie pod nosem, stukając palcami o kierownicę. Nigdy, nawet między sobą, nie mówili o wnukach inaczej niż w samych superlatywach, przypuszczalnie z obawy, że przypływ szczerości mógłby ujawnić, że tak naprawdę ich nie lubią – a wtedy co by poczęli? Wywrócili swoje życie do góry nogami dla dwójki małych szkrabów, które były na diecie bezglutenowej, leżakowały po obiedzie w ściśle określonych godzinach oraz uczestniczyły w rygorystycznie planowanych zabawach, ale tylko z „podobnie myślącymi dziećmi, które hołdują tym samym celom".

Jak dotąd jedynym celem wnuków, jaki Judith dostrzegała, było pozostawanie w centrum uwagi. Skłonna była dać głowę, że „podobnie myślących", skupionych na sobie dzieci jest wszędzie na pęczki i nie sposób zrobić kroku, żeby się na jakieś nie natknąć, jednak jej synowa była zdania, że graniczy to niemal z cudem. Zresztą czyż młodość nie polega właśnie na skupianiu się na sobie? A rola rodziców na wykorzenianiu takich postaw? Na szczęście nikt nie miał żadnych wątpliwości, że nie jest to zadaniem dziadków.

Kiedy swego czasu mały Mark wylał niepasteryzowany soczek na spodnie Henry'ego, a Lilly zjadła tyle wykradzionych z torebki Judith pralinek Hersheya, że przypominała bezdomną ze schroniska, która w zeszłym miesiącu zmoczyła się na amfetaminowym głodzie, Henry i Judith tylko się uśmiechnęli – zachichotali nawet – jakby to były niegroźne wybryki, z których dzieci wkrótce wyrosną.

Wkrótce nie nadchodziło jednak dość szybko i teraz, kiedy wnuki miały już siedem i dziewięć lat, Judith zaczęła tracić nadzieję, że zmienią się kiedyś w grzecznych i kochających nastolatków, którzy nie przejawiają chęci ustawicznego przerywania dorosłym oraz biegania po domu i wydawania wrzasków o takim natężeniu decybeli, że zwierzęta z dwóch okręgów zaczynały wyć do wtóru. Jedyną pociechą był fakt, że co niedziela Tom zabierał je do kościoła. Oczywiście Judith chciała, by wnuki zaznały życia w Chrystusie, ale przede wszystkim pragnęła, by zakarbowały sobie dobrze lekcje ze szkółki niedzielnej. „Szanuj ojca swego i matkę swoją. Nie czyń bliźniemu, co tobie niemiłe. Nie myśl, że zmarnujesz sobie życie, porzucisz szkołę i sprowadzisz się do dziadka i babci".

– Ej! – warknął Henry, kiedy nadjeżdżający z przeciwka samochód minął ich tak blisko, że buick aż się zatrząsł. – Dzieciaki – sarknął, mocniej zaciskając dłonie na kierownicy.

Im bardziej zbliżał się do siedemdziesiątki, tym częściej zaczynał przypominać zrzędliwego staruszka. Czasami Judith to bawiło, czasami zaś zastanawiała się, ile czasu upłynie, zanim zacznie wygrażać w powietrzu trzęsącą się pięścią, obwiniając „dzieciaki” o całe zło tego świata. Wiek dzieciaków wahał się od lat czterech do czterdziestu, a Henry szczególnie mocno się irytował, kiedy przyłapał je na robieniu czegoś, czemu niegdyś sam z upodobaniem się oddawał, a teraz już nie mógł. Judith bała się dnia, w którym straci licencję pilota, co musiało nastąpić raczej prędzej niż później, zważywszy na to, że ostatnie badanie kontrolne u kardiologa wykazało jakieś nieprawidłowości. To była jedna z przyczyn, dla których postanowili po przejściu na emeryturę osiedlić się w Arizonie, gdzie nie trzeba było odgarniać śniegu ani utrzymywać trawników.

– Zanosi się na deszcz – powiedziała.

Henry wyciągnął szyję, żeby popatrzyć na chmury.

– Wieczór w sam raz na lekturę.

Wykrzywił usta w uśmiechu. Podarował jej z okazji rocznicy gruby romans historyczny. Ona dała mu nową lodówkę turystyczną na wypady na golfa.

Popatrzyła na drogę, mrużąc oczy, doszła do wniosku, że musi jeszcze raz wybrać się do okulisty. Sama dobiegała siedemdziesiątki i miała wrażenie, że z roku na rok widzi coraz gorzej, zwłaszcza o zmierzchu, który rozmazywał kontury położonych w oddali obiektów. Teraz kilka razy zamrugała, zanim się upewniła, że oczy jej nie mylą, i ledwo otworzyła usta, żeby ostrzec męża, kiedy zwierzę znalazło się tuż przed maską.

– Jude! – wrzasnął Henry.

Osłonił własnym ramieniem jej klatkę piersiową i odbił gwałtownie kierownicą w lewo, starając się wyminąć biedne stworzenie. Judith, co dziwne, pomyślała tylko, że filmy nie kłamią. Czas nagle zwolnił, każda sekunda ciągnęła się w nieskończoność. Czuła, jak silne ramię męża unieruchamia jej tułów, pas bezpieczeństwa wrzyna się w biodra. Głowa jej odskoczyła, uderzając o drzwi, kiedy samochód gwałtownie skręcił. Zwierzę odbiło się od przedniej szyby, która pękła, potem uderzyło w dach samochodu i bagażnik. Dopiero gdy auto obróciło się o pełne 180 stopni na drodze i zatrzymało z gwałtownym szarpnięciem, do uszu Judith dotarł odgłos uderzeń: trach, łup, łup, na które nakładał się przenikliwy krzyk, który, jak sobie uświadomiła, dochodził z jej ust. Musiała być chyba w szoku, bo Henry musiał krzyknąć kilka razy „Judith! Judith!”, zanim przestała wrzeszczeć.

Ściskał mocno jej ramię, powodując ból. Potarła jego dłoń i zapewniła: „Już dobrze. Nic mi nie jest. Nic mi nie jest”. Okulary jej się przekrzywiły, pole widzenia uciekło gdzieś w bok. Dotknęła palcami boku głowy i poczuła lepką wilgoć. Kiedy spojrzała na rękę, zobaczyła krew.

– To musiała być sarna albo... – Henry zasłonił usta ręką, urywając w pół słowa.

Wyglądałby na zupełnie spokojnego, gdyby nie falująca gwałtownie klatka piersiowa. W czasie zderzenia otworzyła się poduszka powietrzna i twarz pokrywał mu drobny, biały proszek.

Judith popatrzyła przed siebie i oddech uwiązł jej w piersi. Przednia szyba była cała we krwi, jakby skąpana w czerwonym deszczu.

Henry otworzył drzwi, ale nie wysiadł. Judith zdjęła okulary, by otrzeć oczy. Po prawej stronie brakowało dolnej części oprawki, oba szkła były pęknięte. Zauważyła, że się trzęsą, i dopiero po chwili uświadomiła sobie, że to drżą jej ręce. Henry wysiadł z samochodu. Zmusiła się, by włożyć okulary i pójść za nim.

Zwierzę leżało na drodze, przebierając kończynami. Judith bolała głowa w miejscu uderzenia o drzwi. Oczy zalewała jej krew. Tylko tym mogła wytłumaczyć fakt, że nogi zwierzęcia – z pewnością sarny – wyglądają zupełnie jak zgrabne nogi białej kobiety.

– O Boże drogi – wyszeptał Henry. – To... Judith... to jest...

Usłyszała nadjeżdżający z tyłu samochód. Opony zapiszczały na asfalcie. Rozległ się trzask otwieranych i zamykanych drzwiczek. Na drodze pojawiło się dwóch mężczyzn i podbiegło do zwierzęcia.

Jeden wrzasnął: „Wezwij pogotowie!” – i klęknął przy ciele. Judith zrobiła krok do przodu, potem jeszcze jeden. Nogi znowu się poruszyły – doskonałe nogi kobiety. Ich właścicielka była całkiem naga. Wewnętrzną stronę ud pokrywały krwawe podbiegnięcia i ciemne siniaki. Stare siniaki. Skorupa zaschniętej krwi oblepiała nogi. Tułów zasnuwał jakby bordowy film, widoczna w boku rana ukazywała fragment białej kości. Judith zerknęła na twarz poszkodowanej. Nos był przekrzywiony. Oczy zapuchnięte, wargi spierzchnięte i porozcinane. Krew zlepiała ciemne włosy i zbierała się dokoła głowy niczym aureola.

Judith podeszła jeszcze bliżej, niezdolna się powstrzymać, nagle odkrywszy w sobie podglądacza po latach grzecznego odwracania głowy. Szkło zachrzęściło pod jej stopami i kobieta w panice otworzyła oczy. Popatrzyła gdzieś za Judith wzrokiem bez wyrazu i zaraz zamknęła powieki, ale Judith nie potrafiła stłumić dreszczu, który wstrząsnął całym jej ciałem. Jakby przeszła koło niej śmierć.

– Słodki Panie – wymamrotał Henry, niemal w modlitwie. Judith odwróciła się i zobaczyła, że mąż przyciska dłoń do piersi. Kłykcie miał pobielałe. Patrzył na kobietę i wyglądał, jakby zaraz miał zemdleć. – Jak to się stało? – wyszeptał z twarzą wykrzywioną grozą. – Jak, u Boga, to się stało?

DZIEŃ PIERWSZY

ROZDZIAŁ PIERWSZY

Sara Linton odchyliła się na krześle, mamrocząc cicho „Tak, mamo" do komórki. Zastanawiała się, czy kiedykolwiek jeszcze przyjdzie czas, że będzie się czuła w takiej sytuacji normalnie, czy rozmowa telefoniczna z matką kiedykolwiek jeszcze będzie dawała jej radość, zamiast wyrywać kawałek serca z piersi.

– Kochanie, wszystko dobrze – uspokajała Cathy. – Dbasz o siebie i tylko tyle chcemy z tatusiem wiedzieć.

Sara poczuła, jak do oczu napływają jej szczypiące łzy. Nie pierwszy raz płakałaby w pokoju lekarskim szpitala Grady'ego, ale miała już dość płaczu – tak naprawdę dość odczuwania. Przecież właśnie po to dwa lata temu porzuciła rodzinę i życie w wiejskiej Georgii i przeprowadziła się do Atlanty – żeby wszystko dokoła nie przypominało jej ciągle o tym, co się wydarzyło.

– Obiecaj, że postarasz się pójść w przyszłym tygodniu do kościoła.

Wymamrotała coś, co mogło brzmieć jak obietnica. Matka nie była taka głupia, obie wiedziały, że szansa, iż Sara wyląduje w Niedzielę Wielkanocną na kościelnej ławce, jest prawie równa zeru, ale Cathy nie naciskała.

Sara popatrzyła na stos kart przed sobą. Zbliżała się do końca dyżuru i powinna uporać się z papierkową robotą.

– Mamo, przepraszam, ale muszę już kończyć.

Cathy wymusiła obietnicę kolejnego telefonu w przyszłym tygodniu i się rozłączyła. Sara jeszcze przez kilka minut trzymała telefon w dłoni, patrząc na spłowiałe numery, wodząc kciukiem po siódemce i piątce, wybierając jakiś znajomy numer, ale nie wykonując połączenia.

W końcu wrzuciła aparat do kieszeni kitla i poczuła, jak grzbiet dłoni otarł się o list.

Ten List. Myślała o nim jak o żywej istocie.

Normalnie sprawdzała pocztę po pracy, żeby nie taszczyć jej wszędzie ze sobą, ale któregoś ranka, nie wiedzieć czemu, zajrzała do skrzynki, wychodząc do szpitala. Zimny pot ją oblał, kiedy poznała adres nadawcy widniejący na prostej, białej kopercie. Nie otwierając, wsadziła ją do kieszeni lekarskiego kitla w przekonaniu, że przeczyta przy lunchu. Pora lunchu nadeszła i minęła, a list pozostał nieotwarty. Pojechał z nią z powrotem do domu, a potem następnego dnia znowu do pracy. Mijały miesiące i wszędzie jej towarzyszył, czasem w kieszeni kitla, czasem w torebce, gdy szła na zakupy albo załatwić coś na mieście. Stał się swego rodzaju talizmanem i często łapała się na tym, że wkłada rękę do kieszeni i go dotyka, tylko po to, żeby się upewnić, że nadal tam jest.

Z czasem rogi koperty się pozaginały, a znaczek pocztowy okręgu Grant zaczął blaknąć. Każdy dzień coraz bardziej oddalał ją od otworzenia listu i przekonania się, co może mieć do powiedzenia kobieta, która zabiła jej męża.

– Doktor Linton? – Do drzwi zapukała jedna z pielęgniarek, Mary Schroeder, i poinformowała wyćwiczonym żargonem oddziału ratunkowego: – Kobieta, trzydzieści trzy, incydent utraty przytomności przed przyjęciem, słaba, wyniszczona.

Sara zerknęła na karty, potem na zegarek. Trzydziestotrzyletnia z incydentem utraty przytomności była zagadką, której rozwiązanie potrwa. Dochodziła prawie siódma. Za dziesięć minut schodziła z dyżuru.

– Krakauer nie może się nią zająć?

– Krakauer już się nią zajął – zripostowała Mary. – Zlecił biochemię i poszedł na kawę z tą nową lalunią. – Najwyraźniej ją to poruszyło, bo dodała: – Pacjentka to policjantka.

Mary była żoną gliniarza i raczej niewiele ją dziwiło, tym bardziej że przepracowała na oddziale ratunkowym prawie dwadzieścia lat. Ale pomijając nawet ten fakt, w każdym szpitalu na świecie obowiązywała niepisana zasada udzielania jak najszybszej i jak najlepszej pomocy funkcjonariuszom ochrony porządku publicznego. Najwyraźniej jednak umknęła ona Ottonowi Krakauerowi.

Sara ustąpiła.

– Jak długo była nieprzytomna?

– Twierdzi, że około minuty. – Mary pokręciła głową, ponieważ relacje pacjentów rzadko kiedy bywały miarodajne. – Nie wygląda dobrze.

Ostatnie zdanie sprawiło, że Sara wstała. Szpital Grady'ego był jedynym ośrodkiem urazowym I stopnia w okolicy, a także jednym z nielicznych pozostałych szpitali publicznych w Georgii. Tutejsze pielęgniarki niemal codziennie miały do czynienia z ofiarami wypadków samochodowych, strzelanin, napadów z użyciem noża, przedawkowań narkotyków i wszelkich innych przestępstw. Miały wprawne oko i potrafiły wychwycić poważny problem. No i, rzecz jasna, gliniarze z reguły zgłaszali się do szpitala, dopiero kiedy stali już jedną nogą w grobie.

Idąc przez oddział, Sara przejrzała kartę kobiety. Otto Krakauer nie zrobił nic oprócz zebrania wywiadu i zlecenia rutynowych badań krwi, co powiedziało Sarze, że diagnoza nie jest oczywista. Faith Mitchell była zdrową trzydziestotrzyletnią kobietą bez żadnych wcześniejszych chorób czy niedawnego urazu w wywiadzie. Przy odrobinie szczęścia wyniki badań powiedzą im coś więcej.

Sara wymamrotała przeprosiny, kiedy wpadła na nosze na korytarzu. Jak zwykle na salach był komplet i pacjentów poupychano na korytarzach – niektórzy leżeli na łóżkach, inni siedzieli na wózkach inwalidzkich, a wszyscy zapewne czuli się gorzej niż w chwili przybycia. Większość zjawiła się tuż po pracy, ponieważ nie mogła sobie pozwolić na utratę dniówki. Na widok białego kitla Sary zaczęli ją wołać, ale ignorowała ich, czytając kartę.

– Zaraz do was dołączę. Leży w trójce – powiedziała Mary i dała się odciągnąć starszej kobiecie na noszach.

Sara zapukała do otwartych drzwi pokoju badań numer trzy – zapewnienie minimum prywatności było dodatkowym ukłonem w stronę policjantów. Na skraju kozetki siedziała drobniutka blondynka w kompletnym ubraniu i stanie ewidentnej irytacji. Mary była niezła w swoim fachu, ale nawet ślepy by dostrzegł, że Faith Mitchell nie jest w najlepszej formie. Była biała jak prześcieradło i nawet z daleka jej skóra wyglądała na spotniałą.

Jej mąż nie poprawiał sytuacji, chodząc nerwowo po pokoju. Był atrakcyjnym mężczyzną, dobrze ponad metr osiemdziesiąt, o króciutko przyciętych ciemnoblond włosach. Przez bok twarzy biegła nierówna blizna – prawdopodobnie pamiątka po upadku z roweru w dzieciństwie, kiedy przejechał policzkiem po asfalcie. Miał posturę biegacza, ciało szczupłe i wysportowane, a trzyczęściowy garnitur ukazywał szeroką pierś i ramiona częstego bywalca siłowni.

Zatrzymał się i przeniósł wzrok z Sary na żonę i z powrotem.

– Gdzie ten pierwszy lekarz?

– Został wezwany do pilnego przypadku. – Podeszła do umywalki i myjąc ręce, przedstawiła się: – Jestem doktor Linton. Żeby nie marnować czasu, możecie mi państwo w skrócie streścić, co zaszło?

– Straciła przytomność – odpowiedział mężczyzna, nerwowo obracając obrączkę na palcu. Chyba dotarło do niego, że sprawia wrażenie lekko szalonego, i zmienił ton. – Jeszcze nigdy nie zemdlała.

Jego troska najwyraźniej działała Faith Mitchell na nerwy.

– Nic mi nie jest – rzuciła z naciskiem, potem zwróciła się do Sary: – Mówiłam już to temu drugiemu lekarzowi. Po prostu mam wrażenie, że łapie mnie przeziębienie, i tyle.

Sara przycisnęła palce do jej nadgarstka, mierząc tętno.

– Jak się pani teraz czuje?

Faith zerknęła na męża.

– Rozeźlona.

Sara się uśmiechnęła i zaświeciła jej w oczy kieszonkową latarką. Potem obejrzała gardło i dokończyła rutynowe badanie, nie znajdując niczego niepokojącego. Zgodziła się ze wstępną oceną Krakauera: Faith była prawdopodobnie trochę odwodniona. Serce pracowało jednak miarowo i nic nie wskazywało, by miała napad padaczkowy.

– Uderzyła się pani w głowę, upadając?

Otworzyła usta, by odpowiedzieć, ale mężczyzna ją ubiegł.

– To się wydarzyło na parkingu. Walnęła głową o płyty.

Sara spytała kobietę:
– Miewa pani jakieś inne dolegliwości?
– Od czasu do czasu migreny – odpowiedziała Faith. Wydawało się, że coś ukrywa, nawet kiedy wyznała: – Nic jeszcze dzisiaj nie jadłam. Gdy wstałam, było mi trochę niedobrze. I wczoraj rano też.
Sara otworzyła jedną z szuflad i wyciągnęła młotek neurologiczny, żeby sprawdzić odruchy.
– Czy ostatnio zanotowała pani spadek albo przyrost masy ciała?
Faith rzuciła: „Nie" w tej samej chwili, kiedy mąż powiedział: „Tak".
Wyglądał na skruszonego, ale dodał:
– Moim zdaniem bardzo ci z tym do twarzy.
Faith wzięła głęboki oddech i wolno wypuściła powietrze. Sara ponownie przyjrzała się jej mężowi. Uznała, że jest księgowym albo prawnikiem. Głowę miał zwróconą w kierunku żony i zauważyła kolejną, jaśniejszą bliznę, która przecinała mu górną wargę i ewidentnie nie była śladem po chirurgicznym cięciu. Skóra została zszyta krzywo i szrama biegnąca pionowo między ustami a nosem była trochę nierówna. Przypuszczalnie trenował boks na studiach albo może po prostu dostał w głowę o jeden raz za dużo, co było o tyle prawdopodobne, że najwyraźniej nie wiedział, kiedy przestać.
– Faith, myślę, że świetnie wyglądasz z tymi kilkoma kilogramami więcej. Mogłabyś jeszcze nabrać...
Zamknęła mu usta jednym spojrzeniem.
– Dobrze. – Sara otworzyła kartę i wpisała kilka zleceń. – Trzeba zrobić rentgen czaszki i chciałabym wykonać jeszcze parę innych badań. Proszę się nie martwić, możemy wykorzystać wcześniej pobraną krew, więc na razie nie będzie więcej igieł. – Nabazgrała coś jeszcze i wypełniła kilka pól, zanim podniosła wzrok na Faith. – Obiecuję, że postaramy się uwinąć z tym możliwie jak najszybciej. Jednak sami państwo widzicie, że mamy tu dzisiaj urwanie głowy. W pracowni rentgenowskiej jest zator na co najmniej godzinę. Zrobię, co w mojej mocy, żeby to przyspieszyć, ale może będziecie chcieli państwo w tym czasie poczytać książkę lub przejrzeć jakieś czasopismo.

Faith nie odpowiedziała, ale w jej zachowaniu coś się zmieniło. Zerknęła na męża, potem przeniosła wzrok na Sarę.

– Mam to podpisać? – Wskazała na kartę.

Nie było takiej potrzeby, ale Sara podała jej dokumentację. Faith nabazgrała coś u dołu i oddała kartę. Sara przeczytała: *Jestem w ciąży*.

Skinęła głową i przekreśliła zlecenie na prześwietlenie. Najwyraźniej Faith nie powiedziała jeszcze mężowi, jednak teraz Sara musiała zadać jeszcze kilka innych pytań, a nie mogła tego zrobić, nie zdradzając stanu pacjentki.

– Kiedy ostatnio robiła pani cytologię?

Faith chyba zrozumiała.

– W zeszłym roku.

– To może w takim razie zajmiemy się tym, skoro pani już tu jest. – Zwróciła się do mężczyzny: – Proszę poczekać na zewnątrz.

– Och. – Skinął głową, choć wydawał się zaskoczony. – Dobrze. – Zwrócił się do żony: – Będę w poczekalni, gdybyś mnie potrzebowała.

– Okay. – Faith patrzyła, jak wychodzi. Kiedy zamknęły się za nim drzwi, z widoczną ulgą opuściła ramiona. Spytała: – Nie ma pani nic przeciwko temu, że się położę?

– Oczywiście, że nie.

Sara pomogła jej ułożyć się wygodnie na kozetce, myśląc, że Faith nie wygląda na swoje trzydzieści trzy lata. Mimo to w jej pozie nadal było coś z gliniarza – jakaś przywołująca do porządku kanciastość w ramionach. Ten mąż prawnik niespecjalnie do niej pasował, ale Sara napatrzyła się już na dziwniejsze pary.

– Który to tydzień? – spytała.

– Mniej więcej dziewiąty.

Sara notowała, zadając kolejne pytania:

– To tylko przypuszczenie czy była pani u lekarza?

– Zrobiłam test ciążowy. – Poprawiła się. – Trzy testy. Nigdy mi się nie spóźnia.

Sara dopisała test ciążowy do listy zleceń.

– A co z tą wagą?

– Przytyłam cztery i pół kilograma – przyznała Faith. – Jakbym nagle zaczęła jeść za dwoje, odkąd się dowiedziałam.

Doświadczenie Sary podpowiadało jej, że cztery i pół kilograma oznacza zwykle siedem.

– Ma pani inne dzieci?

– Jedno, Jeremy'ego, osiemnaście.

Sara odnotowała to w karcie, mrucząc:

– Nie zazdroszczę. Niedługo pozna pani, co to bunt dwulatka.

– Raczej dwudziestolatka. Mój syn ma osiemnaście lat.

Sara zrobiła wielkie oczy i przerzuciła strony na początek dokumentacji.

– Proszę pozwolić, że pomogę w obliczeniach – zaoferowała Faith. – Zaszłam w ciążę jako czternastolatka. Urodziłam Jeremy'ego, gdy miałam piętnaście lat.

Niewiele rzeczy zaskakiwało jeszcze Sarę, ale Faith Mitchell się to udało.

– Podczas pierwszej ciąży wystąpiły jakieś powikłania?

– Poza tym, że byłam pożywką dla szmirowatych filmów? – Pokręciła głową. – Żadnych problemów.

– Dobrze – skwitowała Sara, odłożyła kartę i przeniosła pełną uwagę na Faith. – Porozmawiajmy o tym, co się stało dzisiaj wieczorem.

– Szłam do samochodu. Nagle zakręciło mi się w głowie. Ocknęłam się, gdy Will wiózł mnie tutaj.

– Zakręciło się w głowie, jakby zawirował pokój czy jakby panią zamroczyło?

Zastanawiała się przez chwilę, zanim odpowiedziała.

– Jakby mnie zamroczyło.

– Zdarza się pani widzieć błyski światła albo czuć nietypowy smak w ustach?

– Nie.

– Will to pani mąż?

Parsknęła śmiechem.

– Boże, uchowaj. – Krztusiła się ze śmiechu. – Will Trent to kolega z pracy, mój partner.

– Detektyw Trent jest tutaj? Mogę z nim porozmawiać?

– Agent specjalny Trent. Już pani rozmawiała. Właśnie wyszedł.

Sara dałaby głowę, że coś tu się nie zgadza.

– Mężczyzna, który był tu przed chwilą, jest policjantem?

Faith się zaśmiała.

– To przez ten garnitur. Nie pani pierwsza bierze go za przedsiębiorcę pogrzebowego.

– Ja go wzięłam za prawnika – przyznała Sara, myśląc, że jak żyje nie spotkała jeszcze nikogo, kto by mniej wyglądał na policjanta.

– Muszę mu powtórzyć, że wydał się pani prawnikiem. Ucieszy się, że ktoś go wziął za wykształconego człowieka.

Dopiero teraz Sara zauważyła, że kobieta nie ma obrączki.

– Zatem ojciec dziecka jest...

– Świadom sytuacji i nieobecny. – Faith nie wydawała się zakłopotana tym faktem, choć Sara podejrzewała, że jeśli się urodziło dziecko w wieku lat piętnastu, mało co już potem wprawia człowieka w zakłopotanie. – Wolałabym, żeby Will nie wiedział. Jest bardzo... – Urwała w pół zdania. Zamknęła oczy, zacisnęła usta. Na czole pojawił się błysk potu.

Sara znowu przycisnęła palce do jej nadgarstka.

– Co się dzieje?

Faith zacisnęła usta, nie odpowiadając.

Sara została orzygana dostatecznie dużo razy, by rozpoznać sygnały ostrzegawcze. Podeszła do zlewu, zmoczyła papierowy ręcznik i poinstruowała:

– Proszę wziąć głęboki oddech i powoli wypuścić powietrze.

Faith wykonała polecenie, wargi jej drżały.

– Czy bywa pani ostatnio drażliwa?

– Bardziej niż zwykle? – rzuciła Faith, mimo swego stanu siląc się na dowcip. Zaraz jednak spoważniała i przyłożyła dłoń do brzucha. – Tak. Zdenerwowana. Poirytowana. – Przełknęła ślinę. – Non stop dzwoni mi w głowie, jakby latało tam stado pszczół.

Sara przycisnęła jej do czoła zimny ręcznik.

– Nudności?

– Tylko po wstaniu – wydusiła Faith. – Myślałam, że to z powodu ciąży, ale...

– A co z tymi migrenami?

– Są bardzo silne, głównie popołudniami.
– Męczy panią nadmierne pragnienie? Często pani oddaje mocz?
– Tak. Nie. Nie wiem. – Zdołała otworzyć oczy i spytała. – No to co to jest? Grypa, guz mózgu czy co?
Sara usiadła na brzegu kozetki i wzięła ją za rękę.
– O Boże, jest aż tak źle? – Zanim Sara odpowiedziała, wyjaśniła: – Lekarze i gliniarze siadają obok człowieka, tylko gdy mają złe wiadomości.
Sara pomyślała, jak bardzo brakuje jej takich odkryć. Sądziła, że podczas lat przeżytych u boku Jeffreya Tollivera rozpracowała wszystkie jego nawyki, ale ten jej jakoś umknął.
– Przez piętnaście lat byłam żoną policjanta – wyjaśniła. – Nigdy wcześniej nie zwróciłam na to uwagi, ale tak, ma pani rację, mąż zawsze siadał, kiedy miał złe wieści.
– Ja od tylu właśnie lat jestem policjantką – odpowiedziała Faith. – Zdradzał panią czy po prostu się rozpił?
Sara poczuła ucisk w gardle.
– Został zabity trzy i pół roku temu.
– O nie. – Faith wydała stłumiony krzyk, przyciskając rękę do piesi. – Strasznie mi przykro.
– Nic się nie stało – odpowiedziała Sara, zastanawiając się, dlaczego w ogóle wyjawiła tej kobiecie coś tak osobistego. Jej życie przez ostatnie kilka lat sprowadzało się do unikania rozmów o Jeffreyu, a tu nagle gawędzi o nim z obcą osobą. Starając się rozładować sytuację, dodała: – Ma pani rację. Zdradzał mnie. – Przynajmniej kiedy pobrali się po raz pierwszy.
– Tak mi przykro – powtórzyła Faith. – Był na służbie?
Sara nie chciała odpowiadać. Było jej niedobrze i czuła się fatalnie, prawdopodobnie niewiele lepiej niż Faith, zanim zemdlała na parkingu.
Faith to wyczuła.
– Nie musi pani odpowiadać.
– Dzięki.
– Mam nadzieję, że dorwą tego drania.
Sara włożyła rękę do kieszeni i zacisnęła palce na brzegu koperty. Wszystkich nurtowało właśnie to jedno pytanie:

Czy go złapali? Czy dorwali drania, który zabił pani męża? Jakby to miało jakieś znaczenie. Jakby rozprawienie się z zabójcą Jeffreya mogło uśmierzyć ból po jego śmierci.

Na szczęście do pokoju weszła Mary.

– Przepraszam – rzuciła. – Dzieci tej staruszki ją tu zostawiły. Musiałam się skontaktować z opieką społeczną. – Wręczyła Sarze kawałek papieru. – Wyniki badań.

Sara zmarszczyła czoło, odczytując wartości profilu metabolicznego.

– Masz przy sobie glukometr?

Mary sięgnęła do kieszeni i podała jej aparat.

Sara przemyła alkoholem koniuszek palca Faith. Panel metaboliczny był bardzo dokładny, ale Grady to duży szpital i zdarzało się już, że w laboratorium mieszały się próbki.

– Kiedy ostatni raz pani jadła? – spytała.

– Przez cały dzień siedzieliśmy w sądzie. – Syknęła „cholera”, kiedy ostrze wbiło się jej w palec, potem ciągnęła: – Około południa zjadłam kawałek lukrowanej drożdżówki, którą Will kupił w automacie.

Sara spróbowała jeszcze raz.

– Mam na myśli prawdziwy posiłek.

– Około ósmej wczoraj wieczorem.

Z miny winowajcy malującej się na twarzy Faith Sara domyśliła się, że prawdopodobnie było to danie na wynos.

– Piła pani rano kawę?

– Może z pół filiżanki. Nie mogłam znieść zapachu.

– Z cukrem i śmietanką?

– Czarną. Zwykle jadam porządne śniadania, jogurty, owoce. Tuż po bieganiu. Czy coś jest nie tak z moim cukrem?

– Zobaczymy – powiedziała Sara, wyciskając trochę krwi na pasek testowy. Mary uniosła brew w niemym pytaniu, czy lekarka chce się założyć o wynik. Sara pokręciła głową: Nie tym razem. Pielęgniarka obstawała jednak przy swoim, pokazując na palcach jeden – pięć – zero.

– Myślałam, że te badania robi się później – rzuciła Faith niepewnie. – Kiedy każą pić te słodkie płyny.

– Miała pani kiedyś problemy ze stężeniem cukru? Albo ktoś z pani rodziny?

– Nie. Nikt.

Aparat piknął i na wyświetlaczu pojawiła się liczba 152.

Mary gwizdnęła cicho zdumiona dokładnością własnego domysłu. Sara spytała ją kiedyś, dlaczego nie poszła na medycynę, i usłyszała, że prawdziwa medycyna jest w dyżurce pielęgniarek.

– Ma pani cukrzycę – poinformowała pacjentkę.

Faith poruszała bezgłośnie ustami przez chwilę, zanim wydusiła słabe:

– Że co?

– Uważam, że od jakiegoś czasu utrzymywał się stan przedcukrzycowy. Ma pani niezwykle wysokie stężenie cholesterolu i trójglicerydów. Plus lekkie nadciśnienie. Ciąża i ten gwałtowny przyrost masy ciała – cztery i pół kilograma to dużo jak na dziewiąty tydzień – w połączeniu ze złą dietą sprawiły, że organizm nie wytrzymał.

– Pierwsza ciąża przebiegała bezproblemowo.

– Teraz jest pani starsza. – Sara podała jej gazik, żeby zatamowała krwawienie z palca. – Jutro rano musi pani się skontaktować ze swoim lekarzem. Trzeba się upewnić, że nie dzieje się coś jeszcze. A do tego czasu powinna pani kontrolować stężenie cukru. Inaczej utrata przytomności na parkingu będzie najmniejszym z pani zmartwień.

– Może to tylko... nie odżywiałam się ostatnio najlepiej i...

Sara przerwała te próby zaprzeczeń:

– Każda wartość powyżej stu czterdziestu to pewne rozpoznanie cukrzycy. Pani stężenie cukru nawet jeszcze trochę się podniosło od czasu pierwszego badania.

Faith milczała przez chwilę, próbując to wszystko przetrawić.

– Czy tak już zostanie?

To było pytanie do endokrynologa albo diabetologa.

– Musi pani porozmawiać ze swoim lekarzem i poddać się dodatkowym badaniom – poradziła Sara, choć gdyby miała zaryzykować opinię na podstawie już posiadanej wiedzy, powiedziałaby, że Faith już jest w sytuacji nie do pozazdroszczenia, a jej stan będzie się jeszcze pogarszał: do ciąży dołączy pełnoobjawowa cukrzyca. Popatrzyła na zegarek. – Przyjęłabym panią na obserwację, ale zanim uporamy się z formalnościami i znajdziemy jakąś salę, pani lekarz będzie już przyjmował, a coś mi mówi, że i tak nie zgodziłaby się pani tu zostać. – Sara spędziła zbyt wiele czasu w środowisku gliniarzy, by wiedzieć, że przy pierwszej nadarzającej się sposobności Faith dałaby nogę. Ciągnęła: – Musi mi pani obiecać, że z samego rana skontaktuje się ze swoim lekarzem; mam na myśli naprawdę z samego rana. Zaraz przyjdzie siostra instruktorka, która pokaże pani, jak i kiedy badać krew oraz wykonywać zastrzyki, ale musi się pani natychmiast zgłosić do przychodni na dalsze badania.

– Będę musiała robić sobie zastrzyki? – Faith podniosła głos spłoszona.

– Nie dopuszcza się stosowania leków doustnych u ciężarnych. Dlatego właśnie musi pani porozmawiać z lekarzem. Trzeba będzie tu działać trochę metodą prób i błędów. Masa ciała i stężenie hormonów będą się zmieniać w miarę rozwoju ciąży. Lekarz zostanie pani najlepszym przyjacielem, przynajmniej na najbliższe siedem miesięcy.

Faith wyglądała na zakłopotaną.

– Nie mam stałego lekarza.

Sara wyjęła bloczek z receptami i na jednej z nich zapisała nazwisko kobiety, z którą kiedyś odbywała staż.

– Delia Wallace specjalizuje się w ginekologii i endokrynologii. Zadzwonię do niej jeszcze dziś wieczorem, żeby uwzględnili panią w grafiku przyjęć.

Faith nadal wyglądała na nieprzekonaną.

– Ale skąd tak nagle mi się to wzięło? Wiem, że przytyłam, ale przecież nie jestem gruba.

– Wcale nie trzeba być grubym – powiedziała Sara. – Nie jest już pani taka młoda i do tego fatalnie się odżywia. Ciąża wpływa na gospodarkę hormonalną, i zdolność organizmu do wytwarzania insuliny. Los się sprzysiągł i po prostu padło na panią.

– To wina Willa – mruknęła Faith. – Odżywia się jak dwunastolatek: pączkami, pizzą, hamburgerami. Nie może się zatrzymać na stacji benzynowej, żeby nie kupić nachos albo hot doga.

Sara znowu przysiadła na skraju kozetki.

– Faith, to jeszcze nie koniec świata. Jest pani w dobrym stanie. Ma świetne ubezpieczenie. Poradzi sobie pani z tym.

– A co, gdybym... – Spiekła raka i spuściła wzrok. – Gdybym nie spodziewała się dziecka?

– Nie mówimy tu o cukrzycy ciężarnych. To jest normalna pełnoobjawowa cukrzyca drugiego typu. Usunięcie ciąży nie usunie choroby – odpowiedziała Sara. – Proszę posłuchać, najpewniej choroba rozwijała się już od jakiegoś czasu. Ciąża tylko przyspieszyła jej ujawnienie. I owszem, początkowo skomplikuje ona sprawy, ale nie wyklucza pozytywnego rozwiązania.

– Ja po prostu... – Wydawało się, że nie jest w stanie skończyć zdania.

Sara pogłaskała ją po dłoni i wstała.

– Doktor Wallace jest świetnym diagnostą i wiem, że akceptuje ubezpieczenie z funduszu miasta.

– Stanu – poprawiła Faith. – Pracuję w GBI.

Sara przypuszczała, że ubezpieczenie Biura Śledczego Georgii niewiele się różni od policyjnego, ale nie spierała się o szczegóły. Faith najwyraźniej miała trudności z zaakceptowaniem diagnozy, której zresztą Sara raczej nie przekazała najdelikatniej. Ale cóż, co się stało, to się nie odstanie. Poklepała ją po ramieniu.

– Mary zrobi pani zastrzyk. Z miejsca postawi panią na nogi. – Ruszyła do wyjścia. – Nie żartuję z tą wizytą u doktor Wallace – dodała stanowczo. – Chcę, żeby pani z samego rana zadzwoniła do jej gabinetu. No i musi pani jeść coś więcej niż drożdżówki. Regularne, zdrowe posiłki z małą zawartością węglowodanów i tłuszczów plus przekąski, zgoda?

Faith pokiwała głową, nadal oniemiała, i Sara wyszła z pokoju, czując się jak skończona jędza. Bez dwóch zdań jej podejście do pacjenta pogorszyło się przez te wszystkie lata, ale teraz spadło do rekordowo niskiego poziomu. Czyż to nie z uwagi na anonimowość przeniosła się do Grady'ego? Nie licząc garstki bezdomnych i kilku prostytutek, rzadko zdarzało się, by oglądała na oczy jakiegoś pacjenta więcej niż raz. To właśnie stanowiło w jej oczach największą atrakcję pracy tutaj – możliwość zachowania dystansu i prywatności. Na tym etapie swojego życia nie szukała znajomości. Każda nowa karta pacjenta była jakby nowym rozdaniem. Jeśli będzie miała szczęście – a Faith Mitchell trochę oleju w głowie – prawdopodobnie nigdy więcej się już nie spotkają.

Zamiast wrócić do pokoju lekarskiego i wypełniania kart, minęła dyżurkę pielęgniarek, przeszła przez podwójne drzwi do przepełnionej poczekalni i wreszcie znalazła się na zewnątrz. Przy wyjściu stało kilku terapeutów oddechowych, paląc papierosy, więc minęła ich i ruszyła na tył budynku. Nadal miała wyrzuty sumienia z powodu Faith Mitchell i wybrała z książki telefonicznej komórki numer Delii Wallace, zanim o tym zapomni. Pielęgniarka zanotowała wiadomość o Faith i Sara poczuła się ciut lepiej, kiedy skończyła rozmowę.

Wpadła na Delię Wallace kilka tygodni temu, kiedy ta pzjawiła się w szpitalu, żeby odwiedzić jedną ze swoich pacjentek, która została przetransportowana do Grady'ego helikopterem po poważnym wypadku samochodowym. Delia i Sara były jedynymi kobietami w gronie pięciu procent najlepszych absolwentów wydziału medycyny Uniwersytetu Emory'ego. W tamtych czasach obowiązywało niepisane prawo stanowiące, że kobieta lekarz ma przed sobą dwie możliwości specjalizacji: ginekologię albo pediatrię. Delia wybrała pierwszą, Sara drugą. W przyszłym roku obie skończą czterdziestkę. Wyglądało na to, że Delia ma wszystko. Sara czuła się tak, jakby nie miała nic.

Większość lekarzy – w tym i Sara – grzeszy większym czy mniejszym stopniem arogancji, ale Delia od zawsze była mistrzynią autopromocji. Kiedy piły kawę w pokoju lekarskim, skwapliwie przedstawiła przegląd swoich najważniejszych życiowych dokonań: kwitnąca praktyka z dwoma gabinetami, mąż makler giełdowy i trójka genialnych dzieci. Pokazała Sarze zdjęcia tej doskonałej rodziny, która wyglądała, jakby zstąpiła prosto z reklamy Ralpha Laurena.

Sara nie opowiedziała jej o tym, co sama porabiała po skończeniu studiów, że wróciła do rodzinnego okręgu Grant, by zajmować się dziećmi z okolic wiejskich. Nie powiedziała o Jeffreyu ani dlaczego przeniosła się do Atlanty albo czemu pracuje w szpitalu Grady'ego, kiedy mogłaby otworzyć prywatną praktykę i mieć jakąś namiastkę normalnego życia. Wzruszyła tylko ramionami i rzuciła: „A ja wylądowałam tutaj", i Delia zmierzyła ją spojrzeniem pełnym rozczarowania i satysfakcji równocześnie, które płynęły z faktu, że Sara przez cały okres studiów miała lepszą średnią.

Wsadziła ręce w kieszenie, naciągając mocniej poły kitla w obronie przed chłodem. List ocierał się o jej dłoń, gdy szła po rampie towarowej. Rano wzięła na ochotnika dodatkowy dyżur, by mieć następnego dnia wolne. Pracowała więc prawie szesnaście godzin z rzędu i teraz poczuła wyczerpanie niemal równie przenikliwie jak nocny chłód. Stała z rękoma zaciśniętymi w pięści w kieszeniach, delektując się stosunkowo czystym powietrzem. Pod wonią spalin i smrodem dochodzącym z kontenera na śmieci wyczuwała zapach deszczu. Może uda jej się dzisiaj zasnąć. Zawsze sypiała lepiej, kiedy padało.

Popatrzyła w dal na samochody na autostradzie. Ruch się powoli uspokajał – mężczyźni i kobiety wracali do swoich domów, rodzin. Sara stała w miejscu zwanym Wirażem Grady'ego – był to zakręt na autostradzie, który dziennikarze wykorzystywali jako punkt orientacyjny, relacjonując trudności w ruchu na głównej przelotówce miasta. Jakaś ciężarówka holownicza ściągała zepsutą terenówkę z lewego pobocza. Jezdnię blokowały policyjne radiowozy z obracającymi się niebieskimi kogutami, które rzucały w mrok swoje upiorne światła. Przypomniały jej o nocy, kiedy zginął Jeffrey – kłębiący się tłum policjantów, funkcjonariuszy stanowych, dziesiątków ludzi w białych butach i kombinezonach przeczesujący miejsce zdarzenia.

– Sara?

Odwróciła się. W otwartych drzwiach budynku stała Mary, ręką dając jej znak, by wracała.

– Szybko!

Sara rzuciła się do drzwi, słuchając rzucanych przez pielęgniarkę informacji.

– Piesza potrącona przez samochód. Krakauer zajął się kierowcą i pasażerką. Możliwy OZW u kierowcy. Ty masz potrąconą. Otwarte złamanie prawego ramienia i kończyny dolnej, utrata przytomności na miejscu zdarzenia. Podejrzenie napaści na tle seksualnym i tortur. Jednym ze świadków zdarzenia był ratownik. Zrobił, co mógł, ale kiepsko to wygląda.

Sara była pewna, że się przesłyszała.

– Została zgwałcona i przejechana przez samochód?

Mary nie wyjaśniła. Zaciskała dłoń na ramieniu Sary z siłą imadła, kiedy biegły korytarzem. Drzwi do izby przyjęć były otwarte. Sara zobaczyła nosze i trzech sanitariuszy otaczających pacjentkę. W pomieszczeniu byli sami mężczyźni, w tym Will Trent, który pochylał się nad kobietą, próbując ją przesłuchać.

– Może mi pani podać nazwisko? – pytał.

Sara zatrzymała się gwałtownie przy łóżku. Pacjentka leżała na boku w pozycji embrionalnej, przymocowana mocno taśmą do ramy noszy, pneumatyczne szyny zabezpieczały jej prawe ramię i nogę. Była przytomna, szeptała coś niewyraźnie, podzwaniając zębami. Pod głową miała złożoną kurtkę, na szyi kołnierz ortopedyczny. Bok twarzy pokrywała warstwa brudu i krwi, z policzka zwisała przyklejona do ciemnych włosów taśma izolacyjna. Miała otwarte usta, wargi poranione i krwawiące. Prześcieradło, którym była przykryta, zostało teraz ściągnięte, ukazując ciętą ranę w piersi tak głęboką, że widać było jasnożółty tłuszcz.

– Proszę pani? – indagował Will. – Jest pani świadoma swojego stanu?

– Proszę się odsunąć – rozkazała Sara i odepchnęła go mocniej, niż zamierzała. Zamachał rękoma, straciwszy na chwilę równowagę. Miała to gdzieś. Dostrzegła mały cyfrowy dyktafon, który trzymał w dłoni, i nie podobało jej się to, co robił.

Naciągnęła gumowe rękawiczki, przyklękła i zwróciła się do kobiety:

– Nazywam się doktor Linton. Jest pani w szpitalu Grady'ego. Zajmiemy się panią.

– Pomocy... pomocy... pomocy... – powtarzała kobieta monotonnie, trzęsąc się tak mocno, że metalowe nosze szczękały. Patrzyła przed siebie pustym, nieprzytomnym wzrokiem. Była potwornie wychudzona, sucha skóra łuszczyła się. – Pomocy...

Sara pogłaskała ją leciutko po włosach i odgarnęła je do tyłu.

– Mamy tutaj mnóstwo personelu i wszyscy pani pomożemy. Proszę jeszcze trochę wytrzymać, dobrze? Nic już pani nie grozi. – Wstała i delikatnie położyła dłoń na ramieniu kobiety, by jej zasygnalizować, że nie jest sama. W pomieszczeniu pojawiły się jeszcze dwie pielęgniarki czekające na dyspozycje. – Niech ktoś mnie wprowadzi. Skierowała prośbę do ratowników medycznych, ale odezwał się mężczyzna stojący z jej drugiej strony. Szybkim staccato podawał podstawowe parametry kobiety i czynności podjęte w drodze. Miał na sobie zwyczajne ubranie uwalane krwią – prawdopodobnie świadek, który udzielił pomocy na miejscu wypadku.

– Rana drążąca między jedenastym a dwunastym żebrem. Otwarte złamania prawego ramienia i nogi. Uraz tępy głowy. Była nieprzytomna, kiedy przyjechaliśmy, ale odzyskała świadomość, gdy się nią zajmowałem. Nie mogliśmy ułożyć jej płasko na wznak – wyjaśniał głosem, w którym narastała panika. – Nie przestawała krzyczeć. Musieliśmy ją wsadzić do ambulansu, więc po prostu ją przywiązaliśmy. Nie wiem, co jest z... Nie wiem co...

Z trudem powstrzymywał szloch. Jego roztrzęsienie udzieliło się innym i atmosfera zrobiła się napięta od adrenaliny, co można zrozumieć, zważywszy na stan ofiary. Sara na ułamek sekundy także uległa panice, wstrząśnięta rozmiarem i charakterem obrażeń, ewidentnymi oznakami torturowania. Niejedna osoba w pomieszczeniu miała łzy w oczach.

Spróbowała zapanować nad głosem, starając się sprowadzić histerię do rozsądnego poziomu. Zwolniła ratowników i naocznego świadka, mówiąc:

– Dziękuję, panowie. Zrobiliście wszystko, co w waszej mocy, żeby dowieźć ją tu żywą. Poproszę teraz o opuszczenie tego pomieszczenia, żebyśmy mieli swobodę ruchów, aby móc jej dalej pomagać. – Rzuciła w stronę Mary: – Wkłucie dożylne, przygotuj też centralne na wszelki wypadek. – Innej pielęgniarce poleciła: – Przenośny rentgen, tomografia, postaw w stan gotowości zespół chirurgów. – A kolejnej: – Gazometria, toksykologia, biochemia, układ krzepnięcia: APTT, wskaźnik protrombinowy, fibrynogen.

Ostrożnie przyłożyła stetoskop do pleców pacjentki, starając się nie skupiać na śladach po oparzeniach i krzyżujących się nacięciach na skórze. Słuchała oddechu, czując jednocześnie żebra ostro rysujące się pod palcami. Oddech był równy, ale nie tak silny, jak by sobie życzyła, prawdopodobnie z uwagi na końską dawkę morfiny, jaką poszkodowanej zaaplikowano w karetce. Panika często zamazywała granicę między pomaganiem a utrudnianiem.

Ponownie uklękła. Kobieta nadal miała otwarte oczy i podzwaniała zębami.

– Jeśli będzie pani miała jakiekolwiek trudności z oddychaniem, proszę dać mi znać, a natychmiast pani pomogę – poprosiła ją Sara. – Zgoda? Może pani to zrobić? – Nie było odpowiedzi, ale Sara dalej do niej mówiła, objaśniając krok po kroku, co robi i dlaczego. – Sprawdzę teraz drogi oddechowe, żeby się upewnić, że może pani oddychać – powiedziała, naciskając delikatnie na żuchwę. Zęby kobiety były czerwonaworóżowe, co sygnalizowało obecność krwi w jamie ustnej, ale Sara podejrzewała, że to tylko skutek przygryzionego języka. Całą twarz pokrywały głębokie zadrapania i otarcia, jakby ktoś poszarpał ją pazurami. Pomyślała, że może powinna ją zaintubować, unieruchomić, ale to mogła być jej ostatnia szansa, żeby coś powiedzieć.

To dlatego Will Trent nie wyszedł. Wypytywał kobietę o jej stan, żeby przygotować podstawy pod zeznanie na łożu śmierci. Ofiara musiała wiedzieć, że umiera, żeby jej ostatnie słowa zostały potraktowane przez sąd jak coś więcej niż zwykły dowód ze słyszenia. Nawet teraz agent stał przy ścianie, słuchając każdego słowa, które padało w pomieszczeniu, na wypadek gdyby musiał zeznawać w sądzie jako świadek.

– Proszę pani? Może mi pani powiedzieć, jak się nazywa? – Sara urwała, bo kobieta poruszyła ustami, ale nie dobył się z nich żaden dźwięk. – Tylko imię. Zgoda? Zacznijmy od czegoś łatwego.

– An... An...

– Anne?

– Eee... eee

– Anna?

Kobieta zamknęła oczy i skinęła lekko głową. Wysiłek spowodował, że oddech stał się płytszy.

– A nazwisko? – spróbowała Sara.

Kobieta nie odpowiedziała.

– Dobrze, Anno. Wszystko dobrze. Tylko zachowaj przytomność. – Sara zerknęła na Willa Trenta. Podziękował jej skinieniem głowy. Odwróciła się do pacjentki, sprawdzając źrenice i obmacując czaszkę w poszukiwaniu pęknięć. – Masz trochę krwi w uszach, Anno. Mocno uderzyłaś się w głowę. – Wzięła wilgotny gazik i przetarła nim twarz kobiety, żeby usunąć zaschniętą krew. – Wiem, że nadal z nami jesteś. Trzymaj się, jeszcze tylko chwilkę.

Bardzo uważnie przebiegła palcami po szyi i ramionach pacjentki, czując, że obojczyk się rusza. Delikatnie kontynuowała badanie, sprawdzając przód i tył ramion, potem kręgosłup. Kobieta była potwornie niedożywiona, pod skórą ostro rysowały się kości, widać było cały szkielet. Na skórze znajdowały się liczne szarpane ranki, jakby od kolców albo haczyków i powierzchowne nacięcia, a z długiej rany na piersi już dolatywał smród zakażenia, musiała być w tym stanie od kilku dni.

– Jest dożylne. Sól fizjologiczna w szybkim wlewie.

Sara spytała Willa Trenta:

– Widzi pan spis numerów lekarzy przy telefonie? – Skinął głową. – Proszę wezwać Phila Sandersona i powiedzieć mu, że jest nam tu pilnie potrzebny.

Zawahał się.

– Pójdę po niego.

– Telefon będzie szybszy – zapewniła Mary. – Wewnętrzny 392. – Przykleiła wenflon plastrem do grzbietu dłoni i zwróciła się do Sary: – Podać więcej morfiny?

– Ustalmy najpierw, co się dzieje.

Sara próbowała zbadać tułów. Nie chciała ruszać pacjentki, dopóki nie wiedziała, z czym ma do czynienia. Na lewym boku między jedenastym a dwunastym żebrem tkwiła ziejąca rana, co by wyjaśniało, dlaczego kobieta krzyczała, kiedy usiłowali położyć ją płasko na noszach.

Rozciąganie naderwanego mięśnia i ucisk chrząstki musiały powodować potworny ból.

Ratownik nałożył okład żelowy na prawą nogę i ramię razem z dwiema pneumatycznymi szynami, żeby ustabilizować kończyny. Sara zdjęła sterylny opatrunek z nogi i zobaczyła jasną kość. Miednica wydawała się niestabilna przy obmacywaniu. Obrażenia kostne były świeże. Samochód musiał uderzyć Annę z prawej strony i spowodować, że złożyła się wpół.

Sara wyjęła z kieszeni nożyczki i przecięła taśmę, która unieruchamiała pacjentkę na noszach.

– Anno, przełożę cię na plecy – wyjaśniła. Chwyciła pacjentkę delikatnie za szyję i ramiona, podczas gdy Mary zajęła się miednicą i nogami. – Nie będziemy prostować ci nóg, ale musimy...

– Nie, nie, nie! – błagała kobieta. – Proszę nie. Proszę nie! – Otworzyła usta i zaczęła nieludzko wyć, kiedy ją przekładały. Jej krzyk przyprawiał Sarę o dreszcz. Jeszcze nigdy nie słyszała czegoś bardziej mrożącego krew w żyłach. – Nie! – darła się kobieta łamiącym się głosem. – Nie! Proszę! Nieeee!

Zaczęła się gwałtownie trząść w napadzie drgawek. Sara natychmiast pochyliła się nad noszami, przytrzymując Annę, żeby nie spadła na podłogę. – Pięć miligramów Lorazepamu – poleciła w nadziei, że uda się opanować drgawki. – Zostań ze mną, Anno – naciskała. – Zostań ze mną.

Ale to, co mówiła, nie miało już znaczenia. Kobieta straciła przytomność na skutek drgawek albo bólu. Jeszcze długo po tym, jak lek powinien zacząć działać, ciałem nadal wstrząsały mimowolne skurcze mięśni, głowa się trzęsła, nogi podrygiwały.

– Mamy rentgen – obwieściła Mary, wprowadzając do sali technika radiologii. – Pójdę sprawdzić, co z Sandersonem i SO.

Radiolog przyłożył dłoń do piersi.

– Macon.

– Sara. Pomogę.

Wręczył jej dodatkowy fartuch ochronny, potem zajął się przygotowaniem aparatu. Sara trzymała dłoń na czole

Anny, głaszcząc ją po włosach. Mięśnie pacjentki nadal drgały, kiedy razem z Maconem obrócili ją na plecy ze zgiętymi nogami, by ograniczyć ból. Sara zauważyła, że Will Trent nadal jest w pomieszczeniu, i rzuciła w jego stronę:

– Musi pan wyjść na czas prześwietlenia.

Pomogła Maconowi wykonać zdjęcia, przy których oboje uwijali się jak w ukropie. Modliła się, by pacjentka się nie ocknęła i nie zaczęła znowu krzyczeć. W uszach nadal dźwięczały jej poprzednie wrzaski, przypominające wycie złapanego w sidła zwierzęcia. Już sam ten odgłos nie pozostawiał wątpliwości, że kobieta wie, że umrze. Człowiek nie krzyczy w ten sposób, jeśli ma jeszcze choć cień nadziei.

Macon pomógł Sarze przewrócić kobietę z powrotem na bok, potem poszedł wywołać klisze. Sara zdjęła rękawiczki i ponownie przyklękła przy noszach. Dotknęła twarzy Anny i pogłaskała ją po policzku.

– Przepraszam – powiedziała nie do Anny, tylko do Trenta – że pana odepchnęłam.

Odwróciła się i zobaczyła, że stoi w nogach łóżka, gapiąc się na nogi ofiary, podeszwy jej stóp. Zęby miał zaciśnięte, ale nie potrafiła ocenić, czy z gniewu, zgrozy czy wszystkiego naraz.

– Oboje musimy wykonywać swoją pracę – stwierdził.

– Mimo wszystko.

Sięgnął i pogładził ostrożnie podeszwę prawej stopy Anny, prawdopodobnie myśląc, że to jedyne miejsce, gdzie można jej dotknąć, nie zadając bólu. Sarę zaskoczył ten gest. Wydawał się niemal czuły.

– Sara? – W drzwiach pojawił się Phil Sanderson w czystym i odprasowanym stroju chirurgicznym.

Podniosła się lekko i dotykając koniuszkami palców ramienia Anny, poinformowała kolegę:

– Mamy dwa otwarte złamania i zmiażdżoną miednicę. Na prawej piersi głęboka rana cięta, oprócz tego rana drążąca lewego boku. Nie mam pewności co do stanu neurologicznego, źrenice nie reagują, ale była w kontakcie słownym, składnym.

Phil podszedł do leżącej i zaczął badanie. Nie komentował jej stanu, oczywistych śladów maltretowania. Skupiał się na tym, co mógł naprawić: otwartych złamaniach, zmiażdżonej miednicy.

– Nie zaintubowałaś jej?

– Drogi oddechowe są drożne.

Phil najwyraźniej nie pochwalał tej decyzji, ale chirurdzy, twardzi z reguły, nie bardzo przejmują się tym, czy ich pacjenci mogą mówić czy nie.

– A co z sercem?

– Mocne. Ciśnienie w porządku. Jest stabilna.

Dołączyli inni członkowie zespołu Phila, żeby przygotować pacjentkę do przewiezienia na salę. Mary wróciła ze zdjęciami i wręczyła je Sarze.

– Już samo ogólne może ją zabić – zwrócił uwagę Phil.

Sara wsunęła zdjęcia do negatoskopu.

– Nie sądzę, żeby w ogóle tu była, gdyby nie miała ochoty walczyć.

– Pierś jest septyczna. Wygląda jakby...

– Wiem – powiedziała Sara, wkładając okulary, żeby obejrzeć zdjęcia.

– Rana w boku dość gładka. – Powstrzymał na chwilę swój zespół i pochyliwszy się, przyglądał się badawczo długiemu rozdarciu w skórze. – Była ciągnięta przez samochód? Jakaś metalowa część ją poraniła?

Will odpowiedział:

– O ile wiem, została uderzona czołowo. Stała na drodze.

– A czy w pobliżu było coś, co mogło spowodować taką ranę? Jest bardzo równa.

Will się zawahał, jakby się zastanawiał, czy ten człowiek zdaje sobie sprawę z tego, co przeszła ofiara, zanim potrącił ją samochód.

– Okolica jest gęsto zalesiona, teren niezabudowany. Nie rozmawiałem jeszcze ze świadkami. Kierowca uskarżał się na jakieś piersiowe dolegliwości na miejscu zdarzenia.

Sara skupiła się na zdjęciu rentgenowskim tułowia. Albo coś tu się nie zgadzało, albo była bardziej wyczerpana, niż sądziła. Policzyła żebra, nie dowierzając własnym oczom.

Will chyba wyczuł jej konsternację.

– O co chodzi?

– Jedenaste żebro – powiedziała Sara. – Zostało usunięte.

– W jaki sposób? – spytał.

– Nie chirurgicznie.

Phil warknął.

– Nie bądź śmieszna. – Podszedł i pochylił się nad zdjęciem. – To prawdopodobnie... – Umieścił w wyświetlaczu drugi radiogram klatki piersiowej w projekcji przednio-tylnej, potem boczny. Pochylił się jeszcze bliżej, mrużąc oczy, jakby mogło to coś zmienić. – To cholerstwo nie może po prostu, ot tak, wypaść sobie z ciała. Gdzie się podziało?

– Spójrz. – Sara przebiegła palcem wzdłuż poszarpanego zacienienia, gdzie chrząstka trzymała kiedyś kość. – Nie zginęło – powiedziała. – Zostało usunięte.

ROZDZIAŁ DRUGI

Will jechał na miejsce zdarzenia mini Faith Mitchell ze zgarbionymi ramionami i czubkiem głowy wbitym niemal w dach samochodu. Nie chciał marnować czasu na ustawianie fotela – ani wcześniej, kiedy wiózł Faith do szpitala, a już na pewno nie teraz, gdy jechał na miejsce jednej z najpotworniejszych zbrodni, z jakimi miał do czynienia. Samochód dzielnie się spisywał, mimo że sunął drogą 316 zdecydowanie szybciej, niż nakazywał znak ograniczenia prędkości. Szerokie zawieszenie doskonale trzymało się nawierzchni na zakrętach, ale kiedy oddalił się już trochę od miasta, zdjął nogę z gazu. Las zgęstniał, droga się zwęziła i znalazł się w okolicy, gdzie w każdej chwili na drogę mógł wypaść z zarośli zabłąkany jeleń albo opos.

Myślał o poszkodowanej ze szpitala – o jej porozdzieranej skórze, krwi, ranach. Od chwili, gdy zobaczył, jak ratownicy wiozą ją na noszach, wiedział, że jej obrażenia są dziełem bardzo chorego umysłu. Kobietę torturowano. Ktoś spędził nad nią dużo czasu – ktoś bardzo biegły w sztuce zadawania bólu.

Nie pojawiła się na tej drodze znikąd. Miała świeże skaleczenia na stopach, które nadal krwawiły po niedawnej wędrówce przez las. W mięsistą skórę podbicia wbiła się sosnowa igła, podeszwy były uwalane ziemią. Była gdzieś przetrzymywana i zdołała uciec. Musiała być więziona niedaleko drogi i Will zamierzał znaleźć to miejsce, nawet gdyby miał na to poświęcić resztę życia.

Uświadomił sobie, że myśli o niej w kategoriach „ona", a przecież zna jej imię. Anna. Bardzo podobne do Angie, imienia jego żony. I podobnie jak Angie miała ciemne włosy, ciemne oczy i oliwkową cerę, a na łydce tuż pod kolanem pieprzyk. Zastanawiał się, czy pieprzyk z tyłu nogi jest znakiem szczególnym wszystkich kobiet o śniadej skórze. Może stanowi jakiś rodzaj markera, który wchodzi w skład zestawu genetycznego razem z ciemnymi włosami i oczyma. Głowę dawał, że ta lekarka by wiedziała.

Przypomniał sobie, co powiedziała Sara Linton na widok śladów zadrapań po paznokciach widniejących dokoła dziury ziejącej w boku ofiary: Musiała być przytomna, kiedy żebro było usuwane.

Will wzdrygnął się na tę myśl. W ciągu swojej kariery w organach ścigania napatrzył się na potworności, które rodziły się w zwyrodniałych umysłach, ale jeszcze nigdy nie widział czegoś tak chorego.

Zadzwoniła jego komórka i starał się wsadzić rękę do kieszeni, nie uderzając nią o kierownicę i nie posyłając auta do przydrożnego rowu. Otworzył ostrożnie telefon. Plastikowa klapka pękła kilka miesięcy temu, ale zdołał jakoś doprowadzić ją do stanu używalności za pomocą kleju, taśmy izolacyjnej i pięciu kawałków szpagatu, które pełniły rolę zawiasu. Mimo to musiał obchodzić się z aparatem bardzo ostrożnie, jeśli nie chciał, żeby rozleciał mu się w dłoni.

– Will Trent.

– Tu Lola, skarbie.

Zmarszczył brwi. Głos w słuchawce chrypiał i miał flegmiste brzmienie osoby wypalającej ze dwie paczki papierosów dziennie.

– Kto?

– Jesteś bratem Angie, nie?

– Mężem – skorygował. – Kto mówi?

– Lola. Jedna z jej dziewczyn.

Angie współpracowała teraz z kilkoma firmami detektywistycznymi, ale przez ponad dziesięć lat pracowała w obyczajówce. Od czasu do czasu kobiety, z którymi stała na ulicy, kontaktowały się z Willem. Wszystkie prędzej czy później lądowały w pace i wydzwaniały do niego z więziennego aparatu, szukając pomocy.

– Czego chcesz?

– Nie musisz tak od razu na mnie wsiadać, skarbie.

– Posłuchaj, nie rozmawiałem z Angie od ośmiu miesięcy. – Zrządzeniem losu ich związek rozpadł się mniej więcej w tym samym czasie co telefon. – Nie mogę ci pomóc.

– Jestem czysta jak łza. – Lola najpierw zaniosła się śmiechem z własnego dowcipu, potem kaszlem. – Zostałam zatrzymana z niezidentyfikowaną białą substancją nieznanego pochodzenia, którą tylko przechowywałam dla przyjaciela.

Te dziewczęta znały się na prawie lepiej niż większość gliniarzy i były szczególnie ostrożne podczas rozmów z budki telefonicznej aresztu.

– Weź adwokata – poradził Will i przyspieszył, by wyprzedzić jadący z przodu samochód. Niebo przecięła błyskawica, oświetlając drogę. – Nie mogę ci pomóc.

– Mam informację na wymianę.

– Powiedz to adwokatowi. – Telefon zasygnalizował drugie połączenie, Will poznał numer szefowej. – Muszę kończyć. – Przełączył na drugą rozmowę, zanim kobieta zdążyła coś jeszcze powiedzieć. – Will Trent.

Amanda Wagner wzięła głęboki oddech i Will przygotował się na dłuższą tyradę.

– Co, do cholery, sobie wyobrażasz, zostawiając partnera w szpitalu i jadąc na złamanie karku, nie wiadomo gdzie i po co, marnując czas i benzynę na sprawę, która nie należy do naszych kompetencji i o zajęcie się którą nie zostaliśmy poproszeni, i to w okręgu, pozwól, że dodam, gdzie nie mamy szczególnie dobrych notowań.

– Zostaniemy poproszeni o pomoc – zapewnił ją.

– Twoja kobieca intuicja nie robi dziś wieczór na mnie wrażenia, Will.

– Im dłużej pozwolimy miejscowym się nią zajmować, tym trop zrobi się zimniejszy. To nie jest pierwszy raz tego sprawcy, Amando. To nie była pokazówka.

– Rockdale się tym zajmuje. – Tak się nazywał okręg, którego jurysdykcji podlegał teren, na którym doszło do wypadku. – Wiedzą, co robią.

– Zatrzymują samochody i szukają skradzionych pojazdów?

– Nie są kompletnymi kretynami.

– Owszem, są – upierał się. – Ona nie została tu wyrzucona z przejeżdżającego auta. Była przetrzymywana w tej okolicy i zdołała uciec.

Amanda milczała przez chwilę, prawdopodobnie rozpędzając dym wychodzący jej z uszu. Kolejna błyskawica przecięła niebo i grzmot, który zaraz potem się rozległ, zagłuszył to, co w końcu powiedziała.

– Co proszę?

– Jaki jest stan ofiary? – powtórzyła szorstko.

Will przypomniał sobie wyraz oczu Sary Linton, kiedy Annę przewożono na salę operacyjną.

– Nie rokuje najlepiej.

Amanda ponownie westchnęła, tym razem ciężej.

– Wprowadź mnie.

Will opisał pokrótce obrażenia kobiety, ślady tortur na jej ciele.

– Jestem pewien, że wyszła z lasu. Gdzieś tam musi być jakiś dom, szałas czy coś. Wygląd nie wskazuje, by była wystawiona na działanie warunków atmosferycznych. Ktoś ją jakiś czas więził, głodząc, gwałcąc i maltretując.

– Myślisz, że dorwał ją jakiś tamtejszy burek?

– Uważam, że została porwana – odpowiedział. – Ma zadbane włosy, dobrą fryzurę, wybielone zęby. Żadnych śladów po igłach. Zero oznak zaniedbania. Na plecach zauważyłem dwie małe blizenki po zabiegu plastycznym, prawdopodobnie liposukcji.

– Zatem nie bezdomna i nie prostytutka.

– Na nadgarstkach i kostkach nóg ma rany po więzach. Niektóre z obrażeń już się goją, inne są świeże. Jest chuda, za chuda. Musiał ją przetrzymywać dłużej niż kilka dni. Może tydzień, góra dwa.

Amanda zaklęła pod nosem. Ta cała biurokracja stawała się zbyt męcząca. Biuro Śledcze Georgii było tym samym dla stanu, czym Federalne Biuro Śledcze dla kraju. Koordynowało śledztwa w sprawach, które obejmowały zasięgiem kilka okręgów, skupiając się na ich rozwiązaniu, a nie na sporach terytorialnych. Miało do dyspozycji osiem laboratoriów kryminalistycznych, setki techników i agentów gotowych służyć pomocą każdemu okręgowi, który o pomoc poprosił. Haczyk polegał jednak na tym, że prośba musiała zostać wystosowana oficjalnymi kanałami. Istniały sposoby, by zagwarantować, że taka prośba zostanie wyrażona, ale trzeba było pociągnąć za sporo sznurków, a z przyczyn nieporuszanych w grzecznym towarzystwie Amanda straciła swoje możliwości nacisku w okręgu Rockdale kilka miesięcy temu podczas śledztwa dotyczącego niezrównoważonego ojca, który porwał i zamordował własne dzieci.

Will spróbował jeszcze raz:

– Amando...

– Pozwól, że wykonam kilka telefonów.

– A czy pierwszy może być do Barry'ego Fieldinga? – spytał, mając na myśli eksperta GBI od psów. – Nie jestem pewien, czy miejscowi w ogóle wiedzą, z czym mają do czynienia. Nie widzieli ofiary ani nie rozmawiali ze świadkami. Nikt od nich jeszcze nie pojawił się nawet w szpitalu, kiedy wyjeżdżałem. – Nie odpowiadała, więc wiercił dalej. – Barry mieszka w okręgu Rockdale.

W słuchawce rozległo się westchnienie cięższe niż dwa poprzednie. Wreszcie powiedziała:

– Zgoda. Tylko postaraj się nie wkurzyć nikogo bardziej niż zwykle. I natychmiast raportuj, gdy tylko będziesz miał coś więcej. – Amanda zakończyła rozmowę.

Will zamknął telefon i wsadził go do kieszeni kurtki, właśnie kiedy nad głową przetoczył się grzmot. Niebo znowu rozjaśniła błyskawica. Zwolnił, wbijając kolana w plastikową deskę rozdzielczą. Planował wcześniej, że będzie jechał prosto szosą 316, dopóki nie napatoczy się na ekipę z drogówki i nie wkręci jakoś na miejsce zdarzenia. Głupio nie przewidział blokady drogowej. Dwa radiowozy z policji Rockdale stały zaparkowane w poprzek drogi naprzeciwko siebie, blokując oba pasy ruchu, a przed każdym stało dwóch napakowanych mundurowych. Jakieś piętnaście metrów dalej gigantyczne reflektory ksenonowe oświetlały buicka z wgniecionym przodem. Wszędzie uwijali się technicy, odwalając mrówczą pracę zabezpieczania każdego kawałeczka brudu, kamienia czy szkła, żeby móc je potem zbadać w laboratorium.

Jeden z gliniarzy podszedł do mini. Will rozglądał się na boki w poszukiwaniu przycisku do opuszczania szyby, na śmierć zapomniawszy, że znajduje się w centralnej konsoli. Zanim w końcu otworzył okno, do pierwszego policjanta dołączył drugi. Obaj się uśmiechali. Will uświadomił sobie, że musi wyglądać komicznie w maleńkim autku, ale teraz nie mógł już nic na to poradzić. Kiedy Faith zemdlała na parkingu, myślał tylko o tym, że jej samochód stoi bliżej i szybciej dostaną się nim do szpitala.

– Do cyrku to w tamtą stronę – powiedział jeden z gliniarzy, pokazując kciukiem w kierunku Atlanty.

Will miał dość rozumu, by nie próbować wyciągać portfela z tylnej kieszeni spodni, siedząc w samochodzie. Otworzył drzwi i wygramolił się niezdarnie z auta. Wszyscy trzej popatrzyli na niebo, kiedy kolejny grzmot wstrząsnął okolicą.

– Agent specjalny Will Trent – poinformował policjantów, pokazując legitymację.

Obaj patrzyli na niego nieufnie. Jeden się oddalił, mówiąc coś do mikrofonu radia na ramieniu; prawdopodobnie konsultował się ze zwierzchnikiem. Czasami lokalni gliniarze z radością witali agentów GBI na swoim terenie. Czasami chcieli ich powystrzelać.

Stojący przed nim funkcjonariusz zagaił:

– O co chodzi z tym frakiem, eleganciku? Wracasz z pogrzebu czy jak?

Will puścił zniewagę mimo uszu.

– Byłem w szpitalu, kiedy przywieziono ofiarę.

– Mamy na składzie kilka ofiar – odpowiedział policjant, najwyraźniej zdecydowany nie ułatwiać sprawy.

– Tę kobietę – wyjaśnił Will. – Tę, która szła drogą i została potrącona przez buicka, którym jechało starsze małżeństwo. Podejrzewamy, że ma na imię Anna.

Wrócił drugi gliniarz.

– Muszę prosić, żeby wsiadł pan do samochodu i odjechał, sir. Według mojego szefa, wasza jurysdykcja tu nie sięga.

– Mogę porozmawiać z waszym szefem?

– Domyślił się, że pan to powie. – Mężczyzna uśmiechnął się nieprzyjemnie. – Powiedział, żeby zadzwonił pan do niego rano, tak gdzieś o dziesiątej, dziesiątej trzydzieści.

Will popatrzył nad radiowozami na miejsce zdarzenia.

– Mogę wiedzieć, jak się nazywa?

Gliniarz się nie spieszył. Demonstracyjnie wyjął notatnik, szukał długopisu, przykładał go do papieru i powoli kaligrafował litery. Potem z największą ostrożnością wyrwał kartkę i wręczył ją Willowi.

Will popatrzył na bazgraninę nad numerem telefonu.

– To po angielsku?

– Fierro, ciołku. To włoskie nazwisko. – Gliniarz zerknął na kartkę, przechodząc do defensywy. – Napisałem wyraźnie.

Will złożył kartkę i wsunął do kieszeni kamizelki.

– Dziękuję.

Nie był na tyle głupi, by sądzić, że gliniarze grzecznie wrócą na stanowiska, kiedy on wsiądzie do samochodu. Teraz już mu się nie spieszyło. Pochylił się i znalazłszy dźwignię, obniżył fotel kierowcy, a potem odsunął go maksymalnie do tyłu. Wcisnął się do środka, zasalutował gliniarzom, zawrócił na trzy razy i odjechał.

316 nie zawsze była boczną drogą. Zanim zbudowano autostradę I-20, pełniła funkcję głównej arterii łączącej okręg Rockdale z Atlantą. Dzisiaj większość podróżnych wolała autostradę, ale niektórzy nadal wybierali 316, szukając dróg na skróty i innych łatwych przyjemności. W późnych latach dziewięćdziesiątych Will uczestniczył w prowokacji policyjnej, która miała na celu przekonanie prostytutek, by nie sprowadzały tu klientów. Nawet już wtedy nie była to uczęszczana trasa. Fakt, że dwa samochody przypadkiem pojawiły się na niej w tym samym czasie co kobieta, był zbiegiem okoliczności wprost nieprawdopodobnym. To, że ofiara weszła wprost przed maskę jednego z nich, było jeszcze bardziej nie do pojęcia.

Chyba że Anna na nie czekała. Może celowo rzuciła się pod koła. Will dawno temu zrozumiał, że śmierć bywa czasem lżejsza niż przetrwanie.

Wlókł się żółwim tempem i rozglądał za boczną drogą, w którą mógłby skręcić. Ujechał prawie czterysta metrów, zanim ją znalazł. Nawierzchnia była nierówna, nisko zawieszony samochód odczuwał każdy, nawet najmniejszy wybój. Co jakiś czas błyskawica oświetlała las, jednak Will nie dostrzegał z drogi żadnych domów, rozwalających się chałup czy starych stodół. Żadnych bud kryjących stare destylarnie. Jechał dalej, kierując się poblaskiem policyjnych reflektorów, i zatrzymał się, gdy znalazł się na ich wysokości. Zaciągnął ręczny hamulec i pozwolił sobie na uśmiech. Miejsce zdarzenia znajdowało się jakieś dwadzieścia metrów dalej, jasne światła i panujący na nim ruch sprawiały, że wyglądało jak boisko pośrodku ciemnego lasu.

Wyjął małą latarkę ze schowka i wysiadł z samochodu. Powietrze szybko się zmieniało, temperatura spadała. W porannych wiadomościach prezenter pogody wieszczył częściowe zachmurzenie, ale Will był pewien, że czeka ich ulewa.

Ruszył pieszo gęstwiną, uważnie lustrując grunt w poszukiwaniu czegokolwiek niezwykłego. Anna mogła nadejść stąd albo z drugiej strony drogi. Sęk jednak w tym, że miejsce zdarzenia nie powinno zostać ograniczone do szosy. Należało wejść do lasu, przetrząsnąć go co najmniej w promieniu półtora kilometra, choć zadanie nie było łatwe. Drzewa rosły gęsto, nisko płożące się konary i zarośla utrudniały przedzieranie się do przodu, a jary i powalone drzewa czyniły ten teren jak z koszmaru jeszcze bardziej niebezpiecznym. Starając się zorientować w położeniu, Will zastanawiał się, którędy dotarłby do I-20, gdzie było więcej zabudowań, ale poddał się, kiedy kompas w jego głowie zaczął szaleć.

Teren opadał lekko i choć miejsce zdarzenia nadal było daleko, Will słyszał elektryczny szum generatora, brzęczenie jupiterów, trzask fleszy, utyskiwania policjantów i techników, które z rzadka przecinał pełen zdziwienia śmiech.

Chmury nad jego głową się rozeszły, odprysk księżycowej poświaty słabo oświetlił pogrążony w mroku grunt. Kątem oka Will zauważył stertę liści, która wyglądała na wzruszoną. Przyklęknął, ale nikły snop światła latarki nie służył wielką pomocą. Liście były tu ciemniejsze, ale nie potrafił orzec, czy to na skutek krwi czy deszczu. Widział natomiast wyraźnie, że coś w tym miejscu wcześniej leżało. Pytanie tylko, czy było to zwierzę czy kobieta?

Ponownie spróbował ustalić swoje położenie. Znajdował się mniej więcej w połowie drogi między samochodem Faith a wgniecionym buickiem na szosie. Chmury znowu zasnuły niebo i z powrotem znalazł się w ciemnościach. Latarka, którą trzymał w dłoni, wybrała sobie właśnie ten moment, żeby wyzionąć ducha: żaróweczka zrobiła się żółtobrązowa, potem czarna. Will postukał plastikową obudową o dłoń, usiłując wycisnąć jeszcze trochę prądu z baterii.

Nagle jasny snop maglite'a oświetlił wszystko w promieniu półtora metra.

– Zapewne agent Trent – powiedział jakiś mężczyzna.

Will podniósł dłoń do oczu, chroniąc siatkówki przed uszkodzeniem. Mężczyzna z ociąganiem opuścił snop na pierś Willa. W dalekiej poświacie policyjnych reflektorów wydawał się żywym ucieleśnieniem jednego z balonów wywieszanych na paradzie z okazji Święta Dziękczynienia: okrągły i ogromny u góry zwężał się niemal w szpic na dole. Na ramionach unosiła się maleńka główka, grube wałki skóry na potężnej szyi wylewały się na kołnierz koszuli.

Jak na swoją tuszę poruszał się bardzo lekko. Will nie słyszał, jak zbliżał się przez las.

– Detektyw Fierro? – domyślił się.

Policjant skierował latarkę na swoją twarz, żeby Will mógł się mu przyjrzeć.

– Mów mi Dupek, bo tak właśnie będziesz o mnie myślał podczas długiej samotnej drogi powrotnej do Atlanty.

Will nadal kucał. Popatrzył w stronę miejsca zdarzenia.

– Może najpierw się trochę rozejrzę?

Światło znowu wylądowało mu na oczach.

– Uparty kutasina z ciebie, co?

– Myślicie, że została tutaj wyrzucona, ale to nieprawda.

– Czytasz w myślach?

– Wydaliście patrolom nakaz zatrzymywania wszystkich podejrzanych samochodów w okolicy, a wasi technicy przetrząsają sitem teren wokół buicka.

– Nakaz zatrzymania to kod 10-38, o czym byś wiedział, gdybyś był prawdziwym gliniarzem, a w najbliższym domu, jakieś dwa kilometry stąd, mieszka zgrzybiały staruch na wózku. – Fierro wycedził to z pogardą, z którą Will był bardziej niż za pan brat. – Nie zamierzam ciągnąć tej rozmowy, koleś. Opuść moje miejsce zdarzenia.

– Widziałem, co jej zrobiono – naciskał Trent. – Nie została wsadzona do samochodu i wyrzucona. Krwawiła z każdej części ciała. Ktokolwiek za tym stoi, jest nie w ciemię bity. Nie ryzykowałby zostawienia śladów kryminalistycznych. A już na pewno nie zostawiłby jej przy życiu.

– Masz dwie możliwości do wyboru. – Fierro uniósł dłoń i odliczył je na pulchnych paluchach. – Odejść na własnych nogach albo odejść na plecach.

Will podniósł się i wyprostował na całą długość swoich stu dziewięćdziesięciu centymetrów. Demonstracyjnie popatrzył na detektywa z góry.

– Spróbujmy to rozwiązać. Jestem tu, żeby pomóc.

– Nie potrzebuję twojej pomocy, Gomez. Sugeruję, żebyś się odwrócił, wsiadł do swojego pedalskiego auteczka i odjechał łagodnie w tę dobrą noc. Chcesz wiedzieć, co się tu dzieje? Przeczytaj gazetę.

– Chyba chodziło ci o Lurcha – poprawił Will. – Gomez to ojciec.

Fierro zmarszczył czoło.

– Posłuchaj, ofiara, Anna, prawdopodobnie leżała tutaj. – Will wskazał na zagłębienie w stercie liści. – Usłyszała nadjeżdżające samochody i wyszła na drogę po pomoc. – Fierro nie przerywał, więc Will ciągnął: – Mam ekipę z psami w drodze. Trop jest jeszcze świeży, ale zniknie, gdy zacznie padać. – Jakby na zawołanie błysnęło i zaraz potem rozległ się grzmot.

Fierro podszedł bliżej.

– Nie słuchasz mnie, G o m e z. – Szturchnął Willa w pierś końcem latarki, odpychając go. Każde słowo podkreślał kolejnym dźgnięciem. – Zabieraj swoje pierdolone trzyrzędowe karawaniarskie dupsko z powrotem do swojego czerwonego auteczka i wypierdalaj z mojego...

Will uderzył obcasem o coś twardego. Obaj to usłyszeli i obaj się zatrzymali.

Fierro otworzył usta, ale Trent pokazał mu, żeby był cicho. Ukląkł wolno i odgarnął liście, ukazując zarys sporej kwadratowej płyty ze sklejki. Dwa duże kamienie tkwiły w jej rogu, znacząc miejsce.

Rozległ się słaby odgłos, niemal szelest. Will pochylił się niżej i odgłos zamienił się w kilka zduszonych słów. Fierro też to usłyszał. Wyciągnął pistolet, trzymając latarkę przy lufie, żeby widzieć, co zastrzeli. Nagle obecność agenta przestała mu wadzić, a nawet zdawał się go zachęcać, by to on odciągnął płytę, wystawiając twarz na linię strzału. Kiedy Will na niego popatrzył, detektyw wzruszył ramionami, jakby mówił: „Sam chciałeś włączyć się do śledztwa".

Will spędził cały dzień w sądzie. Jego pistolet został w szufladzie nocnej szafki przy łóżku. Fierro albo miał potwornie dużą narośl na kostce, albo nosił tam zapasową spluwę. Nie zaproponował jednak Willowi broni, a Will o nią nie poprosił. Musiał mieć obie ręce wolne, jeśli chciał odciągnąć płytę i wystarczająco szybko usunąć się z linii strzału. Wstrzymując oddech, usunął kamienie, potem ostrożnie wbił palce w miękki grunt i mocno chwycił skraj deski. Miała standardowe wymiary, mniej więcej metr dwadzieścia na dwa i pół i była gruba na półtora centymetra. Poczuł pod palcami, że drewno jest wilgotne, co znaczyło, że będzie cięższe.

Obejrzał się na Fierra, żeby sprawdzić, czy jest gotowy, potem jednym szybkim ruchem odsunął płytę. Ziemia i gruz poleciały na boki, kiedy szybko się cofnął.

– Co jest? – spytał Fierro zachrypniętym szeptem. – Widzisz coś?

Will wyciągnął szyję, żeby sprawdzić, co odsłonił. Dół był głęboki i niechlujnie wykopany, kwadratowy otwór miał mniej więcej osiemdziesiąt na osiemdziesiąt centymetrów i biegł prosto w głąb ziemi. Will w kucki, przyczajony, zbliżył się do jego brzegu. Świadom, że znowu wystawia głowę na cel, szybko zajrzał do środka, próbując zobaczyć, z czym mają do czynienia. Nie dostrzegł dna, odkrył za to drabinę przymocowaną kilkanaście centymetrów niżej: domowej roboty ustrojstwo ze szczeblami przybitymi krzywo gwoździami do dwóch zbutwiałych kantówek.

Kolejna błyskawica ukazała scenerię w pełnej krasie. Wypisz, wymaluj droga do piekła.

– Podaj mi latarkę – wyszeptał do Fierra.

Detektyw był teraz nader uczynny; wcisnął maglite w wyciągniętą dłoń agenta. Stał na szeroko rozstawionych nogach z pistoletem wycelowanym w otwór i rozszerzonymi strachem oczyma.

Will skierował snop latarki na dół. Pieczara kształtem przypominała L: od przedsionka długiego na jakieś półtora metra odchodziła boczna część główna. Widać było wystające słupy, które podpierały strop. U dołu drabiny znajdowały się zapasy. Puszki z jedzeniem. Sznur. Łańcuchy. Haki. Serce mu stanęło, kiedy usłyszał jakiś ruch na dole, jakby szuranie, i ostatnią siłą woli pohamował się, żeby nie odskoczyć.

Fierro spytał:

– Czy to...

Will przyłożył palec do ust, choć i tak był pewien, że element zaskoczenia raczej nie wchodzi w grę. Ktokolwiek jest tam na dole, widział omiatający ściany snop latarki. Jakby na potwierdzenie z dołu dobiegł gardłowy dźwięk, prawie jęk. Czyżby znajdowała się tam kolejna ofiara? Pomyślał o kobiecie ze szpitala. O Annie. Wiedział doskonale, jak wyglądają ślady po oparzeniach prądem: plamy jakby drobinek prochu na skórze, które nigdy się nie zmywają. Towarzyszą człowiekowi już do końca życia – pod warunkiem oczywiście, że tli się w nim jeszcze jakieś życie.

Zdjął marynarkę i rzucił ją za siebie. Sięgnął do kostki Fierra i wyciągnął rewolwer z kabury. Zanim zdążył się zawahać, opuścił nogi do dołu.

– Jezu Chryste – syknął Fierro.

Popatrzył przez ramię na dziesiątki policjantów kłębiących się zaledwie trzydzieści metrów dalej, bez wątpienia uświadomiwszy sobie lepszy sposób działania.

Do uszu Willa znowu doleciał dochodzący z dołu odgłos. Może zwierzęcia, może człowieka. Wyłączył latarkę i wepchnął ją za pasek spodni z tyłu. Powinien był chyba powiedzieć coś w rodzaju: „Powiedz mojej żonie, że ją kocham", ale nie chciał wieszać Angie takiego kamienia u szyi – albo dawać takiej satysfakcji.

– Poczekaj – wyszeptał Fierro. Miał ochotę wezwać wsparcie.

Will go zignorował. Wsunął rewolwer do kieszeni z przodu, sprawdził ostrożnie, czy rozchwiana drabina utrzyma jego ciężar, a potem zaczął schodzić, stając na szczeblach obcasami, tak by twarz mieć zwróconą do wnętrza pieczary. Dół był wąski, jego ramiona szerokie. Żeby w ogóle się zmieścić, jedną rękę musiał trzymać uniesioną nad głową. Dokoła nadal osuwały się grudki ziemi, szyję i twarz drapały mu korzenie. Ściana szybu znajdowała się tylko kilka centymetrów od jego nosa, co przyprawiło go o klaustrofobię, o którą nigdy wcześniej się nie podejrzewał. Z każdym oddechem coraz mocniej czuł w gardle posmak błota. Nie mógł patrzeć w dół, bo nic nie było widać, a bał się, że jeśli spojrzy do góry, zmieni kierunek wędrówki.

Smród stawał się coraz gorszy: czuć było fekalia, mocz, pot, strach. Niewykluczone, że strach był Willa. Anna stąd uciekła. Może przy okazji zraniła oprawcę. Może ten człowiek czeka tam na dole z pistoletem, brzytwą albo nożem.

Serce waliło mu tak mocno, że czuł je w gardle. Pot lał się z niego ciurkiem, kolana się trzęsły, kiedy krok za krokiem schodził bez końca w dół. Wreszcie dotknął stopą miękkiej ziemi. Czubkiem buta namacał sznur u stóp drabiny, usłyszał szczęk łańcucha. Będzie musiał przykucnąć, żeby dostać się do środka, odsłaniając się i zupełnie pozbawiając możliwości obrony przed ewentualnym napastnikiem.

Słyszał dyszenie, jakieś mamrotanie. W ręku trzymał rewolwer Fierra, niezupełnie świadom, skąd broń się tam wzięła. Było za wąsko, by mógł sięgnąć po latarkę, która zresztą i tak wsunęła mu się głęboko w spodnie. Próbował zgiąć kolana, ale nie chciały słuchać. Dyszenie stawało się coraz głośniejsze i uświadomił sobie, że dochodzi z jego własnych ust. Popatrzył do góry, ale zobaczył tylko ciemność. Pot lał mu się do oczu i zasnuwał wzrok. Wstrzymał oddech, potem szybko kucnął.

Nie rozległ się żaden strzał. Nie poderżnięto mu gardła, nie wbito haków w oczy. Poczuł podmuch powietrza z szybu, a może ktoś się z przodu ruszył? Może przed nim stoi? Może właśnie musnął go ręką po twarzy? Znowu usłyszał jakiś ruch i pisk.

– Nie ruszaj się – zdołał wydusić Will.

Trzymał rewolwer przed sobą, przesuwając go na boki niczym wahadło, na wypadek gdyby ktoś przed nim stał. Trzęsącą się dłonią sięgnął do tyłu po latarkę. Znowu zaczął dyszeć, żenujący odgłos rozchodził się echem po pieczarze.

– Nigdy... – wyszeptał jakiś człowiek.

Dłoń Willa była śliska od potu, ale zacisnął ją nieruchomo na żłobkowanym uchwycie latarki i wbił kciuk w przycisk, włączając światło.

Rozbiegły się szczury – trzy wielkie czarne szczurzyska z pękatymi brzuchami i ostrymi pazurami. Dwa z nich ruszyły prosto na Willa. Cofnął się instynktownie, wpadając na drabinę, stopy zaplątały się w sznur. Zakrył twarz ramionami i poczuł, jak ostre pazury zatapiają mu się w skórę, gdy gryzonie smyrgnęły do góry po drabinie. Wpadł w panikę, uświadomiwszy sobie, że upuścił latarkę, podniósł ją błyskawicznie i omiótł światłem pieczarę w poszukiwaniu innych lokatorów.

Pusta.

– O, w dupę. – Will odetchnął, osuwając się na ziemię.

Pot lał mu się ciurkiem do oczu. Ręce pulsowały w miejscu, gdzie skóra została przerwana przez uciekające szczury. Musiał zwalczyć przemożną chęć pójścia ich śladem.

Jeszcze raz omiótł norę latarką, usiłując zorientować się w otoczeniu, czym wywołał poruszenie wśród karaluchów i innych owadów. Nie sposób było powiedzieć, gdzie uciekł drugi szczur, i Will nie miał zamiaru go szukać. Główna część pieczary leżała niecały metr poniżej miejsca, gdzie Trent siedział. Ktokolwiek projektował tę kryjówkę, wiedział, co robi. Różnica poziomów zapewniała przewagę walki na własnym boisku.

Powoli opuścił się w dół, trzymając latarkę przed sobą, żeby uniknąć dalszych niespodzianek. Miejsce było większe, niż się spodziewał. Wykopanie go musiało zająć całe tygodnie wynoszenia ziemi wiadrami i znoszenia drewna do podparcia stropów.

Szacował, że główne pomieszczenie ma co najmniej trzy metry długości i niecałe dwa szerokości. Strop znajdował się jakieś sto osiemdziesiąt centymetrów nad głową – wystarczająco wysoko, by Will mógł stać, gdyby się pochylił, ale bał się, że kolana odmówią mu posłuszeństwa. Światło latarki nie było w stanie objąć całości, więc wnętrze wydawało się ciaśniejsze niż w rzeczywistości. Jego upiorny wygląd oraz nieludzki odór krwi i ekskrementów zmieszanych z zapachem gliny sprawiały, że wyglądało na jeszcze mniejsze i bardziej ponure.

Pod jedną ścianą stało niskie łóżko sklecone na pierwszy rzut oka z prefabrykowanego drewna. Wyżej wisiała półka z zapasami: stały tam dzbanki z wodą, zupy w puszkach i leżały narzędzia tortur, które Will oglądał tylko w książkach. Materac był cienki, z rozdartego czarnego pokrycia wystawała zakrwawiona pianka. Górę zaścielały kawały skóry i tkanek, niektóre już się rozkładające. Wszędzie dokoła niczym wzburzone morze kłębiły się larwy much. Były tu też igły do szycia, haczyki na ryby, zapałki. Na ziemi przy łóżku walały się ścinki sznura, dość, by owinąć człowieka od stóp do głów niczym mumię. Drewniana rama nosiła głębokie ślady zadrapań. Pod nią widać było zaschnięty strumień krwi, która zbierała się na podłodze.

– Mówiłem... – odezwał się jakiś głos zaraz zagłuszony przez trzaski.

Na tyłach pieczary na białym plastikowym krzesełku stał odbiornik telewizyjno-radiowy. Will zbliżył się do niego na ugiętych nogach, popatrzył na przyciski i wcisnął kilka, zanim udało mu się wyłączyć radio, poniewczasie przypomniawszy sobie, że powinien mieć rękawiczki.

Przebiegł wzrokiem wzdłuż elektrycznego sznura i zobaczył duży akumulator do łodzi. Wtyczka została odcięta, a kabel podłączono do zacisków czerwonym i czarnym przewodem wewnętrznym. Leżały tam też inne druty, z odsłoniętymi miedzianymi końcówkami. Były poczerniałe i Will poczuł dobrze znaną woń palonej skóry.

– Ej, Gomez! – zawołał Fierro głosem spiętym do granic możliwości.

– Pusto – poinformował go Will.

Detektyw sarknął niepewnie.

– Serio – zapewnił Will. Podszedł do otworu i wyciągnął szyję, żeby spojrzeć na policjanta. – Pusto.

– Chryste. – Fierro zniknął z pola widzenia, ale Will zdążył zauważyć, jak robi ręką znak krzyża.

Sam był gotów się przeżegnać, a nawet pomodlić, gdyby nie udało mu się stąd wydostać. Oświetlił latarką drabinę i zobaczył odciski swoich butów nakładające się na krwawe ślady stóp na szczeblach. Popatrzył na swoje znoszone obuwie i klepisko i dostrzegł więcej krwawych śladów, które rozmazał. Przepchnął się z powrotem do szybu i postawił nogę na szczeblu, starając się nie narobić więcej zniszczeń. Technicy już i tak będą kląć go w żywy kamień, ale teraz mógł co najwyżej tylko przeprosić.

Nagle zamarł. Anna miała poranione stopy, ale były to głównie powierzchowne otarcia i zadrapania, które powstały na skutek kontaktu z czymś ostrym podczas chodzenia boso: igliwiem, rzepami, cierniami roślin. To właśnie dlatego założył, że musiała iść przez las. Nie krwawiła wystarczająco mocno, by zostawić tak wyraźne odciski stóp, że można było prawie zobaczyć linie papilarne. Stał z ręką nad głową i jedną nogą na drabinie, bijąc się z myślami.

Westchnął ciężko, potem z powrotem przykucnął i omiótł strumieniem światła każdy zakątek pieczary. Nie dawały mu spokoju te strzępy sznura przy łóżku, sposób, w jaki wcześniej były zawiązane. Wyobraził sobie skrępowaną Annę, sznur przytrzymujący ją do ramy, oplatający pętla za pętlą. Wyciągnął jeden kawałek spod pryczy. Końcówka została równo odcięta, podobnie jak inne. Rozejrzał się. Gdzie się podział nóż?

Prawdopodobnie tam, gdzie ostatni głupi szczur.

Odciągnął materac, krztusząc się od fetoru i starając się nie myśleć o tym, czego dotykają jego gołe dłonie. Zatykał nos nadgarstkiem, a drugą ręką zdejmował listewki stelaża z nadzieją, że spod spodu nie wyskoczy szczur i nie wydrapie mu oczu. Robił jak najwięcej hałasu, rzucając deszczułki na stos na klepisku. Usłyszał pisk za plecami, odwrócił się i zobaczył, że gryzoń przykucnął w rogu i mierzy go świdrującym spojrzeniem, w którym odbija się światło. Will trzymał w ręku kawałek drewna i zastanawiał się przez chwilę, czy nie rzucić nim w zwierzę, ale bał się, że w ciasnym pomieszczeniu nie uda mu się dokładnie wycelować. Bał się także, że wnerwi szczura.

Odłożył deskę na stos, nie zdejmując bacznego spojrzenia z gryzonia. Jego uwagę przykuło coś innego. Na spodzie listew stelaża znajdowały się ślady zadrapań – głębokie krwawe żłobienia, które nie wyglądały na zrobione przez zwierzę. Oświetlił przestrzeń pod łóżkiem. Na całej jego długości i szerokości biegł wykop mniej więcej piętnastocentymetrowej głębokości. Will sięgnął w głąb i podniósł krótki kawałek sznurka. Podobnie jak pozostałe, został przecięty. W przeciwieństwie do reszty na tym tkwił nienaruszony supeł.

Usunął resztę deszczułek. Pod łóżkiem znajdowały się cztery metalowe bolce, po jednym w każdym rogu. Przez pierścień jednego przeciągnięty był sznur – różowy od krwi. Dotknął go palcami i poczuł wilgoć. Kciukiem otarł się o coś ostrego. Nachylił się bardziej, wytężając wzrok, by zobaczyć, co go podrapało. Palcami rozdłubał sznurek i wyciągnął znalezisko, żeby obejrzeć je dokładniej w świetle latarki. Żółć napłynęła mu do gardła, kiedy zobaczył, co trzyma.

– Ej! Gomez! Wychodzisz czy nie?! – ryknął Fierro.

– Sprowadź tu ekipę poszukiwawczą! – wychrypiał Will.

– O czym ty ga...

Will popatrzył na kawałek złamanego zęba na swojej dłoni.

– Jest jeszcze jedna ofiara!

ROZDZIAŁ TRZECI

Faith siedziała w szpitalnej stołówce, myśląc, że czuje się tak samo jak w wieczór balu szkolnego na zakończenie klas ósmych: niechciana, gruba i ciężarna. Popatrzyła na siedzącego po drugiej stronie stolika żylastego detektywa z policji Rockdale. Z tym swoim długim nosem i tłustymi opadającymi na uszy włosami Max Galloway miał gburowaty, acz skonsternowany wygląd wyżła weimarskiego. I nastrój także pod psem. Każde zdanie, które wypowiedział do Faith, nawiązywało do zabrania mu sprawy przez GBI, poczynając od początkowej salwy, kiedy wprosiła się na przesłuchanie dwóch świadków:

– Założę się, że ta dziwka, dla której pracujecie, już fiokuje sobie koafiurę do telewizji.

Faith ugryzła się w język, choć trudno jej było sobie wyobrazić fiokującą się Amandę Wagner. Ostrzącą pazury – ewentualnie, ale jej włosy tworzyły strukturę, która nie poddawała się fiokowaniu.

– Dobra – powiedział Galloway do dwóch świadków. – No więc jeździliście sobie po okolicy, nic nie widzieliście i nagle pojawił się ten buick i dziewczyna na drodze?

Faith musiała się pohamować, żeby nie przewrócić oczyma. Zanim zaczęła partnerować Willowi Trentowi, przez dziesięć lat pracowała w policyjnej dochodzeniówce. Wiedziała, jak się czuje detektyw, gdy nagle jak spod ziemi wyskakuje mu jakiś dupek z GBI i mówi, że poprowadziłby śledztwo lepiej. Rozumiała gniew i frustrację, jakie zalewają człowieka, gdy się go traktuje jak niedouczonego kmiotka, który nie ustaliłby drogi wyjścia z papierowej torebki. Jednak teraz, gdy sama pracowała w GBI, myślała tylko o tym,z jaką przyjemnością sprzątnęłaby tę sprawę sprzed nosa temu szczególnie irytującemu niedouczonemu kmiotkowi.

Jeśli zaś idzie o papierową torbę, Max Galloway mógłby równie dobrze włożyć sobie taką na głowę. Przesłuchiwał Ricka Siglera i Jake'a Bermana, dwóch mężczyzn, którzy zjawili się na miejscu wypadku, od co najmniej półtorej godziny i jeszcze się nie zorientował, że obaj są ewidentnie homo.

Teraz zwrócił się do Ricka, ratownika medycznego, który udzielał kobiecie pomocy na miejscu zdarzenia.

– Powiedział pan, że pańska żona jest pielęgniarką?

Rick wbił wzrok w ręce. Miał obrączkę z różowego złota na palcu i najpiękniejsze, najdelikatniejsze dłonie, jakie Faith zdarzyło się widzieć u mężczyzny.

– Pracuje na nocną zmianę w Crawford Long.

Faith zastanawiała się, jak biedaczka by się czuła, wiedząc, że mężuś włóczy się po lasach, polerując pałę, gdy ona odwala nocki w szpitalu.

– Na jaki film poszliście? – indagował Galloway.

Zadał to pytanie już co najmniej trzykrotnie i za każdym razem otrzymał tę samą odpowiedź. Faith była jak najbardziej za próbą zbijania z tropu podejrzanych, ale do tego trzeba mieć trochę więcej inteligencji niż ziemniak – niestety, tą właśnie cnotą Max Galloway nie grzeszył. W oczach Faith wyglądało na to, że obaj świadkowie mieli po prostu pecha znaleźć się w niewłaściwym miejscu o niewłaściwym czasie. Jedyną dobrą tego stroną był fakt, że ratownik mógł się zająć ofiarą do przyjazdu karetki.

Rick spytał Faith:

– Myśli pani, że się z tego wyliże?

Faith przypuszczała, że kobieta nadal jest na sali operacyjnej.

– Nie wiem – przyznała. – Ale zrobił pan wszystko, co w ludzkiej mocy, żeby jej pomóc. Musi pan o tym pamiętać.

– Widziałem chyba z milion wypadków samochodowych. – Przeniósł wzrok z powrotem na ręce. – Ale czegoś takiego jeszcze nigdy. To było... po prostu okropne.

W życiu codziennym Faith nie należała raczej do wrażliwców, ale jako policjantka wiedziała, kiedy potrzebne jest łagodniejsze podejście. Miała ochotę nachylić się przez stół i położyć ręce na dłoniach Ricka, żeby dodać mu otuchy i pomóc się otworzyć, ale nie wiedziała, jak zareagowałby Galloway, a nie chciała robić sobie z niego jeszcze większego wroga.

– Spotkaliście się w kinie czy zabraliście jednym samochodem?

Jake, drugi świadek, poruszył się niespokojnie na krześle. Od samego początku siedział cicho, odzywając się tylko, kiedy został bezpośrednio o coś zapytany. Teraz popatrywał na zegarek.

– Muszę już iść – powiedział. – Za niecałe pięć godzin zaczynam pracę i chciałbym się jeszcze przespać.

Faith zerknęła na zegar ścienny. Nie zdawała sobie sprawy, że dochodzi już pierwsza w nocy, prawdopodobnie dlatego, że po zastrzyku z insuliny złapała nagle drugi oddech. Will wprowadził ją pobieżnie w sprawę dwie godziny temu i popędził na miejsce zdarzenia, zanim zdążyła zaproponować, że do niego dołączy. Był uparty i Faith wiedziała, że znajdzie jakiś sposób, żeby przejąć śledztwo. Żałowała tylko, że nie wie, co go tam tak długo zatrzymuje.

Galloway pchnął notatnik i długopis w kierunku mężczyzn.

– Dajcie mi swoje wszystkie numery telefonów.

Rickowi odpłynęła krew z twarzy.

– Tylko komórkowy. Proszę. Nie dzwońcie do mnie do pracy. – Zerknął nerwowo na Faith, potem z powrotem na Gallowaya. – Szefostwo patrzy krzywym okiem na prywatne rozmowy w pracy. Cały dzień siedzę w karetce. Zgoda?

– Jasne. – Max rozparł się na krześle, krzyżując ramiona na piersi i gapiąc się na Faith. – Słyszałaś, sępie?

Faith posłała mu cierpki uśmiech. Bez problemu znosiła otwartą nienawiść, ale te pasywno-agresywne manewry podjazdowe strasznie działały jej na nerwy.

Wyjęła dwie wizytówki i wręczyła każdemu z mężczyzn po jednej.

– Proszę, zadzwońcie, jeśli przypomnicie sobie coś jeszcze. Nawet coś na pozór nieistotnego.

Rick skinął głową i schował wizytówkę do kieszeni

spodni. Jake obracał swoją w dłoniach i Faith dawała głowę, że ciśnie ją do pierwszego napotkanego kosza. Miała wrażenie, że mężczyźni nie znają się za dobrze. O swoich relacjach mówili bardzo ogólnikowo, ale obaj ochoczo pokazali bilet do kina. Prawdopodobnie tam się właśnie poznali i potem postanowili pojechać w jakieś spokojniejsze miejsce.

Czyjaś komórka zaczęła wygrywać *Hymn Bojowy Republiki*. Faith zdążyła skorygować pierwsze wrażenie, dochodząc do wniosku, że z niemal stuprocentową pewnością jest to hymn reprezentacji Uniwersytetu Georgia, kiedy Galloway otworzył telefon i rzucił:

– Taa?

Jake zaczął się podnosić i detektyw pokiwał głową, jakby wcześniej padła prośba o zgodę na odejście, a on jej udzielił.

– Dziękuję – powiedziała Faith do świadków. – Skontaktujcie się ze mną, jeśli coś jeszcze przyjdzie wam do głowy.

Jake był już w połowie drogi do drzwi, ale Rick się ociągał.

– Przykro mi, że nie na wiele się przydałem. Mnóstwo się działo i... – Do oczu napłynęły mu łzy. Ewidentnie nadal prześladowało go wspomnienie wydarzeń na drodze.

Faith położyła mu dłoń na ramieniu i ściszyła głos.

– Naprawdę nie obchodzi mnie, co tam robiliście. – Rick spłonął. – Nic mi do tego. Zależy mi tylko na znalezieniu człowieka, który skrzywdził tę kobietę.

Odwrócił wzrok. W tej samej chwili Faith już wiedziała, że zagrała fatalnie. Skinął sztywno głową, nadal nie patrząc jej w oczy.

– Przykro mi, że nie mogę bardziej pomóc.

Faith odprowadziła go wzrokiem, plując sobie w brodę. Usłyszała, jak Galloway z tyłu rzuca mięsem. Odwróciła się, kiedy wstał od stołu z takim impetem, że jego krzesło poleciało z trzaskiem na podłogę.

– Twój partner to pieprzony czub. W stu pieprzonych procentach.

Faith podzielała tę opinię – Will nie robił niczego na pół gwizdka – ale nigdy nie obmawiała go za plecami.

– To tylko luźne spostrzeżenie czy chcesz mi coś powiedzieć?

Galloway wydarł kartkę z numerami i cisnął na blat.

– Macie swoją sprawę.

– Cóż za niespodziewany obrót wydarzeń. – Posłała mu uśmiech, podając wizytówkę. – Bądź uprzejmy przefaksować mi do biura wszystkie zeznania świadków i wstępne raporty. Numer jest u dołu.

Wyrwał jej kartonik i potrąciwszy stolik, ruszył do wyjścia, mrucząc:

– Zobaczymy, kto się będzie śmiał ostatni, suko.

Faith się pochyliła, żeby podnieść krzesło, a kiedy się wyprostowała, zakręciło jej się w głowie. Siostra instruktorka okazała się bardziej siostrą niż instruktorką i Faith nadal niezupełnie wiedziała, co ma robić z tą całą wyprawką dla diabetyków, jaką otrzymała. Miała karteczki, formularze, dzienniczek i zestaw wyników badań oraz dokumentację szpitalną do przekazania lekarzowi jutro. Ni w ząb nic z tego nie rozumiała. Może na skutek szoku. Zawsze była świetna w matematyce, ale na myśl o obliczaniu zawartości cukru w jedzeniu i dawek insuliny mąciło jej się w głowie.

Ostatecznym ciosem okazał się wynik testu ciążowego, który uprzejmie załączono do pozostałych badań krwi. Do tej pory Faith czepiała się nadziei, że apteczne testy bywają zawodne, a ich wyniki były fałszywe – wszystkie trzy. W końcu jak dokładny może być obszczany kawałek plastiku? Miotała się więc przez całe dnie między podejrzeniem, że jest w ciąży, a przekonaniem, że ma guza żołądka, nie do końca pewna, którą ewentualność woli. Kiedy pielęgniarka ochoczo i radośnie poinformowała ją: „Będzie pani miała dzidziusia!", Faih miała wrażenie, że zaraz znowu zemdleje.

Teraz już nic nie mogła z tym zrobić. Usiadła z powrotem przy stole i wbiła wzrok w numery telefonów Ricka Siglera i Jake'a Bermana. Szła o zakład, że ten Bermana jest fałszywy, ale nie od dziś grała w te klocki. Max Galloway bardzo się zirytował, kiedy poprosiła o wgląd w prawa jazdy obu panów i spisała sobie ich dane. Z drugiej strony może nie był takim skończonym idiotą. Widziała, jak sam skopiował numery świadków, kiedy rozmawiał przez komórkę. Uśmiechnęła się na myśl, że teraz będzie musiał prosić ją o adres Bermana.

Ponownie zerknęła na zegar, zastanawiając się, co zatrzymuje Coldfieldów. Jak twierdził detektyw, małżonkowie zostali poinformowani, że mają się stawić w stołówce po zakończeniu badań, ale najwyraźniej starsi państwo się nie spieszyli. Zachodziła także w głowę, co takiego zrobił Will, że Galloway nazwał go czubem. Pierwsza by przyznała, że jej partnerowi daleko do konwencjonalności i na pewno robi wszystko po swojemu, ale był najlepszym gliną, z jakim Faith pracowała – nawet jeśli miał zdolności interpersonalne speszonego berbecia. Na przykład o tym, że przydzielono ich do tej sprawy, wolałaby się dowiedzieć od niego zamiast od wyżła weimarskiego prowincjonalnego chowu wsobnego Rockdale.

Może zresztą to lepiej, że nie musi teraz rozmawiać z Willem. Nie miała pojęcia, jak, nie zdradzając prawdy, wyjaśni mu, dlaczego zemdlała na parkingu przy sądzie.

Pogrzebała w plastikowej torbie z wyprawką i wyciągnęła broszurę, którą dostała od pielęgniarki, mając nadzieję, że tym razem uda jej się skupić na treści. Nie zabrnęła jednak dalej niż do otwierającego akapitu „Zatem masz cukrzycę", a już zaczęła znowu wmawiać sobie, że na pewno zaszła jakaś pomyłka. Owszem, niby poczuła się lepiej po zastrzyku, ale może to była bardziej zasługa kilkuminutowego odpoczynku niż insuliny. Czy ktoś z jej rodziny miał coś podobnego? Powinna zadzwonić do matki, ale nawet nie powiedziała jej jeszcze, że jest w ciąży. Poza tym Evelyn była w Meksyku na urlopie – pierwszym od lat. Faith wolała mieć pewność, że matka będzie miała łatwy dostęp do pomocy lekarskiej, kiedy uraczy ją tymi nowinami.

Tak naprawdę powinna zadzwonić raczej do brata. Kapitan Zeke Mitchell był chirurgiem w bazie sił lotniczych w Landstuhl w Niemczech. Jako lekarz wiedziałby wszystko o jej chorobie, co zapewne było powodem, dla którego wzdragała się przed telefonem. Kiedy jako czternastolatka obwieściła, że jest w ciąży, Zeke zaczynał właśnie klasę maturalną. Wstyd i upokorzenie towarzyszyły mu dwadzieścia cztery godziny na dobę siedem dni w tygodniu. W domu musiał patrzeć, jak jego nastoletnia puszczalska siostra puchnie w oczach niczym balon zaporowy, a w szkole wysłuchiwać z ust kolegów niewybrednych żartów na jej temat. Nic dziwnego, że prosto po liceum poszedł do wojska.

No i był jeszcze Jeremy. Faith nie miała pojęcia, jak powie synowi, że jest w ciąży. Miał osiemnaście lat, tyle samo co Zeke, kiedy zrujnowała mu życie. Jeśli chłopcy wolą nie wiedzieć, że ich siostry uprawiają seks, to pewne jak diabli, że tym bardziej nie chcą czegoś takiego dowiadywać się o swoich matkach.

Faith właściwie dorastała razem z Jeremym, i teraz, gdy był już na studiach, ich relacje osiągnęły ten wygodny etap, kiedy mogli rozmawiać ze sobą jak dorośli. Jasne, czasem miewała przebłyski wspomnień z jego dzieciństwa – przypominał jej się kocyk, który ciągał ze sobą wszędzie, albo to jak na okrągło się dopytywał, kiedy zrobi się zbyt ciężki, by mogła go nosić – ale generalnie pogodziła się z faktem, że jej mały chłopczyk jest już dorosłym mężczyzną. Jak ma teraz nagle wywrócić mu do góry nogami to ich ustabilizowane życie? I nie szło już tylko o to, że jest w ciąży. Była chora. Na coś, co bywa dziedziczne. Jeremy też może być obciążony. A właśnie po raz pierwszy chodził na poważnie z dziewczyną. Wiedziała, że ze sobą sypiają. Dzieci Jeremy'ego mogą być diabetykami z winy Faith.

– Boże – wymamrotała. Nie chodziło o cukrzycę, tylko o myśl, że może zostać babcią przed trzydziestym czwartym rokiem życia.

– Jak się pani czuje?

Faith podniosła głowę i zobaczyła, że naprzeciwko stoi Sara Linton z tacą pełną jedzenia.

– Staro.

– Po lekturze tej broszury?

Faith zapomniała, że trzyma ją w dłoni. Pokazała Sarze, żeby usiadła.

– Mówiąc prawdę, właśnie kwestionowałam pani kompetencje medyczne.

– Nie pani pierwsza. – Lekarka powiedziała to z żalem, czym po raz kolejny wzbudziła ciekawość Faith. –

Moje podejście do pacjenta nie było w pani wypadku wzorcowe.

Faith nie zaprotestowała. W izbie przyjęć z miejsca miała ochotę znienawidzić Sarę Linton tylko dlatego, że ta była typem kobiety, który z miejsca się nienawidziło: wysoką, szczupłą i zgrabną, o długich kasztanowych włosach i tym typie niezwykłej urody, który sprawiał, że mężczyźni zaczynali wyłazić ze skóry, gdy tylko wchodziła do pokoju. Sytuacji nie poprawiał fakt, że najwyraźniej miała jeszcze dobrze poukładane w głowie oraz udane życie, i Faith poczuła tę samą automatyczną niechęć, jaka ją nawiedzała w liceum na widok cheerleaderek. Chciałaby myśleć, że to siła charakteru i dojrzałość pozwoliły jej w końcu przezwyciężyć tę małostkową reakcję, ale prawda wyglądała tak, że po prostu nie potrafiła nienawidzić wdowy, zwłaszcza wdowy po policjancie.

– Jadła coś pani od naszej rozmowy?

Faith pokręciła głową, zerkając na jedzenie na tacy: mizerny kawałek pieczonego kurczaka na przywiędłym liściu sałaty w otoczeniu czegoś, co zdaje się, choć bez stuprocentowej pewności, było jakimś warzywem. Sara przekroiła udko za pomocą plastikowych sztućców. A przynajmniej próbowała przekroić. Koniec końców przypominało to bardziej przedzieranie. Usunęła bułkę z talerzyka na chleb i podała Faith połowę porcji.

– Dzięki – wydukała Faith, myśląc, że czekoladowe ciastka z orzechami, które zauważyła zaraz po wejściu, wyglądały o niebo apetyczniej.

– Zostaliście oficjalnie przydzieleni do sprawy? – spytała lekarka.

Faith zdziwiło trochę to pytanie, ale z drugiej strony Sara zajmowała się ofiarą, więc jej ciekawość była naturalna.

– Will zdołał jakoś ją dla nas wyszarpać. – Sprawdziła zasięg komórki, zastanawiając się, dlaczego jeszcze do niej nie zadzwonił.

– Jestem pewna, że miejscowa policja z radością odstąpiła śledztwo.

Faith się zaśmiała, myśląc, że mąż Sary był zapewne dobrym gliniarzem. Sama też nie była kiepska w te klocki i wiedziała, że dochodzi pierwsza w nocy, a lekarka sześć godzin temu powiedziała, że schodzi z dyżuru. Przyjrzała się badawczo. Jej twarz zdobił wyraźny rumieniec adrenalinowej ćpunki. Pani doktor polowała na informacje.

– Sprawdziłam stan Henry'ego Coldfielda, tego kierowcy – zagaiła teraz. Jeszcze nie tknęła jedzenia, ale przecież przyszła do stołówki, by odszukać Faith, a nie dławić się kawałkiem kurczaka, który wykluł się ze skorupki mniej więcej w tym samym czasie, gdy Nixon ustępował ze stanowiska. – On ma lekkie obrażenia klatki piersiowej od poduszki powietrznej, a ona kilka szwów na głowie, ale oboje wyszli z tego bez większego szwanku.

– Właśnie na nich czekam. – Faith jeszcze raz zerknęła na zegar. – Mieli się tu ze mną spotkać.

Sara wyglądała na zaskoczoną.

– Pojechali do domu z synem co najmniej pół godziny temu.

– Że co?

– Widziałam, jak cała trójka rozmawiała z tym detektywem z tłustymi włosami.

– Skurwysyn. – Nic dziwnego, że Max Galloway miał taką zadowoloną minę, kiedy wychodził ze stołówki. – Przepraszam – rzuciła w stronę Sary. – Jeden z miejscowych jest sprytniejszy, niż myślałam. Zrobił mnie na szaro. Dałam się podejść jak dziecko.

– Coldfield to rzadkie nazwisko – powiedziała Sara. – Na pewno figurują w książce telefonicznej.

Faith miała taką nadzieję, bo nie chciała dawać Gallowayowi tej satysfakcji i prosić go o przekazanie danych.

– Mogłabym wyciągnąć dla pani ich adres i telefon ze szpitalnej karty – zaproponowała lekarka.

Faith była zaskoczona, bo coś takiego z reguły wymagało ciągania się po sądach.

– Byłoby wspaniale.

– Żaden problem.

– To jest... – Faith ugryzła się w język, zanim zdążyła poinformować kobietę, że złamie prawo. Zmieniła temat. – Will powiedział mi, że zajmowała się pani poszkodowaną, kiedy ją przywieziono.

– Anną – podpowiedziała Sara. – Przynajmniej wydaje mi się, że takie imię podała.

Faith sondowała sytuację. Will bardzo ogólnikowo opisał jej stan pacjentki, najbardziej wstrząsające szczegóły zachowując dla siebie.

– Jaka jest pani wstępna opinia?

Sara oparła się wygodnie na krześle, krzyżując ramiona.

– Objawy poważnego niedożywienia i odwodnienia. Dziąsła białe, żyły zapadnięte. Biorąc pod uwagę przebieg procesów gojenia i krzepnięcia, powiedziałabym, że obrażenia zadawano przez jakiś czas. Na nadgarstkach i kostkach nóg widoczne ślady krępowania. Niewątpliwie także została zgwałcona, prawdopodobnie kilka razy, znalazłam ślady penetracji przez pochwę i odbyt plus oznaki użycia narzędzia tępokrawędzistego. Zebranie pełnego pakietu śladów biologicznych przed operacją nie wchodziło w grę, ale zbadałam ją najdokładniej, jak mogłam. Usunęłam spod paznokci kilka drzazg, żeby wasi technicy mogli na nie spojrzeć. – Na pierwszy rzut oka raczej nie pochodzą z płyty pilśniowej, ale to będą musieli potwierdzić wasi ludzie.

Mówiła tak, jakby składała zeznanie w sądzie. Każde spostrzeżenie poparte było dowodem, każdy domysł czy wniosek sformułowany jak opinia. Faith spytała:

– Jak długo według pani była więziona?

– Minimum cztery dni. Choć sądząc po stopniu niedożywienia, równie dobrze mogło to trwać od tygodnia do dziesięciu dni.

Faith miała nadzieję, że kobieta nie była torturowana tak długo.

– A skąd pewność co do tych czterech dni?

– Z uwagi na ranę gruczołu piersiowego. – Sara pokazała na bok własnej piersi. – Była głęboka, już septyczna i z objawami aktywności czerwi. Musiałaby pani porozmawiać z entomologiem, żeby określić ich dokładne stadium larwalne, ale zważywszy na to, że była nadal żywa, jej ciało stosunkowo ciepłe i zapewniające świeży zapas krwi, cztery dni to dość rozsądne przypuszczenie. – Po chwili dodała: – Nie wydaje mi się, żeby pierś udało się uratować.

Faith siedziała z zaciśniętymi ustami, z trudem powstrzymując się od zasłonięcia dłonią własnej piersi. Ile części ciała człowiek może stracić i żyć dalej? Lekarka kontynuowała bez dalszych zachęt:

– Jedenaste żebro, tutaj. – Dotknęła brzucha. – Zostało usunięte niedawno, prawdopodobnie dzisiaj albo wczoraj wieczorem. Z dużą precyzją.

– Chirurgiczną?

– Nie. – Potrząsnęła głową. – Mam na myśli pewność działania. Nie było żadnych próbnych nacięć, żadnych oznak wahania. Sprawca działał zdecydowanie i ze świadomością tego, co chce zrobić.

Faith pomyślała, że lekarce też raczej nie zbywa na pewności siebie i zdecydowaniu.

– Jak pani zdaniem zostało to zrobione?

Sara wyjęła bloczek recept i narysowała kilkanaście łukowatych linii, potem wyjaśniła:

– Żebra tworzą dwanaście ponumerowanych od góry do dołu par. – Postukała w linie długopisem. – Pierwsza znajduje się tuż pod obojczykiem, a dwunasta tutaj. – Podniosła wzrok, sprawdzając, czy Faith nadąża. – Dwie ostatnie, jedenasta i dwunasta, są uważane za tak zwane żebra wolne, bo nie mają przedniego połączenia z mostkiem. Łączą się z tylko z tyłu z kręgami piersiowymi. – Narysowała prostą linię symbolizującą kręgosłup. – Górne siedem par łączy się z tyłu z kręgosłupem, a od strony brzusznej z mostkiem, jak wielki półksiężyc. Następne trzy pary, tak zwane żebra fałszywe, trzymają się tych wyżej. Cała struktura jest bardzo elastyczna, co umożliwia oddychanie. Z tego samego powodu bardzo trudno jest złamać któreś bezpośrednim uderzeniem: wszystkie się dosyć mocno uginają.

Faith siedziała pochylona nad kartką, chłonąc każde słowo.

– Zatem zrobił to ktoś z wykształceniem medycznym?

– Niekoniecznie. Żebra łatwo wyczuć palcami. Człowiek wie, gdzie są.

– No, ale mimo wszystko...

– Proszę popatrzeć. – Wyprostowała się, unosząc prawe ramię i przyciskając palce lewej dłoni do boku. – Wystarczy przebiec dłonią wzdłuż tylnej linii pachowej, aż poczuje się koniuszek żebra jedenastego, dwunaste kończy się trochę bardziej z tyłu. – Wzięła plastikowy nóż. – Potem trzeba już tylko przyłożyć narzędzie i przeciąć skórę wzdłuż żebra, czubek ostrza może nawet dla ułatwienia ocierać się o kość. Następnie odsunąć tłuszcz i mięśnie, oddzielić żebro od kręgosłupa, odłamać, jakkolwiek, potem chwycić, wyciągnąć i po sprawie.

Faith zrobiło się niedobrze na samą myśl.

Sara odłożyła nóż.

– Myśliwemu nie zajęłoby to nawet minuty, ale tak naprawdę każdy by sobie poradził. To nie jest chirurgia precyzyjna. Idę o zakład, że w Internecie znajdzie pani niejeden lepszy schemat niż ten mojego autorstwa.

– A czy jest możliwe, że tego żebra nigdy tam nie było? Że urodziła się bez niego?

– Niewielki odsetek populacji rodzi się z jedną parą mniej, ale zdecydowana większość z nas ma dwadzieścia cztery żebra.

– Wydawało mi się, że mężczyźni mają o jedno mniej.

– Myśli pani o Adamie i Ewie? – Uśmiechnęła się lekko i Faith odniosła wyraźne wrażenie, że z trudem powstrzymuje głośny śmiech. – Nie wierzyłabym we wszystko, co mówią w szkółce niedzielnej, Faith. Wszyscy mamy tę samą liczbę żeber.

– Czyli się zbłaźniłam. – To nie było pytanie. – Ale jest pani pewna, że żebro zostało usunięte?

– Wyrwane. Chrząstka i mięśnie były rozdarte. To było raczej brutalne wyszarpnięcie.

– Wygląda na to, że dużo pani o tym myślała.

Sara wzruszyła ramionami, jakby nie było w tym nic poza naturalną ciekawością. Znowu wzięła do ręki nóż i widelec i usiłowała odkroić kawałek kurczaka. Faith obserwowała, jak przez kilka sekund męczy się z wysuszonym na wiór mięsem. W końcu odłożyła sztućce i posłała jej dziwny, niemal zażenowany uśmiech.

– Byłam kiedyś koronerem.

Faith otworzyła usta ze zdziwienia. Sara powiedziała to tak, jakby przyznawała się do ukrytego talentu akrobatycznego albo młodzieńczej nierozwagi.

– Gdzie?

– W okręgu Grant. Jakieś cztery godziny drogi stąd.
– W życiu nie słyszałam.
– Leży zdecydowanie bliżej morza – wyjaśniła Sara. Położyła ręce na stole, w jej głosie pojawił się ton żalu, kiedy wyznała: – Wzięłam tę pracę, żeby spłacić wspólnika z gabinetu pediatrycznego. Przynajmniej tak mi się wtedy wydawało. Prawda wyglądała jednak tak, że się nudziłam. Jak się wykona ileś tam zastrzyków i przyklei ileś tam plastrów na otarte kolana, człowiek zaczyna wariować.
– Wyobrażam sobie – wymamrotała Faith, zastanawiając się, co jest bardziej niepokojące: czy to, że lekarka, która właśnie rozpoznała u niej cukrzycę, jest pediatrą, czy to, że jest koronerem.
– Cieszę się, że prowadzicie to śledztwo. Pani partner jest...
– Dziwny?
Sara posłała jej zaskoczone spojrzenie.
– Chciałam powiedzieć „zaangażowany".
– Ma dużo determinacji – zgodziła się Faith i pomyślała, że po raz pierwszy, odkąd zna Willa, czyjeś pierwsze wrażenie o nim jest tak pochlebne. Zyskiwał dopiero przy bliższym poznaniu, bo z reguły sympatia do niego rozwijała się powoli jak zaćma.
– Wydaje się bardzo empatyczny. – Sara uniosła dłoń, żeby powstrzymać protesty. – Nie żeby policjanci nie byli zdolni do współczucia, ale z reguły go nie okazują.
Faith mogła tylko skinąć głową. Will rzadko dawał coś po sobie poznać, ale wiedziała, że ofiary maltretowania i tortur poruszają go do żywego.
– To dobry glina.
Sara popatrzyła na tacę z jedzeniem.
– Może pani to zjeść, jeśli chce. Tak naprawdę nie jestem głodna.
– Nie sądziłam, że przyszła pani tu jeść.
Zaczerwieniła się, przyłapana.
– Nie ma sprawy – zapewniła ją Faith. – Ale jeśli propozycja dotycząca danych Coldfieldów jest nadal aktualna...
– Oczywiście. – Faith wyciągnęła wizytówkę. – Numer mojej komórki jest na odwrocie.
– Świetnie. – Przebiegła go wzrokiem z zaciśniętymi

stanowczo ustami i Faith zrozumiała, że Sara nie tylko doskonale wie, że łamie prawo, ale też najwyraźniej ma to gdzieś. – Jeszcze jedno. – Wyglądało na to, że bije się z myślami, czy w ogóle o tym mówić. – Jej oczy. Na białkach widoczne były liczne wybroczyny przy braku śladów duszenia. Źrenice nie reagowały na światło. To może być skutek urazu albo coś neurologicznego, ale nie jestem pewna, czy w ogóle widziała.

– To by mogło tłumaczyć, dlaczego wyszła na środek drogi.

– Biorąc pod uwagę, przez co przeszła....

Sara nie dokończyła, ale Faith wiedziała doskonale, co ma na myśli. Nie trzeba było być lekarzem, żeby rozumieć, że kobieta, która przeżyła taki koszmar, mogła celowo rzucić się pod koła pędzącego samochodu.

Sara włożyła wizytówkę do kieszeni fartucha.

– Zadzwonię do pani za kilka minut.

Faith odprowadziła ją wzrokiem, zachodząc w głowę, jak, u diabła, ktoś taki wylądował w szpitalu Grady'ego. Sara miała jakieś czterdzieści lat, a urazówka była przytuliskiem młodych, miejscem, z którego się ucieka z krzykiem przed ukończeniem trzydziestki.

Jeszcze raz sprawdziła telefon. Jarzyło się wszystkie sześć kreseczek, co znaczyło, że sygnał jest mocny i wyraźny. Starała się dać Willowi kredyt zaufania. Może jego telefon znowu się rozpadł. Ale przecież każdy policjant na miejscu zdarzenia ma komórkę, więc jej partner chyba jednak naprawdę jest dupkiem.

Kiedy wstała od stolika i ruszyła na parking, przeszło jej przez głowę, że mogła przecież sama zadzwonić do Willa, jednak istniał powód, dla którego była brzemienna i niezamężna po raz drugi w ciągu niecałych dwudziestu lat, i nie była nim jej umiejętność porozumiewania się z mężczyznami swojego życia.

ROZDZIAŁ CZWARTY

Will stał u wylotu pieczary, opuszczając na sznurze zestaw świateł, tak by Charlie Reed miał coś więcej niż tylko latarkę przy zabezpieczaniu dowodów. Był przemoknięty do suchej nitki, chociaż deszcz przestał padać przed półgodziną. W miarę jak zbliżał się świt, powietrze robiło się chłodniejsze, ale Will wolałby znaleźć się raczej na pokładzie *Titanica*, niż z powrotem wleźć do tej dziury.

Światła uderzyły o podłoże i zobaczył, jak para dłoni wciąga je do nory. Podrapał się po ramionach. Na białej koszuli widać było kropki krwi w miejscu, gdzie skaleczyły go uciekające szczury, i zastanawiał się, czy swędzenie może być objawem wścieklizny. Normalnie spytałby o to Faith, ale nie chciał jej teraz zawracać głowy. Wyglądała bardzo źle, kiedy wyjeżdżał ze szpitala, a tu mogłaby co najwyżej postać razem z nim na deszczu. Wprowadzi ją we wszystko rano, gdy już się dobrze wyśpi. Tej sprawy nie rozwiąże się w godzinę. Przynajmniej jedno z nich powinno być wypoczęte, żeby rano mogli zakasać rękawy i zabrać się poważnie do śledztwa.

W górze warczał helikopter, jego łoskot wibrował w uszach. Przeczesywali teren z użyciem kamer termowizyjnych, szukając drugiej ofiary. Ekipy poszukiwawcze były w terenie już od kilku godzin, uważnie przetrząsając obszar w promieniu ponad trzech kilometrów. Pokazał się też Barry Fielding ze swoimi psami. Zwierzęta przez pierwsze pół godziny szalały z nosami przy ziemi, a potem zgubiły trop. Umundurowani policjanci z okręgu Rockdale szli ławą przez las, szukając kolejnych pieczar i śladów, które mogłyby wskazywać, dokąd uciekła druga kobieta.

Może wcale nie udało jej się uciec. Może sprawca dorwał ją, zanim zdołała dotrzeć w bezpieczne miejsce. Może zginęła wiele dni lub nawet tygodni temu. A może w ogóle nigdy nie istniała. W miarę jak poszukiwania się przedłużały, Will miał wrażenie, że policjanci zaczynają na niego sarkać. Niektórzy sądzili, że w ogóle nie ma żadnej drugiej ofiary. Byli zdania, że Will trzyma ich na tym lodowatym deszczu tylko i wyłącznie dlatego, że jest zbyt głupi, by zrozumieć, że się myli.

Istniała osoba, która mogła wyjaśnić wszystkie wątpliwości, ale nadal przebywała na sali operacyjnej szpitala Grady'ego, walcząc o życie. W wypadku spraw o porwanie albo zabójstwo w pierwszej kolejności zawsze bierze się pod lupę życie ofiary. Tymczasem poza przypuszczeniem, że ma na imię Anna, nic o niej nie wiedzieli. Rano Will wyciągnie wszystkie zgłoszenia o zaginięciach w okolicy, ale będą ich z pewnością setki, i to wykluczywszy samą Atlantę, gdzie każdego dnia zapadały się pod ziemię bez wieści średnio dwie osoby. Jeśli kobieta pochodzi z innego stanu, ogrom czekającej ich pracy wzrośnie w postępie niemal geometrycznym. Do FBI corocznie zgłaszano ponad ćwierć miliona zaginięć. Część osób się odnajdywała, ale bazy danych rzadko uaktualniano, co jeszcze bardziej komplikowało problem.

Jeśli do rana Anna nie odzyska przytomności, Will wyśle do niej technika daktyloskopii, a potem każe sprawdzić odciski w kartotece. To była metoda ustalania tożsamości na chybił trafił z efektem pisanym palcem na wodzie. Jeśli nie popełniła przestępstwa zagrożonego aresztem, jej odciski nie będą figurowały w systemie. Jednak niejedno śledztwo ruszyło już z kopyta dzięki tej procedurze. Will dawno temu nauczył się, że nikła szansa nie przestaje być szansą mimo wszystko.

Drabina drgnęła i Will przytrzymał ją, kiedy Charlie Reed wychodził na powierzchnię. Przestało padać, chmury się rozeszły, przepuszczając trochę księżycowego światła. Choć ulewa ustała, od czasu do czasu spadała jakaś kropla, rozplaskując się z dźwiękiem przypominającym mlaśnięcie. Cały las był pogrążony w dziwnej niebieskawej poświacie, ale zrobiło się już wystarczająco jasno, by Will bez latarki widział Charliego. Technik wyciągnął rękę i postawił dużą torbę na dowody u stóp Trenta, potem sam się wygramolił na powierzchnię.

– Psiakrew – przeklął.

Biały kombinezon miał powalany błotem. Rozpiął go, gdy tylko znalazł się na górze, i widać było, że spocił się tak mocno, że koszulka przylgnęła mu do piersi.

– Wszystko w porządku? – spytał Will.

– Cholera – powtórzył technik, ocierając czoło wierzchem przedramienia. – W głowie się nie mieści... Jezu, Will. – Pochylił się i oparł dłonie na kolanach. Oddychał ciężko, choć był wysportowanym mężczyzną, a wyjście z pieczary nie wymagało forsownej wspinaczki. – Nie wiem, od czego zacząć.

Will rozumiał to uczucie.

– Te narzędzia tortur... – Otarł usta grzbietem dłoni. – Coś podobnego oglądałem tylko w telewizji.

– Była druga ofiara – rzucił Will z taką intonacją, by Charlie wziął jego słowa za stwierdzenie wymagające potwierdzenia.

– Nie ogarniam tego. Nic z tego, co widziałem tam na dole, nie składa mi się do kupy. – Przykląkł i ukrył twarz w dłoniach. – W życiu czegoś takiego nie widziałem.

Will przykucnął obok niego. Podniósł torbę z dowodami.

– Co to jest?

Charlie pokręcił głową.

– Znalazłem je zwinięte w blaszanej puszce przy krześle.

Will rozłożył torbę płasko na udzie i przyświecając latarką kieszonkową z ekwipunku Charliego, przejrzał zawartość. W środku znajdowało się co najmniej pięćdziesiąt arkuszy papieru do notowania. Każda kartka została po obu stronach zapisana ołówkiem. Will popatrzył na słowa spod przymrużonych powiek, usiłując je odczytać. Nigdy nie był w tym dobry. Litery się mieszały i odwracały, a czasami rozmywały tak mocno, że dostawał choroby lokomocyjnej przy samej próbie ich odcyfrowania.

Postanowił się dowiedzieć czegoś od Charliego, który nie miał pojęcia o jego problemie.

– Co sądzisz o tych zapiskach? – spytał.

– Czyste szaleństwo, nie? – Charlie przesuwał kciukiem i palcem wskazującym po wąsach – nerwowy gest, który pojawiał się tylko wtedy, kiedy sytuacja robiła się naprawdę okropna. – Chyba nie mógłbym zejść tam z powrotem. – Urwał i z trudem przełknął ślinę. – To miejsce... czuć złem, rozumiesz? Czystym cholernym z ł e m.

Will usłyszał szelest liści i trzask pękających pod stopami gałązek. Odwrócił się i zobaczył zbliżającą się lasem Amandę Wagner. Miała już swoje lata, prawdopodobnie nie mniej niż sześćdziesiąt, i zamiłowanie do monochromatycznych biznesowych kostiumów ze spódnicami za kolano i pończoch, które, Will niechętnie przyznawał, ukazywały zarys niezwykle kształtnych łydek. Wysokie obcasy powinny utrudnić jej utrzymanie równowagi, ale, jak większość przeszkód, leśny teren Amanda pokonywała ze stalową determinacją.

Obaj mężczyźni wstali, kiedy się zbliżyła.

Jak zwykle nie bawiła się w uprzejmości.

– Co to jest? – Wyciągnęła rękę w kierunku torby na dowody. Poza Faith, była jedyną osobą w biurze, która wiedziała o dysleksji Willa, akceptując ją i krytykując jednocześnie. Teraz, gdy skierował latarkę na strony, odczytała na głos: „Nie wyrzeknę się. Nie wyrzeknę się". Potrząsnęła torbą, sprawdzając resztę kartek. – Wszystkie są zapisane obustronnie tym samym zdaniem, prawdopodobnie kobiecym charakterem. – Oddała kartki Willowi ze spojrzeniem pełnym ostentacyjnej dezaprobaty. – Zatem nasz złoczyńca to albo jakiś rozjuszony nauczyciel, albo guru samopomocy. – Zwróciła się do Charliego: – Co jeszcze znalazłeś?

– Pornografię. Łańcuchy. Kajdanki. Akcesoria erotyczne.

– Mówisz o dowodach. A ja potrzebuję tropu.

Will wybawił go z opresji.

– Myślę, że druga ofiara była więziona pod łóżkiem. Znalazłem to w sznurze. – Wyjął z kieszeni marynarki małą torebeczkę na dowody. W środku znajdował się fragment przedniego zęba z resztką korzenia. – To siekacz. Ofiara w szpitalu miała wszystkie zęby nienaruszone.

Przyjrzała się Willowi baczniej niż zębowi.

– Jesteś pewien?

– Pochylałem się nad jej twarzą, usiłując uzyskać informacje – odpowiedział.– Szczękała zębami.
Wydawało się, że to ją przekonało.
– A skąd pewność, że ząb wypadł niedawno? Tylko nie zasłaniaj się przeczuciem, bo mam tu wszystkie siły policyjne okręgu Rockdale w komplecie na deszczu i chłodzie, które tylko czekają, żeby cię zlinczować za rzucenie ich w samym środku nocy do szukania wiatru w polu.
– Sznur został przecięty spod łóżka – wyjaśnił. – Pierwsza ofiara, Anna, była przywiązana do niego od góry. Druga leżała pod spodem. Anna nie mogłaby sama ani przeciąć, ani rozerwać więzów.
– Zgadzasz się z tym? – spytała technika.
Nadal wstrząśnięty Charlie nie odpowiedział od razu.
– Połowa ścinków leżała pod łóżkiem. Upadłyby tam, tylko gdyby sznur został przecięty od dołu. Inaczej leżałyby na podłodze albo na łóżku, ale nie pod nim.
Amanda nadal miała sceptyczną minę.
– Mów dalej – poleciła Willowi.
– Inne fragmenty sznura były przywiązane do pierścieni przy śrubach pod łóżkiem. Ktoś się tam uwolnił z więzów. Musiałby mieć nadal sznur na kostkach i przynajmniej jednym nadgarstku. Anna nie miała.
– Ratownicy mogli go przeciąć – podkreśliła Amanda. Zwróciła się do Charliego: – DNA? Płyny?
– Wszędzie. Powinniśmy mieć wyniki za czterdzieści osiem godzin. Jeśli gość figuruje w bazie danych... – Zerknął na Willa. Obaj wiedzieli, że DNA to strzał w ciemno. Jeśli sprawca nie był wcześniej objęty dochodzeniem, w trakcie którego pobrano materiał genetyczny, szanse, że system go zidentyfikuje, były równe zeru.
– A nieczystości? – spytała Amanda.
Początkowo Charlie jakby nie zrozumiał pytania, ale po chwili odpowiedział:
– Nie ma żadnych pustych słoików czy puszek. Podejrzewam, że zostały zabrane. W rogu znajduje się przykryte wiadro, które służyło za toaletę, ale z tego, co widzę, ofiara, czy też ofiary, pozostawała przywiązana przez większość czasu i chcąc nie chcąc, musiała robić pod siebie. Ślady wydalin nie pozwalają stwierdzić, czy była jedna czy dwie

porwane. To zależy od czasu ich przetrzymywania, stopnia odwodnienia i tym podobnych.

– Czy było coś świeżego pod łóżkiem?

– Tak – odpowiedział Charlie, jakby zaskoczony tym odkryciem. – Rzeczywiście znalazłem miejsce, gdzie testy potwierdziły obecność moczu. Odpowiadałoby ułożeniu ciała na wznak bezpośrednio na ziemi.

– A czy czas parowania cieczy nie jest pod ziemią dłuższy?

– Niekoniecznie. Ciecz o wysokiej kwasowości weszłaby w reakcję z pH ziemi. W zależności od składu mineralnego i...

Amanda mu przerwała.

– Nie pouczaj mnie, Charlie, tylko daj mi fakty, na których mogę się oprzeć.

Popatrzył przepraszająco na Willa.

– Nie wiem, czy więziono tam równocześnie dwie ofiary. Niewątpliwie ktoś był przetrzymywany pod łóżkiem, ale nie można wykluczyć, że sprawca przenosił tę samą ofiarę z miejsca na miejsce. Płyny ustrojowe mogły także przesiąknąć z góry. – Zwrócił się do Willa. – Byłeś tam. Widziałeś, do czego zdolny jest ten gość. – Krew znowu odpłynęła mu z twarzy. – To straszne – wymamrotał. – Po prostu straszne.

Amanda jak zwykle tryskała empatią.

– Przestań się mazać, Charlie, i bądź mężczyzną. Wracaj tam i znajdź mi jakiś dowód, który pozwoli złapać tego drania. – Poklepała go po plecach, bardziej pchając do działania, niż dodając otuchy, potem rzuciła do Willa: – Chodź ze mną. Musimy znaleźć tego pigmejowatego detektywa, którego wkurzyłeś, i popodlizywać mu się, żeby nie poleciał z językiem do Lyle'a Petersona.

Peterson był komendantem policji okręgu Rockdale i nie należał do przyjaciół Amandy. Zgodnie z prawem tylko komendant, burmistrz albo prokurator okręgowy mogli wystąpić do GBI z prośbą o przejęcie śledztwa. Will zastanawiał się, jakich wpływów musiała użyć Amanda i jak bardzo wściekł się z tego tytułu Peterson.

– No. – Wyciągnęła ręce, żeby złapać równowagę, przechodząc nad leżącym konarem. – Zaskarbiłeś nam trochę przychylności, pakując się na ochotnika do tej dziury, ale jeśli kiedykolwiek jeszcze zrobisz coś równie głupiego, dopilnuję, żebyś już do końca życia przeprowadzał tylko naloty na męskie kible na lotnisku. Słyszysz?

Skinął głową.

– Tak jest, proszę pani.

– Twoja ofiara nie wygląda najlepiej – poinformowała go, mijając grupkę gliniarzy, którzy przystanęli na papierosa i patrzyli na Trenta spode łba. – Pojawiły się pewne komplikacje. Rozmawiałam z tym chirurgiem. Sandersonem. Nie jest dobrej myśli. Ale potwierdził twoje spostrzeżenie dotyczące zębów – dodała. – Były nienaruszone.

Cała Amanda: zmuszać go, żeby wyłaził ze skóry, udowadniając coś, co już wiedziała. Will nie uważał tego za zniewagę, tylko znak, że może jest po jego stronie.

– Rany na podeszwach był świeże – powiedział. – Nie krwawiła ze stóp, kiedy była w pieczarze.

– Przedstaw szczegółowo podjęte działania.

Will już naświetlił jej przez telefon przebieg wydarzeń i sytuację, ale jeszcze raz opowiedział, jak odkrył drewnianą płytę i zszedł na dół. Tym razem z detalami opisał norę, starając się oddać panującą w środku atmosferę i jednocześnie nie zdradzić, że był jeszcze bardziej struchlały niż Charlie Reed.

– Listwy stelaża są podrapane od spodu – powiedział. – Żeby porobić takie ślady, druga ofiara musiała mieć rozwiązane ręce. Sprawca nie zostawiłby ich nieskrępowanych, gdyby była sama, bo mogłaby się uwolnić i uciec.

– Naprawdę uważasz, że trzymał jedną na górze, a drugą na dole?

– Myślę, że dokładnie tak właśnie było.

– Jeśli obie były związane, a jedna zdołała jakoś zdobyć nóż, to jest logiczne, że ta na dole trzymałaby go w ukryciu, czekając, aż sprawca wyjdzie.

Will nie odpowiedział. Amanda bywała sarkastyczna, małostkowa, czasem wręcz podła, ale była też na swój sposób sprawiedliwa i wiedział, że choć szydzi z jego intuicji, przez lata nauczyła się mu ufać. Wiedział także, że byłoby z jego strony głupotą spodziewać się z jej ust czegoś, co choć trochę przypominałoby pochwałę.

Doszli do drogi, gdzie wiele godzin temu zaparkował mini. Zaczynało się rozwidniać i niebieska poświata przybrała odcień sepii. Obszar blokowało kilkanaście radiowozów policji Rockdale. Dokoła kłębiło się więcej ludzi niż przedtem, ale atmosfera pełnego napięcia rozgorączkowania zniknęła. Gdzieś w pobliżu kręcili się także dziennikarze, a Will zobaczył kilka helikopterów stacji telewizyjnych krążących nad głowami. Było jeszcze zbyt ciemno, by kamery mogły coś wychwycić, ale to na pewno nie powstrzymywało reporterów od relacjonowania każdego ruchu, który widzieli na dole – a przynajmniej tego, co wydawało im się, że widzą. Kiedy trzeba nadawać informacje dwadzieścia cztery godziny na dobę, wierność prawdzie przestaje być priorytetem.

Will wyciągnął rękę, pomagając Amandzie przejść przez pobocze, kiedy wchodzili w las po drugiej stronie drogi. Okolicę przeczesywały setki podzielonych na grupki funkcjonariuszy, ściągniętych także z innych okręgów. Stanowe Centrum Zarządzania Kryzysowego sprowadziło cywilne oddziały z psami, wyszkolonymi do szukania zwłok, ale zwierzęta przestały szczekać wiele godzin temu. Większość ochotników wróciła do domów. Na miejscu zostali w zasadzie już tylko policjanci, którzy nie mieli wyboru. Gdzieś tam wśród nich był też i detektyw Fierro, prawdopodobnie klnąc Willa w żywy kamień.

– Co z Faith? – rzuciła Amanda.

Zdziwiło go to pytanie, ale z drugiej strony znały się przecież z Faith od lat.

– Wszystko dobrze – powiedział, odruchowo kryjąc partnera.

– Słyszałam, że zemdlała.

Udał zaskoczonego.

– Naprawdę?

Amanda uniosła brwi.

– Nie wygląda ostatnio najlepiej.

Will podejrzewał, że chodzi jej o te kilka dodatkowych kilogramów, które rzeczywiście rzucały się w oczy przy drobnej posturze Faith, ale już raz się dzisiaj przekonał, że o wadze kobiety się nie dyskutuje, zwłaszcza z inną kobietą.

– Nie zauważyłem.

– Sprawia wrażenie drażliwej i rozkojarzonej.

Trzymał język za zębami, niepewien, czy Amanda rzeczywiście się troszczy, czy tylko chce go wyciągnąć na spytki. Prawda wyglądała tak, że Faith istotnie zrobiła się ostatnio drażliwa i rozkojarzona. Pracowali razem wystarczająco długo, by zdążył poznać jej nastroje i humory. Przeważnie zachowywała się w sposób zrównoważony. Jednak raz w miesiącu, zawsze mniej więcej w tym samym czasie, przez kilka dni chodziła z torebką. Odzywała się wtedy opryskliwie i zaczynała gustować w stacjach radiowych, które puszczały akustyczne kawałki śpiewane przez kobiety. Wiedział, że dopóki nosi torebkę, trzeba bezwzględnie za wszystko przepraszać. Wprawdzie nie zwierzyłby się z tego szefowej, ale w duchu przyznawał, że ostatnio Faith miewała tylko torebkowe dni.

Amanda wyciągnęła rękę i pomógł jej przejść przez kłodę.

– Wiesz, że nie cierpię brać spraw, których nie można wyjaśnić – powiedziała.

– Wiem, że lubisz rozwiązywać sprawy, których nikt inny nie potrafi rozwiązać.

Zaśmiała się smutno.

– Kiedy wreszcie będziesz miał dość tego, że spijam po tobie całą śmietankę, Will?

– Moja cierpliwość jest bezbrzeżna.

– Widzę, że korzystasz z kalendarza?

– To najlepszy prezent, jaki kiedykolwiek od ciebie dostałem. – Kto inny jak nie Amanda mógłby wpaść na pomysł podarowania na Gwiazdkę czynnościowemu analfabecie kalendarza z gatunku „na każdy dzień inne słowo".

Zobaczył nadchodzącego z naprzeciwka Fierra. To pobocze było gęściej zalesione i wszędzie płożyły się gałęzie i zarośla. Will słyszał, jak detektyw rzuca mięsem, kiedy nogawka spodni zaplątała mu się w kolczasty krzak. Potem klepnął się w kark, prawdopodobnie uśmiercając jakiegoś owada.

– Jak miło, że postanowiłeś pouczestniczyć w tej pierdolonej stracie czasu, Gomez.

Will dokonał prezentacji.

– Detektyw Fierro, doktor Amanda Wagner.

Fierro zadarł podbródek na znak powitania.

– Widziałem panią w telewizji.

– Dziękuję – rzuciła Amanda, jakby to miał być w jego ustach komplement. – Mamy tu do czynienia z dosyć drastyczną materią, detektywie Fierro. Mam nadzieję, że pański zespół wie, że nie należy wyciągać pewnych szczegółów na światło dzienne.

– Ma nas pani za zgraję amatorów?

Najwyraźniej właśnie tak było.

– Jak idą poszukiwania?

– Znajdujemy dokładnie to, co można tu znaleźć, czyli nic. *Nada*. Zero. – Rzucił Willowi gniewne spojrzenie. – To tak, stanowe szpenie, działacie? Pojawiacie się tu i przeputujecie cały nasz pieprzony budżet na bezsensowne poszukiwania w środku cholernej nocy?

Will był zmęczony i sfrustrowany i dał temu wyraz.

– Zwykle najpierw plądrujemy wasze spiżarnie i gwałcimy kobiety.

– Bardzo, kurwa, zabawne – burknął Fierro. Znowu klepnął się w kark i obejrzał owada rozsmarowanego na dłoni. – Ciekawe, czy będzie ci tak do śmiechu, kiedy odbiorę swoją sprawę.

Wtrąciła się Amanda.

– Detektywie Fierro, komendant Peterson zwrócił się do nas z prośbą o interwencję. Nie ma pan umocowania, żeby przejąć z powrotem śledztwo.

– Peterson, co? – Uśmiechnął się krzywo. – Czy to oznacza, że znowu siorbałaś mu pisiora?

Will wciągnął tyle powietrza, że niemal gwizdnął przez usta. Amanda natomiast wyglądała na nieporuszoną, choć zmrużyła oczy i krótko skinęła Fierrowi głową, jakby mówiąc, że przyjdzie na niego pora. Will by się nie zdziwił, gdyby za jakiś czas detektyw obudził się obok odciętego końskiego łba w łóżku.

– Hej! – ktoś krzyknął. – Tutaj!

Cała trójka zamarła jak wrośnięta w ziemię w różnych stadiach szoku, gniewu i wściekłości.

– Coś znalazłam!

Na te słowa Will się ruszył. Kobieta – umundurowana

funkcjonariuszka w czapce na głowie – stała wśród wysokich źdźbeł prosa rózgowatego i gwałtownie wymachiwała rękoma. Podbiegł do niej i spytał:

– Gdzie?

Wskazała na zbitą kępę drzew o nisko zwieszających się gałęziach. Zobaczył, że warstwa liści pod spodem jest wzruszona, miejscami ukazując placki gołej ziemi.

– Światło się od czegoś odbiło.

Włączyła maglite'a i skierowała snop latarki na zacieniony obszar pod drzewami. Will nic nie zobaczył. Zaczął się już zastanawiać, czy policjantka nie jest przypadkiem zbyt zmęczona i zbyt spragniona, by coś znaleźć, kiedy dołączyła do nich Amanda.

– Co to? – spytała, kiedy w ciemnościach pojawił się słaby refleks.

Trwał zaledwie sekundę i Will zamrugał, myśląc, że może to urojenia zmęczonego umysłu, ale policjantka przesunęła latarką i pojawił się znowu – krótkotrwały błysk niczym maleńka eksplozja prochu, jakieś sześć metrów dalej.

Wyjął z kieszeni marynarki parę lateksowych rękawiczek i nałożył. Ruszył z latarką w kierunku znaleziska, ostrożnie odsuwając na bok gałęzie. Musiał się bardzo nisko pochylić, przedzierając się z trudem przez kolczaste zarośla i konary. Skierował światło na ziemię, szukając tego, co je odbijało. Może to był kawałek lusterka albo sreberko po gumie do żucia. Przez głowę przelatywały mu wszystkie ewentualności: jakieś świecidełko, odłamek szkła, minerał w kamieniu.

Prawo jazdy stanu Floryda.

Leżało jakieś pół metra od podstawy drzewa. Obok znajdował się mały scyzoryk, którego cienkie ostrze było tak uwalane krwią, że zlewało się z tłem ciemnych liści. Blisko pnia gałęzie się przerzedzały. Will kucnął i jeden po drugim zdejmował liście z dokumentu. Gruby plastik został zgięty na połowę. Kolory i widoczny w rogu wyraźny zarys mapy stanu potwierdzały miejsce wydania. W tle znajdował się hologram zabezpieczający. To od niego musiało się odbijać światło.

Pochylił się nisko, wyciągając szyję, żeby nie ruszając

przedmiotu, lepiej się mu przyjrzeć. Na środku tkwił jeden z najwyraźniejszych śladów papilarnych, jakie Will w życiu oglądał. Odbity w krwi odcisk niemal wyskakiwał z gładkiego plastiku. Zdjęcie ukazywało kobietę: miała ciemne włosy i ciemne oczy.

– Jest scyzoryk i prawo jazdy – poinformował podniesionym głosem, żeby Amanda usłyszała. – I krwawy odcisk palca na dokumencie.

– Możesz odczytać nazwisko? – Stała z rękoma na biodrach i sprawiała wrażenie wściekłej.

Will poczuł, jak ściska go w gardle. Skupił się na drobnym druku i odcyfrował jakieś J, a może I, zanim litery zaczęły skakać mu przed oczyma i się mieszać.

Teraz Amanda miała już prawie pianę na ustach:

– Po prostu przynieś tu to cholerstwo.

Dokoła niej zgromadziła się grupka policjantów z mocno skonfundowanymi minami. Nawet stojąc sześć metrów dalej, Will słyszał, jak sarkają pod nosem o procedurze. Czystość miejsca przestępstwa była święta. Adwokaci żerowali na takich nieprawidłowościach. Należało wykonać zdjęcia i pomiary, wyrysować szkice. Procedura dowodowa musiała być przestrzegana, bo inaczej dowód mógł zostać odrzucony przez sąd.

– Will?

Kropla deszczu spadła mu na kark. Była gorąca, niemal piekąca. Gromadziło się coraz więcej policjantów próbujących zobaczyć, co znaleziono. Na pewno się zastanawiają, dlaczego Will nie odczyta nazwiska z dokumentu, dlaczego z miejsca nie każe sprawdzić go w bazie danych. Czy tak właśnie to się skończy? Czy będzie musiał wyjść z tej gęstej kryjówki i oświadczyć grupie obcych, że czyta, w najlepszym razie, na poziomie drugoklasisty? Gdyby to się wydało, równie dobrze mógłby iść do domu i wsadzić łeb do piekarnika, ponieważ w całym mieście nie znalazłby się ani jeden policjant, który chciałby jeszcze z nim pracować.

Amanda ruszyła w jego kierunku raz po raz odczepiając spódnicę od kolców i klnąc na czym świat stoi.

Will poczuł kolejną kroplę deszczu na karku i otarł ją ręką. Popatrzył na rękawiczkę. Na palcach widniał wyraźny krwawy rozmaz. Pomyślał, że może skaleczył się o którąś z gałęzi, ale na kark spadła mu jeszcze jedna kropla. Gorąca, wilgotna, lepka. Przyłożył dłoń do tego miejsca. Na rękawiczce pojawiło się więcej krwi.

Podniósł głowę i spojrzał prosto w oczy kobiety o ciemnobrązowych włosach i ciemnych oczach. Wisiała głową do dołu jakieś cztery i pół metra nad nim. Kostka nogi utkwiła w plątaninie gałęzi i tylko to powstrzymywało ciało od uderzenia o ziemię. Ofiara musiała spaść pod kątem, głową w dół, skręcając kark. Ramiona miała wykręcone, oczy otwarte i wbite w grunt. Jedna z rąk zwisała wyciągnięta w kierunku Willa. Na nadgarstku widać było zaogniony czerwony krąg otartej do żywego skóry. Usta były otwarte, jeden z siekaczy ułamany.

Kolejna kropla skapnęła z palców, tym razem rozpryskując się mu na policzku, tuż pod okiem. Will zdjął lateksową rękawiczkę i dotknął krwi. Była jeszcze ciepła.

Kobieta umarła nie dalej niż przed godziną.

DZIEŃ DRUGI

ROZDZIAŁ PIĄTY

Pauline McGhee bez wahania zaparkowała swojego lexusa lx na miejscu dla inwalidów tuż przed wejściem do supermarketu. Była piąta rano. Wszyscy niepełnosprawni na bank jeszcze smacznie spali. Co jednak ważniejsze, było o niebo za wcześnie, żeby fundowała sobie jakieś cholerne piesze przechadzki.

– Chodź, śpiący kocie – powiedziała do syna, delikatnie ciągnąc go za ramię. Felix się poruszył, ale ani myślał wstawać. Pogłaskała go po policzku, nie po raz pierwszy nie mogąc przestać się dziwić, że coś tak doskonałego wyszło z jej niedoskonałego ciała. – No chodź, groszku pachnący – namawiała, łaskocząc go po żebrach, dopóki nie nakrył się nogami.

Wysiadła z samochodu i pomogła wygramolić się Feliksowi. Zanim jednak dotknął stopami ziemi, musieli przećwiczyć starą śpiewkę.

– Widzisz, gdzie zaparkowaliśmy? – Skinął głową. – Co robimy, jeśli się zgubimy?

– Spotykamy się przy samochodzie. – Stłumił ziewnięcie.

– Grzeczny chłopczyk.

Przyciągnęła go do siebie, gdy szli do sklepu. Kiedy sama była mała, słyszała, że jeśli się zgubi, powinna poprosić o pomoc dorosłego, ale teraz nie sposób było przewidzieć, na kogo się trafi. Ochroniarz mógł się okazać pedofilem. Mała starsza pani szurniętą jędzą, która w wolnym czasie szpikuje jabłka ostrzami żyletek. Smutna to rzeczywistość, w której najbezpieczniejszym ratunkiem dla sześcioletniego chłopca jest martwy przedmiot.

Sztuczne oświetlenie sklepu dawało za mocno po oczach jak na tę porę dnia, ale Pauline sama była sobie winna, bo nie kupiła odpowiednio wcześniej babeczek na zajęcia Feliksa. Dostała zawiadomienie tydzień temu, ale nie przewidziała, że w tym czasie w pracy rozpęta się takie piekło. Jeden z największych klientów agencji obstalował za sześćdziesiąt tysięcy robioną na zamówienie kanapę z włoskiej brązowej skóry, która jednak nie chciała zmieścić się do cholernej windy i jedynym sposobem na dostarczenie jej do luksusowego apartamentu okazało się wynajęcie dźwigu za, bagatela, dziesięć tysięcy za godzinę.

Klient obwiniał agencję za niezauważenie błędu, agencja winiła Pauline za zaprojektowanie zbyt dużej kanapy, Pauline zaś winiła debilowatego tapicera, któremu wyraźnie poleciła iść do budynku na Peachtree Street i wymierzyć windę przed wykonaniem cholernego mebla. W obliczu opiewającego na dziesięć tysięcy rachunku za dźwig lub konieczności wykonania nowej kanapy za sześć razy więcej, tapicer, rzecz jasna, chytrze nie przypominał sobie tej rozmowy, ale Pauline prędzej dałaby się posiekać, niż pozwoliła, żeby uszło mu to na sucho.

Na punkt siódmą zaplanowano spotkanie wszystkich zainteresowanych i zamierzała zjawić się na nim z wybiciem zegara, żeby jako pierwsza przedstawić swoją wersję. Jej ojciec nieraz powtarzał, że pieniądze zawsze idą do góry, a gówno spływa w dół. Pauline McGhee nie będzie śmierdzieć jak ściek, gdy ten dzień dobiegnie końca. Miała dowód na potwierdzenie swojej wersji – kopię elektronicznej korespondencji ze swoim szefem. W jednym z e-maili prosiła go o przypomnienie tapicerowi o konieczności wykonania pomiarów. Decydujące znaczenie miała jego odpowiedź: „Zajmę się tym". Teraz szef udawał, że nic takiego nie miało miejsca, jednak Pauline nie zamierzała zbierać cięgów z tego powodu. Ktoś dzisiaj straci pracę, ale na mur-beton nie ona.

– Nie, kochanie – powiedziała, odciągając rękę Feliksa od opakowania żelowych misków wystającego z półki. Szła o zakład, że specjalnie umieszczano je w zasięgu wzroku dzieci, żeby zmuszać rodziców do ich kupowania. Widziała, jak niejedna matka dla świętego spokoju ustępowała wrzeszczącemu bachorowi, żeby tylko się zamknął. Na Pauline to nie działało i Felix o tym wiedział. Gdyby tylko spróbował odstawić podobny numer, chwyciłaby go i wyszła ze sklepu, porzucając zakupy.

Skręciwszy w alejkę z wypiekami, niemal wpadła na wózek. Prowadzący go mężczyzna roześmiał się przyjaźnie i Pauline zdobyła się na uśmiech.

– Miłego dnia – rzucił.

– Wzajemnie – odpowiedziała, myśląc, że ostatni raz jest dziś rano dla kogoś miła.

Przez całą noc przewracała się z boku na bok, w końcu wstała o trzeciej, żeby pobiegać na bieżni, zrobić makijaż, przygotować śniadanie dla Feliksa i wyszykować go do szkoły. Beztroskie czasy, kiedy mogła imprezować przez cały wieczór, wrócić do domu z pierwszym z brzegu przystojniakiem i zerwać się z łóżka następnego ranka dwadzieścia minut przed wyjściem do pracy, minęły bezpowrotnie. Zmierzwiła chłopcu włosy, myśląc, że ani trochę za nimi nie tęskni. Choć małe bzykanko od czasu do czasu byłoby cholernym darem niebios.

– Babeczki – powiedziała z ulgą, dostrzegłszy kilka pudełek ustawionych w piramidki na ladzie stoiska cukierniczego.

Jednak jej radość nie trwała długo: wszystkie ciastka były w pastelowych odcieniach i ozdobione na wierzchu wielkanocnymi zajączkami i wielobarwnymi jajeczkami. W zawiadomieniu, które dostała ze szkoły, wyraźnie mówiono o babeczkach bezwyznaniowych, ale Pauline nie bardzo wiedziała, co to znaczy, oprócz tego, że potwornie droga szkoła prywatna, do której uczęszczał Felix, przegina z polityczną poprawnością. Organizowanej teraz zabawy nie nazwano nawet wielkanocną – było to przyjęcie na cześć wiosny, które tylko przypadkiem przypadało kilka dni przed Wielką Sobotą. Jaka religia nie uznaje Świąt Wielkanocy? Wiedziała, że żydzi nie mają Gwiazdki, ale na miłość boską, komu wadzi Wielkanoc? Nawet poganie mają wielkanocne zajączki.

– Dobrze – powiedziała, podając synowi swoją torebkę. Gdy zarzucił ją sobie na ramię, tak samo jak ona to robiła, poczuła ukłucie niepokoju. Zajmowała się wystrojem wnętrz. Niemal każdy mężczyzna w jej otoczeniu był zdeklarowaną ciotą. Dla dobra ich obojga będzie musiała postarać się wytrzasnąć skądś kilku heteryków.

Babeczki były pakowane po sześć, więc zgarnęła pięć pudełek, myśląc, że nauczycielki też się chętnie poczęstują. Większości z nich szczerze nie cierpiała, ale za to one uwielbiały Feliksa, zatem jakoś przeboleje te dodatkowe pięć dolców na wyżerkę dla tłustych krów, które zajmują się jej dzieckiem.

Ruszyła z pudełkami w kierunku kas, czując, jak zapach babeczek przyprawia ją o głód i mdłości jednocześnie, jakby mogła zjeść wszystkie co do jednej, a potem spędzić następną godzinę w toalecie. Na pewno nie powinno się wąchać lukru o tak nieludzkiej porze. Odwróciła się w poszukiwaniu syna, który wlókł się za nią noga za nogą. Był niedospany, i to z jej winy. Zastanawiała się, czy nie kupić mu tych misków, po które sięgał wcześniej, ale gdy tylko postawiła pudełka z babeczkami na taśmie, zaczęła dzwonić jej komórka. Kiedy zobaczyła numer, momentalnie zapomniała o bożym świecie.

– Tak?

Obserwowała, jak ciastka przesuwają się wolno w kierunku zgarbionej kasjerki, tak grubej, że niemal niezdolnej złączyć rąk przed sobą, niczym tyranozaurus albo mała foczka.

– Paulie. – Morgan, jej szef, sprawiał wrażenie rozgorączkowanego. – To całe zebranie... masz pojęcie?

Zachowywał się tak, jakby był po jej stronie, ale wiedziała, że gdy tylko straci czujność, wbije jej nóż w plecy. Z wielką przyjemnością będzie patrzyła, jak zbiera manatki, gdy już przedstawi kopię e-maila na zebraniu.

– Taaak – rzuciła tonem pełnym ubolewania. – To straszne.

– Jesteś w sklepie?

Musiał usłyszeć pikanie skanera. Kasjerka wybijała każde pudełko osobno, mimo że niczym się nie różniły. Gdyby Pauline nie rozmawiała przez telefon, wskoczyłaby za kasę i sama zeskanowała kody. Przeszła na koniec kasy i chwyciła kilka plastikowych toreb, żeby przyspieszyć operację. Przyciskając aparat do ucha ramieniem, spytała:

– Jak myślisz, co się stanie?

– No cóż, ewidentnie nie była to twoja wina – zapewnił, ale dałaby głowę, że swojemu szefowi wmawiał coś dokładnie przeciwnego.

– Ani twoja – odrzekła, choć to właśnie Morgan polecił tego konkretnego tapicera, prawdopodobnie dlatego, że gość wyglądał na trzynaście lat i na glans depilował wyćwiczone na siłowni nogi.

Wiedziała, że ta męska dziwka zamierza wykorzystać romans z Morganem, ale śmiertelnie się myli, jeśli sądzi, że Pauline da się wycyckać. Zaczynała jako sekretarka i szesnaście lat zajęło jej dochrapanie się stanowiska projektanta. Padała na pysk, żeby zdobyć dyplom, wysiadując bez końca wieczorami w Szkole Sztuk Pięknych i Projektowania, a potem zwlekając się co rano do pracy, żeby opłacić czynsz. Wreszcie wypracowała sobie pozycję, która pozwoliła jej złapać trochę oddechu, właściwie wychować dziecko i zapewnić mu przyzwoity start – a nawet więcej. Felix miał najlepsze ubrania, najlepsze zabawki i chodził do jednej z najdroższych szkół w mieście. Pauline zadbała też o siebie. Zrobiła zęby i skorygowała laserowo wzrok. Co tydzień chodziła na masaż, co dwa tygodnie do kosmetyczki, i każdy cholerny włos na jej głowie miał idealny odcień eleganckiego brązu bez śladu choćby jednego odrostu dzięki fryzjerce, z którą się widywała w Peachtree Hills co półtora miesiąca. Ani jej się śniło z tego wszystkiego rezygnować. W życiu.

Morgan postąpiłby rozsądniej, pamiętając, gdzie Pauline zaczynała. Pracowała w sekretariacie, zanim nastały czasy przelewów bankowych i bankowości elektronicznej, kiedy wszystkie czeki trzymano w sejfie ściennym do chwili, kiedy mogły być zdeponowane w banku pod koniec dnia. Po ostatnim remoncie biura Pauline zajęła mniejszy gabinet, specjalnie żeby sejf znalazł się pod jej pieczą. Na wszelki wypadek wezwała nawet po godzinach ślusarza, który zmienił szyfr, i teraz tylko ona znała właściwą kombinację. Doprowadzało to Morgana do wściekłości, i cholernie słusznie, ponieważ wydruk chroniącego jej tyłek e-maila znajdował się za stalowymi drzwiami. Przez ostatnie dni snuła najróżniejsze scenariusze, wyobrażając sobie, jak otwiera sejf teatralnym gestem, podtyka Morganowi pod nos wydruk, kompromitując go na oczach szefa i klienta.

– Co za chryja – westchnął Morgan, uderzając w dramatyczny ton. – Po prostu w głowie mi się to nie mieści...

Pauline wzięła torebkę od synka i wygrzebała portfel. Kiedy wsuwała kartę do czytnika i wprowadzała kod, Felix patrzył tęsknym wzrokiem na batoniki.

– Mhm – powtarzała, gdy Morgan klepał jej do ucha, jakim to draniem jest klient i jak to on nie będzie bezczynnie patrzył, jak szarga się dobre imię Pauline.

Gdyby ktoś obok mógł to docenić, Pauline wsadziłaby palec do ust, udając, że wymiotuje.

– Chodź, kochanie – powiedziała, delikatnie popychając syna w kierunku drzwi.

Przycisnęła telefon ramieniem i chwyciła torby, przelotnie zastanawiając się, po co w ogóle wsadziła do nich pudełka. Plastikowe pudełka, plastikowe torby: nauczycielki Feliksa byłyby przerażone przez wzgląd na środowisko. Ułożyła opakowania jedno na drugim, przytrzymując górne podbródkiem. Wyrzuciła puste torby do kosza i wolną ręką sięgnęła do torebki, żeby wyłowić kluczyki do samochodu.

– To bez dwóch zdań najgorsza rzecz, jaka przydarzyła mi się w całej karierze – jęczał Morgan.

Pomimo bolącej szyi Pauline niemal zapomniała, że nadal z nim rozmawia.

Wcisnęła przycisk na pilocie, otwierając bagażnik terenówki. Klapa podjechała do góry z lekkim szelestem i Pauline pomyślała, jak uwielbia ten odgłos, jak wspaniale jest zarabiać tyle pieniędzy, żeby nie trzeba było samemu otwierać sobie nawet bagażnika. Nie zamierza stracić tego wszystkiego tylko dlatego, że jakiś pięknis nie może pofatygować swojej wywoskowanej dupy i wymierzyć jakiejś pieprzonej windy.

– Święta racja – rzuciła do słuchawki, choć tak naprawdę nie słuchała prawd, którymi właśnie raczył ją Morgan.

Włożyła pudełka do bagażnika, potem wcisnęła przycisk u dołu, żeby go zamknąć. Siedziała już za kółkiem, kiedy zorientowała się, że nie ma obok niej Feliksa.

– Kurwa – szepnęła, zamykając telefon. W mgnieniu oka wyskoczyła z samochodu i zlustrowała wzrokiem parking, który zdążył już znacznie się zapełnić. – Felix? – Okrążyła auto, myśląc, że mały ukrywa się po drugiej stronie. – Felix? – krzyknęła, biegnąc z powrotem do sklepu. O mały włos nie wpadła na szklane drzwi, bo nie zdążyły się rozsunąć. Spytała kasjerkę: – Widziała pani mojego syna? – Kobieta wyglądała na skonsternowaną i Pauline powtórzyła: – Mój syn. Był tu przed chwilą ze mną. Ciemne włosy, sześć lat, mniej więcej tego wzrostu? – W końcu dała sobie spokój z kasjerką, mamrocząc: – Do jasnej kurwy. – Pobiegła na stoisko cukiernicze, potem sprawdziła inne alejki. – Felix? – Serce waliło jej tak głośno, że nie słyszała własnego głosu.

Przetrząsnęła każdą alejkę, najpierw truchtem, potem biegając po całym sklepie jak szalona. Przystanęła znowu przy cukierni, prawie odchodząc od zmysłów. W co go dzisiaj ubrała? Czerwone tenisówki. Niemal nie zdejmował ich z nóg, bo miały wytłoczonego Elma na podeszwach. Był w białej koszulce czy niebieskiej? A spodnie? Prasowała mu bojówki czy dżinsy? Dlaczego tego nie pamięta?

– Widziałem jakieś dziecko na zewnątrz – powiedział ktoś i Pauline znowu rzuciła się do drzwi.

Felix wyszedł właśnie zza tyłu terenówki i zbliżał się do siedzenia pasażera. Miał na sobie białą koszulkę, bojówki i czerwone tenisówki z Elmem, a włosy nadal mokre z tyłu, gdzie rano prostowała mu wicherek.

Zwolniła do szybkiego marszu, poklepując się dłonią po piersi, jakby to mogło uspokoić serce. Nie będzie na niego krzyczeć, bo i tak nie zrozumie, a tylko się wystraszy. Po prostu chwyci go i wycałuje całego, aż mały zacznie się zwijać, i wtedy powie mu bardzo spokojnie, że jeśli jeszcze raz oddali się od niej, skręci mu ten kochany kark.

Ocierając łzy, obeszła tył samochodu. Felix siedział w otwartych drzwiach, machając nogami. Nie był sam.

– O, dziękuję – rzuciła do nieznajomego. Wyciągnęła ręce do syna i dodała: – Zgubił się w sklepie i...

Coś wybuchło jej w głowie. Upadła na chodnik jak szmaciana lalka. Ostatnią rzeczą, jaką zauważyła, kiedy podniosła wzrok, był Elmo śmiejący się do niej z podeszwy buta Feliksa.

ROZDZIAŁ SZÓSTY

Sara obudziła się gwałtownie i przez moment nie wiedziała, gdzie się znajduje. Dopiero po chwili dotarło do niej, że siedzi na krześle przy łóżku Anny na OIOM-ie. Sala nie miała okien. Plastikowa kotara, która zastępowała drzwi, zasłaniała światło z korytarza. Sara pochyliła się, spojrzała na zegarek w poświacie monitorów i stwierdziła, że jest ósma rano. Wczoraj wzięła dwa dyżury z rzędu, żeby dzisiaj mieć wolne i pozałatwiać najpilniejsze sprawy: miała pustki w lodówce, rachunki do zapłacenia i stos rzeczy do prania na dnie szafy – tak wysoki, że drzwi się już nie domykały.

A mimo to była tutaj.

Usiadła prosto na krześle, krzywiąc się z bólu, kiedy kręgosłup przyzwyczajał się do pozycji nieprzypominającej C. Przycisnęła palce do nadgarstka Anny, choć aparatura sygnalizowała jej każdy wdech i wydech oraz każde uderzenie serca. Nie miała pojęcia, czy pacjentka jest świadoma jej dotyku, a nawet obecności, ale taki kontakt sprawiał, że sama lepiej się czuła.

Może to dobrze, że Anna nie odzyskała przytomności. Jej organizm walczył z szalejącą infekcją, która sprawiła, że poziom białych krwinek poszybował niebezpiecznie w górę. Prawą pierś amputowano, ramię było w otwartej szynie, noga na wyciągu i ześrubowana. Opatrunek gipsowy stabilizował biodra, tak by kości zrastały się równo. Musiałaby czuć niewyobrażalny ból, choć z drugiej strony może byłby niczym w porównaniu z torturami, przez które przeszła.

Sara nie mogła nie zauważyć, że nawet w obecnym stanie Anna pozostała atrakcyjną kobietą – prawdopodobnie właśnie przez to wpadła w oko sprawcy. Nie miała może urody gwiazdy filmowej, ale w jej rysach było coś zjawiskowego, co aż przykuwało wzrok. Sara pewnie naoglądała się zbyt wielu sensacyjnych doniesień w wiadomościach, ale wydawało jej się absurdalne, żeby zniknięcie kogoś tak zwracającego uwagę nie zwróciło niczyjej uwagi. Jak w przypadku Laci Peterson czy Natalee Holloway, świat zawsze przejmował się bardziej, gdy pod ziemię zapadała się piękna kobieta.

W sumie Sara nie bardzo wiedziała, dlaczego zaprząta sobie tym wszystkim głowę. Ustalenie, co się stało, należało do Faith Mitchell. Sara nie brała udziału w śledztwie i naprawdę zupełnie niepotrzebnie została w szpitalu na noc. Anna była pod dobrą opieką. Pielęgniarki i lekarze czuwali tuż obok, przy drzwiach pełnili straż dwaj policjanci. Powinna była pójść do domu i położyć się do łóżka, słuchać deszczu i czekać na sen. Tyle że sen przychodził z trudem i na ogół był niespokojny albo, co gorsza, zbyt głęboki; przenosił ją w czasy, kiedy Jeffrey żył, a życie było ucieleśnieniem jej marzeń.

Od śmierci męża minęło trzy i pół roku, a ona nie pamiętała chwili, która byłaby wolna od myśli o nim, nie zawierała odprysku jakiegoś wspomnienia. W początkowym okresie była przerażona, że zapomni czegoś ważnego o Jeffreyu. Spisywała niekończące się listy wszystkiego, co w nim uwielbiała – tego, jak pachniał, kiedy wychodził spod prysznica, jak lubił siadywać za jej plecami i szczotkować jej włosy, jaki smak miały jego usta, kiedy go całowała. Zawsze nosił chusteczkę w tylnej kieszeni spodni. Smarował ręce emulsją o zapachu owsianki. Świetnie tańczył. Był dobrym policjantem. Opiekował się swoją matką. Kochał Sarę.

Kochał Sarę. Czas przeszły.

Listy stawały się coraz bardziej szczegółowe i z czasem zamieniły się w niekończące się litanie: piosenek, których nie mogła już słuchać, filmów, których nie mogła oglądać, miejsc, do których nie mogła już pojechać. Zapisywała całe strony tytułami książek, które przeczytali, opisami wakacji, na które jeździli, i weekendów spędzanych w łóżku, relacjami piętnastu lat życia, które bezpowrotnie straciła.

Nie miała pojęcia, co się stało z tymi listami. Może jej matka wsadziła je do pudła i schowała w szafce ojca, a może Sara nigdy ich nie napisała. Może w tych pierwszych dniach po śmierci Jeffreya, kiedy była tak oszalała z rozpaczy, że chwytała się środków uspokajających, po prostu wymyśliła sobie te listy, uroiła, że siedzi godzinami w kuchni, bez końca utrwalając dla potomności wszystkie cudowne cechy i czyny ukochanego męża.

Xanax, valium, amben, zoloft. Była bliska śmierci od zatrucia, starając się przetrwać każdy kolejny dzień. Czasami leżała w łóżku, półprzytomna, i wyobrażała sobie ręce Jeffreya, jego usta na swoim ciele. Bez końca śnił jej się ostatni raz, kiedy byli razem, to, jak patrzył w jej oczy, taki pewny siebie, kiedy wolno prowadził ją na szczyt. Budziła się i skręcała w pościeli, nie chcąc się ocknąć w nadziei na jeszcze kilka chwil w tym innym czasie.

Godzinami karmiła się wspomnieniami seksu z nim, odtwarzając w najdrobniejszych szczegółach każde wrażenie, każdy centymetr jego ciała. Całymi tygodniami myślała tylko o pierwszym razie, kiedy się kochali – nie o pierwszym zbliżeniu, które było szalonym, wyuzdanym aktem pożądania i sprawiło, że Sara wymknęła się ze wstydem z własnego domu następnego ranka – ale o pierwszym razie, kiedy naprawdę się przytulali, pieścili i dotykali, ciesząc się swoimi ciałami, jak na kochanków przystało.

Był delikatny. Czuły. Zawsze jej słuchał. Otwierał przed nią drzwi. Ufał jej opiniom. Uczynił ją sensem swojego życia. Był zawsze, kiedy go potrzebowała.

Był.

Po kilku miesiącach zaczęła przypominać sobie głupoty: kłótnię o to, jak powinien wisieć na uchwycie papier toaletowy. Nieporozumienie dotyczące godziny, na którą umówili się w restauracji. Drugą rocznicę, kiedy uznał, że wyprawa do Auburn na mecz futbolowy jest romantycznym weekendem. Wypad na plażę, kiedy poczuła zazdrość z powodu uwagi, jaką obdarzała go jakaś kobieta przy barze.

Wiedział, jak naprawić radio w łazience. Uwielbiał czytać jej w trakcie dłuższych podróży. Tolerował jej kota, który zsikał się mu do buta w pierwszą noc po jego oficjalnym wprowadzeniu się do jej domu. Wokół oczu zaczynały mu się robić kurze łapki, a ona je całowała, myśląc, jak cudownie będzie się starzeć u boku tego mężczyzny.

A teraz, kiedy patrzyła w lustro i widziała nową bruzdę na własnej twarzy, nową zmarszczkę, myślała tylko, że starzeje się bez niego.

Nadal nie była pewna, jak długo rozpaczała – i czy w ogóle przestała. Jej matka zawsze była silna, zwłaszcza gdy córki jej potrzebowały. Tessa, siostra Sary, siedziała z nią całymi dniami, czasami tuląc ją i kołysząc wte i wewte, jakby była dzieckiem, które trzeba uspokoić. Ojciec zajął się domem: naprawiał rzeczy, wyrzucał śmieci, wyprowadzał psy i chodził na pocztę po jej korespondencję. Kiedyś znalazła go w kuchni łkającego i powtarzającego szeptem: „Moje dziecko. Moje własne dziecko". Nie z myślą o Sarze, a o Jeffreyu, synu, którego nigdy nie miał.

– Jest w całkowitej rozsypce – powiedziała kiedyś matka szeptem przez telefon do ciotki Belli.

Wydawało się, że nikt już nie używa tego kolokwializmu, ale pasował tak dokładnie do stanu Sary, że się mu poddała, wyobrażając sobie, jak jej ramiona, jej nogi odłączają się od ciała i rozsypują po podłodze. Jakie to miało znaczenie? Po co jej były ramiona, nogi, dłonie, stopy, jeśli nie mogła już do niego pobiec, jeśli nie mogła go przytulić ani dotknąć? Nigdy nie uważała się za typ kobiety, która potrzebuje mężczyzny, by nadawał sens jej życiu, ale Jeffrey zaczął nadawać mu kształt i bez niego czuła się wykorzeniona.

Kim zatem jest bez niego? Kim jest ta kobieta, która nie chce żyć bez męża, która po prostu postawiła na sobie krzyżyk. Może taka właśnie jest prawdziwa geneza jej rozpaczy – fakt, że straciła nie tyle Jeffreya, ile samą siebie.

Codziennie sobie obiecywała, że przestanie brać tabletki, przestanie próbować przespać każdą przepełnioną bólem minutę, która ciągnęła się tak długo, że wydawało się, że minęły tygodnie, podczas gdy w rzeczywistości były to tylko godziny. Kiedy udało jej się odstawić tabletki, przestała jeść. Jedzenie smakowało zgnilizną. Bez względu na to, co matka upitrasiła, Sara na sam widok miała odruch wymiotny. Przestała wychodzić z domu, przestała o siebie dbać. Chciała przestać istnieć, ale nie wiedziała, jak ma tego dokonać, nie sprzeniewierzając się wszystkiemu, w co kiedyś wierzyła.

Wreszcie kiedyś matka przyszła do niej z błaganiem:

– Zdecyduj się na coś. Zabij się albo żyj, ale nie każ nam patrzeć na takie powolne konanie.

Sara rozważała na chłodno dostępne możliwości. Proszki. Sznur. Pistolet. Nóż. Żadna z nich nie wróciłaby jej Jeffreya ani nie zmieniła tego, co się stało.

Czas mijał, wskazówki zegara uparcie szły do przodu, podczas gdy ona marzyła, by się cofnęły. Gdy zbliżała się pierwsza rocznica śmierci Jeffreya, Sara uświadomiła sobie, że jeśli ona zniknie, zniknie także pamięć o nim. Nie mieli dzieci. Żadnego trwałego pomnika ich małżeństwa. Była tylko Sara i wspomnienia zamknięte w jej głowie.

I tak oto nie pozostało jej nic innego, jak się pozbierać i wziąć w kupę. Powoli cień dawnej Sary zaczął markować normalność. Wstawała rano, szła pobiegać, wróciła do pracy na pół etatu, starając się funkcjonować tak jak przedtem, tyle że bez Jeffreya. Bardzo dzielnie próbowała jakoś trwać w pozorach wcześniejszego życia, ale po prostu nie potrafiła. Nie była w stanie przebywać w domu, w którym się kochali, mieszkać w mieście, w którym razem mieszkali. Nie mogła nawet pójść na niedzielny obiad do rodziców, bo zawsze byłoby tam to puste krzesło obok, to wolne miejsce nie do zapełnienia.

Informacje o wakacie w szpitalu Grady'ego dostała e-mailem od kolegi z Emory, który nie miał pojęcia, co się jej przydarzyło. Przysłał ją żartem z dopiskiem „Kto chciałby wracać do tego piekła?" Sara jednak następnego dnia skontaktowała się z administracją placówki. Odbywała staż na tamtejszej urazówce. Znała od podszewki tego wielkiego drżącego w posadach potwora, jakim jest publiczna służba zdrowia. Wiedziała, że praca na oddziale ratunkowym zabiera życie, kradnie duszę. Wynajęła swój dom, sprzedała gabinet, pozbyła się większości mebli i miesiąc później przeprowadziła do Atlanty.

I tak się tu zjawiła. Minęły dwa kolejne lata i nadal tkwiła w marazmie. Nie miała wielu znajomych poza tymi z pracy, ale nigdy nie była przesadnie towarzyska. Jej życie zawsze toczyło się wokół rodziny. Najlepszą przyjaciółką od zawsze była siostra Tessa, najlepszą powiernicą matka. Jeffrey pełnił funkcję komendanta policji okręgu Grant. Sara koronera. Z reguły pracowali razem i teraz zastanawiała się, czy byliby sobie tak bliscy, gdyby co ranka każde szło w swoją stronę i zerkali na siebie tylko przy obiedzie.

Miłość, podobnie jak woda, zawsze płynie ścieżką najmniejszego oporu.

Sara dorastała w małym miasteczku. W czasach, kiedy chodziła na randki, dziewczętom nie uchodziło dzwonić do chłopców, a chłopcy musieli prosić ojca swojej wybranki o zgodę na spotykanie się z nią. Te zwyczaje trąciły teraz myszką, budziły niemal śmiech, ale Sara ze zdziwieniem odkryła, że za nimi tęskni. Nie wyznawała się na subtelnościach dorosłego romansowania, ale zmusiła się, żeby chociaż spróbować, czym to się je, sprawdzić, czy ta jej część także umarła z Jeffreyem.

Odkąd przeprowadziła się do Atlanty, było dwóch mężczyzn, obaj narajeni przez pielęgniarki ze szpitala i obaj męcząco nijacy. Pierwszemu nie zbywało na urodzie, inteligencji i sukcesach zawodowych, ale pod jego doskonałym uśmiechem i równie doskonałymi manierami nie kryło się zupełnie nic, a po tym, jak zalała się łzami, gdy pierwszy raz się pocałowali, już nie zadzwonił. Drugiego poznała trzy miesiące temu i było to trochę lepsze przeżycie, a może się oszukiwała. Poszła z nim raz do łóżka, ale dopiero po czterech lampkach wina, a gdy się kochali, przez cały czas zagryzała zęby, jakby był to test, który bardzo chciała zdać. Zerwał z nią nazajutrz, o czym dowiedziała się dopiero, gdy odsłuchała pocztę głosową tydzień później.

Jeśli żałowała czegoś ze wspólnego życia z Jeffreyem, to tego, że nie całowała go częściej. Jak większość małżeństw, wypracowali sobie sekretny język bliskości. Długi pocałunek z reguły sygnalizował ochotę na seks. Zdarzały się też krótkie cmoknięcia w policzek czy szybkie całusy na do widzenia, kiedy szli do pracy, ale nic, co choćby przypominało te namiętne pocałunki z początków ich znajomości, które były podniecającymi, egzotycznymi podarunkami i nie zawsze prowadziły do zdarcia z siebie ubrań.

Chciała wrócić do tych początków, na powrót cieszyć się długimi godzinami na sofie, kiedy on trzymał głowę na jej kolanach a ona całowała go namiętnie, przebiegając palcami po jego miękkich włosach. Tęskniła za kradzionymi chwilami w zaparkowanych samochodach, na korytarzach i w kinach, kiedy myślała, że się udusi, jeśli natychmiast nie dotknie ustami jego ust. Pragnęła znowu poczuć to zaskoczenie, które zdarzało jej się, gdy obserwowała go przy pracy, to nagłe bicie serca, kiedy migał jej gdzieś na ulicy. Brakowało jej tego poruszenia w brzuchu, gdy dzwonił telefon i słyszała jego głos w słuchawce. Tego nagłego przypływu krwi, kiedy jechała sama samochodem albo robiła zakupy w sklepie i czuła nagle jego zapach na swojej skórze.

Chciała mieć z powrotem swojego kochanka.

Winylowa zasłona ze skrzypnięciem odsunęła się na szynie. Jill Marino, jedna z pracujących na OIOM-ie pielęgniarek, posłała Sarze uśmiech, kładąc kartę badań Anny na łóżku.

– Dobrze spałaś? – spytała. Krzątała się po sali, sprawdzając podłączenia i upewniając się, że kroplówka leci. – Gazometria wróciła.

Sara otworzyła kartę i sprawdziła wyniki. Wczoraj wieczorem pulsoksymetr na palcu Anny pokazywał niskie stężenie tlenu. Wyglądało na to, że rano samoistnie wróciło do normy. Zdolność ludzkiego organizmu do samonaprawy co rusz uczyła ją pokory.

– W takiej sytuacji człowiek zaczyna się czuć zbędny, prawda?

– Może lekarz – drażniła się Jill. – Ale pielęgniarka?

– Słusznie.

Sara wsadziła rękę do kieszeni kitla i dotknęła listu. Wczoraj, gdy skończyła zajmować się Anną, przebrała się w świeży strój, automatycznie przekładając kopertę. Może powinna ją otworzyć. Może powinna usiąść, rozpieczętować ją i skończyć z tym raz na zawsze.

– Coś nie tak? – spytała Jill.

– Nie. – Sara potrząsnęła głową. – Dzięki, że wytrzymałaś ze mną wczoraj wieczorem.

– Ułatwiłaś mi trochę pracę – przyznała pielęgniarka.

OIOM jak zwykle był obłożony aż po sufit. – Zadzwonię, jeśli coś się zmieni. – Przyłożyła dłoń do policzka Anny, uśmiechając się do niej. – Może nasza dziewczynka się dzisiaj obudzi.

– Jestem pewna, że tak. – Sara nie sądziła, by Anna słyszała, ale sama poczuła się lepiej, gdy te słowa zostały wypowiedziane.

Dwóch gliniarzy pilnujących przy drzwiach uchyliło czapki, kiedy Sara opuszczała salę. Idąc korytarzem, czuła, że odprowadzają ją wzrokiem – nie dlatego, że wydała im się atrakcyjna, ale ponieważ wiedzieli, że jest wdową po policjancie. Nigdy nie rozmawiała z nikim w Gradym o Jeffreyu, ale przez urazówkę przewijało się każdego dnia dość mundurowych, by wieść się rozeszła. Szybko stała się tajemnicą poliszynela, o której wszyscy mówili, tylko nie w obecności Sary. Nie pretendowała nigdy do miana postaci tragicznej, ale ponieważ powstrzymywało to ludzi od zadawania pytań, nie narzekała.

Wielką zagadką pozostawał natomiast fakt, dlaczego w takim razie tak łatwo rozmawiała o Jeffreyu z Faith Mitchell. Wolała myśleć, że dziewczyna jest po prostu dobrym detektywem, niż przyznać sama przed sobą, co było prawdopodobnie bliższe prawdy, że czuje się samotna. Jej siostra mieszkała na drugim końcu świata, rodzice cztery godziny drogi i całe wieki stąd, i życie Sary wypełniała praca i to, co akurat leciało w telewizji, gdy wracała do domu.

Co gorsza, dręczyło ją podejrzenie, że pociąga ją nie tyle Faith Mitchell, ile prowadzona przez nią sprawa. Jeffrey zawsze omawiał z nią śledztwa, którymi się zajmował, i brakowało jej tego rodzaju gimnastyki umysłu.

Wczoraj wieczorem po raz pierwszy od niepamiętnych czasów nie myślała o Jeffreyu, tylko o Annie. Kto ją porwał? Dlaczego padło właśnie na nią? Jakie wskazówki na jej ciele mogą wyjaśniać motywy tego bydlaka, który ją skrzywdził? Rozmawiając z Faith w stołówce, Sara miała wrażenie, że jej mózg wreszcie robi coś użytecznego, a nie tylko utrzymuje ją przy życiu. Ale prawdopodobnie wiele wody upłynie, zanim znowu się tak poczuje.

Potarła oczy, próbując się obudzić. Wiedziała, że jej życie bez Jeffreya będzie bolesne. Nie była natomiast gotowa na to, że będzie tak całkowicie pozbawione znaczenia.

Była już prawie przy windzie, kiedy zadzwoniła jej komórka. Odwróciła się na pięcie i ruszyła w stronę sali Anny.

– Już idę.

– Sonny będzie tu za dziesięć minut – oznajmiła Mary Schroeder.

Sara stanęła jak wryta, serce jej zamarło. Sonny był mężem Mary, policjantem pracującym w porannym patrolu.

– Coś mu się stało?

– Sonny'emu? – spytała. – Nie. Gdzie jesteś?

– Na górze, na OIOM-ie. – Sara zawróciła i skierowała się z powrotem do wind. – Co się dzieje?

– Sonny otrzymał zawiadomienie telefoniczne o małym chłopcu porzuconym na parkingu przed supermarketem na Ponce de Leon. Sześć lat. Biedaczek, przynajmniej trzy godziny siedział sam na tylnym siedzeniu samochodu.

Sara wcisnęła przycisk windy.

– A gdzie jest matka?

– Zaginęła. Jej torebka została na przednim siedzeniu, kluczyki były w stacyjce, a na ziemi przy samochodzie krew.

Sara poczuła, że serce zaczyna jej bić gwałtownie.

– Chłopiec coś widział?

– Jest zbyt zdenerwowany, żeby mówić, a Sonny nie ma pojęcia, co zrobić. Nie umie postępować z dziećmi w tym wieku. Jedziesz na dół?

– Czekam na windę. – Sara jeszcze raz zerknęła na zegarek. – Czy Sonny ma pewność co do tych trzech godzin?

– Kierownik sklepu zauważył samochód, kiedy przyszedł do pracy. Twierdzi, że matka była wcześniej strasznie zdenerwowana, bo nie mogła znaleźć syna.

Sara jeszcze raz dźgnęła przycisk, choć doskonale wiedziała, że to na nic.

– Dlaczego zatem czekał trzy godziny, żeby to zgłosić?

– Bo ludzie to dupki – odpowiedziała Mary. – Ludzie to po prostu zwykłe cholerne dupki.

ROZDZIAŁ SIÓDMY

Czerwony mini Faith stał zaparkowany na jej podjeździe, kiedy się obudziła rano. Amanda musiała przyjechać tu za Willem, a potem zabrać go do domu. On prawdopodobnie był przekonany, że wyświadcza Faith grzeczność, podczas gdy ona nadal miała ochotę natrzeć mu uszu. Kiedy zadzwonił rano, żeby jej powiedzieć, że przyjedzie po nią jak zwykle o ósmej trzydzieści, rzuciła krótkie zimne: „Dobrze" .

Złość jej trochę przeszła, kiedy Will streścił jej wypadki wczorajszego wieczoru – swój idiotyczny wypad do pieczary, odnalezienie drugiej ofiary, przeprawę z Amandą. Zwłaszcza ta ostatnia część musiała być nielekka: Amanda nigdy nie bywała do rany przyłóż. Will sprawiał wrażenie wykończonego i Faith szczerze mu współczuła, kiedy opisywał wiszącą na drzewie kobietę, ale gdy tylko się rozłączył, znowu zalała ją wściekłość.

Co on sobie myślał, schodząc do tej ziemianki zupełnie sam, tylko z tym idiotą Fierrem na górze? Czemu, u licha, nie zadzwonił do niej, żeby pomogła w poszukiwaniach drugiej ofiary? Jak, na Boga, mógł sobie wyobrażać, że wyświadcza jej przysługę, uniemożliwiając wykonywanie obowiązków służbowych? Może uważa, że brakuje jej kompetencji, że nie jest dość dobra? Ale Faith nie będzie żadną cholerną maskotką. Jej matka była policjantką. Ona sama szybciej niż ktokolwiek w zespole przeszła drogę od patrolowania ulic do stanowiska detektywa w wydziale zabójstw. Nie zrywała stokrotek, kiedy Will się na nią napatoczył. Nie zamierza być cholernym Watsonem jego Holmesowskiej mości.

Zmusiła się do wzięcia głębokiego oddechu. Miała dość zdrowego rozsądku, by zauważyć, że stopień jej rozwścieczenia może być trochę nieadekwatny do przyczyny. Dopiero kiedy usiadła przy kuchennym stole i zmierzyła stężenie cukru we krwi, zrozumiała dlaczego. Znowu oscylowało w granicach stu pięćdziesięciu, co, według *Twojego życia z cukrzycą*, mogło objawiać się zdenerwowaniem i irytacją.

Których ani trochę nie uśmierzyła próba wykonania zastrzyku z insuliny.

Jej ręce były spokojne, kiedy odmierzała na skali właściwą, jak miała nadzieję, dawkę, ale nogi zaczęły drżeć, gdy usiłowała wbić igłę pena, tak że wyglądała jak drapiący się z lubością pies. Jakaś część jej mózgu unieruchomiła rękę tuż nad dygoczącym udem, uniemożliwiając umyślne zadanie sobie bólu – zapewne ta sama uszkodzona część jej mózgu, która torpedowała każdą próbę stworzenia trwałego związku z mężczyzną.

– Pieprzyć to – rzuciła niemal z parsknięciem, przystawiając pena do uda i wciskając przycisk.

Zaszczypało nieludzko, mimo że w instrukcji urządzenia napisano, że iniekcja jest zupełnie bezbolesna. Może gdy człowiek szprycował się w brzuch czy udo sześć milionów razy na tydzień, rzeczywiście stawało się stosunkowo bezbolesne, ale Faith nie była jeszcze na tym etapie i, co więcej, nie wyobrażała sobie, by kiedykolwiek miała się znaleźć. Spociła się tak mocno, że gdy wyciągnęła igłę, miała lepkie pachy.

Przez następną godzinę dzieliła czas między telefon a laptopa. Kontaktowała się z różnymi rządowymi organizacjami, żeby ruszyć z miejsca z dochodzeniem, i jednocześnie nakręcała się, sprawdzając w Internecie informacje o cukrzycy typu 2. Pierwsze dziesięć minut upłynęło jej na czekaniu na połączenie z komendą policji w Atlancie i szukaniu alternatywnego rozpoznania, na wypadek gdyby Sara Linton się myliła. Okazało się to jednak marzeniem ściętej głowy, a kiedy czekała na połączenie z laboratorium kryminalistycznym GBI, natknęła się na pierwszy „cukrzycowy" blog. Zaraz znalazła jeszcze jeden, a potem kolejny – tysiące ludzi plotło trzy po trzy o mękach życia z chorobą przewlekłą.

Czytała o pompach, glukometrach, retinopatii cukrzycowej, upośledzeniu krążenia, spadku libido i innych uroczych zmianach, które cukrzyca mogła wnieść do życia. Były tam też cudowne kuracje, recenzje osprzętu i jeden czubek, który twierdził, że cukrzyca jest rządowym spiskiem mającym na celu wyciągnięcie od niczego niepodejrzewającego społeczeństwa miliardów dolarów na prowadzenie wojny o dostęp do złóż ropy.

Kiedy to czytała, była gotowa uwierzyć we wszystko, co zlikwidowałoby perspektywę przeżycia reszty dni swoich w cieniu ciągłych badań i pomiarów. Odwieczne katowanie się każdą dietą odchudzającą, która pojawiała się na łamach „Cosmo", nauczyło ją liczenia węglowodanów i kalorii, ale myśl o zamienieniu się w ludzką poduszeczkę na igły była zbyt trudna do zniesienia. Zdołowana jak zbity pies – i czekając na połączenie z Equifaksem – szybko przerzuciła się z powrotem na strony farmaceutyczne z wizerunkami uśmiechniętych, zdrowych diabetyków jeżdżących na rowerach, ćwiczących jogę i biegających ze szczeniaczkami, kociaczkami, dzieciaczkami, latawcami, a czasem wszystkimi naraz. Kobieta skacząca dokoła uroczego berbecia z pewnością nie cierpiała na suchość pochwy.

Spędziwszy cały ranek, wisząc na telefonie, na pewno mogła była zadzwonić do tej lekarki i umówić się na wizytę na popołudnie. Miała numer, który Sara nabazgrała jej na recepcie – i oczywiście zebrała mały wywiad o Delii Wallace, sprawdzając, czy nie miała sprawy o błąd lekarski albo prowadzenie po pijanemu. Znała każdy szczegół jej edukacji, nawet liczbę punktów karnych, jakie otrzymała, a mimo to nie mogła się zmusić do wykonania telefonu.

Wiedziała, że siedzi przy biurku z powodu ciąży. Amanda spotykała się kiedyś z jej wujkiem Tedem, dopóki związek nie umarł śmiercią naturalną, mniej więcej kiedy Faith szła do gimnazjum. Szefowa Amanda bardzo się jednak różniła od cioci Amandy i teraz na pewno uprzykrzy życie Faith, tak jak tylko kobieta potrafi uprzykrzyć życie innej kobiecie za robienie rzeczy, które robi większość kobiet. Na ten rodzaj piekła w robocie Faith była przygotowana, ale czy w ogóle pozwolą jej wrócić do pracy teraz, kiedy ma cukrzycę?

Czy może iść w teren, nosić broń i zgarniać przestępców, jeśli cukier jej skacze jak szalony? Lada wysiłek może wywołać jego nagły spadek. Co jeśli będzie ścigać podejrzanego i zemdleje? Emocje także są zabójcze dla diabetyka. Co jeśli będzie przesłuchiwać świadka nieświadoma, że zachowuje się zupełnie od śmigła, dopóki nie wezwą kogoś z wewnętrznego? A co z Willem? Czy może nadal się nim opiekować? Pomimo wszystkich swoich utyskiwań na partnera była mu bardzo oddana. Bywała jego nawigatorem, osłoną przed światem, starszą siostrą. Jak może chronić Willa, skoro nie potrafi chronić samej siebie?

Może nawet nie będzie miała w tej sprawie nic do gadania.

Gapiła się na monitor, zastanawiając się, czy nie poszperać jeszcze w sieci, żeby sprawdzić, jaka polityka w stosunku do diabetyków obowiązuje w organach ścigania. Czy wpycha się ich za biurka, dopóki zupełnie nie opadną z sił albo nie odejdą na własną prośbę? A może się ich zwalnia? Jej ręce powędrowały do laptopa, palce zastygły na klawiaturze. Podobnie jak w przypadku insulinowego pena, mózg unieruchomił palce, nie pozwalając wcisnąć klawiszy. Zaczęła postukiwać nerwowo w H, czując, jak wracają zlewne poty. Kiedy zadzwonił telefon, omal nie wyskoczyła ze skóry.

– Dzień dobry – powiedział Will. – Jeśli jesteś gotowa, to czekam na zewnątrz.

Zamknęła laptopa. Zebrała notatki z rozmów telefonicznych, załadowała cukrzycowe akcesoria do torebki i wyszła, nie oglądając się za siebie.

Will siedział w nieoznakowanym czarnym dodge'u chargerze, tak zwanej S-Ryce, jak w żargonie określano samochody służbowe policji. Ta konkretna piękność miała rysę na blasze nad tylnym kołem i dużą antenę zamontowaną na sprężynie, która wychwytywała wszystkie sygnały w promieniu stu sześćdziesięciu kilometrów. Ślepy trzylatek by się zorientował, że to wóz policyjny.

Otworzyła drzwiczki i Will oświadczył:

– Mam adres Jacquelyn Zabel. W Atlancie.

Miał na myśli drugą ofiarę, kobietę, która zawisła głową w dół na drzewie.

Faith wsiadła do samochodu i zapięła pasy.

– Skąd?

– Zadzwonił do mnie szeryf z Walton Beach. Zrobili mały wywiad wśród sąsiadów. Ponoć jej matka właśnie przeprowadziła się do domu opieki i Jacquelyn pojechała opróżnić mieszkanie przed sprzedażą.

– Gdzie się znajduje to mieszkanie?

– W Inman Park. Charlie spotka się z nami na miejscu. Poprosiłem komendę o małe wsparcie. Powiedzieli, że mogą dać dwa zespoły patrolowe na kilka godzin. – Wycofał auto z podjazdu, zerkając na Faith. – Lepiej wyglądasz. Wyspałaś się?

Nie odpowiedziała. Wyciągnęła notatnik i przeglądała listę spraw, które udało jej się załatwić przez telefon.

– Skierowałam próbki drzazg spod paznokci Anny do naszego laboratorium. Z samego rana wysłałam technika, żeby pobrał jej odciski. Rozesłałam do wszystkich jednostek w stanie informację o poszukiwaniach wszystkich zaginionych kobiet odpowiadających opisowi i wiekowi Anny. Ma się też pojawić specjalista od portretów pamięciowych. Ponieważ jej twarz jest mocno posiniaczona, obawiam się, że nikt by jej nie rozpoznał ze zdjęcia. – Przerzuciła stronę, przebiegając wzrokiem notatki. – Sprawdziłam też KCIK oraz bazy FBI pod kątem podobnych przypadków: FBI nie nie mają na tapecie żadnej podobnej sprawy, ale umieściłam dane w naszej bazie, na wypadek gdyby coś się jednak trafiło. – Przeszła do następnej strony. – Zablokowałam karty kredytowe Jacquelyn Zabel, żebyśmy wiedzieli, gdy ktoś będzie próbował z nich skorzystać. Zadzwoniłam do prosektorium; sekcja ma się zacząć koło jedenastej. Skontaktowałam się z Coldfieldami, tym małżeństwem, które jechało buickiem. Zgodzili się, żebyśmy wpadli porozmawiać z nimi do schroniska, w którym Judith jest wolontariuszką, choć przecież powiedzieli już temu sympatycznemu detektywowi Gallowayowi wszystko, co wiedzieli, a gdy mowa o tym chujku, kazałam Jeremy'emu zostawić wiadomość w jego poczcie głosowej, że dzwoni ze skarbówki i musi się z nim pilnie skontaktować w sprawie jakichś nieprawidłowości.

Will zachichotał.

– Czekamy, aż policja z Rockdale przefaksuje nam raporty z miejsc zdarzenia i wszystkie zeznania, jakimi dysponują. I to wszystko, co udało mi się ustalić. – Zamknęła notes. – A ty co robiłeś rano?

Wskazał głową na stojak na napoje.

– Kupiłem ci gorącą czekoladę.

Faith popatrzyła tęsknym wzrokiem na kubek czekolady na wynos, umierając z chęci zlizania kapki spienionej bitej śmietany, która przesączyła się przez rozcięcie w pokrywce. Okłamała Sarę Linton co do swojego stylu życia i odżywiania się. Ostatni raz gdzieś biegła od samochodu do drzwi Zesto, żeby kupić sobie mlecznego shake'a przed zamknięciem. Na śniadanie zwykle raczyła się nadziewanymi krakersami i dietetyczną kolą, ale dziś rano zjadła jajko i kawałek suchego tosta – menu rodem ze stanowego więzienia. Cukier zawarty w czekoladzie prawdopodobnie by ją zabił, więc powiedziała: „Nie, dziękuję", zanim zdążyła się rozmyślić.

– Wiesz – zaczął – jeśli zamierzasz się odchudzać, mogę...

– Will – przerwała. – Jestem na diecie od osiemnastu lat z przerwami. Jeśli chcę popuścić pasa, to sobie popuszczam.

– Nie powiedziałem...

– Poza tym przytyłam tyko niecałe dwa i pół kilo – skłamała. – Nie mam tyłka jak opona goodyeara.

Will ze ściągniętymi ustami zerknął na torebkę na jej kolanach. Wreszcie rzucił:

– Przepraszam.

– Dzięki.

– Jeśli w takim razie nie pijesz... – Urwał i sięgnął po kubek.

Faith włączyła radio, żeby nie słyszeć, jak przełyka. Z głośników rozległ się cichy pomruk serwisu informacyjnego. Przyciskała guziki, dopóki nie znalazła czegoś łagodnego i niedokuczliwego, co nie działało jej na nerwy.

Poczuła, jak pas się napiął, kiedy Will zwolnił przed przebiegającym przez jezdnię przechodniem. Skoczyła mu do oczu zupełnie bez powodu, a Will nie był głupi – ewidentnie wiedział, że coś jest nie tak, ale jak zwykle nie naciskał. Poczuła wyrzuty sumienia, że ma przed nim sekrety, jednak z drugiej strony on też nie słynął ze skłonności do zwierzeń. Prawdy o jego dysleksji domyśliła się zupełnie przypadkowo. Przynajmniej podejrzewała, że jest to dysleksja. Na pewno miał problemy z czytaniem, choć Bóg jeden wie na jakim tle. Obserwując go, zauważyła, że jest w stanie samodzielnie odczytać kilka słów, ale trwa to zawsze całe wieki, a sens gdzieś ulatuje. Kiedy próbowała zagadnąć go o przyczynę, osadził ją tak ostro, że spłonęła ze wstydu, że w ogóle zadała pytanie.

Przyznawała jednak niechętnie, że Will ma rację, ukrywając problem. Pracowała w policji wystarczająco długo, by wiedzieć, że większość funkcjonariuszy zachowuje się tak, jakby niedawno zeszli z drzew. Byli bardzo konserwatywni i niezupełnie otwarci na to, co niezwyczajne. Może zajmowanie się najbardziej wynaturzonymi jednostkami społeczeństwa sprawiało, że automatycznie odrzucali każdy cień anomalii we własnych szeregach. Tak czy siak, niezależnie od przyczyny, Faith wiedziała, że gdyby wieść o dysleksji się rozeszła, żaden gliniarz nie przeszedłby nad czymś takim do porządku dziennego. Przy całej swojej odmienności Will i tak nie miał już łatwego życia, a coś takiego uczyniłoby z niego zupełnego outsidera.

Skręcił teraz w prawo, w Moreland Avenue, a ona zastanawiała się, skąd wie, jak jechać. Z ogromnym trudem orientował się w kierunkach, odróżnianie strony prawej od lewej szło mu jak po grudzie. Pomimo to bardzo skutecznie ukrywał swoją niepełnosprawność. W rzadkich sytuacjach, kiedy nie wystarczała jego szokująco dobra pamięć, posiłkował się cyfrowym dyktafonem, który trzymał w kieszeni, tak jak większość innych funkcjonariuszy trzymała notesy. Czasami mylił się i popełniał jakiś błąd, ale na ogół radził sobie doskonale, i Faith była pod wrażeniem jego osiągnięć. Przeszedł przez szkołę, potem ukończył studia i nikt z nauczycieli czy wykładowców nie zorientował się, że Trent ma problem. Dzieciństwo spędzone w domu dziecka nie zapewniło mu najlepszego startu w życiu. Jak mało kto miał prawo szczycić się tym, że zaszedł tak wysoko, i fakt, że musiał ukrywać swój problem, był tym bardziej przejmujący.

Znajdowali się w centrum Little Five Points, eklektycznej części miasta, w której obskurne knajpy sąsiadowały z luksusowymi butikami dla łasej na modne zdzierstwo klienteli, kiedy wreszcie się odezwał:

– Wszystko w porządku?

– Tak się zastanawiałam – zaczęła Faith, ale nie wyjawiła prawdziwych myśli – co wiemy o ofiarach.

– Obie mają ciemne włosy. Obie są szczupłe i atrakcyjne. Podejrzewamy, że kobieta ze szpitala ma na imię Anna. Zgodnie z danymi z prawa jazdy, ta wisząca na drzewie nazywała się Jacquelyn Zabel.

– A co z odciskami?

– Na scyzoryku był jeden ukryty, należący do Zabel. Tego z prawa jazdy nie udało nam się zidentyfikować. – Nie pasuje do odcisków Zabel, w bazie też niczego nie znaleźliśmy.

– Powinniśmy go porównać z odciskami Anny. Jeśli należy do niej, to mamy dowód na to, że były przetrzymywane razem.

– Dobra myśl.

Faith miała wrażenie, że rozmowa idzie jak krew z nosa, ale zważywszy na muchy w nosie, jakimi częstowała Willa ostatnio, nie mogła mieć do niego pretensji za tę powściągliwość.

– Dowiedziałeś się czegoś jeszcze o Zabel?

Wzruszył ramionami, jakby niewiele tego było, ale wyrecytował:

– Trzydzieści osiem lat, niezamężna, bezdzietna. Floryda nam pomaga: mają przeszukać jej mieszkanie, sprawdzić bilingi, ustalić innych krewnych oprócz matki, która mieszkała w Atlancie. Szeryf twierdzi, że nikt specjalnie dobrze nie zna tam Zabel. Jest niby przyjaciółka sąsiadka, która podlewała jej kwiaty, ale nic tak naprawdę o niej nie wie. Miała jakiś ciągnący się od dawna zatarg z kilkoma innymi sąsiadami o wystawianie śmieci na ulicę. Poza tym w ciągu ostatnich sześciu miesięcy złożyła kilka skarg na zakłócanie porządku w związku z samochodami parkowanymi przed jej domem albo zakłócaniem ciszy przez organizujących przyjęcia basenowe.

Faith ugryzła się w język, żeby nie zapytać, dlaczego od razu jej tego wszystkiego nie powiedział.

– A ten szeryf znał ją osobiście?

– Twierdzi, że sam odebrał od niej kilka telefonów ze skargami i nie wydała mu się najsympatyczniejszą osobą.

– Czyli powiedział, że była wredną suką – sprecyzowała Faith. Jak na glinę Will przejawiał zaskakującą skłonność do eufemizmów. – Czym się zajmowała zawodowo?

– Nieruchomościami. Rynek ostatnio siadł, ale wygląda na to, że ona miała się nieźle: dom na plaży, bmw, jacht w marinie.

– A czy ten akumulator znaleziony w ziemiance nie był właśnie do pojazdów pływających?

– Poprosiłem szeryfa, żeby sprawdził łódź. Akumulator nie zniknął.

– Warto było spróbować – wymruczała Faith, myśląc, że nadal błądzą po omacku, chwytając się wszystkich sposobów.

– Charlie twierdzi, że akumulator znaleziony pod ziemią ma co najmniej dziesięć lat. Wszystkie numery są zatarte. Sprawdzi, czy uda mu się zdobyć więcej informacji na temat pochodzenia, ale szanse są raczej marne. Takie urządzenia można kupić na podwórkowych wyprzedażach. – Wzruszył ramionami i dodał: – To nam mówi jedynie, że gość najwyraźniej wiedział, do czego zamierza go użyć.

– Skąd ten wniosek?

– Akumulator samochodowy dostarcza krótkiego, silnego ładunku elektrycznego, jaki jest potrzebny do uruchomienia samochodu. Kiedy auto już odpali, do akcji wkracza alternator i akumulator idzie w odstawkę aż do następnego uruchomienia silnika. Natomiast akumulator do łodzi, taki jak ten z pieczary, ma znacznie większą pojemność i może dostarczać prąd w sposób ciągły przez długi czas. Gdybyś próbowała używać akumulatora samochodowego w taki sposób, w jaki robił to nasz sprawca, zarżnęłabyś go w try miga. Tymczasem ten od łodzi wystarczyłby na wiele godzin.

Faith wsłuchiwała się w echo jego słów dźwięczące w kabinie, usiłując doszukać się w nich jakiegoś sensu. Jednak sensu nie było: to, co zrobiono tym kobietom, nijak nie mogło być dziełem logicznego, zdrowego umysłu. Spytała:

– Gdzie jest wóz Jacquelyne Zabel?

– Nie przed jej domem na Florydzie. Ani w domu matki w Atlancie.

– Wydałeś nakaz poszukiwania samochodu?

– Na terenie Georgii i Florydy.

Sięgnął na tylne siedzenie i wziął kilka teczek. Każda była oznaczona innym kolorem. Przerzucał je dopóty, dopóki nie natrafił na pomarańczową, którą wręczył Faith. Otworzyła ją i znalazła wydruk dokumentacji z Wydziału Komunikacji stanu Floryda. Zdjęcie z prawa jazdy ukazywało bardzo atrakcyjną kobietę o długich, ciemnych włosach i brązowych oczach.

– Ładna – stwierdziła Faith.

– Podobnie jak Anna – zgodził się Will. – Brązowe włosy, brązowe oczy.

– Nasz sprawca ma swój typ. – Faith odwróciła stronę i odczytała na głos wypis z ewidencji kierowców. – Zabel była zarejestrowaną właścicielką czerwonego bmw 540i z 2008 roku. Sześć miesięcy temu mandat za przekroczenie dozwolonej prędkości o dwadzieścia pięć kilometrów. W zeszłym miesiącu przejechanie znaku stopu w strefie szkolnej. Dwa tygodnie temu niezatrzymanie się na blokadzie drogowej, odmowa poddania się badaniu alkomatem, data rozprawy jeszcze nie została wyznaczona. – Przerzuciła strony. – Aż do niedawna miała raczej czystą kartotekę.

Will drapał się w zamyśleniu po przedramieniu, czekając na zmianę świateł.

– Może coś się stało.

– A co z tymi zapiskami, które Charlie znalazł pod ziemią?

– „Nie wyrzeknę się" – przypomniał, wyjmując niebieską teczkę. – Zdejmują odciski z papieru. To zwykłe kartki z notesu w oprawie spiralnej, zapisane ołówkiem, prawdopodobnie kobiecą ręką.

Faith zerknęła na kopię: to samo zdanie wykaligrafowane jedno za drugim, jak sama wiele razy musiała robić w ramach kary w gimnazjum.

– A żebro?

Nadal drapał się po ramieniu.

– Żadnych śladów tkanki kostnej w ziemiance ani w jej pobliżu.

– Zatem pamiątka?

– Może – przyznał. – Jacquelyn nie miała żadnych ran na ciele. – Poprawił się: – To znaczy, żadnych głębokich jak te po usunięciu żebra u Anny. Bo poza tym obie wyglądały, jakby przeszły przez to samo.

– Tortury. – Faith starała się wniknąć w umysł sprawcy. – Jedną kobietę trzyma na łóżku, a drugą pod. Może je wymieniał. Robił jakąś potworność Annie, potem zamieniał je miejscami i kolejną potworność robił Jacquelyn.

– I znowu je przemieszczał – dokończył Will. – Może więc Jacquelyn słyszała, co zrobił Annie z żebrem, wiedziała, że ją czeka to samo, i przegryzła sznur na nadgarstkach.

– Musiała znaleźć scyzoryk albo miała go ze sobą pod łóżkiem.

– Charlie zbadał listwy stelaża. Poukładał je z powrotem na łóżku. Przez środek każdej biegł ślad po ostrzu bardzo ostrego noża, którym ktoś przeciął sznur pod spodem od wezgłowia do nóg pryczy.

Faith stłumiła dreszcz, wygłaszając oczywisty wniosek:

– Jacquelyn była pod łóżkiem, kiedy sprawca okaleczał Annę.

– I prawdopodobnie żyła jeszcze, kiedy przeszukiwaliśmy las.

Faith otworzyła usta, by rzucić coś w rodzaju „To nie twoja wina", ale wiedziała, że to czcza gadanina. Sama czuła się winna, że nie uczestniczyła w poszukiwaniach. Nie potrafiła sobie wyobrazić, jak musi czuć się Will, zważywszy na to, że błąkał się po lesie, kiedy kobieta umierała. Spytała więc tylko:

– Co z twoim ramieniem?

– A o co ci chodzi?

– Bez przerwy się po nim drapiesz.

Zatrzymał samochód i wbił wzrok w drogowskaz.

– Hamilton – przeczytała Faith.

Zerknął na zegarek: był to wybieg, którego używał, żeby odróżnić prawą stronę od lewej.

– Obie ofiary były przypuszczalnie zamożne – powiedział, skręcając w prawo w Hamilton. – Anna była niedożywiona, ale miała ładne, zadbane włosy, to znaczy farbę, i niedawno wykonany manicure. Lakier poodpryskiwał miejscami, ale wyglądał na profesjonalnie położony.

Faith nie dopytywała się, skąd potrafi odróżnić profesjonalny manicure od amatorskiego.

– Żadna nie trudniła się prostytucją. Obie miały domy i prawdopodobnie pracę. Zabójcy rzadko wybierają na ofiary osoby, których zniknięcie nie przejdzie bez echa.

– Motyw, metoda, możliwość – wymienił punkt wyjścia każdego śledztwa. – Motyw to seks i tortury plus może zabranie żebra.

– Metoda. – Faith zastanawiała się, jak sprawca porywa ofiary. – Może manipuluje przy ich samochodach, żeby się psuły? Może jest mechanikiem?

– Beemki są wyposażone w ADAS. Wciskasz guzik, łączysz się z pomocą drogową, która wysyła lawetę.

– Fajnie – powiedziała Faith. Mini było takim bmw biedaków, co oznaczało, że w przypadku awarii człowiek musiał używać własnego telefonu. – Jacquelyne przygotowywała do sprzedaży dom matki. To oznacza, że prawdopodobnie wynajęła firmę zajmującą się przeprowadzkami albo likwidacją mieszkań.

– Żeby w ogóle móc go sprzedać, potrzebowała certyfikatu czystości drewna – dodał Will. W większości miast na południu nie można było dostać kredytu hipotecznego na dom, nie udowodniwszy wcześniej, że termity nie żerują na fundamentach. – Zatem nasz sprawca może być specem od dezynsekcji, przedsiębiorcą, spedytorem.

Faith wyciągnęła długopis i zaczęła spisywać listę na odwrocie pomarańczowej teczki.

– Jej licencja agenta nieruchomości tu nie obowiązywała, musiała wynająć kogoś z Atlanty do sprzedaży domu.

– Chyba że zdecydowała się na sprzedaż bezpośrednią, bez pośredników, a w takim wypadku dom musiał być otwarty dla chętnych, mogło się przez niego przewinąć mnóstwo obcych.

– Dlaczego nikt nie zauważył, że zniknęła? – spytała Faith. – Sara twierdzi, że Annę porwano co najmniej cztery dni temu.

– Kto to jest Sara?

– Sara Linton. – Wzruszyła ramionami i bacznie mu się przyjrzała. Nigdy nie zapominał nazwisk. W ogóle niczego nie zapominał. – Ta lekarka ze szpitala.

– Tak się nazywa?

Faith zmięła w ustach „Daj spokój".

– A skąd wie, jak długo ofiara była przetrzymywana? – spytał.

– Była kiedyś koronerem w którymś z okręgów położonych dalej na południe.

Will uniósł brwi. Zwolnił, żeby odcyfrować kolejny drogowskaz.

– Koronerem? Dziwne.

Przyganiał kocioł garnkowi.

– Koronerem i pediatrą.

– Ja ją wziąłem za tancerkę – wymamrotał ze wzrokiem wbitym w tablicę drogową.

– Woodland – przeczytała Faith. – Tancerkę? Ma z sześć metrów.

– Tancerki bywają wysokie.

Faith zacisnęła zęby, żeby nie wybuchnąć głośnym śmiechem.

– Zresztą. – Nie dodał nic więcej, sygnalizując, że to koniec tej części rozmowy.

Przyglądała się jego profilowi, kiedy brał zakręt z oczyma wbitymi w drogę przed sobą. Był atrakcyjnym mężczyzną, może nawet przystojnym, ale z samoświadomością na poziomie ślimaka. Jego żona, Angie Polaski, patrzyła przez palce na jego dziwactwa – w tym bolesną nieumiejętność prowadzenia towarzyskich rozmów i staromodne trzyczęściowe garnitury, przy których noszeniu się upierał. W zamian za to Will przymykał oczy na fakt, że Angie spała z połową sił policyjnych Atlanty, w tym – jeśli napis w toalecie damskiej na trzecim piętrze nie kłamał – kilkoma funkcjonariuszkami. Poznali się w miejskim domu dziecka i Faith podejrzewała, że to właśnie wspólnota dzieciństwa trzyma ich razem. Oboje byli sierotami, oboje zostali przypuszczalnie porzuceni przez pożal się Boże rodziców. Jak ze wszystkim, co dotyczyło jego osobistego życia, i tu Will nie zdradzał się ze szczegółami. Faith nie wiedziała nawet, że pobrali się z Angie, dopóki któregoś dnia nie pojawił się w pracy z obrączką na palcu.

I nigdy wcześniej nie widziała, by choć przelotnie spojrzał na jakąś inną kobietę – aż do wczoraj.

– To tutaj – powiedział, skręcając w prawo w wąską, wysadzaną drzewami uliczkę.

Zobaczyła białą furgonetkę ekipy kryminalistycznej zaparkowaną przed małym domkiem. Charlie Reed i jego dwaj asystenci przeglądali już śmieci na poboczu drogi. Ktokolwiek je wystawił, był najporządniejszą osobą na świecie. Na krawężniku ustawiono pudła w trzech rzędach po dwa, każde z oznaczoną zawartością. Obok, niczym rząd wartowników, stało pod sznurek kilka wyładowanych po brzegi czarnych toreb na śmieci. Po drugiej stronie skrzynki na listy znajdował się materac ze sprężynami tapicerskimi i kilka mebli, które nie wpadły jeszcze w oko zbieraczom złomu. Za furgonetką Charliego stały dwa puste policyjne radiowozy i Faith doszła do wniosku, że patrole, o które prosił Will, już ruszyły w teren.

– Jej mąż był gliniarzem. Wygląda na to, że został zabity na służbie. Mam nadzieję, że usmażą bydlaka na krześle – rzuciła.

– Czyj mąż?

Doskonale wiedział, o kim mówiła.

– Sary Linton. Tej tańczącej lekarki.

Will zaparkował samochód i zgasił silnik.

– Poprosiłem Charliego, żeby się wstrzymał z badaniem domu. – Wyjął z kieszeni marynarki dwie pary lateksowych rękawiczek i wręczył jedną Faith. – Podejrzewam, że wszystko jest spakowane do wywozu, ale nigdy nic nie wiadomo.

Faith wysiadła z samochodu. Charlie powinien odgrodzić i zamknąć dom jako miejsce zdarzenia natychmiast z chwilą przystąpienia do zbierania dowodów. Zgoda, by Will i Faith zajrzeli tam wcześniej, znaczyła, że nie będą musieli czekać ze sprawdzeniem tropów, aż wszystko zostanie zbadane przez techników.

– Witam! – zawołał Charlie, machając do nich niemal pogodnie. – Zjawiliśmy się w ostatniej chwili. – Wskazał na torby. – Ludzie z Goodwill mieli właśnie to zabierać, kiedy przyjechaliśmy.

– Co macie?

Pokazał im przywieszki na torbach ze starannie oznaczoną zawartością.

– Głównie ubrania. Sprzęt kuchenny, stare miksery, tego typu rzeczy. – Błysnął zębami. – Nie ma porównania z tą cholerną dziurą w ziemi.

– Jak myślisz, kiedy będą wyniki badań materiałów z ziemianki? – spytał Will.

– Amanda przypiliła laboratorium. Ale było tam dużo gówna, dosłownie i w przenośni. Potraktowaliśmy priorytetowo materiały, które uznaliśmy za potencjalnie najważniejsze. Na DNA z płynów ustrojowych trzeba poczekać czterdzieści osiem godzin, to wiecie. Odciski palców są sprawdzane w systemie od razu po ujawnieniu. Jeśli w praniu wyjdzie coś istotnego, powinniśmy wiedzieć najpóźniej do jutra rana. – Udał, że przykłada telefon do ucha. – Pierwszy się dowiesz.

Will wskazał na torby ze śmieciami.

– Znaleźliście coś przydatnego?

Charlie podał mu plik korespondencji. Will ściągnął gumkę recepturkę, oglądał każdą kopertę po kolei i przekazywał ją Faith.

– Świeży stempel – zauważył. Cyfry, inaczej niż słowa, odczytywał bez problemu, co było kolejną z wielu umiejętności, które ułatwiały mu ukrywanie swojego problemu. Doskonale rozpoznawał także znaki towarowe i logo firm. – Rachunki za gaz, elektryczność, kablówkę...

Faith przeczytała dane adresatki.

– Gwendolyn Zabel. Śliczne stare imię.

– Podobnie jak Faith – rzucił Charlie ku jej konsternacji. Nigdy wcześniej nie wymknęła mu się taka osobista uwaga i zaraz pośpiesznie dodał, żeby to zatuszować: – I mieszkała w ślicznym starym domku.

Faith nie nazwałaby małego bungalowu ślicznym, ale z pewnością szare gonty i czerwone wykończenie miały w sobie jakiś urok. Jednak dom nie nosił bodaj śladu prób modernizacji czy choćby konserwacji. Rynny były powyginane od ciężaru gromadzących się w nich latami liści, a linia dachu przypominała grzbiet wielbłąda. Trawnik starannie skoszono, jednak przed domem nie było kwietnych rabatek ani pieczołowicie przystrzyżonych krzewów tak charakterystycznych dla miejscowych osiedli. Wszystkie pozostałe domy na ulicy miały dobudowane drugie piętro albo zostały po prostu zburzone i zastąpione rezydencjami. Ten – ze swoimi dwoma sypialniami i jedną łazienką – musiał być jednym z ostatnich reliktów przeszłości. Faith zastanawiała się, czy sąsiedzi z radością powitali wyprowadzkę starszej pani. Córka z pewnością cieszyła się okrągłą sumką uzyskaną ze sprzedaży. Tego typu dom w chwili powstania kosztował prawdopodobnie około trzydziestu tysięcy dolarów. Teraz sama ziemia była warta jakieś pół miliona.

– Kazałeś otworzyć zamek w drzwiach? – spytał Will Charliego.

– Był już otwarty, kiedy przyjechaliśmy – powiedział. – Rzuciliśmy pobieżnie okiem z chłopakami. Nic nie wyskoczyło, ale macie pierwszeństwo. – Wskazał na stos śmieci przed sobą. – To jest tylko wierzchołek góry lodowej. W środku bajzel, że hej, dziada z babą brakuje.

Will i Faith spojrzeli po sobie znacząco, idąc w kierunku domu. Inman Park znajdował się daleko od Mayberry. Nie zostawiało się tu niezamkniętego domu, chyba że człowiek zasadzał się na odszkodowanie z ubezpieczenia.

Faith pchnęła frontowe drzwi, przekroczyła próg i momentalnie znalazła się w latach siedemdziesiątych. Zielony kosmaty dywan na podłodze był wystarczająco gruby, by jej tenisówki w nim zniknęły, a lustrzana tapeta uprzejmie jej przypomniała, że przytyła siedem kilogramów w ostatnim miesiącu.

– O rany – powiedział Will, rozglądając się po pokoju, który tonął w nieopisanej wręcz górze szpargałów i makulatury: stosach gazet, książek w papierowych okładkach i czasopism.

– Tu nie można bezpiecznie mieszkać.

– Wyobraź sobie, jak musiało tu wyglądać, zanim wyniesiono na ulicę te wszystkie rupiecie. – Faith podniosła zardzewiały ręczny blender spoczywający na stercie czasopism „Life". – Czasami starzy ludzie zaczynają obsesyjnie zbierać najróżniejsze rzeczy i nie mogą przestać.

– To jakieś szaleństwo – stwierdził Will, przesuwając

dłonią po stosie starych płyt gramofonowych. Kurz wzbił się i zawirował w stęchłym powietrzu.

– Dom mojej babci prezentował się jeszcze gorzej – powiedziała Faith. – Bity tydzień zajęło nam dotarcie do kuchni.

– Dlaczego ktoś tak zapuszcza mieszkanie?

– Nie wiem – przyznała.

Jej dziadek zmarł, kiedy była jeszcze dzieckiem, i babcia Mitchell resztę życia spędziła samotnie. Odruch zbieractwa pojawił się u niej po pięćdziesiątce i kiedy w końcu została umieszczona w domu opieki, dom po sufit zapchany był niepotrzebnymi rupieciami. Teraz, kiedy rozglądała się po mieszkaniu innej samotnej staruszki, zastanawiała się, czy któregoś dnia Jeremy będzie tak komentował stan jej gospodarstwa.

Przynajmniej będzie miał młodszego brata albo siostrę do pomocy. Przyłożyła dłoń do brzucha, po raz pierwszy zastanawiając się nad rozwijającym się w środku dzieckiem. Dziewczynka czy chłopiec? Będzie miało jej blond włosy czy latynoską urodę ojca? Jeremy, chwalić Pana, w niczym nie przypominał swojego ojca i pierwszej miłości Faith – tyczkowatego buraka zbliżonego posturą do Spike'a z *Fistaszków*. W dzieciństwie był wątły i delikatny jak kawałek cieniutkiej porcelany. Miał nieziemsko słodkie maleńkie stópki. Przez pierwsze dni po porodzie Faith godzinami gapiła się na maciupkie paluszki, całowała pięty. Myślała, że jest najcudowniejszą istotą na ziemi. Był jej małą laleczką.

– Faith?

Opuściła rękę, zachodząc w głowę, co ją nagle naszło. Rano wstrzyknęła sobie wystarczającą dawkę insuliny. Może po prostu przechodzi typową hormonalną burzę ciążową, która w czternastym roku życia tak dała jej popalić – i wszystkim dokoła. Jak, na Boga, ma przez to jeszcze raz przejść? I to sama?

– Faith?

– Nie musisz na okrągło powtarzać mojego imienia, Will. – Pokazała na tył domu. – Sprawdź kuchnię. Ja zajmę się sypialniami.

Obrzucił ją uważnym spojrzeniem, zanim opuścił pokój.

Ruszyła korytarzem na tyły, lawirując między zepsutymi blenderami, tosterami i telefonami. Zastanawiała się, czy staruszka polowała na te rzeczy po śmietnikach, czy też po prostu zgromadziła je z czasem. Fotografie w ramkach na ścianach wyglądały na bardzo wiekowe, niektóre były wykonane w sepii albo czarno-białe. Faith przyglądała się im po drodze, zachodząc w głowę, kiedy ludzie zaczęli uśmiechać się do zdjęcia i dlaczego. Sama miała starannie przechowywane stare portrety dziadków swojej matki. Mieszkali na farmie podczas Wielkiego Kryzysu i jakiś przejezdny fotograf postanowił uwiecznić ich małą rodzinę oraz muła imieniem Wielki Pete. Tylko muł się uśmiechał.

Na ścianach Gwendolyn Zabel nie było wprawdzie żadnego Wielkiego Pete'a, ale niektóre kolorowe fotki ukazywały nie jedną, lecz dwie różne dziewczyny, obie z ciemnymi długimi włosami sięgającymi za cienkie jak ołówek talie. Było między nimi kilka lat różnicy, ale także ewidentnie siostrzane podobieństwo. Na żadnym z nowszych zdjęć nie pozowały razem. Siostra Jacquelyne ewidentnie wolała się fotografować w pustynnej scenerii, podczas gdy zdjęcia Jacquelyne ukazywały ją na plaży w bikini opinającym chłopięco szczupłe biodra. Faith chcąc nie chcąc uznała, że jeśli będzie wyglądała równie wystrzałowo w trzydziestym ósmym roku życia, też będzie się fotografowała w bikini. Nowych zdjęć siostry, która, jak się zdawało, mocno przytyła z czasem, było bardzo niewiele. Faith miała nadzieję, że utrzymywała kontakt z matką. Mogliby wyśledzić ją wtedy dzięki billingom.

Pierwsza sypialnia nie miała drzwi i pękała w szwach od zwałów makulatury – kolejnych stosów gazet i czasopism. Znajdowało się tam też kilka pudeł, ale większość pomieszczenia zaścielała taka ilość śmieci, że nie dało się zrobić swobodnie kilku kroków. Powietrze śmierdziało stęchlizną i Faith przypomniała sobie oglądaną wiele lat temu w wiadomościach historię kobiety, która od wycinka ze starego czasopisma nabawiła się jakiejś dziwnej choroby i umarła. Wycofała się z pokoju i zajrzała do łazienki. Pomieszczenie było zawalone kolejną porcją śmieci, ale ktoś oczyścił drogę do toalety i wyszorował ją do czysta.

Na umywalce leżała szczoteczka do zębów i kilka innych przyborów toaletowych. W wannie kłębiły się stosy toreb na śmieci. Zasłona prysznicowa była niemal czarna od pleśni.

Faith musiała obrócić się bokiem, żeby przejść przez drzwi głównej sypialni. Kiedy znalazła się w środku, zrozumiała dlaczego. Na stojącym przy wejściu starym fotelu bujanym piętrzyła się taka sterta ubrań, że przewróciłby się, gdyby nie podtrzymujące go drzwi. Podłogę zaścielały kolejne elementy garderoby, które jako vintage poszłyby za setki dolarów w modnych butikach na Little Five Points.

W domu było ciepło, co sprawiło, że Faith trudno było włożyć spotniałe dłonie w lateksowe rękawiczki. Zignorowała kropeczkę zaschłej krwi na opuszce palca, nie chcąc zaprzątać sobie głowy kolejną kwestią, od której by się rozkleiła.

Zaczęła od szafki. Wszystkie szuflady były otwarte, zatem wystarczyło tylko przesunąć ubrania w poszukiwaniu ukrytych listów albo notatnika z adresami dalszych krewnych. Łóżko – schludnie zaścielone – stanowiło jedyny element wystroju, w stosunku do którego dało się użyć przymiotnika „schludny". Mimo to nie sposób było rozstrzygnąć, czy Jacquelyne Zabel spała w sypialni matki, czy też wolała korzystać z hotelu w centrum.

A może nie. Faith zauważyła otwartą torbę turystyczną obok futerału na laptop leżącego na podłodze. Powinna była od razu je dostrzec, ponieważ ze swoimi wyraźnymi markowymi logo i miękką skórą ewidentnie nie pasowały do otoczenia. Sprawdziła futerał, znajdując w środku notebooka MacBook Air, za którego jej syn byłby gotów zabić. Włączyła komputer, ale na ekranie pojawiło się polecenie wprowadzenia nazwy użytkownika i hasła. Charlie będzie musiał przesłać sprzęt właściwymi kanałami, żeby spróbować złamać zabezpieczenia, choć doświadczenie podpowiadało Faith, że chronione hasłem Maki były nie do ruszenia, nawet przez producenta.

Przejrzała następnie torbę. W środku znajdowały się markowe ciuchy – Donna Karan, Jones, Jimmy Choo – naprawdę imponująca kolekcja, zwłaszcza w oczach Faith, która miała na sobie spódnicę zbliżoną krojem do turystycznego namiotu, ponieważ nie mogła już znaleźć w szafie spodni, które by się dopinały. Jacquelyn Zabel ewidentnie nie nękały podobne ubraniowe problemy i Faith nie mogła pojąć, dlaczego ktoś, kogo najwyraźniej stać było na inne rozwiązanie, wolał się zatrzymać w tym okropnym domu.

Zatem wyglądało na to, że Jacquelyn jednak spała w tym pokoju. Starannie zasłane łóżko, szklanka wody i okulary do czytania na stoliczku obok wskazywały na niedawnego lokatora. Stała tam także ogromna buteleczka z aspiryną. Faith zajrzała do środka i stwierdziła, że jest w połowie pusta. Prawdopodobnie sama potrzebowałaby aspiryny, gdyby miała opróżniać dom swojej matki. Widziała, jak bardzo cierpiał jej ojciec, gdy musiał umieścić babcię w domu opieki. Umarł dwa lata temu, ale wiedziała, że do dnia śmierci tego nie przebolał.

Mimo woli oczy napełniły jej się łzami. Jęknęła, ocierając powieki grzbietem dłoni. Od kiedy ujrzała różową linię na teście ciążowym, nie było dnia, żeby w jej głowie nie pojawiła się jakaś myśl przyprawiająca o łkanie.

Wróciła do torby. Zaczęła szukać papierów – notesu, czasopisma, biletu lotniczego – kiedy usłyszała krzyki dochodzące z drugiej części domu. Znalazła Willa w kuchni. Jakaś bardzo duża i bardzo rozwścieczona kobieta darła mu się w twarz.

– Nie macie tu prawa węszyć, ścierwiarze.

Faith pomyślała, że kobieta wygląda dokładnie na jedną z tych podstarzałych hipisek, które mogłyby użyć określenia „ścierwiarze". Splecione w warkocz włosy opadały na gołe plecy okryte derką. Faith domyśliła się, że to ostatni niedobitek dawnych czasów w okolicy i właścicielka drugiego najnędzniejszego domu na ulicy. W niczym nie przypominała uczęszczających na jogę mamusiek, które prawdopodobnie zamieszkiwały odnowione rezydencje.

Will zachował godny podziwu spokój. Stał oparty o lodówkę z ręką w kieszeni.

– Proszę pani, muszę prosić, żeby się pani uspokoiła.

– Wal się – odwarknęła. – Ty też się wal – dodała na widok stojącej w drzwiach Faith.

Z bliska wyglądało, że dobija do pięćdziesiątki. Trudno było jednak jednoznacznie określić jej wiek, ponieważ czerwoną jak indyk twarz wykrzywiał grymas gniewu. Miała rysy jakby wprost stworzone do szewskiej pasji.

– Znała pani Gwendolyn Zabel? – spytał Will.

– Nie macie prawa przesłuchiwać mnie bez adwokata.

Faith przewróciła oczami, upajając się czystą dziecięcą frajdą, jaką sprawiła jej ta mina.

Will zaprezentował bardziej dorosłe podejście.

– Może się pani przedstawić?

W jej głosie od razu pojawiła się rezerwa.

– A po co?

– Chciałbym wiedzieć, jak mam się do pani zwracać.

Wydawało się, że rozważa różne opcje.

– Candy.

– Dobrze, Candy. Ja jestem agent specjalny Trent z Biura Śledczego Georgii, a to jest agent specjalny Faith Mitchell. Z przykrością informuję, że córka pani Zabel miała wypadek.

Candy owinęła się ciaśniej derką.

– Po pijanemu?

– Znała pani Jacquelyne? – odpowiedział pytaniem na pytanie.

– Jackie. – Candy wzruszyła ramionami. – Mieszkała tu od kilku tygodni, żeby przygotować do sprzedaży dom matki. Gadałyśmy.

– Korzystała z usług agencji nieruchomości czy zamierzała sprzedać go sama?

– Wynajęła miejscowego agenta. – Obróciła się tyłem do Faith. – Nic jej się nie stało?

– Niestety. Zginęła w wypadku.

Przyłożyła rękę do ust.

– Widziała pani, żeby ktoś się kręcił wokół domu? Ktoś podejrzany?

– Oczywiście, że nie. Wezwałabym policję.

Faith stłumiła prychnięcie. Ci, którzy najgłośniej krzyczeli o ścierwiarzach, jakoś zawsze bardzo ochoczo ich wzywali przy najmniejszej oznace kłopotów.

– Czy Jackie miała rodzinę, z którą moglibyśmy się skontaktować?

– Ożeż, kurwa, nie masz pan oczu? – żachnęła się Candy. Pokazała głową w kierunku lodówki. Faith zobaczyła wykaz nazwisk i numerów przyklejony do drzwi, o które opierał się Will. U góry wydrukowano grubą czcionką nagłówek NUMERY KONTAKTOWE, niecałe piętnaście centymetrów od jego twarzy. – Jezu, nie uczą was czytać czy co?

Will spuścił głowę jak zmyty i Faith spoliczkowałaby babę, gdyby stała wystarczająco blisko. Powiedziała:

– Będzie pani musiała pojechać na komendę i złożyć formalne zeznania. – Will popatrzył jej w oczy i potrząsnął głową, ale Faith była tak wściekła, że z trudem panowała nad głosem. – Radiowóz panią zawiezie. To potrwa góra kilka godzin.

– Dlaczego? – dopytywała się kobieta. – Dlaczego muszę jechać...

Faith wyciągnęła komórkę i wystukała numer swojego dawnego partnera z policji. Leo Donnelly był jej winien przysługę – a nawet kilka przysług – i zamierzała to wykorzystać, żeby możliwie jak najbardziej uprzykrzyć życie temu babsku.

– Porozmawiam z wami tutaj – zapewniła Candy. – Nie musicie zabierać mnie na komendę.

– Pani znajoma, Jackie, nie żyje – rzuciła Faith tonem ostrym od gniewu. – Albo pomaga pani w śledztwie, albo je utrudnia.

– Dobrze, już dobrze. – Kobieta uniosła dłonie w geście poddania. – Co chcecie wiedzieć?

Faith zerknęła na Willa, który stał ze wzrokiem wbitym w swoje buty. Przycisnęła kciukiem klawisz zakończenia, przerywając połączenie, i spytała:

– Kiedy ostatni raz widziała się pani z Jackie?

– W zeszły weekend. Wpadła do mnie z wizytą.

– Z jaką wizytą?

Candy nie odpowiedziała i Faith zaczęła znowu wybierać numer.

– No dobra – jęknęła kobieta. – Jezu. Wypaliłyśmy trochę ziela. Była cała w nerwach z powodu tego, co tu zastała. Nie odwiedzała matki od jakiegoś czasu. Nikt z nas nie miał pojęcia, jak daleko to zabrnęło.

– „Nikt z nas", czyli kto?
– No, ja i kilka sąsiadek. Miałyśmy oko na Gwen. Doglądałyśmy jej. To stara kobieta. Jej córki nie mieszkają w stanie.
Nie doglądały jej chyba zbyt uważnie, jeśli nie zauważyły, że mieszka w pułapce ogniowej.
– Znała pani tę drugą córkę?
– Joelyn – odpowiedziała, wskazując głową na wykaz na lodówce. – Nie pokazywała się tutaj. Przynajmniej nie w ciągu dziesięciu lat, odkąd tu mieszkam.
Faith ponownie zerknęła na Willa. Gapił się gdzieś nad ramieniem Candy.
– Czyli ostatni raz widziała się pani z Jackie tydzień temu? – kontynuowała.
– Zgadza się.
– A co z jej samochodem?
– Jeszcze parę dni temu stał na podjeździe.
– Parę czyli dwa?
– Raczej cztery, pięć. Mam swoje życie. Nie ślęczę z nosem przy oknie, śledząc sąsiadów.
Faith puściła mimo uszu sarkazm.
– Widziała pani, żeby ktoś podejrzany kręcił się w okolicy?
– Mówiłam już, że nie.
– Jak się nazywa ten agent nieruchomości?
Wymieniła jednego z czołowych pośredników w Atlancie, człowieka, który reklamował swoje usługi na każdym przystanku autobusowym.
– Jackie nawet się z nim nie spotkała. Załatwili sprawę telefonicznie. Opchnął dom, zanim na podwórku zdążyła pojawić się tablica „na sprzedaż". Jest taki deweloper, który złożył stałą ofertę na zakup wszystkich placów w okolicy i płaci gotówką w ciągu dziesięciu dni.
Faith wiedziała, że to częsta sytuacja. Ją samą wielokrotnie nagabywano na sprzedaż swojej pożal się Boże chałupy, jednak żadna z ofert nie okazała się warta przyjęcia, ponieważ za uzyskane pieniądze nie stać by ją było na zakup nowego domu w swojej dzielnicy.
– A co z firmą od przeprowadzek?
– Spójrzcie tylko na ten cały gnój. – Candy uderzyła

dłonią o pożółkłą stertę gazet. – Jackie powiedziała mi ostatnio, że zamierza sprowadzić jeden z tych kontenerów do wywozu gruzu.

Will odchrząknął. Wprawdzie nie patrzył już na ścianę, ale także nie na świadka.

– A dlaczego po prostu nie zostawić tego tak, jak jest? To głównie śmieci. Przecież ten przedsiębiorca budowlany i tak wyburzy budynek.

Candy wydawała się zbulwersowana pomysłem.

– To był dom jej matki. Tu się wychowała. Pod tym gównem pogrzebane jest jej dzieciństwo. Nie można tego ot tak zostawić na pastwę losu.

Sięgnął po telefon, jakby ten zadzwonił. Faith wiedziała, że funkcja powiadamiania wibrowaniem nie działa. Amanda niemal obdarła Willa ze skóry na ostatniej odprawie w zeszłym tygodniu, kiedy aparat zaczął dzwonić. Mimo to popatrzył teraz na wyświetlacz, powiedział: „Przepraszam" i wyszedł tylnymi drzwiami, wcześniej usunąwszy nogą z drogi stertę czasopism.

– Co go ugryzło? – spytała Candy.

– Ma alergię na zołzy – porwała się na dowcip Faith, choć gdyby to było prawdą, po dzisiejszym ranku Will powinien być cały w wykwitach. – Jak często Jackie odwiedzała matkę?

– Nie robiłam za jej osobistą sekretarkę.

– Może wycieczka na komendę odświeży pani pamięć.

– Jezu – sarknęła. – Dobra. Może kilka razy w roku, jeśli w ogóle.

– I nigdy nie widziała tu pani Joelyn, jej siostry?

– Ee-ee.

– Spędzałyście z Jackie dużo czasu razem?

– Nie bardzo. Nie przyjaźniłyśmy się ani nic z tych rzeczy.

– A kiedy razem paliłyście w zeszłym tygodniu? Opowiadała coś o swoim życiu?

– Powiedziała, że dom opieki, do którego wysyła matkę, bierze pięćdziesiąt patyków na rok.

Faith stłumiła gwizdnięcie.

– To pochłonie całą sumę uzyskaną ze sprzedaży domu.

Candy była odmiennego zdania.

– Gwen już od jakiegoś czasu mocno niedomagała. Nie przeżyje roku. Jackie powiedziała, że może jej równie dobrze uprzyjemnić te ostatnie chwile.

– Gdzie się mieści ten dom?

– W Sarasocie.

Jackie Zabel mieszkała na zachodniej Florydzie, jakieś pięć godzin drogi od Sarasoty. Nie za blisko i nie za daleko.

– Kiedy się zjawiliśmy, drzwi nie były zamknięte na klucz – powiedziała Faith.

Candy pokręciła głową.

– Na Florydzie Jackie mieszkała na strzeżonym osiedlu. Nigdy nie zamykała drzwi. Którejś nocy zostawiła kluczyki w aucie. Nie wierzyłam własnym oczom, kiedy zobaczyłam je w stacyjce. Cud, że samochód nie zniknął. Miała więcej szczęścia niż rozumu. – Dodała zaraz z żalem: – Ale zawsze była fartowna.

– Spotykała się z kimś?

Candy znowu nabrała wody w usta.

Faith czekała.

Wreszcie kobieta powiedziała:

– Nie była specjalnie cacana, nie? Znaczy się, można było z nią przyćpać, ale w innych sprawach wyłaziła z niej prawdziwa jędza i faceci chcieli się z nią pieprzyć, ale już niekoniecznie gadać po wszystkim. Rozumie pani, o co chodzi?

Faith pomyślała, że nie jej sądzić.

– W jakich sprawach wyłaziła z niej jędza?

– Najlepsza droga dojazdu z Florydy. Rodzaj benzyny do tankowania. Sposób wyrzucania cholernych śmieci. – Pokazała na zagraconą kuchnię. – To dlatego sama urabiała sobie tu łokcie. Miała kasy jak lodu. Stać ją było na wynajęcie ekipy, która uwinęłaby się z tym wszystkim w dwa dni. Ale uważała, że nikt inny nie zrobi tego jak należy. Tylko dlatego się tu zatrzymała. Miała bzika na punkcie kontroli.

Faith pomyślała o starannie zawiązanych paczkach i tobołkach na ulicy.

– Powiedziała pani, że z nikim się nie spotykała. A byli w jej życiu jacyś mężczyźni, byli mężowie? Albo ekspartnerzy?

– Kto ją tam wie. Mnie się nie zwierzała, a Gwen od

dziesięciu lat nie ma pojęcia, jaki jest dzień tygodnia. Bogiem a prawdą, myślę, że Jackie potrzebowała po prostu sztachnąć się co jakiś czas, żeby odreagować, i przychodziła do mnie, bo wiedziała, że mam towar.

– Dlaczego się pani z nią dzieliła?

– Była w porządku, kiedy się wyluzowała.

– Pytała pani, czy miała wypadek po pijanemu.

– Wiem, że złapano ją na cyku na Florydzie. Strasznie się żołądkowała na samo wspomnienie. Zresztą te kontrole to jedna wielka ściema – nie omieszkała dodać. – Nędzna lampka wina, a już człowieka skuwają jak jakiegoś zbrodniarza. Po prostu chcą wyrobić limit.

Faith sama wielokrotnie dokonywała takich zatrzymań. Wiedziała, że uratowała w ten sposób wiele istnień ludzkich, podobnie jak nie wątpiła, że Candy nieraz była na bakier z policją.

– Czyli nie lubiła pani Jackie, ale spędzała z nią czas. Nie znała jej pani dobrze, ale wiedziała, że ciąży na niej zarzut prowadzenia po pijanemu. O co tu chodzi?

– Łatwiej jest płynąć z prądem, nie? Nie lubię ściągać sobie na kark kłopotów.

Ewidentnie nie miała nic przeciwko ściąganiu ich na karki innych ludzi. Faith wyjęła notes.

– Jak brzmi pani nazwisko?

– Smith.

Posłała jej ostre spojrzenie.

– Serio. Nazywam się Candace Courtney Smith. Mieszkam w tym drugim gównianym domu na ulicy. – Zerknęła przez okno na Willa, który rozmawiał z jednym z umundurowanych funkcjonariuszy z patrolu. Faith domyśliła się z przeczącego ruchu głowy mężczyzny, że nie dowiedzieli się niczego interesującego.

– Przepraszam, że mnie poniosło – rzuciła Candy. – Po prostu nie reaguję najlepiej na policję.

– A to czemu?

Wzruszyła ramionami.

– Miałam takie tam problemy jakiś czas temu.

Tyle Faith się już domyśliła. Kobieta bez wątpienia miała krewkie usposobienie osoby, która nieraz zaszczycała tylne siedzenia radiowozów.

– Jakiego rodzaju problemy?

Wzruszyła ramionami.

– Mówię o tym tylko dlatego, że i tak się dowiecie i przybiegniecie tu w try miga, jakbym była jakąś zwyrodniałą morderczynią.

– Śmiało.

– Gdy miałam dwadzieścia kilka lat, zgarnęli mnie kiedyś za nagabywanie.

Faith się nie zdziwiła.

– Niech zgadnę: przez faceta, który wciągnął panią w narkotyki?

– Romeo i Julia – przyznała. – Dupek zostawił mnie ze swoim towarem. Powiedział, że mnie nie zapuszkują.

Musiał istnieć jakiś matematyczny wzór, który pozwalał obliczyć co do sekundy czas, jaki mijał, zanim kobieta, którą chłopak uzależnił od narkotyków, lądowała na ulicy, żeby zaspokoić nałóg obojga. Faith była zdania, że występowało tam dużo zer po przecinku. Spytała:

– Jak długo pani siedziała?

– Cholera – zaśmiała się. – Wściekłam się i podkablowałam dupka i jego dilera. Nawet pół dnia nie kiblowałam.

Nadal nic nowego pod słońcem.

– Twardy towar odstawiłam dawno temu. A trawa po prostu mnie odpręża. – Znowu łypnęła na Willa. Ewidentnie coś ją w nim niepokoiło.

Faith postanowiła zbadać sprawę.

– Czym się pani tak denerwuje?

– On nie wygląda na policjanta.

– A na kogo?

Potrząsnęła głową.

– Przypomina mi mojego pierwszego chłopaka, na pozór niby do rany przyłóż, ale jak go poniosło... – Uderzyła pięścią o dłoń. – Ciężką miał rękę. Złamał mi nos. A kiedyś, gdy nie przyniosłam mu kasy, pogruchotał nogę. – Potarła kolano. – Nadal się odzywa, kiedy robi się zimno.

Faith zrozumiała, dokąd to wszystko zmierza. To nie była wina Candy, że się sprzedawała za towar i prawdopodobnie ładnych parę razy przegrała z policyjnym alkomatem. Winny był zły chłopak albo głupi gliniarz realizujący limit zatrzymań, a teraz też obrywało się i Willowi.

Baba była wystarczająco wprawną manipulatorką, by wiedzieć, kiedy traci publiczność.

– Nie kłamię.

– Nie obchodzą mnie drastyczne szczegóły pani tragicznej przeszłości – stwierdziła Faith. – Proszę powiedzieć, czym naprawdę się pani denerwuje.

Zastanawiała się przez kilka sekund.

– Opiekuję się teraz córką. Jestem czysta.

– Aha – pojęła wreszcie Faith. Kobieta bała się, że odbiorą jej dziecko.

Candy kiwnęła głową w kierunku Willa.

– Przypomina mi tych drani ze stanu.

Will w roli pracownika opieki społecznej zdecydowanie bardziej przemawiał do przekonania niż Will w roli agresywnego kochasia.

– Ile lat ma pani córka?

– Prawie cztery. W życiu bym nie pomyślała, że jeszcze... po tym całym gównie, przez które przeszłam. – Uśmiechnęła się, na skutek czego jej twarz przestała przypominać zaciśniętą gniewnie pięść i zamieniła się w coś, co można by określić mianem umiarkowanie atrakcyjnej śliwki. – Hannah to taka słodka kruszynka. Uwielbiała Jackie, chciała być taka jak ona, mieć takie ładne ubrania i samochód.

Jackie nie wyglądała Faith na kobietę, która pozwala trzylatce dotykać swoich ciuchów od Jimmy'ego Choo, zwłaszcza że dzieci w tym wieku bywają brudne.

– Jackie ją lubiła?

Candy wzruszyła ramionami.

– A kto nie lubi dzieci? – W końcu zadała pytanie, które każda mniej pochłonięta sobą osoba zadałaby dziesięć minut wcześniej. – No to co się stało? Była pijana?

– Została zabita.

Candy otworzyła usta i zaraz zamknęła.

– Zamordowana?

Faith skinęła głową.

– Ale przez kogo? Kto chciałby ją skrzywdzić?

Faith miała wystarczająco często do czynienia z takimi sytuacjami, by wiedzieć, jak się kończą. To dlatego nie ujawniła wcześniej przyczyny śmierci Jacquelyne Zabel.

Nikt nie chce mówić źle o zamordowanych, nawet zaćpana niedoszła hipiska.

– Nie była zła – upierała się teraz. – Znaczy się, chcę powiedzieć, że w głębi duszy była dobrym człowiekiem.

– Głowę daję, że tak – zgodziła się Faith, choć bardziej prawdopodobna wydawała jej się odwrotna wersja.

Wargi Candy zadrżały.

– Jak mam powiedzieć Hannah, że Jackie nie żyje?

Zdzwoniła komórka – w samą porę, bo Faith nie miała pojęcia, jak odpowiedzieć na to pytanie. Co gorsza, niespecjalnie ją to obchodziło teraz, kiedy już wycisnęła wszystkie potrzebne informacje. Candy Smith z pewnością nie należała do najgorszych matek, ale trudno ją było także podejrzewać o gołębie serce, a za to wszystko pewnie płaciła Bogu ducha winna trzylatka.

– Mitchell.

– Dzwoniłaś do mnie przed chwilą? – spytał Leo Donnelly.

– Wybrałam zły numer – zełgała.

– I tak miałem do ciebie dryndnąć. To ty wydałaś ten NP, tak?

Chodziło mu o nakaz poszukiwania, który rozesłała do wszystkich jednostek rano. Podniosła palec, prosząc Candy o jedną minutkę, i przeszła do sąsiedniego pokoju.

– Co masz?

Jeden z patroli znalazł dzieciaka śpiącego w terenówce dziś rano. Mamusia zapadła się pod ziemię.

– No i? – Faith wiedziała, że to nie wszystko. Leo pracował w wydziale zabójstw. Nie wzywano go, by koordynował zadania opieki społecznej.

– Opis z twojego NP – wyjaśnił. – Zgadza się z opisem matki. Brązowe włosy, brązowe oczy.

– Co mówi chłopiec?

– Gówno – przyznał. – Jestem teraz z nim w szpitalu. Sama masz dzieciaka. Chcesz przyjechać i spróbować coś z niego wyciągnąć?

ROZDZIAŁ ÓSMY

Przedstawiciele prasy zgromadzili się przed wejściem do szpitala Grady'ego, na chwilę płosząc gołębie, ale już nie bezdomnych, którzy najwyraźniej postanowili być widoczni w każdym ogólnym kadrze. Will zaparkował na jednym z zarezerwowanych miejsc postojowych z przodu, licząc na to, że zdołają przemknąć się do środka niezauważeni. Nie zanosiło się na to. Furgonetki telewizyjne skierowały talerze anten satelitarnych w niebo, a reporterzy w odprasowanych na kant ubrankach stali z mikrofonami przy ustach, relacjonując tragiczną historię dziecka porzuconego przed supermarketem.

Wysiadając z samochodu, wyjaśnił:

– Amanda uznała, że dzieciak odwróci od nas na chwilę uwagę. Wścieknie się, kiedy usłyszy, że sprawy mogą być powiązane.

– Poinformuję ją, jeśli chcesz – zaproponowała Faith.

Wsadził ręce do kieszeni i idąc obok niej, wyznał:

– Jeśli mam tu coś do gadania, wolę, żebyś się na mnie wyżywała, niż litowała nade mną.

– Mogę robić obie te rzeczy naraz.

Zaśmiał się, choć fakt, że przegapił wykaz numerów kontaktowych na drzwiach lodówki, był równie zabawny jak to, że nie mógł odczytać nazwiska Jackie Zabel z prawa jazdy, kiedy ta wisiała bez życia nad jego głową.

– Candy miała rację, Faith. Trafiła w sedno.

– Przecież pokazałbyś mi tę listę – broniła go Faith. – A siostry Jackie nawet nie było w domu. Jakie ma znaczenie, czy jej sekretarka nagrała wiadomość pięć minut wcześniej czy później?

Will milczał. Oboje wiedzieli, że to odwracanie kota ogonem. W niektórych wypadkach pięć minut miało cholernie wielkie znaczenie.

– A gdybyś nie stał pod tym drzewem, głowiąc się nad nazwiskiem – ciągnęła – moglibyście nie znaleźć zwłok aż do świtu. Jeśli w ogóle.

Will zobaczył, że dziennikarze przyglądają się bacznie każdej osobie wchodzącej do szpitala, usiłując ustalić, czy może się przydać do newsa.

– Kiedyś będziesz musiała przestać mnie tłumaczyć.

– Kiedyś będziesz musiał się walnąć w ten głupi łeb.

Szedł dalej. W jednym Faith miała rację – potrafiła wyżywać się na nim i jednocześnie go żałować, choć to odkrycie jakoś go nie pocieszyło. Miała błękitną krew – nie arystokratki, a rasowego gliniarza – i ten sam automatyczny odruch, który wpajano Angie każdego dnia w akademii policyjnej, w każdej sekundzie na ulicy: kiedy atakują twojego partnera albo wydział, bronisz ich bez względu na wszystko. My przeciwko nim, pal diabli prawdę, pal diabli, co jest słuszne.

– Will... – Urwała, kiedy zaroiło się wokół niej od reporterów, podczas gdy on jak zwykle nie wzbudził ich zainteresowania. Wyciągnął rękę, zasłaniając kamerę i odpychając łokciem fotografa z logo „Atlanta Journal" na plecach kurtki.

– Faith? Faith?! – zawołał jakiś męski głos.

Odwróciła się, zauważyła jakiegoś dziennikarza i pokręciła głową, nie zwalniając kroku.

– Daj spokój, maleńka! – zawołał mężczyzna.

Will pomyślał, że z tą niechlujną brodą i w wymiętym ubraniu wygląda dokładnie na gościa, któremu uchodzi płazem zwracanie się do kobiety per „maleńka".

Faith się odwróciła, ale dalej potrząsała przecząco głową, idąc w stronę wejścia.

Will poczekał, aż znaleźli się w środku i przeszli przez wykrywacze metalu. Dopiero wtedy spytał:

– Skąd znasz tego faceta?

– To Sam. Pracuje dla „Atlanta Beacon". Towarzyszył mi czasem w patrolu, kiedy jeszcze pracowałam na ulicy.

Will rzadko myślał o życiu Faith z okresu, kiedy jeszcze

się nie znali, a ona nosiła mundur i jeździła wozem patrolowym, zanim została detektywem.

Teraz parsknęła śmiechem, którego Will nie zrozumiał.

– Przez kilka lat lataliśmy za sobą jak koty w marcu.

– No i co się stało?

– Jemu było nie w smak, że ja mam dziecko A mnie było nie w smak, że on ma problem z alkoholem.

– Eee... – Will zastanawiał się, co powiedzieć. – Wydaje się w porządku.

– Ale tylko się wydaje.

Patrzył, jak reporterzy przyciskają obiektywy do szyb, desperacko polując na jakieś zdjęcie. Szpital był miejscem publicznym, jednak przedstawiciele mediów musieli uzyskać zgodę na filmowanie czy fotografowanie w środku i wszyscy już przekonali się za tym czy innym razem, że ochrona bez skrupułów wyrzuca ich na zbity pysk, jeśli tylko zaczynają zawracać głowę pacjentom albo, co gorsza, personelowi.

– Will – zaczęła Faith i domyślił się z jej tonu, że znowu chce wracać do listy na lodówce i jego oczywistego analfabetyzmu.

Spytał, żeby odwrócić jej uwagę:

– Dlaczego doktor Linton opowiedziała ci o tym wszystkim?

– Niby o czym?

– O swoim mężu i pracy koronera.

– Ludzie mówią mi różne rzeczy.

Nie dało się zaprzeczyć. Faith miała tak cenną u gliniarza umiejętność milczenia, która sprawiała, że jej rozmówcy zaczynali monologować, by tylko przerwać ciszę.

– Co jeszcze mówiła?

Uśmiechnęła się perfidnie.

– A dlaczego pytasz? Chcesz, żebym podrzuciła jej liścik do szafki?

Willowi znowu zrobiło się głupio, ale ten rodzaj wstydu był daleko gorszy.

– Co słychać u Angie? – spytała Faith.

– A jak się ma Victor? – odparował.

I przez resztę drogi korytarzem milczeli.

– Ejże, ejże. – Leo wyciągnął ramiona, podchodząc do

Faith. – Nasza duża dziewczynka z GBI! – Uścisnął ją mocno, na co, o dziwo, pozwoliła. – Świetnie wyglądasz, Faith. Naprawdę świetnie.

Zbyła go pełnym niedowierzania parsknięciem, które mogłoby wydawać się dziewczęce, gdyby Will nie znał jej lepiej.

– Dobrze cię widzieć, stary – huknął Leo, wyciągając rękę.

Will starał się nie skrzywić na smród papierosowego dymu dolatujący od detektywa. Leo był średniego wzrostu i średniej budowy, i niestety zdecydowanie średnim śledczym. Dobrze sobie radził z wykonywaniem rozkazów, ale stanowczo odmawiał samodzielnego myślenia. Choć to nie powinno specjalnie dziwić u detektywa, który zaczynał karierę w latach osiemdziesiątych, reprezentował dokładnie ten typ policjanta, jakim Will gardził: niechlujny, arogancki, nie wzdragający się użyć ręki, jeśli trzeba było zmiękczyć podejrzanego. Mimo to Trent starał się zachować miłą atmosferę. Uścisnął dłoń detektywa, pytając:

– Jak leci, Leo?

– Nie narzekam – odpowiedział policjant, po czym zaczął dokładnie to robić, kiedy szli na urazówkę. – Brakuje mi dwóch lat do emerytury i starają się posłać mnie na zieloną trawkę. Myślę, że rozchodzi się o koszty leczenia. Pamiętacie ten problem, który miałem z prostatą. – Żadne z nich nie odpowiedziało, co jednak nie powstrzymało Leo. – Pierdolone ubezpieczenie miejskie nie chce płacić za niektóre moje lekarstwa. Mówię wam, tylko się nie rozchorujcie, bo wydymają was na cacy ani się nie obejrzycie.

– Jakie lekarstwa? – spytała Faith, a Will zachodził w głowę, po co go jeszcze zachęca.

– Pierdoloną Viagrę. Sześć dolców za tabletkę. Pierwszy raz w życiu muszę płacić za seks.

– Jakoś trudno mi w to uwierzyć – skomentowała Faith. – Opowiedz nam o tym dzieciaku. Pojawił się jakiś trop w sprawie matki?

– Nie. Ani widu, ani słychu. Samochód jest zarejestrowany na niejaką Pauline McGhee. Na miejscu znaleźliśmy krew, niewiele, ale dosyć, kumacie. To nie był krwotok z nosa.

– Coś interesującego w samochodzie?

– Tylko jej torebka i portfel. Prawo jazdy na nazwisko McGhee. Kluczyki były w stacyjce. Chłopak, Felix, spał z tyłu.

– Kto go znalazł?

– Jakaś klientka. Zauważyła, że śpi w aucie, sprowadziła kierownika.

– Musiał być półżywy z przerażenia – wymruczała Faith. – A co z monitoringiem?

– Jedyna działająca na zewnątrz kamera rejestruje tylko obraz bezpośrednio przed budynkiem.

– A co się stało z innymi?

– Jakieś łobuzy je powystrzeliwały. – Leo wzruszył ramionami, jakby była to najnormalniejsza rzecz na świecie. – Terenówka stała tuż poza kadrem, więc film jej nie objął. Można tylko zobaczyć, jak McGhee wchodzi z dzieciakiem do sklepu, wychodzi sama, biegnie z powrotem do środka, wypada na zewnątrz. Domyślam się, że zauważyła, że dzieciak zniknął, dopiero gdy wsiadła do samochodu. Może ktoś na zewnątrz go gdzieś ukrył, wykorzystał w roli przynęty, żeby ją zwabić wystarczająco blisko, a potem napaść.

– A monitoring zarejestrował jeszcze kogoś wychodzącego ze sklepu?

– Kamera przesuwa się z lewa na prawo. Dzieciak na pewno był w sklepie. Stawiam, że ten, kto go dorwał, obserwował ruch kamery i prześlizgnął się z małym, gdy ta skierowała się na drugą stronę budynku.

– Wiesz, do której szkoły chodzi Felix? – spytała Faith.

– Do jakiejś wypasionej prywatnej budy w Decatur. Już do nich dzwoniłem. – Wyjął notes i pokazał Faith, żeby mogła przepisać namiary. – Powiedzieli, że matka nie podała żadnych numerów kontaktowych poza własnym. Tatuś spuścił się do kubeczka i na tym skończyło się jego tatusiowanie. Żadni dziadkowie się nigdy nie pojawili. Do waszej wiadomości, osobista obserwacja: laska nie cieszy się chyba wielką sympatią wśród kumpli z pracy. Wygląda na to, że mają ją za niezłą szantrapę. – Wyjął złożoną kartkę z kieszeni i pokazał Faith. – Ksero prawa jazdy. Niczego sobie kobitka.

Will popatrzył nad jej ramieniem na zdjęcie. Było czarno-białe, ale z miejsca się domyślił:

– Brązowe włosy. Brązowe oczy.

– Tak jak pozostałe – potwierdziła Faith.

– Posłaliśmy już chłopaków do jej domu – ciągnął Leo. – Nikt z sąsiadów najwyraźniej nie wie, kim, u diabła, jest, ani tym bardziej niespecjalnie się przejmuje, że zniknęła. Mówią, że trzymała się na dystans, nigdy nikogo nie pozdrawiała, nie chodziła na wspólne imprezy w apartamentowcu, czy co tam organizowali. Będziemy musieli spróbować w pracy. To jakaś pretensjonalna firma designerska na Peachtree.

– Sprawdziłeś jej finanse?

– Biedy nie klepie – odpowiedział. – Hipoteka czysta. Samochód spłacony. Kasa w banku, fundusz inwestycyjny i IKE. Ewidentnie nie żyje z policyjnej pensji.

– A karty kredytowe były niedawno używane?

– Wszystko zostało w torebce: portfel, karty, sześćdziesiąt dolców gotówką. Ostatni raz używała karty debetowej rano w supermarkecie. Wszystkie zastrzegliśmy, na wypadek gdyby ktoś spisał numery. Dam wam znać, jeśli coś tu wyskoczy. – Leo rozejrzał się na boki. Stali przed wejściem na urazówkę. Ściszył głos. – Czy to ma związek z waszym Nerkowym Wampirem?

– Nerkowym Wampirem? – zapytali jednocześnie Will i Faith.

– Urocze – powiedział Leo. – Misie pysie z jednego jajeczka.

– Jaki Nerkowy Wampir? O czym ty gadasz? – Faith sprawiała wrażenie równie skonsternowanej jak Will.

– Chłopcy z Rockdale sypią się gorzej niż moja prostata – wyznał Leo, z wyraźną lubością dzieląc się tą nowiną. – Gadają, że wasza pierwsza ofiara miała usuniętą nerkę. Pewnie chodzi o jakieś nielegalne przeszczepy. Może jakaś sekta? Słyszałem, że można nieźle skosić za taką nerkę, około stu patoli.

– Jezu Chryste – syknęła Faith. – W życiu czegoś głupszego nie słyszałam.

– Nie usunięto jej nerki? – Leo zdawał się rozczarowany.

Faith nie odpowiedziała, a Will nie miał zamiaru udzielać żadnych informacji, które Leo mógłby puścić w obieg po całym wydziale. Spytał:

– Felix coś powiedział?

Detektyw pokręcił głową, pokazując odznakę, żeby ich wpuścili na urazówkę.

– Zamknął się w sobie. Wezwałem ludzi z opieki społecznej, ale gówno z niego wyciągnęli. Wiesz, jakie są dzieciaki w tym wieku. Biedak jest pewnie upośledzony.

Faith się zjeżyła.

– Pewnie jest na śmierć wystraszony, bo widział, jak porywano mu matkę. Czego się spodziewałeś?

– Kto go tam, cholera, wie? Ty masz syna. Uznałem, że może lepiej sobie z nim poradzisz.

Will musiał spytać Leo:

– A ty nie masz dzieci?

Detektyw wzruszył ramionami.

– Czy wyglądam ci na człowieka, który potrafi się dogadać z własnymi dziećmi?

Pytanie raczej nie wymagało odpowiedzi.

– Czy chłopcu się coś stało?

– Lekarka twierdzi, że nic mu nie jest. – Szturchnął Willa łokciem pod żebra. – A gdy już o niej mowa, cholera, to dopiero jest cudo. Istne cacuszko, że kolana, kurwa, wymiękają: czerwone włosy, nogi aż po szyję.

Faith uśmiechnęła się od ucha do ucha i Will znowu spytałby ją o Victora Martineza, gdyby tylko Leo nie stał tam z łokciem wbitym w jego wątrobę.

Z jednej z sal rozległ się głośny dźwięk dzwonka i pielęgniarki oraz lekarze rzucili się w tamtą stronę wśród powiewających stetoskopów i łomotu wózków. Will poczuł, jak ściska go w dołku od dobrze znanych widoków i odgłosów. Zawsze panicznie bał się lekarzy – zwłaszcza tych ze szpitala Grady'ego, którzy zajmowali się dziećmi z sierocińca, w którym dorastał. Za każdym razem, gdy go zabierano od jakiejś rodziny zastępczej, policjanci przywozili go tutaj. Wszystkie otarcia, skaleczenia, oparzenia czy siniaki musiały być sfotografowane, skatalogowane i szczegółowo opisane. Pielęgniarki siedziały w tym wystarczająco długo, by wiedzieć, że ta praca wymaga pewnej dozy obojętności. Lekarze nie byli tak doświadczeni. Wrzeszczeli i darli się na pracowników opieki społecznej, sprawiając, że człowiek zaczynał myśleć, że może wreszcie coś się zmieni raz na zawsze, ale rok później znowu lądował w szpitalu i wysłuchiwał tych samych pomstowań i wrzasków kolejnego lekarza.

Teraz, służąc w organach ścigania, Will rozumiał, że personel medyczny ma związane ręce, jednak nie zmieniało to faktu, że nadal ściskało go w dołku, gdy tylko wkraczał na urazówkę.

Z właściwym sobie wyczuciem sytuacji Leo poklepał go po ramieniu i powiedział:

– Przykro mi, że Angie puściła cię kantem, stary. Ale pewnie wyjdzie ci to na dobre.

Faith milczała, jednak Will cieszył się w imieniu Leo, że nie potrafi ciskać piorunów z oczu.

– Sprawdzę, gdzie jest ta doktorka – powiedział Leo jak gdyby nigdy nic. – Trzymali dzieciaka w pokoju lekarskim, żeby doszedł do siebie.

Kiedy się oddalił, Faith wbiła spojrzenie w Willa, wymownie milcząc. Wsadził ręce w kieszenie i stał, opierając się o ścianę. Na oddziale panował mniejszy tłok niż poprzedniego wieczoru, jednak dokoła kręciło się wystarczająco dużo osób, by utrudnić prowadzenie prywatnej rozmowy.

Faith najwyraźniej to nie zniechęciło.

– Kiedy Angie odeszła?

– Niecały rok temu.

Zaparło jej dech w piersiach.

– Przecież jesteście małżeństwem dopiero od dziewięciu miesięcy.

– Taa, cóż. – Strzelał oczyma na boki, nie chcąc prowadzić tej rozmowy tutaj – ani w ogóle nigdzie. – Wyszła za mnie tylko po to, żeby udowodnić, że to zrobi. – Ku swojemu zdziwieniu się uśmiechnął. – Bardziej chodziło o postawienie na swoim niż o małżeństwo.

Faith pokręciła głową, jakby nie mogła poskładać do kupy tego, co przed chwilą usłyszała. Will nie był pewien, czy potrafi jej pomóc. Nigdy nie rozumiał swojej relacji z Angie Polaski. Kiedy się poznali, miał osiem lat i przez następne lata udało mu się pojąć jedynie tyle, że gdy tylko robił się jej zbyt bliski, kierowała się do drzwi. Fakt, że zawsze wracała, stanowił prawidłowość, którą nauczył się cenić za prostotę.

– Często ode mnie odchodzi, Faith. To nie było żadnym zaskoczeniem.

Milczała i nie potrafił powiedzieć, czy jest wściekła czy po prostu zbyt zszokowana, by się odezwać.

– Chciałbym zajrzeć na górę do Anny, zanim stąd wyjdziemy.

Skinęła głową.

Spróbował jeszcze raz:

– Amanda pytała mnie wczoraj wieczorem, jak się czujesz.

Nagle nadstawiła uszu.

– I co jej powiedziałeś?

– Że doskonale.

– To dobrze, bo tak się właśnie mam.

Popatrzył na nią wymownie: nie tylko on tu coś ukrywał.

– Nic mi nie jest – upierała się. – A przynajmniej nie będzie, jasne? Więc się o mnie nie martw.

Przycisnął ramiona do ściany. Faith milczała, ciche buczenie aparatury medycznej brzmiało monotonnie i już po chwili powieki zaczęły mu się kleić. Położył się do łóżka około szóstej rano, myśląc, że złapie przynajmniej dwie godzinki snu, zanim będzie musiał pojechać po Faith. W miarę jak czas mijał, Will zastanawiał się, które z porannych czynności może sobie odpuścić. Najpierw stwierdził, że daruje sobie spacer z psem, potem skreślił z listy śniadanie i w końcu położył krzyżyk na codziennej kawie. Zegar odmierzał czas z koszmarną powolnością, którą rejestrował z dwudziestominutową regularnością, gdy oczy mu się nagle otwierały, serce podchodziło do gardła, a w głowie ciągle się roiło, że nadal jest uwięziony w norze pod ziemią.

Znowu zaswędziało go ramię, ale nie podrapał się z obawy, że ponownie wzbudzi zainteresowanie Faith. Za każdym razem, gdy myślał o ziemiance, o szczurach przebiegających po jego ramionach jak po drabinie, czuł świerzbienie skóry. Zważywszy na to, jak wiele blizn miał na ciele, przejmowanie się kilkoma zadrapaniami, które w końcu zagoją się bez śladu, było głupotą, ale mimo to nie dawały mu spokoju, a im bardziej był niespokojny, tym mocniej go swędziało.

– Myślisz, że ta rewelacja o Nerkowym Wampirze już trafiła do prasy? – spytał.

– Mam taką nadzieję, bo gdy prawda wypłynie, ci idioci z Rockdale wyjdą na partackich patafianów, jakimi są.

– Mówiłem ci, co Fierro powiedział Amandzie?

Pokręciła głową, więc zrelacjonował rzuconą przez detektywa bardzo nie w porę insynuację z pisiorem komendanta policji okręgu Rockdale w roli głównej.

Faith rzuciła zszokowanym szeptem:

– Co mu zrobiła?

– Po prostu zniknął – powiedział Will, wyciągając komórkę. – Nie wiem gdzie, ale już go więcej nie widziałem. – Sprawdził czas na wyświetlaczu. – Sekcja zaczyna się za godzinę. Jeśli nic nie wyciągniemy z tego dziecka, jedźmy do prosektorium. Może uda nam się przekonać Pete'a, by zaczął wcześniej.

– O drugiej mamy się spotkać z Coldfieldami. Mogę do nich zadzwonić i spróbować to przesunąć bliżej południa.

Will wiedział, że Faith nie cierpi uczestniczyć przy sekcjach.

– Chcesz się rozdzielić?

Najwyraźniej nie doceniła wspaniałomyślności propozycji.

– Zobaczymy, czy będą w stanie przesunąć początek sekcji. Nasza część powinna być krótka.

Will miał taką nadzieję. Nie uśmiechała mu się perspektywa paprania się w makabrycznych szczegółach tortur, które znosiła Jacquelyn Zabel, zanim zdołała uciec prześladowcy tylko po to, by spaść i skręcić kark, czekając na pomoc.

– Może wtedy będziemy już mieli coś więcej. Jakiś trop, powiązanie między ofiarami.

– Poza tym, że obie odnosiły sukcesy, były samotne, atrakcyjne i znienawidzone przez prawie wszystkich, którzy mieli z nimi kontakt?

– Wiele kobiet sukcesu wzbudza nienawiść. – Gdy tylko zamknął usta, uświadomił sobie, że mówi jak seksistowska świnia. – To znaczy, wielu mężczyzn czuje się zagrożonych przez...

– Kumam, Will. Ludzie nie lubią kobiet odnoszących sukcesy. – Dodała smutno: – Czasem inne kobiety bywają gorsze od mężczyzn.

Domyślał się, że ma na myśli Amandę.

– Może właśnie to kieruje naszym zabójcą? Gniew, że te kobiety odniosły sukces i nie potrzebują mężczyzn?

Faith złożyła ręce na piersiach, rozważając możliwe motywy sprawcy.

– Wygląda to tak: Wybrał dwie kobiety, za którymi nikt nie będzie tęsknił, Annę i Jackie Zabel. Po prawdzie trzy, jeśli liczyć Pauline McGhee.

– McGhee ma długie brązowe włosy i brązowe oczy jak dwie pozostałe ofiary. Zwykle tacy goście są wierni ustalonemu *modus operandi* i ulubionemu typowi ofiary.

– Jackie Zabel była kobietą sukcesu. Mówiłeś, że Annie też nie wiodło się źle. McGhee jeździ lexusem i samotnie wychowuje dziecko, co, możesz mi wierzyć, nie jest łatwe. – Zamilkła na moment i Will się zastanawiał, czy myśli o Jeremym, ale zanim zdążył zapytać, podjęła: – Morderstwa prostytutek to zupełnie inna para kaloszy. – Można swobodnie zlikwidować ze cztery albo pięć, zanim ktoś zauważy. Ale nasz sprawca wybrał sobie za cel kobiety z pozycją. Zatem możemy założyć, że je najpierw obserwował.

Will nie brał tego wcześniej pod uwagę, ale Faith miała prawdopodobnie rację.

– Może traktuje taki rekonesans – ciągnęła – jako część polowania: poznaje ich życie, śledzi je i dopiero potem porywa.

– Czyli o kim mówimy? O facecie pracującym dla kobiety, za którą nie przepada? Samotniku, który czuje się odrzucony przez matkę? Rogaczu? – Ugryzł się w język i dał spokój z profilowaniem, uświadomiwszy sobie, że te charakterystyki są ciut za bardzo zbieżne z jego własną.

– To może być każdy – powiedziała Faith. – W tym właśnie problem, że to może być każdy.

W jej głosie słychać było frustrację, którą on też odczuwał. Oboje wiedzieli, że śledztwo zbliża się do punktu krytycznego. Seryjne porwania na tle seksualnym zawsze stanowiły twardy orzech do zgryzienia. Ofiary były zwykle wybierane na chybił trafił, a porywacz z reguły okazywał się doświadczonym łowcą i wiedział, jak zacierać za sobą ślady. Norę w lesie odkryli zupełnym przypadkiem, ale Will chciał trzymać się nadziei, że sprawca zaczyna popełniać błędy: uciekły mu już dwie ofiary. Może narasta w nim desperacja, może działa coraz bardziej chaotycznie. Muszą liczyć na uśmiech losu, jeśli mają go złapać.

Wsadził telefon do kieszeni. Śledztwo nie trwało nawet pół doby, a już niebezpiecznie zbliżało się do martwego punktu. Jeśli Anna nie odzyska przytomności, jeśli Felix nie dostarczy solidnego tropu, a na żadnym z miejsc zdarzenia nie znajdą wskazówki, na której mogliby się oprzeć, będą dalej tkwili w punkcie wyjścia, czekając na pojawienie się kolejnego ciała.

Faith najwyraźniej to samo chodziło po głowie.

– Będzie potrzebował nowego miejsca do przetrzymywania ofiar – powiedziała.

– Nie sądzę, żeby zdecydował się na kolejną ziemiankę. Coś takiego strasznie trudno wykopać. Sam przypłaciłem niemal życiem kopanie stawu w ogródku zeszłego lata.

– Masz staw w ogródku?

– Oczko wodne z koi – wyjaśnił. – Dwa tygodnie je robiłem.

Milczała przez chwilę, jakby zastanawiała się nad jego stawem.

– Może ktoś pomógł sprawcy wykopać tę norę?

– Seryjni mordercy zwykle działają sami.

– A ci dwaj goście z Kalifornii?

– Charles Ng i Leonard Lake.

Will słyszał o sprawie głównie dlatego, że było to jedno z najdłuższych i najbardziej kosztownych śledztw w historii stanu. Sprawcy wybudowali bunkier z pustaków na wzgórzach, wyposażając go w najróżniejsze narzędzia tortur i inne utensylia, żeby realizować swoje chore fantazje. Rejestrowali wszystko na taśmie filmowej, na zmianę zajmując się ofiarami – mężczyznami, kobietami i dziećmi, z których części nigdy nie udało się zidentyfikować.

– Dusiciele ze Wzgórz także działali razem.

Dwaj kuzyni, którzy polowali na kobiety z marginesu, prostytutki i nastolatki na gigancie.

– Mieli fałszywą odznakę policyjną – przypomniał Will. – Tak zdobywali zaufanie ofiar.

– Nawet nie chcę rozważać takiej możliwości.

Will miał podobne odczucia, ale powinni brać pod uwagę i taką ewentualność. Bmw Jackie Zabel zniknęło. Kobieta z supermarketu została porwana tuż przy swoim samochodzie. Ktoś podający się za policjanta mógł bez problemu wymyślić pretekst, żeby zbliżyć się do ich pojazdów.

– Charlie nie znalazł pod ziemią dowodów na obecność dwóch sprawców – powiedział. Musiał jednak dodać: – Z drugiej strony specjalnie się nie palił, żeby siedzieć tam dłużej niż to absolutnie konieczne.

– A jakie było twoje pierwsze wrażenie, gdy tam zszedłeś?

– Że muszę natychmiast wyjść, zanim dostanę zawału – przyznał Will, czując momentalnie, jak ramiona zaczynają go swędzieć. – To nie jest miejsce, w którym ma się ochotę dłużej zabawić.

– Obejrzymy zdjęcia. Może odkryjemy coś, co umknęło tobie i Charliemu w ferworze chwili.

Will wiedział, że to bardzo prawdopodobne. Kiedy wrócą do firmy, fotografie powinny być już na jego biurku. Przeanalizują wtedy miejsce zdarzenia na spokojnie, wolni od jego klaustrofobicznego oddziaływania.

– Dwie ofiary, Anna i Jackie. Może też dwóch porywaczy. – Faith analizowała kolejne powiązanie. – Jeśli tak wygląda ich *modus operandi*, a Pauline McGhee jest kolejną ofiarą, to potrzebują jeszcze jednej.

– Hej! – zawołał Leo, przywołując ich ręką. Stał w drzwiach oznaczonych dużą tabliczką.

– Pokój lekarski – przeczytała Faith z nawyku, który wzbudzał w Willu w równej mierze wdzięczność i zażenowanie.

– Powodzenia. – Leo poklepał go po ramieniu.

– Zabierasz się? – spytała Faith detektywa.

– Doktorka nieźle pojechała mi po rajtach. – Nie wydawał się specjalnie przejęty tym faktem. – Możecie pogadać z dzieciakiem, ale jeśli nie pojawi się powiązanie z waszą sprawą, muszę was prosić, żebyście trzymali się z daleka.

Willa trochę zdziwiły te słowa. Leo zwykle z największą przyjemnością pozwalał innym odwalać za siebie robotę.

– Wierzcie mi, bardzo chętnie bym wam oddał tę sprawę, ale szefostwo patrzy mi na ręce. Wzięli mnie na muszkę i tylko szukają pretekstu, jak mnie wykopać. Muszę mieć mocne powiązanie, zanim wystąpię drogą służbową o włączenie was do śledztwa, jasne?

– Dopilnujemy, żebyś był kryty – obiecała Faith. – Możesz nadal mieć oko na zaginione odpowiadające naszemu typowi? Białe, po trzydziestce, ciemnowłose i dobrze ustawione, ale bez szerokiego kręgu przyjaciół, którzy by za nimi tęsknili.

– Jędzowate szatynki. – Posłał jej oko. – A co innego mi pozostało, niż cichaczem rozpracowywać waszą sprawę? – Najwyraźniej mu to nie przeszkadzało. – Będę w supermarkecie, na wypadek gdyby coś wyskoczyło. Znacie moje numery.

– Dlaczego chcą się pozbyć Leo? – zapytał Will, odprowadzając go wzrokiem. – To znaczy, nie licząc oczywistych powodów.

Faith pracowała z Donnellym przez kilka lat i Will widział, że najwyraźniej ma ochotę stanąć w jego obronie. W końcu jednak powiedziała tylko:

– Ma najwyższą grupę zaszeregowania. Taniej jest wziąć na jego miejsce jakiegoś zielonego żółtodzioba prosto z patrolu. Plus, jeśli pójdzie na wcześniejszą emeryturę, jego świadczenie będzie o dwadzieścia procent niższe. A gdy się dorzuci do tego ubezpieczenie zdrowotne, trzymanie go staje się jeszcze kosztowniejsze. Góra patrzy na takie kwestie przy przygotowywaniu budżetu.

Faith miała właśnie otworzyć drzwi, ale zadzwoniła jej komórka. Sprawdziła numer na wyświetlaczu i poinformowała Willa:

– Siostra Jackie. – Odebrała, pokazując mu głową, żeby zaczął bez niej.

Położył na drewnianych drzwiach dłoń lepką od potu. Serce mu szybciej zabiło, co złożył na karb nieprzespanej nocy i zbyt dużej ilości gorącej czekolady rano. Potem zobaczył Sarę Linton i znowu poczuł kołatanie w piersi.

Siedziała na krześle przy oknie, tuląc Feliksa McGhee. Chłopiec był już na to za duży, ale mimo to radziła sobie dobrze. Jednym ramieniem obejmowała go w pasie, drugim otoczyła ramiona i głaskała po włosach, szepcząc słowa pociechy do ucha.

Podniosła głowę, kiedy Will wszedł do pomieszczenia, ale nie zmieniła pozycji. Felix z lekko uchylonymi ustami patrzył pustym wzrokiem przez okno. Sara pokazała głową krzesło naprzeciwko, a ponieważ stało niecałe piętnaście centymetrów od jej kolan, Will się domyślił, że wcześniej siedział na nim chłopiec. Odsunął je i spoczął.

– Felix – powiedziała Sara spokojnym, opanowanym głosem, jakim wczoraj wieczorem zwracała się do Anny. – To jest agent Trent, policjant, który ci pomoże.

Chłopiec dalej siedział ze wzrokiem wbitym w okno. Włosy miał spocone, mimo że w pokoju było chłodno. Po policzku spłynęła mu kropla potu i Will wyjął płócienną chusteczkę, żeby ją otrzeć. Kiedy ponownie przeniósł wzrok na Sarę, gapiła się na niego, tak jakby właśnie wyciągnął królika z kieszeni.

– Stary nawyk – wymruczał zawstydzony, składając chusteczkę na pół.

Przez te wszystkie lata przekonał się, że tylko staruszkowie i gogusie noszą chustki z materiału, ale wszystkie dzieci z sierocińca musiały zawsze takie mieć przy sobie i teraz Will czuł się bez niej nagi.

Sara potrząsnęła głową, jakby mówiąc, że jej to nie przeszkadza. Przycisnęła usta do czubka głowy Feliksa. Chłopiec się nie poruszył, ale Will widział, że strzela oczyma na boki, popatrując na niego i sprawdzając, co robi.

– Co to jest? – spytał Will, zauważywszy plecak przy krześle Sary.

Domyślił się z jaskrawych kolorów i zdobiących go wizerunków postaci z kreskówek, że należy do Feliksa. Przysunął tornister, otworzył go i zaczął przeglądać zawartość, od czasu do czasu strzepując pojedyncze kolorowe konfetti.

Leo z pewnością przetrzepał już wszystko w środku, ale Will wyjmował ostrożnie każdy przedmiot, szukając jakiejkolwiek, choćby najmniejszej wskazówki.

– Fajne kredki. – Wyjął pastele w czarnym, nietypowym jak na dziecięcy produkt opakowaniu. – Są dla dorosłych. Musisz być bardzo dobrym artystą.

Nie spodziewał się odpowiedzi i Felix jej nie udzielił, ale obserwował teraz uważnie Willa, jakby pilnował, czy nie zabierze mu niczego z tornistra.

Will otworzył teczkę z ozdobnym herbem na wierzchu, pewnie szkoły prywatnej, do której uczęszczał chłopiec. W jednej kieszeni znajdowały się jakieś dokumenty ze szkoły, w drugiej coś, co wyglądało na prace domowe. Will nie był w stanie odczytać uwag nauczycieli i zawiadomień, ale domyślił się z kartek w dwie linie z zadaniami domowymi, że chłopiec uczy się pisać.

Pokazał prace lekarce.

– Stawia ładne litery.

– Bardzo ładne – zgodziła się Sara.

Obserwowała go równie bacznie jak chłopiec i Will musiał przestać o niej myśleć, żeby nie zapomnieć, po co tu przyszedł. Była zbyt piękna, zbyt mądra i w ogóle we wszystkim biła go na głowę.

Wsadził teczkę z powrotem do plecaka i wyciągnął trzy cienkie książki. Nawet on potrafił odczytać trzy pierwsze litery alfabetu, które ozdabiały okładkę jednej. Tytuły dwóch pozostałych były jednak poza jego zasięgiem. Pokazał je Feliksowi i spytał:

– Ciekawe, o czym są?

Kiedy chłopiec nie odpowiedział, popatrzył spod zmrużonych powiek na obrazki.

– Zdaje się, że ta świnka pracuje w restauracji, bo podaje ludziom naleśniki. – Zerknął na drugą książkę. – A ta myszka siedzi w pojemniku na kanapki. Założę się, że ktoś ją zje na lunch.

– Nie. – Felix odezwał się tak cicho, że Will nie był pewien, czy się nie przesłyszał.

– Nie? – spytał, z powrotem przenosząc wzrok na mysz. Cudowne w kontaktach z dziećmi jest to, że można pozwolić sobie z nimi na całkowitą szczerość, a one i tak są przekonane, że człowiek się tylko z nimi droczy. – Nie bardzo sobie radzę z czytaniem. Co tu jest napisane?

Felix się poruszył i z pomocą Sary obrócił się w kierunku Willa. Sięgnął po książki, ale zamiast odpowiedzieć, przycisnął je do piersi. Wargi zaczęły mu drżeć.

– Mama ci je czyta, prawda? – domyślił się Trent.

Chłopiec skinął głową i wielka łza potoczyła mu się po policzku.

– Chcę odnaleźć twoją mamusię.

Felix przełknął z trudem ślinę, jakby próbował stłumić duszącą go rozpacz.

– Wielki pan ją zabrał.

Will wiedział, że dla dziecka wszyscy dorośli są wielcy. Wyprostował się i spytał:

– Taki wielki jak ja?

Chłopiec dopiero teraz, po raz pierwszy odkąd Will wszedł do pomieszczenia, dokładnie mu się przyjrzał. Wydawało się, że zastanawia się nad pytaniem, i w końcu pokręcił głową.

– A pamiętasz tego detektywa, który był tu przed chwilą? Tego śmierdzącego? Czy ten mężczyzna był taki duży jak on?

Felix potaknął.

Will starał się zadawać pytania powoli, swobodnym tonem, żeby chłopiec odpowiadał bez wrażenia, że jest przesłuchiwany.

– A włosy miał mojego koloru czy ciemniejsze?

– Ciemniejsze.

Will skinął głową, drapiąc się po brodzie, jakby rozważał różne możliwości. Dzieci bywały z reguły bardzo niewiarygodnymi świadkami. Albo chciały zadowolić przesłuchujących ich dorosłych, albo okazywały się tak podatne na sugestie, że bardzo łatwo było zaszczepić im w głowie jakąś konkretną wizję i sprawić, by się zaklinały, że tak właśnie było.

– A jego twarz? – spytał. – Miał jakiś zarost? Czy może była tak gładko ogolona jak moja?

– Miał wąsy.

– Rozmawiał z tobą?

– Powiedział, że mama kazała mi zostać w samochodzie.

Will ostrożnie sondował dalej.

– Nosił specjalny strój, taki jak dozorcy, strażacy albo policjanci?

Felix potrząsnął głową.

– Nie, miał normalne ubranie.

Will poczuł, że się czerwieni. Wiedział, że Sara na niego patrzy. Jej mąż był gliniarzem. Na pewno nie spodobała jej się ta sugestia.

– Jakiego koloru? – spytał.

Felix wzruszył ramionami i Will się zastanawiał, czy ma już dosyć przepytywania, czy też naprawdę nie pamięta. Chłopiec skubał brzeg książki.

– Miał garnitur taki jak Morgan.

– Morgan to znajomy twojej mamusi?

Skinął głową.

– Z pracy, ale ona się na niego gniewa, bo on kłamie i próbuje narobić jej kłopotów, ale mamusia na to nie pozwoli dzięki sejfowi.

Will się zastanawiał, czy Felix podsłuchał przez przypadek jakąś rozmowę telefoniczną, czy też Pauline McGhee ma zwyczaj roztrząsać swoje problemy z sześciolatkiem.

– A zapamiętałeś jeszcze coś o tym panu, który zabrał twoją mamusię?

– Powiedział, że popamiętam, jeśli komuś o nim powiem. Że zrobi mi krzywdę.

Will starał się zachować równie obojętną minę jak Felix.

– Ale ty się go nie boisz – bardziej stwierdził, niż zapytał.

– Mamusia mówi, że nigdy nie pozwoli nikomu mnie skrzywdzić.

Powiedział to z taką niezachwianą pewnością, że Will, chcąc nie chcąc, poczuł wielki szacunek dla zdolności wychowawczych Pauline McGhee. Swego czasu zdarzało mu się przesłuchiwać mnóstwo dzieci, ale żadne z nich nie ufało tak ślepo swoim rodzicom.

– Ma rację – powiedział. – Nikt cię nie skrzywdzi.

– Moja mamusia mnie obroni – upierał się Felix i Will zaczął się zastanawiać, czemu tak konsekwentnie przy tym obstaje. Zwykle nie składa się dziecku takich zapewnień, chyba że istnieje jakiś realny powód do lęku.

– Czy twoja mamusia bała się, że ktoś może chcieć cię skrzywdzić? – spytał.

Malec znowu zaczął skubać okładkę książki. Niemal niezauważalnie skinął głową.

Will odczekał chwilkę, nie chcąc naciskać.
– Kogo się bała, Feliksie?
Chłopiec odpowiedział cicho, prawie szeptem:
– Swojego brata.
Brat. Być może to tylko jakaś rodzinna kłótnia.
– Powiedziała ci, jak się nazywa ten brat?
Pokręcił głową.
– Nigdy go nie widziałem, ale on jest zły.
Will patrzył na chłopca, zastanawiając się, jak sformułować następne pytanie.
– Co to znaczy zły?
– Podły. Powiedziała, że jest zły, ale że ona mnie przed nim obroni, bo kocha mnie najbardziej na świecie. – W jego głosie pojawił się puentujący ton, jakby to było wszystko, co miał w tej kwestii do powiedzenia. – Mogę teraz już iść do domu?
Will wolałby poczuć nóż w piersi, niż odpowiedzieć na to pytanie. Szukając pomocy, zerknął na Sarę, która wybawiła go z opresji.
– Pamiętasz tę panią, którą poznałeś wcześniej? – spytała chłopca. – Panią Nancy?
Felix skinął głową.
– Ona znajdzie kogoś, kto się tobą zaopiekuje, dopóki mamusia cię nie odbierze.
Oczy chłopca napełniły się łzami. Will mu się nie dziwił. Pani Nancy pracowała pewnie w opiece społecznej i w niczym nie przypominała wychowawczyń z prywatnej szkoły Feliksa albo nadzianych przyjaciół jego matki.
– Ale ja chcę iść do domu – upierał się chłopiec.
– Wiem, kochanie – uspokajała Sara. – Ale jeśli wrócisz do domu, będziesz tam zupełnie sam. Musimy mieć pewność, że będziesz bezpieczny, dopóki mama po ciebie nie przyjdzie.
Nie wydawał się przekonany.
Will przyklęknął na jedno kolano, tak by jego twarz znajdowała się na jednej linii z twarzą malca. Otoczył go ramieniem, niechcący ocierając się palcami o rękę Sary. Poczuł, jak w gardle rośnie mu gula, i musiał przełknąć ślinę, zanim był w stanie się odezwać.
– Popatrz na mnie, Feliksie. – Poczekał, dopóki dziecko nie posłuchało. – Dopilnuję, żeby twoja mama do ciebie

wróciła, ale muszę mieć pewność, że kiedy ja będę się tym zajmował, ty będziesz dzielny.

Na twarzy chłopca malowała się taka szczerość i ufność, że serce się krajało, gdy się na niego patrzyło.

– Jak to długo potrwa? – Głos mu drżał, kiedy zadawał to pytanie.

– Najwyżej tydzień – powiedział Will, zmuszając się, żeby nie uciec w bok oczyma. Jeśli Pauline McGhee nie znajdzie się w ciągu siedmiu dni, będzie to oznaczało, że nie żyje, a Felix jest sierotą. – Możesz dać mi tydzień?

Chłopiec patrzył na niego badawczo, jak gdyby oceniał, czy mówi mu prawdę. W końcu skinął głową.

– Dobrze – powiedział Will, czując, jakby na piersi położono mu kowadło.

Zobaczył, że Faith siedzi na krześle przy drzwiach, i zastanawiał się, kiedy weszła. Teraz wstała i skinęła na niego głową, żeby wyszedł z nią na zewnątrz. Will poklepał Feliksa po nodze i dołączył do niej na korytarzu.

– Powiem Leo o bracie – rzuciła. – Wygląda to na kłótnię rodzinną.

– Możliwe. – Zerknął przez ramię na zamknięte drzwi. Chciał wrócić do pokoju, ale nie z powodu Feliksa. – Co powiedziała siostra Jackie?

– Joelyn – podrzuciła Faith. – Raczej nie rwała włosów z głowy na wieść o zabójstwie siostry.

– To znaczy?

– To znaczy, że wredność jest rodzinna.

Will poczuł, jak brwi podjeżdżają mu do góry.

– Po prostu mam zły dzień – powiedziała, jakby to coś tłumaczyło. – Mieszka w Karolinie Północnej. Oświadczyła, że przyjazd tutaj zajmie jej pięć godzin. – Dodała, jakby dopiero co sobie przypomniała: – O, i że pozwie policję i wyleje nas na zbity pysk, jeśli nie ustalimy, kto zabił jej siostrę.

– Jedna z tych – skonstatował Will. Nie wiedział, co jest gorsze: członkowie rodzin, którzy wpadali w taką rozpacz, że gdy się na nich patrzyło, żal ściskał serce, czy członkowie rodzin, którzy wpadali w taką wściekłość, że gdy się na nich patrzyło, żal ściskał co innego. – Może też powinnaś spróbować pogadać z Feliksem.

– Wydał mi się raczej wypompowany – odpowiedziała. – Wątpię, żeby udało mi się wyciągnąć z niego coś więcej.

– Może rozmowa z kobietą...

– Masz świetne podejście do dzieci – przerwała z nutką zdziwienia w głosie. – A już na pewno więcej cierpliwości niż ja w tej chwili.

Wzruszył ramionami. W sierocińcu zajmował się niektórymi maluchami, zwłaszcza nowymi, głównie po to, by nie płakały całe noce i dały innym trochę pospać. Spytał:

– Wzięłaś od Leo numer do pracy Pauline McGhee? – Skinęła głową. – Powinniśmy zadzwonić i sprawdzić, czy pracuje tam jakiś Morgan. Felix twierdzi, że porywacz był ubrany tak jak on. Może rzeczony Morgan preferuje jakiś specjalny rodzaj garniturów. Nasz podejrzany ma około metra siedemdziesięciu, ciemne włosy i wąsy.

– Zarost mógł być sztuczny.

Will się zgodził.

– To bystry chłopiec jak na swój wiek, ale nie jestem pewien, czy potrafi odróżnić prawdziwy od fałszywego. Może Sara jeszcze coś z niego wyciągnie?

– Dajmy im kilka minut sam na sam – zasugerowała Faith. – Mówisz tak, jakbyś był pewien, że Pauline jest jedną z naszych ofiar.

– A ty jak sądzisz?

– Spytałam pierwsza.

Will westchnął.

– Czuję tak przez skórę. Ma dobrą pracę, dobre zarobki, brązowe włosy i oczy. – Wzruszył ramionami, zaraz zaprzeczając samemu sobie: – To w sumie niewiele. Nie bardzo jest się na czym oprzeć.

– To więcej, niż mieliśmy rano – przypomniała, choć sama nie wiedziała, czy zgadza się z jego przeczuciem, czy też po prostu chwyta każdej możliwości. – Ale działajmy ostrożnie. Nie chcę wpakować Leo w kłopoty, grzebiąc przy jego sprawie, żeby potem zostawić go na lodzie, gdy nic z tego nie wyjdzie.

– Zgoda.

– Zadzwonię do pracy Pauline McGhee i spytam o garnitury Morgana. Może uda mi się wyciągnąć z nich jakieś informacje, nie wchodząc w paradę Leo. – Wyjęła telefon i popatrzyła na wyświetlacz. – Bateria mi padła.

– Proszę – Willl zaoferował swój aparat.

Wzięła go delikatnie w obie dłonie i wystukała numer z notesu. Zastanawiał się, czy wygląda równie głupio jak Faith, trzymając dwa kawałki plastiku przy twarzy, i doszedł do wniosku, że przypuszczalnie wygląda jeszcze głupiej. Faith niezupełnie była w jego typie, ale należała do atrakcyjnych kobiet, a atrakcyjnym kobietom wiele uchodzi na sucho. Sarze Linton na przykład prawdopodobnie uszłoby na sucho morderstwo.

– Przepraszam – rzuciła Faith do słuchawki podniesionym głosem. – Słabo słyszę. – Łypnęła na Willa, jakby to była jego wina, zanim skierowała się w głąb korytarza, gdzie sygnał był silniejszy.

Oparł się ramieniem o framugę. Zmiana telefonu go przerastała – takie problemy zwykle rozwiązywała za niego Angie. Usiłował załatwić wymianę aparatu, dzwoniąc do operatora, ale usłyszał, że musi zjawić się w punkcie osobiście i dopełnić jakichś papierkowych formalności. Zakładając nawet, że jakimś cudem by mu się to udało, musiałby jeszcze nauczyć się obsługi nowego telefonu – jak ustawić dźwięk dzwonka na taki, który by go nie drażnił, jak wprowadzić numery, których potrzebował w pracy. Zapewne mógłby poprosić o to Faith, ale duma mu nie pozwalała. Wiedział, że chętnie by mu pomogła, ale chciałaby o tym rozmawiać.

I tak po raz pierwszy w swoim dorosłym życiu złapał się na tym, że pragnie, by Angie do niego wróciła.

Poczuł czyjąś dłoń na ramieniu, potem usłyszał krótkie „Przepraszam" i szczupła brunetka otworzyła drzwi do pokoju lekarskiego. Domyślił się, że to Nancy z opieki społecznej, która przyszła po Feliksa. Było wystarczająco wcześnie rano, by chłopiec nie trafił z miejsca do schroniska, tylko do jakiejś rodziny zastępczej, która zajęłaby się nim przez jakiś czas. Przy odrobinie szczęścia pani Nancy powinna znać kilka dobrych rodzin, które wyświadczyłyby jej tę przysługę. Niełatwo było umieścić w nich dziecko, którego status prawny pozostawał nieokreślony. Will sam miał swego czasu taki status – wystarczająco długo, by na adopcję było już za późno.

Wróciła Faith. Z pełnym dezaprobaty grymasem na twarzy oddała mu telefon.

– Powinieneś go wymienić.

– Dlaczego? – spytał, chowając aparat do kieszeni. – Działa bez zarzutu.

Puściła mimo uszu to oczywiste kłamstwo.

– Morgan chodzi tylko w Armanim i wydaje się przekonany, że jest jedynym mężczyzną w Atlancie, który ma na to dość klasy i kasy.

– Czyli przedział od jakichś dwóch i pół tysiąca do pięciu tysięcy za garnitur.

– Raczej bliżej tego drugiego końca, sądząc po jego wyniosłym tonie. Powiedział mi także, że Pauline McGhee nie utrzymuje stosunków z rodziną co najmniej od dwudziestu lat. Ponoć uciekła z domu, gdy miała siedemnaście lat i nigdy potem nie nawiązała kontaktu. Nie słyszał, by kiedykolwiek wspominała o jakimś bracie.

– Ile lat ma teraz Pauline?

– Trzydzieści siedem.

– A Morgan wie, gdzie mieszka jej rodzina?

– Nie ma nawet pojęcia, z jakiego stanu pochodzi. Niewiele mówiła o swojej przeszłości. Zostawiłam wiadomość w poczcie głosowej Leo. Jestem pewna, że zlokalizuje brata do wieczora. Prawdopodobnie już sprawdza odciski z terenówki.

– A może ona posługuje się fałszywym nazwiskiem? Nie ucieka się z domu w wieku lat siedemnastu bez powodu. Doskonale radzi sobie finansowo. Może musiała zmienić nazwisko, by tak się stało.

– Ewidentnie Jackie utrzymywała kontakt z rodziną i nie zmieniła nazwiska. Jej siostra także przy nim została. – Faith się roześmiała: – Wszystkie imiona się rymują – Gwendolyn, Jacquelyn, Joelyn. To trochę dziwne, nie sądzisz?

Will wzruszył ramionami. Nie rozpoznawał rymów, co, jak sądził, wynikało z jego dysleksji. Na szczęście nie była to umiejętność często potrzebna w pracy.

– Nie wiem, skąd to się bierze – ciągnęła Faith – ale kiedy spodziewasz się dziecka, nagle najgłupsze imiona wydają ci się piękne. – W jej głosie pojawił się smutek. –

O mały włos nie nazwałam Jeremy'ego Fernando Romantico na cześć jednego z członków Menudo. Dzięki Bogu moja matka walnęła ręką w stół.

Otworzyły się drzwi i na korytarz wyszła Sara Linton. Wyglądała dokładnie tak, jak może wyglądać człowiek, który w swoim przekonaniu właśnie porzucił dziecko na pastwę opieki społecznej. Will nie miał zwyczaju pomstować na system, ale rzeczywistość wyglądała tak, że bez względu na to, jak mili byli pracownicy opieki społecznej i jak bardzo się starali, było ich za mało i nie otrzymywali potrzebnego wsparcia. Jeśli dodać do tego fakt, że rodzice zastępczy często okazywali się łasymi na pieniądze, nienawidzącymi dzieci sadystami, łatwo było zrozumieć, jakim kamieniem na duszy musiały kłaść się podobne sytuacje. Niestety, to dusza Feliksa McGhee miała zapłacić największą cenę.

– Świetnie pan sobie poradził – powiedziała Sara do Willa.

Uśmiechnął się jak dziecko, które właśnie pogłaskano po głowie.

– Felix powiedział coś jeszcze? – spytała Faith.

Sara potrząsnęła głową.

– Jak się pani czuje?

– Znacznie lepiej – odpowiedziała Faith z nutką rezerwy w głosie.

– Słyszałam o drugiej ofierze, którą znaleźliście wczoraj w nocy.

– Will ją znalazł. – Faith urwała na chwilę, jakby racjonując informacje. – To nie powinno dotrzeć do niepowołanych uszu, ale skręciła kark, spadając z drzewa.

Sara ściągnęła brwi.

– A co robiła na drzewie?

– Czekała, żebyśmy ją znaleźli – wtrącił Will. – Najwyraźniej nie dotarliśmy tam wystarczająco szybko.

– Nie może pan wiedzieć, jak długo tam siedziała – powiedziała mu Sara. – Określanie czasu zgonu nie jest nauką ścisłą.

– Jej krew była jeszcze ciepła – odparował, czując, że ogarnia go ciemność na myśl o gorących kroplach lądujących mu na karku.

– Przyczyn takiego stanu rzeczy może być bardzo wiele. Liście drzewa mogły zapewnić izolację cieplną. Porywacz mógł jej wcześniej podawać różne leki. Kilka farmaceutyków podnosi temperaturę głęboką ciała i opóźnia jej spadek nawet po śmierci.

– Krew nie zdążyła skrzepnąć – obstawał przy swoim.

– Czas krzepnięcia mogło wydłużyć choćby przyjęcie kilku najzwyklejszych aspiryn.

– Jackie miała dużą butelkę aspiryny przy łóżku. Na wpół opróżnioną – przypomniała Faith.

Will zdawał się nadal nieprzekonany, ale Sara zmieniła temat.

– Czy Pete Hanson nadal jest koronerem na tym rejonie? – spytała.

– Zna pani Pete'a?

– To świetny anatomopatolog. Przeszłam u niego kilka kursów, kiedy zostałam po raz pierwszy wybrana.

Will zapomniał już, że w małych miasteczkach funkcja koronera jest obieralna. Nie potrafił wyobrazić sobie twarzy Sary na plakatach wyborczych.

– Mieliśmy właśnie jechać do niego na sekcję drugiej ofiary – powiedziała Faith.

Sara zrobiła niepewną minę.

– Dzisiaj mam wolne.

– W takim razie – zaczęła Faith znowu przeciągając wypowiedź – mam nadzieję, że pani odpocznie. – Rzuciła to niby na odchodne, ale nie ruszyła się z miejsca.

Na korytarzu zrobiło się tymczasem wystarczająco cicho, by Will usłyszał stukanie wysokich obcasów na kafelkach za plecami. Dziarskim krokiem zbliżała się do nich Amanda Wagner. Wyglądała na wypoczętą, mimo że tak jak Will siedziała w lesie prawie do rana. Miała na sobie swój zwykły nieruchomy hełm z włosów i spodnium w kolorze stonowanego ciemnego fioletu.

I jak zwykle od razu przeszła do rzeczy.

– Cholerny odcisk na prawie jazdy Jacquelyn Zabel należy do naszej pierwszej ofiary. Nadal nazywacie ją Anną? – Nie dała im czasu na odpowiedź. – Czy to porwanie z supermarketu jest powiązane z naszą sprawą?

– Niewykluczone – odpowiedział Will. – Matkę porwano około piątej trzydzieści nad ranem. Syna, Feliksa, znaleziono śpiącego w samochodzie. Podał pobieżny opis sprawcy, ale ma tylko sześć lat. Współpracujemy z policją z Atlanty. O ile wiem, nie poprosili jeszcze oficjalnie o pomoc.

– Kto prowadzi śledztwo?

– Leo Donnelly.

– Do niczego – sarknęła Amanda. – Na razie pozwolimy mu zatrzymać sprawę, ale chcę, żebyście patrzyli mu na ręce. Niech Atlanta odwali podstawową robotę i zapłaci za ekspertyzy, ale jeśli Donnelly zacznie chrzanić, natychmiast go odsuńcie.

– Nie spodoba mu się to – powiedziała Faith.

– A wyglądam tak, jakby mnie to interesowało? – Nie czekała na odpowiedź. – Nasi przyjaciele z okręgu Rockdale najwyraźniej żałują przekazania śledztwa – poinformowała ich. – Zwołałam konferencję prasową na zewnątrz za pięć minut i chcę, żebyście oboje stali obok mnie z pewnymi siebie, kojącymi minami, kiedy ja będę wyjaśniać obywatelom, że ich nerki są bezpieczne od zakusów podłych łowców narządów. – Wyciągnęła rękę do Sary. – Doktor Linton, chyba nie będzie przesadą, jeśli powiem, że tym razem spotykamy się w lepszych okolicznościach.

Sara uścisnęła jej dłoń.

– Przynajmniej dla mnie.

– To była bardzo wzruszająca ceremonia, właściwy hołd należny wspaniałemu oficerowi.

– Och... – Sara urwała, zmieszana. Oczy napełniły jej się łzami. – Nie wiedziałam, że była pani... – Odchrząknęła i próbowała wziąć się w garść. – Nadal niewiele pamiętam z tego dnia.

Amanda zmierzyła ją badawczym spojrzeniem i spytała zaskakująco łagodnym tonem:

– Ile to już czasu minęło?

– Trzy i pół roku.

– Słyszałam, co się stało w Coastal. – Nadal trzymała rękę Sary i Will zauważył, że uścisnęła ją krzepiąco. – Dbamy o swoich.

Sara otarła oczy, zerkając na Faith, jakby zrobiło jej się głupio.

– Miałam właśnie zaoferować swoją pomoc pani agentom.

Will zobaczył, że Faith otworzyła usta i natychmiast z powrotem zamknęła.

– Śmiało – zachęciła Amanda.

– Zajmowałam się pierwszą ofiarą, Anną. Nie miałam sposobności przeprowadzić pełnej obdukcji, jednak spędziłam przy niej dużo czasu. Pete Hanson jest jednym z najlepszych anatomopatologów, jakich znam, ale jeśli chcielibyście, żebym była obecna przy sekcji drugiej ofiary, mogłabym wskazać podobieństwa i różnice zachodzące między oboma przypadkami.

Amanda nie marnowała czasu na zbędne deliberacje.

– Skorzystam z pani propozycji – rzuciła. – Faith, Will, chodźcie ze mną. Doktor Linton, moi agenci spotkają się z panią w City Hall East za godzinę. – Kiedy nikt się nie ruszył, klasnęła w ręce. – No, idziemy. – Była już w połowie korytarza, kiedy Faith i Will zdecydowali się podążyć jej śladem.

Idąc za Amandą, Will skracał krok, żeby jej nie wyprzedzić. Poruszała się szybko jak na tak niską kobietę, ale jego wzrost sprawiał, że ilekroć szedł za nią, starając się zachować stosowną odległość, czuł się jak Zielony Olbrzym. Patrząc teraz na tył jej głowy, zastanawiał się, czy zabójca pracuje dla kobiety takiej jak Amanda. Rozumiał, że inny mężczyzna mógłby czuć na jego miejscu czystą nienawiść zamiast mieszaniny złości z odrobiną rozpaczliwej chęci zadowolenia prześladowczyni, jaką sam żywił do szefowej.

Faith położyła mu dłoń na ramieniu i odciągnęła go do tyłu.

– Możesz w to uwierzyć?

– W co?

– Że Sara wtrynia się w naszą sekcję.

– Miała rację, mówiąc o porównaniu obrażeń obu ofiar.

– Też możesz to zrobić. Widziałeś obie.

– Ale nie jestem koronerem.

– Ona też już nie – odparowała Faith. – Nie jest nawet prawdziwym lekarzem. Tylko jakimś tam pediatrą. I co, u licha, Amanda miała na myśli, mówiąc o Coastal?

Will także był ciekaw, co się zdarzyło w więzieniu stanowym Coastal, ale przede wszystkim zachodził w głowę, czemu Faith się tak bardzo zacietrzewia.

Amanda zawołała przez ramię:

– Przyjmiecie każdą bez wyjątku pomoc, jaką zaoferuje doktor Linton. – Najwyraźniej słyszała, jak szepcą za jej plecami. – Jej mąż był jednym z najlepszych gliniarzy w stanie, a ja jestem gotowa położyć każde śledztwo na szali jej umiejętności.

Faith nawet nie próbowała ukryć ciekawości.

– Co mu się stało?

– Poległ na służbie – tylko tyle powiedziała Amanda. – Jak się czujesz po swoim upadku, Faith?

– Doskonale – rzuciła Faith nienaturalnie ożywionym głosem.

– Lekarz cię przebadał?

– Od stóp do głów – zapewniła Faith z jeszcze większym entuzjazmem.

– Jeszcze o tym porozmawiamy. – Amanda gestem kazała odsunąć się strażnikom, kiedy weszli do holu, i powiedziała do Faith: – Po tym wszystkim mam spotkanie z burmistrzem, ale po południu chcę cię zobaczyć u siebie w gabinecie.

– Tak jest.

Will zastanawiał się, czy to on głupieje z każdą chwilą, czy też kobiety w jego życiu stają się coraz bardziej ograniczone. Teraz jednak nie czas było to rozważać. Wyciągnął rękę przed Amandą i otworzył szklane drzwi. Na zewnątrz ustawiono podium, za nim rozciągał się mały kawałek wykładziny, na którym stanęła Amanda. Will zajął swoją zwyczajową pozycję z boku, świadom, że kadr obejmie najwyżej jego podbródek i może węzeł krawata, skupiając się głównie na zbliżeniu Amandy. Faith najwyraźniej wiedziała, że nie będzie miała tyle szczęścia, i stanąwszy za szefową, przyoblekła twarz w doskonały grymas.

Błysnęły flesze. Amanda podeszła do mikrofonów. Dziennikarze z miejsca zasypali ją pytaniami, ale odczekała, aż rejwach ucichnie. Dopiero wtedy wyjęła z kieszeni żakietu złożoną kartkę i rozłożyła ją na pulpicie.

– Jestem doktor Amanda Wagner, zastępca dyrektora regionalnego oddziału Biura Śledczego Georgii w Atlancie. – Zrobiła efektowną pauzę. – Do uszu niektórych z państwa dotarły wyssane z palca pogłoski o tak zwanym Nerkowym Wampirze. Chcę jasno oświadczyć, że są one absolutnie fałszywe. W naszym stanie nie grasuje taki zabójca. Nerka ofiary nie została usunięta, ciało nie nosiło śladów żadnej interwencji chirurgicznej. Komenda policji okręgu Rockdale zaprzeczyła, jakoby była źródłem powyższych pogłosek, i pozostaje nam tylko ufać, że nasi koledzy nie rozmijają się z prawdą w tej kwestii.

Will nie musiał patrzeć na Faith, by wiedzieć, że stara się stłumić uśmiech. Detektyw Max Galloway niewątpliwie zalazł jej za skórę, a teraz Amanda publicznie i przed kamerami przejechała się po całej policji z Rockdale.

Jeden z dziennikarzy spytał:

– Co może nam pani powiedzieć o kobiecie, która trafiła do szpitala Grady'ego wczoraj wieczorem?

Nie po raz pierwszy okazało się, że Amanda wie więcej o sprawie, niż Will i Faith jej powiedzieli.

– Dzisiaj około trzynastej będziemy mieli portret poszkodowanej do państwa dyspozycji.

– A dlaczego nie zdjęcie?

– Jej twarz nosi ślady obrażeń. Nie chcielibyśmy zmniejszać szans na jej identyfikację przez obywateli.

– Jakie są rokowania co do jej stanu? – spytała jakaś kobieta z CNN.

– Ostrożne – powiedziała Amanda, pokazując na kolejnego reportera, który trzymał rękę w górze.

Był to Sam, facet, który wołał Faith, gdy wchodzili do szpitala. Był jedynym dziennikarzem, który po staremu robił notatki, zamiast korzystać z cyfrowego dyktafonu.

– Czy może pani skomentować oświadczenie wydane przez siostrę Jacquelyn Zabel, Joelyn?

Will poczuł, jak napięły mu się mięśnie żuchwy, ale dalej patrzył beznamiętnie przed siebie. Domyślał się, że Faith też się to udało, ponieważ tłum reporterów nadal skupiał się na Amandzie, a nie na dwóch zszokowanych agentach za nią.

– Rodzina jest bez wątpienia bardzo zdenerwowana – odpowiedziała Amanda. – Robimy wszystko, co w naszej mocy, by wyjaśnić tę sprawę.

Sam naciskał:

– Ale z pewnością nie jesteście zadowoleni, że wypowiada się o waszej agencji w tak ostrych słowach.

Patrząc na niego, Will bez trudu wyobraził sobie uśmiech na twarzy szefowej. Oboje udawali, ponieważ dziennikarz najwyraźniej doskonale wiedział, że Amanda nie ma pojęcia, o czym on mówi.

– O oświadczenia pani Zabel musi pan pytać ją samą – rzuciła. – To wszystko, co mam do powiedzenia w tej kwestii. – Odpowiedziała na jeszcze dwa pytania i zakończyła konferencję zwyczajowym apelem o zgłaszanie się wszystkich osób, które mogą coś wnieść do sprawy.

Dziennikarze zaczęli się rozchodzić, żeby czym prędzej przekazać newsa – choć Will dałby sobie rękę uciąć, że żaden nie przyzna się do tego, że nie sprawdził wiarygodności pogłoski o Nerkowym Wampirze przed jej opublikowaniem.

– Idź – szepnęła Amanda do Faith tak cicho, że ledwo usłyszał.

Faith nie potrzebowała wyjaśnienia ani wsparcia, ale mimo to chwyciła Willa pod ramię i ruszyła w kierunku tłumu reporterów. Przeszła tuż obok Sama i chyba musiała mu coś powiedzieć, bo dziennikarz ruszył za nią w kierunku wąskiej alejki między szpitalem a parkingiem podziemnym.

– Zażyłem smoczycę z mańki, co? – chełpił się.

Faith wskazała Willa.

– Agent Trent, Sam Lawson, zawodowy dupek.

Sam błysnął zębami w uśmiechu.

– Miło mi poznać.

Will nie odpowiedział, a Sam się tym nie przejął. Zdecydowanie bardziej interesowała go Faith, na którą łypał tak lubieżnie, że Willa naszło prymitywne pragnienie walnięcia go prosto w pysk.

– Cholera, Faith – powiedział dziennikarz – wyglądasz naprawdę wystrzałowo.

– Amanda jest na ciebie wkurzona.

– A to chyba żadna nowina.

– Nie chcesz jej podpaść, Sam. Pamiętasz, co się stało ostatnim razem?

– Dobrą stroną chlania jest to, że właśnie nie pamiętam. – Znowu się wyszczerzył, taksując ją wzrokiem od stóp do głów. – Naprawdę świetnie wyglądasz, mała. Po prostu fantastycznie.

Pokręciła głową, ale Will poznawał, że zaczyna mięknąć. Nigdy jeszcze nie widział, żeby patrzyła na jakiegoś mężczyznę tak, jak patrzyła na Sama Lawsona. Zdecydowanie było coś między nimi i Will nigdy w życiu nie czuł się bardziej jak piąte koło u wozu.

Na szczęście Faith pamiętała, że nie przyszła tu bez powodu.

– Czy to Rockdale podrzuciło ci siostrę Zabel?

– Źródła informacji dziennikarzy objęte są tajemnicą – odpowiedział, potwierdzając jej domysł.

– Co jest w tym oświadczeniu Joelyn?

– Mówiąc krótko i węzłowato, twierdzi, że czekaliście z założonymi rękoma, kłócąc się przez trzy godziny o to, kto przejmie śledztwo, podczas gdy jej siostra umierała na drzewie.

Faith ściągnęła usta w białą linijkę. Willowi zrobiło się słabo. Sam musiał skontaktować się z siostrą tuż po tym, jak Faith z nią rozmawiała, co by wyjaśniało, dlaczego był taki pewien, że Amanda nie ma o niczym pojęcia.

Wreszcie Faith spytała:

– Czy to ty sprzedałeś Zabel to info?

– Daj spokój, przecież mnie znasz.

– Rockdale sprzedało jej info, a potem ty zrobiłeś z nią wywiad.

Wzruszył ramionami, nie próbując zaprzeczać.

– Jestem dziennikarzem, Faith. Po prostu wykonuję swoją pracę.

– To masz bardzo chałową pracę: żerowanie na rozpaczających członkach rodziny, mieszanie z błotem policjantów, drukowanie wierutnych kłamstw.

– No to teraz już rozumiesz, dlaczego zostałem pijakiem.

Faith wzięła się pod boki i wydała ciężkie, pełne frustracji westchnienie.

– Sprawa Jackie Zabel wyglądała zupełnie inaczej.

– Tak podejrzewałem. – Wyjął notes i długopis. – Więc daj mi jakiś inny materiał na pierwszą stronę.

– Wiesz, że nie mogę.

– Opowiedz o tej norze. Słyszałem, że w środku znaleźliście akumulator do łodzi, który sprawca wykorzystywał do rażenia ofiar prądem.

Obecność akumulatora był informacją tajną szczególnego znaczenia, znaną tylko, oprócz prowadzących śledztwo, sprawcy. Jedynie garstka ludzi widziała dowody, które Charlie Reed zebrał pod ziemią, i wszyscy nosili odznaki. Przynajmniej do teraz.

Faith powiedziała głośno to, co Will myślał:

– Galloway albo Fierro dostarczają ci poufnych informacji. Oni załatwiają nas, ty załatwiasz sobie materiał na pierwszą stronę. Obie strony są zadowolone, tak?

Sam obnażył zęby w uśmiechu, potwierdzając jej spekulacje. Mimo to powiedział:

– Czemu miałbym rozmawiać z Rockdale, kiedy ty jesteś moją wtyką w tej sprawie?

Will obserwował w ciągu ostatnich kilku tygodni, jak wybuchowość Faith przybiera na sile, i było miło choć raz dla odmiany nie być jej ofiarą. Warknęła do Sama:

– Wtykę to możesz zaraz mieć w tyłku, dupku żołędny, a twoje informacje są błędne.

– No to je skoryguj, maleńka.

Wydawało się, że ma taki zamiar, ale w ostatniej chwili odzyskała rozum.

– GBI nie komentuje oświadczenia pani Joelyn Zabel.

– Mogę to zacytować?

– Zacytuj to, m a l e ń k i.

Will ruszył za Faith do samochodu, ale wcześniej wyszczerzył się do dziennikarza. Był pewien, że gest, który przed chwilą pokazała Samowi, nie nadaje się do gazety.

ROZDZIAŁ DZIEWIĄTY

Ostatnie trzy i pół roku Sara spędziła, doskonaląc umiejętności wyparcia, zatem nie powinno dziwić, że minęła dobra godzina, zanim uświadomiła sobie, jaki potworny błąd popełniła, proponując Amandzie Wagner swoją pomoc. W ciągu tych sześćdziesięciu minut zdążyła pojechać do domu, wziąć prysznic, przebrać się i dotrzeć do podziemi City Hall East, zanim prawda spadła na nią jak grom z jasnego nieba. Położyła rękę na drzwiach z napisem „GBI: Zakład Medycyny Sądowej" i znieruchomiała, niezdolna ich otworzyć. Kolejne miasto. Kolejne prosektorium. Kolejny powód tęsknoty za Jeffreyem.

Czy było coś złego w tym, że uwielbiała pracować z mężem? Że patrzyła na niego znad ciała jakiegoś pijanego kierowcy albo ofiary strzelaniny i myślała, że niczego jej nie brakuje do szczęścia? To wydawało się makabryczne i głupie i zamknęła ten rozdział, przeprowadzając się do Atlanty, ale oto znowu wracała do przeszłości, stojąc z ręką przyciśniętą do drzwi oddzielających życie od śmierci i nie potrafiąc przekroczyć ich progu.

Oparła się plecami o ścianę i wbiła wzrok w litery namalowane na nieprzejrzystym szkle. Czy to nie tu przywieźli Jeffreya? Czy to nie właśnie Pete Hanson kroił piękne ciało jej męża? Miała nawet gdzieś protokół sekcji. Swego czasu wydawało jej się niezwykle istotne posiadanie wszystkich informacji dotyczących jego śmierci – wyników badań toksykologicznych, pomiarów masy i długości ciała, szczegółowego opisu tkanek i kości. Jeffrey umarł na jej oczach w okręgu Grant, ale dopiero w tym miejscu, w tej piwnicy pod budynkiem magistratu zredukowano, usunięto i wypreparowano wszystko, co czyniło z niego istotę ludzką.

Co tak naprawdę skłoniło ją do przyjścia tutaj? Pomyślała o osobach, z którymi miała do czynienia podczas ostatnich kilku godzin. Felix McGhee: ten bezbronny wyraz jego twarzy, drżąca dolna warga, kiedy szukał matki na szpitalnych korytarzach, upierając się, że nigdy nie zostawiłaby go samego. Will Trent podający dziecku płócienną chusteczkę. Wcześniej święcie wierzyła, że jej ojciec i Jeffrey byli jedynymi ludźmi na ziemi, którzy jeszcze takie nosili. A potem komentarz Amandy Wagner na temat pogrzebu.

W dniu, w którym chowano Jeffreya, Sara zażyła tyle proszków uspokajających, że ledwo stała na nogach. Dała radę przejść do grobu tylko dzięki kuzynce, która cały czas ją podtrzymywała. Potem uniosła rękę nad trumną, ale jej palce nie chciały wypuścić trzymanej w dłoni garści ziemi. W końcu się poddała i przycisnęła pięść do piersi, choć chciała rozsmarować ziemię na twarzy, wciągnąć ją do płuc, rzucić się do dołu obok Jeffreya, objąć go i trzymać, aż zbrakłoby jej tchu w płucach.

Wsadziła teraz rękę do tylnej kieszeni dżinsów i namacała list. Składała go już tyle razy, że koperta zaczynała się przecierać na miejscach zgięcia, ukazując arkusz żółtego papieru. A co jeśli któregoś dnia zupełnie się otworzy? Jeśli Sara przypadkiem zerknie na list i zobaczy staranne pismo i wyjaśnienia czy usprawiedliwienia kobiety, której działania doprowadziły do śmierci Jeffreya?

– Sara Linton – zagrzmiał Pete Hanson, kiedy stanął na najniższym stopniu schodów. Miał na sobie hawajską koszulę w jaskrawych kolorach, do których, jak sobie przypomniała, zdradzał szczególne upodobanie. Na jego twarzy malowała się mieszanina zachwytu i ciekawości. – Czemu zawdzięczam tę ogromną przyjemność?

Powiedziała mu prawdę.

– Udało mi się wkręcić do jednej z twoich spraw.

– Aha, uczeń zastępuje mistrza.

– Nie wydaje mi się, żebyś był gotów ustąpić z placu boju.

Mrugnął do niej zawadiacko.

– Wiesz, że mam serce dziewiętnastolatka.

Sara nie dała się nabrać.

– Nadal trzymasz je w słoiku nad biurkiem?

Pete zarechotał, jakby słyszał ten tekst pierwszy raz w życiu.

Pomyślała, że powinna jaśniej przedstawić przyczynę swojego przybycia.

– Wczoraj wieczorem widziałam w szpitalu jedną z ofiar.

– Słyszałem o niej. Tortury, zgwałcenie?

– Tak.

– Rokowanie?

– Starają się opanować zakażenie.

Nie dodała nic więcej. Nie musiała. Pete miał do czynienia z całą masą pacjentów szpitalnych, którzy nie zareagowali na antybiotyk.

– Pobrałaś wymazy z pochwy?

– Przed operacją nie było na to czasu, a po...

– No tak, musztarda po obiedzie. Kłóci się z procedurą dowodową – dokończył.

Był za pan brat z prawem precedensowym. Anna została oblana płynem odkażającym, wystawiona na działanie najróżniejszych warunków i czynników. Pierwszy z brzegu w miarę dobry adwokat znalazłby biegłego, który dowodziłby do upadłego, że ślady biologiczne pobrane z ciała ofiary zgwałcenia, która przeszła przedtem wszystkie procedury związane z zabiegiem operacyjnym, są zbyt zanieczyszczone, by mogły stanowić dowód.

– Udało mi się pobrać kilka drzazg spod paznokci, ale pomyślałam, że najlepsze, czym mogę służyć, to porównanie obrażeń obu ofiar.

– Raczej dyskusyjny tok rozumowania, ale tak się cieszę, że cię widzę, że przymknę oko na tę błędną dialektykę.

Uśmiechnęła się: Pete zawsze był szczery na ten uprzejmy południowy sposób – między innymi dzięki temu tak doskonale sprawdzał się w roli nauczyciela.

– Dziękuję.

– Przyjemność przebywania w twoim towarzystwie jest nagrodą więcej niż wystarczającą. – Otworzył drzwi, zapraszając ją do środka. Zawahała się, więc zauważył: – Z korytarza trudno coś dostrzec.

Z kamiennym wyrazem twarzy ruszyła za nim do prosektorium. Najpierw poczuła zapach. Zawsze myślała, że najbardziej pasuje do niego przymiotnik „mdląco słodki", który nic nie znaczył, dopóki człowiek sam go nie poczuł. Dominująca woń nie pochodziła ze zwłok, ale ze środków chemicznych używanych w ich otoczeniu. Zanim nóż sekcyjny dotknął ciała, zmarłych katalogowano, prześwietlano, fotografowano, rozbierano i myto środkiem dezynfekującym. Innego płynu odkażającego używano do zmywania podłóg, kolejnego do stołów ze stali nierdzewnej, jeszcze inny odkażacz służył do czyszczenia i sterylizacji narzędzi sekcyjnych. Razem tworzyły niezapomnianą, przytłaczająco słodką mieszaninę zapachową, która wnikała w pory skóry, zagnieżdżała się w tyle nosa tak, że człowiek przestawał ją zauważać, dopóki na jakiś czas nie usunął się z zasięgu jej działania.

Szła za Pete'em na tył pomieszczenia jak zahipnotyzowana. Atmosfera prosektorium tak się różniła od nieustannego pośpiechu panującego w szpitalu jak atmosfera okręgu Grant od Grand Central. W odróżnieniu od niekończącego się kołowrotu przypadków na urazówce, sekcja zwłok prawie zawsze dawała odpowiedź. Krew, płyny ustrojowe, tkanki i narządy – każdy składnik wnosił coś do układanki. Ciało nie potrafiło kłamać. Zmarli nie zawsze zabierali swoje sekrety do grobu.

Prawie dwa i pół miliona ludzi umiera rocznie w Ameryce. W Georgii siedemdziesiąt tysięcy, z czego niecały tysiąc śmiercią gwałtowną. Zgodnie z prawem stanowym jednak każdy zgon, do którego dochodzi poza szpitalem czy domem opieki, musi być przedmiotem śledztwa w celu wykluczenia udziału osób trzecich. Małe miasteczka, gdzie zabójstwa są rzadkością, albo te, które przędą tak cienko, że miejscowy przedsiębiorca pogrzebowy jest zarazem i koronerem, zwykle zdają się w tym zakresie na władze stanowe. Większość zwłok ląduje zatem w Zakładzie Medycyny Sądowej w Atlancie. Co wyjaśniało, dlaczego połowę stołów sekcyjnych zajmowały zwłoki na różnych etapach badania.

– Snoopy! – Pete zawołał starszego czarnego mężczyznę w spodniach i bluzie ochronnej. – To jest doktor Sara

Linton. Będzie mi asystować przy sekcji Zabel. Jak przygotowania?

Mężczyzna zignorował Sarę, zwracając się bezpośrednio do Pete'a.

– Rentgenogramy są w komputerze. Mogę ją już przywieźć, jeśli chcesz.

– Doskonale. – Pete podszedł do komputera i uderzył w klawiaturę. Na ekranie pojawiły się zdjęcia. – Ach, ta technika! – wykrzyknął i Sara nie mogła ukryć zazdrości.

W okręgu Grant prosektorium znajdowało się w podziemiach szpitala i było wyposażone prawie na odczepnego. Zdjęcia musieli robić na aparacie rentgenowskim przeznaczonym dla żyjących w odróżnieniu od tutejszego sprzętu, który zakupiono, uwzględniając fakt, że dla zwłok nie ma znaczenia, ile pochłoną promieniowania. Rentgenogramy były nieskazitelne i wyświetlane na dwudziestoczterocalowym płaskim monitorze zamiast na czytniku, który migotał wystarczająco mocno, by przyprawić człowieka o napad drgawek. Pojedynczy porcelanowy stół, z którego korzystała w Grant, nie umywał się do wyposażonych w kółka stołów ze stali nierdzewnej stojących w rzędzie za jej plecami. Widziała młodszych koronerów i anatomopatologów uwijających się wte i wewte po oddzielonym szkłem korytarzu za prosektorium. Uświadomiła sobie, że są z Pete'em jedynymi żyjącymi osobami w głównej sali sekcyjnej.

– Kiedy go przywieźli, wszystkie inne sekcje przełożyliśmy na później – powiedział Pete i przez chwilę nie rozumiała, o kim mowa. Pokazał na pusty stół, ostatni w rzędzie. – Tam nad nim pracowałem.

Sara poszła za jego spojrzeniem, zastanawiając się, dlaczego przed oczyma nie stanął jej potworny obraz ciała w trakcie sekcji. Zamiast tego widziała tylko czysty stół, w którego matowej stali odbijało się górne oświetlenie. To tam Pete zebrał dowody, które doprowadziły ich do zabójcy Jeffreya. To tam śledztwo wyszło z impasu i ustalono bez cienia wątpliwości, kto maczał palce w jego śmierci.

Spodziewała się, że przytłoczą ją wspomnienia, ale, o dziwo, czuła tylko spokój i pewność. Robiono tu dobre rzeczy. Pomagano ludziom, nawet umarłym. Zwłaszcza umarłym.

Odwróciła się wolno do Pete'a, nadal nie widząc Jeffreya, ale czując jego oddech na plecach, jakby był z nią w pomieszczeniu. Jak to możliwe? Jak to możliwe, że po ponad trzech latach bezskutecznego błagania mózgu o jakiekolwiek doznanie, które byłoby choćby najmarniejszą namiastką Jeffreya, dopiero pobyt w prosektorium go jej przynosi?

Większość policjantów nie cierpiała asystować przy sekcjach i Jeffrey nie był wyjątkiem, ale uważał swoją obecność za wyraz szacunku dla ofiary, obietnicę, że zrobi wszystko, by sprawca poniósł odpowiedzialność za swój czyn. To dlatego został gliną – nie tyle, by pomagać niewinnym, ile przede wszystkim by karać przestępców, którzy ich krzywdzili.

Bogiem a prawdą taki był też powód, dla którego Sara została koronerem. Jeffrey nawet nie słyszał o okręgu Grant, kiedy ona po raz pierwszy przekroczyła próg prosektorium, zbadała ofiarę, pomogła w rozwiązaniu śledztwa. Wiele lat temu na własnej skórze doświadczyła przemocy, kiedy sama padła ofiarą potwornej napaści. Za każdym razem, gdy potem otwierała ciało, pobierała próbki, zeznawała w sądzie, opowiadając o udokumentowanych przez siebie potwornościach, czuła w sercu, że dokonuje się kolejny akt zemsty.

– Sara?

Uświadomiła sobie, że zamilkła. Musiała odchrząknąć i dopiero wtedy powiedziała:

– Poprosiłam szpital o przesłanie zdjęć tej NN z wczoraj. Zanim straciła przytomność, pozostawała w kontakcie słownym. Sądzimy, że ma na imię Anna.

Kliknął na drugi plik, wyświetlając rentgenogramy Anny na ekranie.

– Jest przytomna?

– Przed przyjazdem tutaj dzwoniłam do szpitala. Nadal nie odzyskała przytomności.

– Uszkodzenia neurologiczne?

– Przetrzymała operację, w co mało kto wierzył. Odruchy prawidłowe, źrenice bez reakcji. Obrzęk mózgu. Na dzisiaj zaplanowano tomograf. Ale największym problemem jest zakażenie. Robią posiewy, próbują znaleźć najlepszy sposób leczenia. Sanderson poprosił o konsultację CDC*.

– Fiu-fiu. – Pete studiował zdjęcia. – Jak myślisz, ile siły było trzeba do wyrwania tego żebra?

– Była wygłodzona, odwodniona. Podejrzewam, że to trochę ułatwiło sprawę.

– No i związana. – Nie bardzo mogła walczyć. Ale mimo wszystko... Boże. Przychodzi mi na myśl trzecia pani Hanson. Vivian była kulturystką. Miała bicepsy grubości mojej nogi. Kobita na schwał.

– Dziękuję, Pete. Dziękuję, że się nim zająłeś.

Znowu puścił do niej oko.

– Okazując szacunek innym, sam go zdobywasz.

Rozpoznała maksymę z jego wykładów.

– Jest Snoopy – powiedział, kiedy laborant wprowadził stalowy wózek z ciałem przez podwójne drzwi.

Nad białym prześcieradłem widać było twarz Jacquelyn Zabel całą purpurową od plam pośmiertnych. Okolice ust miały nawet jeszcze ciemniejsze zabarwienie, jakby ktoś rozsmarował jej na wargach czarne jagody. Mimo to Sara zauważyła, że kobieta była atrakcyjna i tylko kilka drobnych zmarszczek w okolicach oczu zdradzało jej wiek. Znowu przypomniała jej się Anna, której także nie sposób było odmówić urody.

Pete myślał chyba o tym samym.

– Dlaczego im piękniejsza ofiara, tym potworniejsza zbrodnia?

Sara wzruszyła ramionami. Sama zaobserwowała tę prawidłowość jako koroner. Piękne kobiety zwykle płaciły większą cenę za swoją urodę w zetknięciu z zabójcą.

– Ustaw ją na moim miejscu – polecił Pete laborantowi.

Sara obserwowała metodyczny spokój, z jakim Snoopy wykonuje swoją pracę, umieszcza stół ze zwłokami w pustym miejscu w rzędzie. Pete znajdował się tu w mniejszości, większość personelu prosektorium stanowili Afroamerykanie albo kobiety. Tak samo było w szpitalu Gra-

---

* Centrum Zapobiegania i Zwalczania Chorób – amerykańska agencja rządowa z siedzibą w Atlancie zajmująca się m.in. zwalczaniem chorób zakaźnych (przyp. tłum.).

dy'ego. Nie było w tym nic dziwnego. Sara zauważyła, że im okropniejsze jest dane zajęcie, tym częściej spada na barki kobiet albo mniejszości. A teraz sama, o ironio, znalazła się w tej grupie.

Snoopy zablokował koła stołu i zaczął układać na nim zestaw skalpeli, noży i pił, z którego Pete miał korzystać przez najbliższe kilka godzin. Właśnie wyciągnął duży sekator, który zwykle widuje się w sklepie żelaznym na stoisku z artykułami ogrodniczymi, kiedy do pomieszczenia weszli Will i Faith.

Will wydawał się nieporuszony, kiedy przechodził obok otwartych ciał. Faith, przeciwnie: wyglądała gorzej, niż gdy Sara po raz pierwszy zobaczyła ją w szpitalu. Wargi jej pobielały i patrzyła prosto przed siebie, mijając zwłoki mężczyzny z odpreparowanymi powłokami twarzy, którą lekarze ściągnęli z czaszki, żeby sprawdzić głębiej położone obrażenia.

– Doktor Linton – zaczął Will. – Dziękujemy, że pani przyszła. Wiem, że ma dzisiaj pani wolne.

Sara uśmiechnęła się tylko i skinęła głową, zaskoczona jego oficjalnym tonem. Im dłużej go znała, tym bardziej przypominał jej bankiera, a tym mniej policjanta.

Pete podał Sarze parę rękawiczek, ale pokręciła głową.

– Jestem tu tylko w roli obserwatora.

– Nie chcesz ubrudzić sobie rączek? – Dmuchnął we wnętrze rękawiczki i wsunął do środka dłoń. – Masz ochotę wybrać się później na lunch? Na Highland jest świetna nowa włoska knajpa. Mogę wydrukować z sieci kupon.

Sara już miała się wymigać, kiedy Faith wydała odgłos, który sprawił, że wszyscy popatrzyli w jej stronę. Zamachała ręką przepraszająco przed nagle poszarzałą twarzą. Pete zignorował incydent i zwrócił się do agentów:

– Znalazłem mnóstwo spermy i płynów ustrojowych na ciele, zanim ją umyliśmy. Zabezpieczę je razem z wymazami z pochwy i prześlę do laboratorium.

Will podrapał się po ramieniu pod rękawem marynarki.

– Wątpię, żeby sprawca był notowany, ale zobaczymy, co wyskoczy w systemie.

Zgodnie z procedurą Pete włączył dyktafon, podał czas i datę badania, a potem ciągnął:

– Zwłoki Jacquelyn Alexandry Zabel budowy prawidłowej, odżywienia upośledzonego. Wiek 37 lat. Denatkę znaleziono w lesie w pobliżu drogi numer 316 w sobotę ósmego kwietnia we wczesnych godzinach porannych. Wisiała głową w dół na drzewie z prawą stopą zaplątaną w gałęziach. Oględziny zwłok wykazały ewidentne przerwanie ciągłości rdzenia w szyjnym odcinku kręgosłupa oraz liczne obrażenia powłok świadczące o torturach. Sekcję przeprowadza Pete Hanson. Uczestniczą agenci specjalni Will Trent i Faith Mitchell oraz niezrównana doktor Sara Linton.

Ściągnął prześcieradło i Faith wydała stłumiony okrzyk. Sara uświadomiła sobie, że agentka po raz pierwszy ogląda na własne oczy efekt poczynań porywacza. W ostrym świetle prosektorium każde obrażenie było widoczne jak na tacy, kontrastując mocno z woskową bladością powłok: ciemne sińce, rozdarcia skóry, czarne znamiona po oparzeniach prądem, które wyglądały jak ziarenka prochu, ale nie dawały się usunąć. Całe ciało pokrywało mnóstwo nacięć, dość głębokich, by wywołać krwawienie, ale na tyle płytkich, by nie spowodować śmierci. Sara domyśliła się, że zrobiono je brzytwą albo bardzo ostrym i cienkim nożem.

– Muszę... – Faith nie dokończyła zdania, obróciła się tylko na pięcie i wyszła.

Will odprowadził ją wzrokiem i wzruszeniem ramion przeprosił Pete'a.

– To chyba nie jest jej ulubione zajęcie – zauważył lekarz. – Jest bardzo chuda. Ofiara, znaczy się.

Miał rację. Pod skórą Jacquelyne Zabel wyraźnie rysowały się kości.

– Jak długo była przetrzymywana? – spytał.

Will wzruszył ramionami.

– Mamy nadzieję, że ty nam to powiesz.

– To może być skutek odwodnienia – wymamrotał Pete, dotykając ramienia kobiety. Zwrócił się do Sary: – A ty co myślisz?

– Druga ofiara, Anna, była w takim samym stanie. Być może podawał im diuretyki, odmawiał wody i jedzenia. Głodzenie to częsty rodzaj tortur.

– Na pewno próbował wszystkich innych rodzajów –

westchnął Pete, skonsternowany. – Badania krwi powinny powiedzieć nam coś więcej.

Oględziny trwały dalej. Snoopy mierzył i fotografował obrażenia, a Pete nanosił linie na szkicu do protokołu sekcji, usiłując w miarę wiernie je odtworzyć. W końcu odłożył długopis i wywinął powieki zmarłej, sprawdzając barwę.

– Ciekawe – wymruczał, pokazując Sarze, by sama zerknęła.

Pozbawiona wilgotnego środowiska gałka była zapadnięta i wiotka. Sara znalazła kilka obrażeń na rogówce: małe czerwone wybroczynki, w środku których rysowały się doskonale okrągłe otworki.

– Igły albo gwoździki – zasugerował Pete. – Każdą gałkę nakłuł przynajmniej kilkanaście razy.

Sara sprawdziła powieki zmarłej i zobaczyła, że są poprzekłuwane na wylot.

– Źrenice Anny były nieruchome i rozszerzone – mówiąc to, wzięła z tacy parę rękawiczek i włożyła je. Potem zajrzała do uszu denatki. Mimo że, tak jak całe ciało, zostały wcześniej umyte, w przewodach pozostały resztki zaschniętej krwi. – Czy macie...

Laborant podał jej otoskop. Sara wsunęła wziernik do kanału, odkrywając obrażenia, jakie widywała tylko u maltretowanych nieletnich.

– Błona bębenkowa została przebita. – Kiedy odwróciła głowę ofiary, żeby sprawdzić drugie ucho, rozległo się trzeszczenie złamanych kręgów szyi. – W tym także. – Podała narzędzie Pete'owi, żeby sam zobaczył.

– Śrubokręt? – spytał.

– Raczej nożyczki – zasugerowała. – Brzegi wlotu są równe, bez otarć naskórka.

– Biegun dolny jest ostrzejszy od górnego, kanał rozszerza się u wlotu.

– Zgadza się, bo nożyczki są węższe na dole i na końcu.

Pete skinął głową, nanosząc kolejne rysunki.

– Czyli głucha i ślepa.

Sara wykonała teraz kolejny oczywisty ruch – otworzyła usta denatki. Język był nietknięty. Obmacała tchawicę z zewnątrz, potem za pomocą laryngoskopu, który podał jej laborant, zajrzała w głąb gardła.

– W przełyku brunatnoczarniawe ogniska, śluzówka poodwarstwiana. Czujesz?

Pete się pochylił.

– Chlor? Kwas?

– Udrażniacz do rur.

– Zapomniałem, że twój ojciec jest hydraulikiem. – Pokazał na ciemniejszą obwódkę dokoła ust kobiety. – Widzisz to?

Krew zawsze opada do najniżej położonych partii zwłok, tworząc na powłokach tak zwane plamy pośmiertne. Ponieważ zwłoki wisiały głową w dół, cała twarz była intensywnie fioletowa. Trudno było na tym tle zauważyć ciemnowiśniowe zacieki, ale kiedy Pete je pokazał, Sara dostrzegła wyraźnie obrażenia powstałe od ściekającego po wargach środka żrącego, który sprawca musiał przemocą wlewać krztuszącej się ofierze do ust.

– Ewidentnie wygląda na to, że została zmuszona do wypicia jakiegoś żrącego płynu. Zobaczymy, czy dotarł do żołądka, kiedy ją otworzymy.

Sara zupełnie zapomniała o obecności Willa i teraz wzdrygnęła się na dźwięk jego głosu.

– Wyglądało na to, że skręciła kark na skutek upadku. Że się zsunęła z drzewa.

Sara przypomniała sobie ich wcześniejszą rozmowę, jego przeświadczenie, że ofiara czekała na ratunek, kiedy on szukał jej na ziemi. Powiedział, że krew kobiety była jeszcze ciepła.

– Czy to pan ją zdjął? – spytała.

Pokręcił głową.

– Trzeba było najpierw wykonać dokumentację fotograficzną.

– Sprawdził pan puls w tętnicy szyjnej?

Potaknął.

– Z palców ściekała jej krew. Ciepła.

Sara obejrzała dłonie kobiety: paznokcie miała połamane, niektóre wyrwane z łożyska. Zwłoki jeszcze przed umyciem rutynowo sfotografowano. Pete wiedział, o czym Sara myśli. Wskazał na monitor komputera.

– Snoopy, mógłbyś nam pokazać zdjęcia sprzed mycia?

Mężczyzna podszedł do komputera, Sara i Pete stanęli

za jego plecami. Na dysku znajdowała się całość dokumentacji fotograficznej sprawy, począwszy od zdjęć z miejsca zdarzenia, po najnowsze, zrobione w prosektorium. Laborant musiał przejrzeć je wszystkie, żeby znaleźć właściwe, i Sara obejrzała jedną po drugiej fotografie Jacquelyn Zabel wiszącej na drzewie z głową nienaturalnie skręconą w bok. Jej stopa tak mocno uwięzła w gałęziach, że prawdopodobnie trzeba było je przeciąć, żeby zdjąć ciało.

Wreszcie Snoopy dotarł do materiału z prosektorium. Twarz, nogi i tułów denatki pokrywała skorupa zaschniętej krwi.

– Tutaj – Sara pokazała na klatkę piersiową.

Oboje wrócili do zwłok i Sara już miała się nad nimi pochylić, ale na czas się powstrzymała.

– Przepraszam – rzuciła. To była sekcja Pete'a.

Wyglądało na to, że jego ego nie odniosło większego uszczerbku. Uniósł pierś, odsłaniając kolejną ranę. Ściągnął niżej światło i rozsunął jej brzegi, usiłując przyjrzeć się dokładniej. Snoopy podał mu lupę i Pete pochylił się jeszcze niżej nad ciałem.

– Znaleźliście scyzoryk na miejscu zdarzenia? – zapytał Willa.

– Ze śladem linii papilarnych ofiary na rękojeści.

Pete podał Sarze lupę, żeby sama mogła się przyjrzeć. Znowu zwrócił się do Willa:

– Z prawej czy lewej ręki?

– Eee... – Trent urwał, spoglądając na drzwi, za którymi zniknęła Faith. – Nie pamiętam.

– Odcisk kciuka? Palca wskazującego?

Snoopy podszedł już do komputera, by odszukać dane, ale Will powiedział:

– Część kciuka na rękojeści.

– Ośmiocentymetrowe ostrze?

– Mniej więcej.

Pete skinął głową do siebie i zanotował coś na diagramie, ale Sara nie zamierzała pozwolić Willowi czekać, aż skończy.

– Sama się pchnęła – wyjaśniła mu i przywołała go, trzymając lupę nad raną. – Widzi pan, że biegun górny jest ostry w kształcie V, a dolny płaski? – Will skinął głową. – Ostrze szło od dołu do góry. – Sara wykonała gest, jakby sama wbijała sobie nóż. – Kciuk znajdował się na rękojeści, wprowadzając brzeszczot głębiej. Musiała potem wypuścić go z rąk i spaść. Proszę zerknąć na kostkę. – Wskazała na delikatne ślady dokoła podstawy kości strzałkowej. – Serce przestało bić, zanim stopa uwięzła w gałęziach. Kości są złamane, ale nie ma żadnego obrzęku ani podbiegnięć krwawych. Gdyby żyła w trakcie i po upadku, na nodze pojawiłoby się znaczne zasinienie.

Will pokręcił głową.

– Ona by się nie...

– Fakty mówią same za siebie – przerwała mu Sara. – Rana została własnoręcznie zadana. Śmierć nastąpiła prawie natychmiast. Nie cierpiała długo. – Poczuła, że musi dodać: – A przynajmniej nie dużo dłużej, niż już to miało miejsce.

Will spojrzał jej w oczy i zmusiła się, by nie uciec wzrokiem. Może nie wyglądał na policjanta, ale na pewno myślał jak rasowy śledczy. Gdy tylko śledztwo stawało w martwym punkcie, każdy glina z prawdziwego zdarzenia zaczynał się obwiniać za jakąś nietrafioną decyzję, przegapienie oczywistego tropu. Will Trent właśnie teraz to robił – szukał pretekstu, by obarczyć się winą za śmierć Jacquelyne Zabel.

– Dopiero teraz ma pan szansę coś dla niej zrobić – powiedziała. – Tam, w lesie, było za późno, żeby jej pomóc.

Pete odłożył długopis.

– Sara ma rację. – Przycisnął ręce do piersi. – Wygląda na to, że w środku jest masa wynaczynionej krwi, najwyraźniej czystym trafem zatopiła ostrze dokładnie w tym miejscu, co trzeba. Prawdopodobnie od razu uszkodziła serce. Zgadzam się, że zarówno do złamania nogi, jak i kręgów szyjnych doszło już post mortem. – Zdjął rękawiczkę, podszedł do komputera i wyświetlił zdjęcia z miejsca zdarzenia. – Proszę zobaczyć, jak jej głowa lekko opiera się o gałęzie, przekrzywiona. Gdyby do skręcenia karku doszło za życia, byłaby mocno przyciśnięta do urażającego obiektu. W żywym organizmie mięśnie automatycznie reagują, chroniąc ciało przed urazem. To nie było gwałtowne zdarzenie, lecz delikatne skręcenie. Świetna opinia, dziecko.

Pete uśmiechnął się rozpromieniony do Sary, a ona poczuła, że się rumieni z uczniowskiej dumy.

– Ale dlaczego miałaby się zabijać? – spytał Will, jakby torturowana kobieta miała wszelkie podstawy, by pazurami trzymać się życia.

– Była prawdopodobnie ślepa i bez wątpienia głucha. Dziwię się, że w ogóle zdołała wdrapać się na to drzewo. Nie mogła słyszeć policjantów, nie wiedziała, że jej szukacie.

– Ale przecież...

– Helikoptery z kamerami na podczerwień nie złapały jej sygnału – przerwał Pete. – Gdyby nie fakt, że stał pan tam i przypadkiem uniósł głowę, myślę, że znaleźlibyście ciało tylko dzięki jakiemuś telefonicznemu zgłoszeniu o znalezieniu sucharka z nadejściem sezonu polowań.

Sucharek. Wszystkie policyjne służby miały własny slang, czasami bardziej barwny, czasami mniej. Bardzo dużo zgłoszeń o znalezieniu w lesie strupieszałych zwłok pochodziło od myśliwych.

Pete odwrócił się do Sary.

– Pozwolisz? – spytał, wskazując głową na zestaw do pobierania wymazów z pochwy.

Snoopy był doskonałym asystentem, ale Sara zrozumiała aluzję: wróciła do roli obserwatora. Ściągnęła rękawiczki i otworzyła zestaw, rozkładając wymazówki i probówki. Pete wziął do ręki wziernik i rozłożył nogi ofiary, by wprowadzić go do pochwy.

Jak w wypadku niektórych brutalnych gwałtów, które kończyły się zabójstwem, wejście do pochwy było zaciśnięte i plastikowy wziernik złamał się przy próbie wprowadzenia go do środka. Snoopy podał metalowy, Pete spróbował jeszcze raz i kiedy w końcu udało mu się siłą rozewrzeć srom, ręce mu się trzęsły. Obserwowanie tych zabiegów było bardzo przykre i Sara cieszyła się, że w pomieszczeniu nie ma Faith. Podała Pete'owi pałeczkę z wacikiem, którą spróbował wprowadzić do środka, jednak znowu napotkał opór.

Pochylił się, żeby zidentyfikować przyczynę niedrożności.

– Dobry Boże – wymruczał, po omacku szukając na tacy

z narzędziami wąskich kleszczy. W jego głosie nie było śladu dawnego czaru, kiedy powiedział do Sary: – Włóż rękawiczki, musisz mi pomóc.

Posłuchała jego polecenia. Przytrzymywała wziernik, kiedy sięgał do środka szczypcami, bardziej przypominającymi długą pęsetę. Chwycił coś i cofnął rękę. Ze środka wyłonił się długi pojedynczy kawałek białego plastiku, niczym jedwabny materiał z rękawa magika. Pete wywlekał kawałek po kawałku, składając wyciągnięte warstwy do dużej misy, każdy umazany czarną krwią i połączony z kolejnym perforowaną linią.

– Worki na śmieci – orzekł Will.

Sarze oddech uwiązł w piersiach.

– Anna – wydusiła. – Musimy sprawdzić Annę.

ROZDZIAŁ DZIESIĄTY

Gabinet Willa na trzecim piętrze City Hall East tym tylko różnił się od składziku, że miał okno wychodzące na nieużywane tory kolejowe i parking delikatesów Krogera, który wydawał się ulubionym miejscem spotkań podejrzanie wyglądających ludzi w bardzo drogich samochodach. Oparcie krzesła tak ściśle dotykało ściany, że żłobiło tynk za każdym razem, gdy się obracał. Nie żeby musiał się obracać. Widział całe pomieszczenie jak na dłoni bez ruszania głową. Nawet dostanie się do krzesła przedstawiało problem, ponieważ wymagało przeciskania się między oknem a biurkiem. Za każdym razem, kiedy wykonywał ten manewr, Will cieszył się, że nie planuje potomstwa.

Oparł się na łokciu, patrząc, jak komputer się ładuje, ekran monitora miga i pojawiają się na nim małe ikonki. Najpierw otworzył skrzynkę mailową i wsadził do uszu słuchawki, żeby odsłuchać wiadomości przez program czytający, który zainstalował sobie kilka lat temu. Po skasowaniu kilku ofert poprawy wydolności seksualnej i apelu od odsuniętego od władzy nigeryjskiego prezydenta znalazł list od Amandy i informację o zmianie koszyka świadczeń medycznych objętych stanowym ubezpieczeniem zdrowotnym. Tę ostatnią przesłał na swoją prywatną skrzynkę, żeby przebrnąć przez spis straconych zabiegów w zaciszu własnego domu.

E-mail od Amandy nie wymagał takiej analizy. Zawsze pisała wersalikami i rzadko kiedy zawracała sobie głowę formułowaniem pełnych zdań. Na ekranie pojawił się krótki komunikat napisany grubą wytłuszczoną czcionką: Meldunek, Will.

Co mógł jej powiedzieć? Że ich ofiara miała wepchniętych do pochwy jedenaście kuchennych worków na śmieci? Że u Anny, poszkodowanej, która przeżyła, znaleźli tyle samo? Że minęło dwanaście godzin, a oni nie byli ani trochę bliżej ustalenia tożsamości sprawcy, nie wspominając już o podstawie, na jakiej wybiera ofiary.

Ślepe, najpewniej głuche, prawdopodobnie nieme. Will widział miejsce, w którym je przetrzymywano. Nie był w stanie wyobrazić sobie potworności, których doświadczyły. Widok narzędzi oprawcy był straszliwy, ale podejrzewał, że niemożność ich zobaczenia musiała być jeszcze gorsza. Ale przynajmniej został uwolniony od ciężaru poczucia winy za śmierć Jackie Zabel, choć wiadomość, że kobieta zdecydowała się na samobójstwo, kiedy pomoc była tak blisko, nie przynosiła wielkiej pociechy.

Nadal dźwięczał mu w uszach pełen współczucia ton, jakim Sara Linton wyjaśniała, jak Zabel odebrała sobie życie. Nie pamiętał, kiedy ostatni raz jakaś kobieta zwracała się do niego w ten sposób – próbując rzucić kamizelkę ratunkową, zamiast drzeć się, żeby płynął szybciej, jak miała w zwyczaju Faith, albo ściągając go w dół, czego zawsze próbowała Angie.

Zgarbił się na krześle, wiedząc, że powinien przestać myśleć o Sarze. Śledztwo, które prowadził, wymagało jego pełnej uwagi i siłą woli skupił się na kobietach, na które mógł mieć jakiś wpływ.

Obie prawdopodobnie uciekły z pieczary w tym samym czasie: Jackie ślepa i głucha, Anna zapewne niewidoma. Mogły komunikować się ze sobą tylko przez dotyk. Czy trzymały się za ręce, przedzierając na oślep przez las w poszukiwaniu pomocy? W jakiś sposób się rozdzieliły, straciły ze sobą kontakt. Anna musiała wiedzieć, że jest na szosie, czuć chłód asfaltu pod gołymi stopami, słyszeć ryk nadjeżdżającego samochodu. Jackie poszła w drugą stronę – znalazła drzewo i wspięła się na nie w poszukiwaniu kryjówki. Czekała. Każde poruszenie gałęzi wywoływało falę paniki, strach, że oprawca ją znajdzie i zabierze z powrotem do tego zimnego, ciemnego miejsca.

W jednej ręce trzymała prawo jazdy, swoją tożsamość, w drugiej narzędzie swojej śmierci. Wybór niemal nie dający się ogarnąć rozumem: zejść na dół, ruszyć przed siebie, po omacku szukając pomocy i ryzykując możliwość ponownego złapania, czy zatopić ostrze w piersi? Walczyć o życie czy przejąć kontrolę i zakończyć je na własnych warunkach?

Sekcja nie pozostawiała wątpliwości co do decyzji, jaką kobieta w końcu podjęła. Nóż przeszył serce, przerywając aortę i wypełniając klatkę piersiową krwią. Zdaniem Sary Jackie niemal natychmiast straciła świadomość, serce przestało bić dokładnie w chwili, kiedy zsunęła się z gałęzi. Nóż i prawo jazdy wypadły z rąk. W żołądku znaleźli aspirynę. Rozrzedziła krew, która kapała jeszcze długo po śmierci. Stąd ten ciepły odprysk na jego karku. Kiedy uniósł głowę i zobaczył zwisającą w dół rękę, pomyślał, że wyciągała ją po pomoc, ale w rzeczywistości pomogła sobie sama.

Wyjął z dużej teczki zdjęcia ziemianki i ułożył je w wachlarz. Narzędzia tortur, akumulator do łodzi, nieotwarte puszki zupy – Charlie wszystko to udokumentował i skatalogował. Will przerzucił fotografie, by znaleźć najlepsze ujęcie: technik przykucnął u stóp drabiny w ten sam sposób jak on poprzedniej nocy, a reflektory wyciągnęły z cienia każdy zakamarek. Na innym zdjęciu Will znalazł akcesoria erotyczne ułożone jedno obok drugiego niczym artefakty z wykopalisk archeologicznych. Potrafił ocenić na pierwszy rzut oka, do czego większość z nich służyła, ale niektóre były tak skomplikowane i przerażające, że zasada ich działania wymykała się zdrowemu umysłowi.

Zatonął w myślach i minęła dobra chwila, zanim zarejestrował fakt, że dzwoni jego komórka. Otworzył dwa kawałki plastiku:

– Trent.

– Tu Lola, skarbie.

– Kto?

– Lola. Jedna z dziewczyn Angie.

Prostytutka z zeszłej nocy. Starał się zapanować nad tonem, ponieważ był bardziej wściekły na Angie niż na dziwkę, która robiła tylko to, co zawsze robiły osoby jej pokroju: szukała frajera. Will jednak nie był już frajerem Angie i miał powyżej uszu kobiet próbujących go wykorzystać.

– Posłuchaj, nie wyciągnę cię z więzienia. Jeśli jesteś jedną z dziewczyn Angie, to zwróć się do niej o pomoc.

– Nie mogę jej złapać.

– Tak, cóż, ja też nie, więc przestań wydzwaniać do mnie, bo ja nawet nie znam jej numeru. Jasne? – Nie dał jej czasu na odpowiedź. Rozłączył się i ostrożnie położył aparat na biurku. Taśma zaczynała odłazić, sznurek się poprzecierał. Prosił Angie, żeby pomogła mu z telefonem, zanim odeszła, ale jak mnóstwo spraw dotyczących Willa i ta nie była w jej oczach priorytetem.

Popatrzył na obrączkę tkwiącą ciągle na palcu. Jest głupi czy tylko żałosny? Nie potrafił już dostrzec różnicy. Szedł o zakład, że Sara Linton nie należy do kobiet, które odwalają takie numery w związku. No, ale z drugiej strony głowę dawał, że jej mąż nie był takim cieniasem, który by na to sobie pozwolił.

– Boże, jak ja nie cierpię sekcji. – Faith wtarabaniła się do gabinetu nadal trupio blada. Will wiedział, że ich nie znosi – ta awersja raczej rzucała się w oczy – ale po raz pierwszy w życiu głośno się do tego przyznała. – Asystentka Amandy nagrała mi się na pocztę. – Nie możemy rozmawiać z siostrą Jackie bez obecności prawnika.

– Naprawdę pozwie Biuro?

Rzuciła torebkę na jego biurko.

– Gdy tylko znajdzie adwokata w książce telefonicznej. Możemy jechać?

Zerknął na zegar na monitorze. Za pół godziny mieli się spotkać z Coldfieldami, ale schronisko znajdowało się niecałe dziesięć minut drogi stąd.

– Omówmy jeszcze sprawę – zaproponował.

Pod ścianą stało składane krzesełko i Faith musiała zamknąć drzwi, żeby na nim usiąść. Jej gabinet był niewiele większy niż Willa, ale człowiek mógł tam przynajmniej wyprostować nogi przed sobą, nie uderzając nimi o ścianę. Mimo to, nie wiedzieć czemu, zawsze lądowali w jego pokoju. Może dlatego, że gabinet Faith naprawdę był eksskładzikiem. Nie miał okna i ciągle unosił się tam uporczywy zapach kostek toaletowych i płynu do czyszczenia toalet. Kiedy po raz pierwszy zamknęła w nim za sobą drzwi, o mało nie zemdlała od oparów.

Faith pokazała głową na ekran komputera.

– Co masz?

Will odwrócił monitor, żeby przeczytała e-mail od Amandy.

Zamrugała, marszcząc brwi. Ustawił kolor tła na jaskraworóżowy, a czcionki na granatowy, co z jakichś powodów ułatwiało mu odcyfrowanie słów. Sarknęła pod nosem, zmieniając barwy, i przysunęła sobie klawiaturę, by napisać odpowiedź. Gdy zrobiła tak za pierwszym razem, Will się żachnął, ale w ciągu ostatnich kilku miesięcy dotarło do niego, że Faith po prostu lubi się szarogęsić. W stosunkach ze wszystkimi. Może wynikało to z faktu, że została matką jako piętnastolatka, a może była to wrodzona skłonność, tak czy siak najlepiej się czuła, gdy robiła wszystko sama.

Teraz, gdy Jeremy wyjechał do college'u, a Victor Martinez najwyraźniej zabrał się w siną dal, Will stał się główną ofiarą jej apodyktyczności. Podejrzewał, że tak się właśnie czuje człowiek, gdy ma starszą siostrę. Z drugiej jednak strony Angie traktowała go tak samo, a z nią sypiał. Kiedy akurat była obok.

– Amanda powinna mieć już protokół sekcji Jacquelyn Zabel – mówiła Faith, stukając jednocześnie w klawisze. – Czym dysponujemy? Zero odcisków palców czy śladów kryminalistycznych. Mnóstwo DNA ze spermy i krwi, ale jak dotąd niezidentyfikowane. Nieustalona tożsamość lub choćby nazwisko Anny. Sprawca, który oślepia swoje ofiary, przebija im błonę bębenkową, każe pić Kreta. Te worki na śmieci... cholera, w głowie się nie mieści. Torturuje je Bóg wie czym. Jednej usunął żebro. – Przesunęła kursor, żeby dodać coś do wcześniejszego zdania. – Zabel pewnie miała być następna.

– Aspiryna – przypomniał Will.

W żołądku Jacquelyn Zabel znaleziono kwas acetylosalicylowy w stężeniu dziesięciokrotnie przekraczającym normalną dawkę.

– Ładnie z jego strony, że daje im coś przeciwbólowego. – Faith wróciła kursorem na dół ekranu. – Masz pojęcie? Uwięzione w tej norze, nie mogły nawet usłyszeć, że się zbliża, zobaczyć, co robi, wzywać pomocy. – Faith kliknęła myszką, wysyłając list, potem opadła na oparcie krzesła. – Jedenaście worków na śmieci. Jak Sara mogła coś takiego przeoczyć u pierwszej ofiary?

– Chyba raczej nie marnuje się czasu na badanie ginekologiczne u kobiety stojącej jedną nogą w grobie z przetrąconymi prawie wszystkimi kośćmi.

– Daruj sobie ten sarkazm – rzuciła, choć Willowi nawet w głowie nie postało, że jest sarkastyczny. – Ona nie ma prawa wściubiać nosa w nasze śledztwo.

– Kto?

Faith przewróciła tylko oczyma i otworzyła wyszukiwarkę.

– Co robisz?

– Zamierzam ją sprawdzić. Jej mąż był gliną. Jego zabójstwo na pewno trafiło do gazet.

– To nie fair.

– Nie fair? – Faith stukała w klawiaturę. – Co masz na myśli?

– Faith, nie wtrącaj się do jej osobistych...

Wcisnęła enter. Will nie wiedział, co może jeszcze zrobić, więc sięgnął i wyłączył komputer. Faith potrząsnęła myszką, potem wcisnęła klawisz spacji. Budynek był stary, a awarie prądu na porządku dziennym. Uniosła głowę i zobaczyła, że światło się pali.

– Wyłączyłeś komputer?

– Gdyby Sara Linton chciała, żebyś znała szczegóły jej osobistego życia, sama by się nimi z tobą podzieliła.

– Weź wyjmij se ten kołek z dupy i wyluzuj, co? – Faith założyła ręce na piersi, obrzucając go ostrym spojrzeniem. – Nie wydaje ci się dziwne, że ona się tak wtranżala do naszego śledztwa? Nie jest już przecież koronerem, tylko zwykłym obywatelem. Gdyby nie była taka ładna, widziałbyś, że to na kilometr pachnie czymś...

– Co jej uroda ma z tym wspólnego?

Łaskawie pozwoliła, by jego słowa zawisły w pokoju niczym neon z napisem „Idiota” i paliły się niemal minutę, zanim powiedziała:

– Nie zapominaj, że mam komputer u siebie w pokoju. Mogę tam ją sprawdzić.

– Tylko zachowaj wyniki dla siebie.

Potarła twarz rękoma. Przez kolejną bitą minutę gapiła się na szare niebo za oknem.

– To jakieś szaleństwo. Kręcimy się w miejscu. Potrzebny nam jakiś przełom, coś, za czym moglibyśmy pójść.

– Pauline McGhee...

– Leo nic nie ustalił w kwestii brata. Mówi, że jej dom jest czysty. Żadnych dokumentów, zero pamiątek po rodzicach czy krewnych. Żadnego śladu po zmianie nazwiska w aktach, ale to łatwo ukryć, jeśli się wie, ile i komu posmarować. Sąsiedzi nadal obstają przy swoim: albo jej nie znają, albo jej nie lubią. Tak czy siak, nic nie mogą o niej powiedzieć. Leo rozmawiał z nauczycielami w szkole chłopca. To samo. Jezu, w głowie się nie mieści, syn jest teraz w bidulu, bo matka nie ma żadnych bliskich przyjaciół, którzy chcieliby się nim zająć.

– Co robi teraz Leo?

Zerknęła na zegarek.

– Prawdopodobnie kombinuje, jak by się tu wcześniej urwać. – Jeszcze raz potarła oczy, najwyraźniej zmęczona. – Sprawdza w systemie odciski McGhee, ale to psu na budę, jeśli nie była notowana.

– Nadal się martwi, że mu narobimy kłopotów?

– Nawet jeszcze bardziej niż przedtem. – Faith zacisnęła usta. – To na pewno dlatego, że choruje. Góra tak robi, wiesz? Sprawdzają, ile kosztuje twoje ubezpieczenie, i jeśli za dużo, to próbują cię utrącić. Boże broń, żebyś miał jakąś chorobę przewlekłą, która wymaga drogiego leczenia.

Will pomyślał, że na szczęście jemu i Faith coś takiego jeszcze nie grozi. Powiedział:

– Zniknięcie Pauline nie musi być powiązane z naszą sprawą: niewykluczone, że to tylko zatarg z bratem albo zupełnie osobna napaść. To atrakcyjna kobieta.

– Jeśli nie ma nic wspólnego z naszą sprawą, to prawdopodobniejszy jest udział kogoś, kogo znała.

– Czyli wracamy do brata.

– Nie ostrzegałaby przed nim dziecka, gdyby się nie bała. Oczywiście – dodała – jest jeszcze ten cały Morgan. Arogancki dupek. Gdy z nim rozmawiałam przez telefon, miałam ochotę go spoliczkować. Może między nim a Pauline coś zaszło.

– Pracowali razem. Mogła zaleźć mu za skórę i doprowadzić do ostateczności, tak że przestał się kontrolować. To się często zdarza, gdy mężczyźni pracują z despotycznymi kobietami.

– Ha-ha – rzuciła Faith. – Gdyby to Morgan był porywaczem, to Felix by go chyba rozpoznał.

Will wzruszył ramionami. Dzieci potrafiły wymazać z pamięci prawie wszystko. Dorośli też nie byli w tym najgorsi.

– Żadna z naszych dwóch znanych ofiar nie ma dzieci – zauważyła Faith. – Żadna nie była też oficjalnie poszukiwana jako zaginiona. Auto Jacquelyne Zabel zniknęło. Nie wiemy, czy Anna miała samochód, ponieważ nie znamy jej nazwiska. – Jej ton robił się coraz ostrzejszy, kiedy odliczała kolejne niewiadome. – Ani na dobrą sprawę imienia. Bóg raczy wiedzieć, co usłyszała Sara.

– Ja słyszałem – zaoponował Will. – Słyszałem, jak powiedziała „Anna".

Faith puściła jego protest mimo uszu.

– Nadal myślisz, że porywaczy może być dwóch?

– Jestem pewien tylko jednego: ktokolwiek za tym stoi, nie jest amatorem. Sieje wszędzie swoim DNA, co oznacza, że prawdopodobnie nie ma przeszłości kryminalnej, którą musiałby się martwić. Nie mamy żadnych tropów, bo żadnych nie zostawia. Jest w tym dobry. Umie zacierać ślady.

– Gliniarz?

Will pozostawił to pytanie bez odpowiedzi.

Faith analizowała problem dalej.

– Robi coś, co sprawia, że kobiety mu ufają. Pozwalają podejść do siebie na osobności wystarczająco blisko, by mógł je porwać bez świadków.

– Garnitur – powiedział Will. – Kobiety, mężczyźni zresztą też, bardziej są skłonni ufać nieznajomym, jeśli ci są dobrze ubrani. To przesąd klasowy, ale bardzo powszechny.

– Bosko. Wystarczy, jak zgarniemy wszystkich mężczyzn, którzy dzisiaj rano mieli na sobie garnitur. – Uniosła dłoń, odhaczając na palcach kolejne pozycje. – Żadnych odcisków na workach na śmieci znalezionych u obu kobiet. Żadnej możliwości ustalenia pochodzenia rzeczy z pieczary. Krwawy odcisk palca na prawie jazdy Jacquelyn Zabel należy do Anny, której nazwiska nie znamy. Nie wiemy, gdzie mieszka, gdzie pracuje ani czy ma jakąś rodzinę. – Skończyły jej się palce.

– Sprawca ewidentnie działa metodycznie. Jest cierpliwy. Wykopuje norę w ziemi i odpowiednio wyposaża. Tak jak mówiłaś, prawdopodobnie obserwuje ofiary przez jakiś czas przed porwaniem. Na pewno robił to już wcześniej. Bóg jeden wie, ile razy.

– Tak, tyle że ofiary nie przeżyły, by o tym opowiedzieć, bo inaczej coś by wyskoczyło w bazach FBI.

Zadzwonił telefon na biurku i Faith odebrała.

– Mitchell. – Słuchała przez chwilę, potem wyjęła notes z torebki. Napisała coś starannymi dużymi literami, ale Will nie był w stanie ich odcyfrować. – Możesz pójść tym tropem? – Czekała. – Świetnie. Łap mnie na komórkę.

Odłożyła słuchawkę.

– To Leo. System zidentyfikował odciski Pauline Mc-Ghee z terenówki. Naprawdę nazywa się Pauline Agnes Steward. W osiemdziesiątym dziewiątym w Ann Arbor w Michigan przyjęto zgłoszenie o jej zaginięciu. Miała wtedy siedemnaście lat. Według rodziców uciekła z powodu jakiejś kłótni. Ponoć niezłe było z niej ziółko: ćpała, puszczała się. Zdaktyloskopowano ją po kradzieży sklepowej, do której się nie przyznała, ale poddała dobrowolnie karze. Miejscowa policja wykonała po zaginięciu pobieżne poszukiwania, wprowadziła odciski do systemu, ale to pierwsze trafienie od dwudziestu lat.

– To by się zgadzało z tym, co mówił Morgan. Pauline opowiadała mu, że uciekła z domu, gdy miała siedemnaście lat. No a co z tym bratem?

– Na razie nic się nie pojawiło, ale Leo będzie grzebał dalej. – Wsadziła notes do torebki. – Usiłuje dotrzeć do rodziców. Przy odrobinie szczęścia nadal mieszkają w Michigan.

– Steward to chyba nie jest najpopularniejsze nazwisko.

– Nie – zgodziła się. – Coś by wyskoczyło w bazie, gdyby był notowany.

– A znamy chociaż przedział wiekowy? Imię?

– Leo obiecał dać znać natychmiast, gdy tylko coś ustali.

Will odchylił się na krześle, oparł głowę o ścianę.

– Pauline nadal nie należy do naszej sprawy. Nie mamy podstaw, żeby ją włączyć.

– Ma taki sam typ urody jak poprzednie ofiary. Nikt jej nie lubi. Z nikim nie utrzymuje bliskich kontaktów.

– Może miała bliskie kontakty z bratem? – podrzucił Will. – Leo twierdzi, że Feliksa zawdzięcza jakiemuś dawcy nasienia. Może był nim brat?

– Boże, Will – żachnęła się z obrzydzeniem, przyprawiając go o poczucie winy, że w ogóle coś takiego zasugerował, ale prawda wyglądała tak, że ich praca polegała właśnie na rozważaniu najgorszych ewentualności.

– To z jakiego innego powodu Pauline ostrzegała syna, że jego wujek jest złym człowiekiem, przed którym musi go bronić?

Faith ociągała się z odpowiedzią. W końcu rzuciła:

– Molestowanie seksualne.

– Mogę się mylić – przyznał. – Brat może być złodziejem, defraudantem albo narkomanem. Kryminalistą.

– Gdyby jakiś Steward był notowany w Michigan, Leo znalazłby go już w systemie.

– Może nie powinęła mu się jeszcze noga.

Pokręciła głową.

– Pauline się go bała, nie chciała, żeby zbliżał się do jej syna. To wskazuje na przemoc albo strach przed przemocą.

– Tak jak powiedziałaś, gdyby jej groził albo ją nachodził, gdzieś musiałoby być jakieś zgłoszenie.

– Niekoniecznie. Mimo wszystko jest jej bratem. Ludzie nie biegną tak szybko na policję, gdy chodzi o rodzinę. Własnych brudów nie pierze się publicznie. Wiesz o tym.

Will nie był taki przekonany, ale Faith miała rację co do kartotek.

– Co musiałoby się stać, żebyś kazała Jeremy'emu trzymać się z daleka od twojego brata?

Zastanowiła się przez chwilę.

– Nie przychodzi mi do głowy nic takiego, co Jake mógłby zrobić, a co by mnie skłoniło do powiedzenia Jeremy'emu, żeby z nim nie rozmawiał.

– A jeśliby cię uderzył?

Już miała odpowiedzieć, ale się rozmyśliła.

– Nieważne, czy ja bym coś takiego tolerowała, ważne, co zrobiłaby Pauline. – Zamilkła i namyśliła się przez chwilę. – Rodzina to skomplikowana sprawa. Ludzie godzą się na mnóstwo gówna z uwagi na wspólną krew.

– Szantaż? – Will wiedział, że strzela zupełnie na oślep, mimo to ciągnął: – Może brat znał jakiś brzydki sekret z przeszłości Pauline? Przecież nie bez powodu zmieniła nazwisko po ucieczce. Teraz ma lukratywne zajęcie. Mieszka we własnym domu. Jeździ luksusowym samochodem. Zapewne byłaby skłonna dużo zapłacić, by tak pozostało. – Zaraz jednak storpedował własną teorię. – Z drugiej strony, jeśli brat ją szantażuje, powinien być zainteresowany tym, żeby pracowała. Porywanie jej nie miałoby sensu.

– Nie jest też przetrzymywana dla okupu. Nikogo nie obchodzi, że zniknęła.

Will pokręcił głową. Kolejna ślepa uliczka.

– Dobra – powiedziała Faith – może Pauline nie jest powiązana z naszą sprawą. Może między nią a bratem było coś rodem z *Kwiatów na poddaszu*. To co robimy? Siedzimy z założonymi rękoma i czekamy, aż jakaś trzecia albo czwarta kobieta zostanie porwana?

Will nie wiedział, co odpowiedzieć. Na szczęście mu się upiekło, bo Faith zerknęła na zegarek.

– Chodźmy pogadać z Coldfieldami.

W schronisku dla kobiet były dzieci, czego Will się nie spodziewał, choć z drugiej strony wydawało się logiczne, że bezdomne kobiety mają także bezdomne dzieci. Na podwórku przed budynkiem wyznaczono im mały placyk do zabaw. Różniły się wiekiem, ale podejrzewał, że żadne nie skończyło sześciu lat, bo starsze siedziałyby o tej porze jeszcze w szkole. Wszystkie miały na sobie niedobrane, spłowiałe ubrania i bawiły się zabawkami, których okres świetności także dawno przeminął: lalkami Barbie z włosami obciętymi na jeżyka, samochodzikami Tonka ze zdekompletowanymi kółkami. Will podejrzewał, że powinno mu się zrobić smutno na ten widok, ponieważ scena była jakby żywcem wyjęta z jego dzieciństwa, jednak te dzieci miały przynajmniej jedno z rodziców, które się o nie troszczyło, jeden związek z normalnym światem.

– Dobry Boże – wymruczała Faith, grzebiąc w portmonetce. Na kontuarze przy głównym wejściu stał słoik na datki i wrzuciła do niego kilka dziesiątaków. – Kto pilnuje tych dzieci?

Will popatrzył w głąb korytarza. Ściany zdobiły papierowe wielkanocne wycinanki i kilka dziecięcych malunków. Zobaczył zamknięte drzwi z symbolem damskiej toalety.

– Opiekunka pewnie jest w ubikacji.

– Każdy może je porwać.

Will nie sądził, by cieszyły się specjalnym wzięciem. Na tym między innymi polegał ich problem.

– Zadzwoń po obsługę – powiedziała, patrząc na napis pod dzwonkiem, który nawet małpa by odczytała.

Sięgnął ręką i wcisnął dzwonek.

– Prowadzą tu kursy komputerowe.

– Że co?

Faith wzięła jedną z broszur leżących na kontuarze. Will zobaczył zdjęcia uśmiechniętych dzieci i kilka korporacyjnych logo należących do najhojniejszych sponsorów u dołu.

– Kursy komputerowe, doradztwo zawodowe, pomoc psychologiczna, posiłki. – Jej oczy wędrowały wte i wewte, gdy przebiegała wzrokiem tekst. – Konsultacje lekarskie w duchu wartości chrześcijańskich. – Rzuciła broszurę. – Czyli mówią ci, że pójdziesz do piekła, jeśli zrobisz sobie skrobankę. Świetna rada dla kobiet, które nie dają rady wykarmić własnej gęby. – Jeszcze raz uderzyła w dzwonek, tym razem na tyle mocno, że zjechał z kontuaru.

Will schylił się, żeby podnieść go z podłogi. Kiedy się wyprostował, zobaczył za kontuarem dużą Latynoskę z dzieckiem na rękach. Odezwała się z wyraźnym teksaskim akcentem, zwracając się do Faith:

– Jeśli przyjechała pani kogoś aresztować, prosimy, żeby nie robić tego na oczach dzieci.

– Przyjechaliśmy porozmawiać z Judith Coldfield – odpowiedziała cicho, świadoma, że dzieci nie tylko ją obserwują, ale prawdopodobnie także, podobnie jak kobieta, domyśliły się, kim jest.

– Musicie iść na tył budynku do sklepiku. Judith stoi dzisiaj za ladą.

Powiedziawszy to, odwróciła się i poszła z dzieckiem w głąb korytarza, nie czekając na dziękuję.

Faith otworzyła drzwi i znaleźli się z powrotem na zewnątrz.

– Nienawidzę takich miejsc. Wszystko się we mnie gotuje na sam widok.

Will pomyślał, że schronisko dla bezdomnych kobiet to dziwny obiekt nienawiści, nawet jak na Faith.

– A to czemu?

– Wystarczy im pomóc. A nie zmuszać do klepania paciorków.

– Niektórzy ludzie znajdują pociechę w modlitwie.

– A co z tymi, którzy nie? Nie są warci pomocy? Możesz nie mieć dachu nad głową i przymierać głodem, ale nie masz co liczyć na darmowy posiłek czy kąt do spania, jeśli się nie zgodzisz, że aborcja jest zbrodnią, a inni ludzie mają prawo mówić ci, co powinnaś zrobić z własnym ciałem.

Nie wiedział, co na to odpowiedzieć, więc tylko szedł za nią bez słowa na tył budynku, patrząc, jak gniewnie zarzuca torebkę na ramię. Mruczała jeszcze coś pod nosem, kiedy stanęli przed sklepikiem. Z przodu znajdował się duży szyld, prawdopodobnie z nazwą schroniska. Czasy były trudne dla wszystkich, ale najcieniej przędły organizacje charytatywne, które zależały od ludzi wystarczająco zamożnych, by wspierać bliźnich. Wiele tego typu lokalnych instytucji przyjmowało dary, które następnie sprzedawało, by móc sfinansować podstawową działalność. Napisy na wystawie reklamowały dostępny w środku asortyment. Faith odczytywała je na głos, kiedy szli do wejścia.

– Artykuły gospodarstwa domowego, bielizna pościelowa, obrusy, dary mile widziane, darmowy odbiór większych towarów.

Will otworzył drzwi, modląc się w duchu, żeby się zamknęła.

– W niedzielę nieczynne. Psom wstęp wzbroniony.

– Łapię – powiedział, rozglądając się po sklepie.

Na jednej z półek ustawiono w rzędzie blendery, niżej stały tostery i małe kuchenki mikrofalowe. Na wieszakach wisiało kilka ubrań, z których większość mocno trąciła latami osiemdziesiątymi. Puszkowane zupy i inne artykuły spożywcze o długiej przydatności do spożycia umieszczono z dala od słońca wlewającego się przez okna wystawowe. Willowi zaburczało w brzuchu i przypomniał sobie sortowanie puszek i konserw z jedzeniem, które przywożono do sierocińca w święta. Ludzie oddawali tylko produkty najgorszego gatunku: mielonkę konserwową i ćwikłę, dokładnie tego rodzaju delicje, o jakich dzieci marzą w Boże Narodzenie.

Faith odczytała kolejny napis:

– Wszystkie datki można odliczyć od podatku. Zysk idzie bezpośrednio na pomoc bezdomnym kobietom i dzieciom. Bóg pomaga tym, którzy pomagają innym.

Uświadomił sobie, że rozbolała go żuchwa od zaciskania zębów. Na szczęście nie musiał długo o tym myśleć. Spod lady jak spod ziemi wyskoczył nagle jakiś mężczyzna.

– Jak zdrówko?

Faith przytknęła rękę do piersi.

– Kim pan jest, u licha?

Nieznajomy spiekł takiego raka, że Will czuł niemal ciepło bijące z jego twarzy.

– Najmocniej panią przepraszam. – Wytarł dłoń o przód podkoszulka. Czarne ślady po palcach wskazywały miejsca, gdzie robił to już wiele razy wcześniej. – Tom Coldfield. Pomagam mamie z... – Pokazał na podłogę za ladą. Will domyślił się, że naprawiał właśnie kosiarkę ręczną. Silnik był częściowo rozłożony i wyglądało na to, że mężczyzna próbował założyć nowy pasek klinowy, co wszakże nie tłumaczyło, dlaczego karburator leży na podłodze.

– Jest taka mutra na... – zaczął Will, ale Faith mu przerwała.

– Agent specjalny Faith Mitchell. To mój partner Will Trent. Mamy się tu spotkać z Judith i Henrym Coldfieldami. Zakładam, że jest pan z rodziny?

– To moi staruszkowie. – Mężczyzna uśmiechnął się do Faith, obnażając parę wystających siekaczy. – Są na zapleczu. Tata ciągle nie może przeboleć partyjki golfa, z której zrezygnował. – Chyba dotarło do niego, jak błahy musi być to w ich oczach problem. – Przepraszam, wiem, że to potworne, co się przydarzyło tej kobiecie. Tyle że oni... no... powiedzieli już wszystko, co wiedzieli, temu drugiemu detektywowi.

Faith nadal dawała się poznać od najsłodszej strony.

– Jestem pewna, że bardzo chętnie powiedzą nam jeszcze raz.

Tom Coldfield zdawał się być odmiennego zdania, ale pokazał ręką, żeby poszli za nim na zaplecze. Faith ruszyła przodem i przeciskali się, lawirując między pudłami i stosami różnych rzeczy z darów. Will podejrzewał, że Tom swego czasu musiał być wysportowany, ale najwyraźniej mu to przeszło, kiedy stuknęła mu trzydziestka, urósł brzuszek i pochyliły się ramiona. Na czubku głowy widniała łysina niczym tonsura franciszkanina. Nawet nie pytając, wiedział, że Tom ma dwójkę dzieci. Wyglądał wypisz wymaluj jak wzorcowy tatusiek z boiska. Pewnie jeździł minivanem i grał w sieci w ligę.

– Przepraszam za ten rozgardiasz – powiedział teraz. – Brakuje nam wolontariuszy.

– Pracuje pan tutaj? – spytała Faith.

– Uchowaj Boże. Zwariowałbym. – Zachichotał na widok zaskoczenia malującego się zapewne na jej twarzy. – Jestem kontrolerem ruchu lotniczego. Mama czasem gra na moim poczuciu winy i goni mnie do pomocy, gdy brakuje im rąk do pracy.

– Służył pan w wojsku?

– W lotnictwie, sześć lat. Jak się pani domyśliła?

Wzruszyła ramionami.

– Najłatwiejszy sposób na zdobycie kwalifikacji. – Prawdopodobnie, żeby go sobie kupić, dodała: – Mój brat też służy w lotnictwie. Stacjonuje w Niemczech.

Tom usunął z drogi kolejne pudło.

– Ramstein?

– W Landstuhl. Jest chirurgiem.

– Mają tam straszny kocioł. Pani brat wykonuje zbożne dzieło.

Faith była teraz policjantką, jej osobiste przekonania nie miały znaczenia.

– Bez wątpienia.

Tom przystanął przed zamkniętymi drzwiami i zapukał. Will popatrzył w głąb korytarza na drugi koniec budynku, kontuar, przed którym stali, czekając, aż kobieta wyjdzie z toalety. Faith także to zobaczyła i przewróciła oczyma, kiedy Tom otworzył drzwi.

– Mamo, to są agenci Trent i... najmocniej przepraszam, Mitchell, tak?

– Tak – potwierdziła Faith.

Tom przedstawił im rodziców, choć była to czysta formalność, jako że w pokoju znajdowały się tylko dwie osoby. Judith siedziała za biurkiem nad otwartą księgą rachunkową. Henry zajmował krzesło przy oknie. Trzymał w rękach gazetę, którą strzepnął i starannie złożył, zanim przeniósł wzrok na Willa i Faith. Jego syn nie kłamał, kiedy mówił, że ojciec jest nie w sosie z powodu przełożonej partyjki golfa. Henry Coldfield wyglądał jak ucieleśnienie zrzędliwego tetryka.

– Może przyniosę więcej krzeseł? – zaproponował Tom i natychmiast zniknął, nie czekając na odpowiedź.

Gabinet miał normalne wymiary, co znaczyło że był wystarczająco duży, by zmieściły się w nim cztery osoby, nie potrącając się łokciami. Mimo to Will dalej stał w drzwiach, podczas gdy Faith zajęła jedyne wolne krzesło w środku. Zwykle ustalali wcześniej, kto będzie prowadził przesłuchanie, ale nie tym razem. Kiedy Will popatrzył pytająco na Faith, ta wzruszyła tylko ramionami. Rodzina nie dawała się rozszyfrować na dzień dobry, będą musieli zobaczyć, co wyjdzie w praniu. Najważniejsze to sprawić, żeby poczuł się swobodnie. Ludzie zwykle nie otwierają się tak łatwo, dopóki się ich nie przekona, że nie jest się ich wrogiem. Ponieważ Faith siedziała bliżej starszych państwa, to ona zaczęła.

– Pani Coldfield, panie Coldfield, bardzo dziękujemy, że zechcieliście się państwo z nami spotkać. Wiem, że rozmawialiście już z detektywem Gallowayem, ale wydarzenia wczorajszej nocy były z pewnością dla państwa bardzo traumatyczne. Czasami w takiej sytuacji człowiek dopiero po kilku dniach zaczyna sobie wszystko przypominać.

– Nigdy wcześniej nic podobnego nam się nie przydarzyło – powiedziała Judith Coldfield i Will zastanawiał się, czy starsza pani naprawdę wyobraża sobie, że ludzie regularnie taranują samochodami kobiety gwałcone wcześniej i torturowane w podziemnej norze.

Wyglądało na to, że Henry'ego też to uderzyło.

– Judith – rzucił.

– Ojej! – Przyłożyła dłoń do ust, ukrywając pełen zażenowania uśmiech. Natychmiast się wyjaśniło, po kim jej syn odziedziczył królicze zęby i skłonność do rumieńców. – Chciałam powiedzieć – tłumaczyła się – że nigdy wcześniej nie mieliśmy do czynienia z policją. – Poklepała męża po ręce. – Henry wprawdzie dostał kiedyś mandat za zbyt szybką jazdę, ale tylko raz i wystarczy. Kiedy to było, kochanie?

– Latem osiemdziesiątego trzeciego – odpowiedział mąż, a napięte mięśnie żuchwy wskazywały, że nadal tego nie przebolał. Popatrzył na Willa, jakby tylko inny mężczyzna mógł go zrozumieć. – Jedenaście kilometrów powyżej dopuszczalnej.

Will chciał rzucić coś współczującego, ale nic mu nie przychodziło do głowy. Spytał Judith:

– Pochodzicie państwo z północy?

– To aż tak bardzo rzuca się w oczy? – Roześmiała się znowu, przykładając rękę do ust. Była boleśnie świadoma swoich wystających zębów. – Z Pensylwanii.

– To tam mieszkaliście państwo przed przejściem na emeryturę?

– O nie – powiedziała Judith. – Praca Henry'ego rzucała nas w różne miejsca kraju. Głównie na północnym zachodzie. Mieszkaliśmy w Oregonie, Kalifornii, stanie Waszyngton, ale nie lubiliśmy tego, prawda? – Henry burknął coś pod nosem. – Na krótko osiedliliśmy się też w Oklahomie. Byliście tam państwo kiedyś? Tak tam płasko.

Faith przeszła do rzeczy.

– A w Michigan?

Judith pokręciła głową, ale Henry powiedział:

– W siedemdziesiątym pierwszym byłem tam na meczu futbolowym. Michigan kontra stan Ohio. Dziesięć do siedmiu. Omal nie zamarzłem na śmierć.

Faith zwęszyła szansę na rozwiązanie mu języka.

– Jest pan fanem?
– Nie cierpię futbolu. – Mars na czole wskazywał, że nadal jest niepocieszony z powodu bytności na meczu, choć większość ludzi gotowa byłaby zabić, by się tam znaleźć.
– Henry był komiwojażerem – wyjaśniła Judith. – Ale już wcześniej zwiedził kawałek kraju. Jego ojciec służył trzydzieści lat w armii.
Faith podjęła na nowo, szukając sposobu, żeby mężczyzna się otworzył.
– Mój dziadek też był żołnierzem.
Znowu wtrąciła się Judith.
– Henry dzięki studiom uniknął poboru w czasie wojny. – Will domyślił się, że chodzi jej o Wietnam. – Choć oczywiście wielu naszych znajomych służyło, a Tom był w lotnictwie, z czego jesteśmy bardzo dumni. Czyż nie, Tom?
Will nie zauważył powrotu syna, który teraz uśmiechnął się przepraszająco.
– Przykro mi, nie ma więcej krzeseł. Dzieci zabrały wszystkie do budowy fortu.
– Gdzie pan stacjonował? – spytała go Faith.
– W bazie Sił Powietrznych w Keesler – odpowiedział. – Przeszedłem szkolenie, potem dorobiłem się stopnia starszego sierżanta w trzysta trzydziestym czwartym dywizjonie szkoleniowym, gdzie byłem odpowiedzialny za szkolenie z podstaw naprowadzania. Zamierzali mnie skierować do Altus, kiedy wystąpiłem o zwolnienie ze służby.
– Właśnie miałam zapytać, dlaczego odszedł pan z lotnictwa, ale przypomniałam sobie, że Keesler jest w Missisipi.
Rumieniec wrócił z pełną siłą i Tom zaśmiał się speszony.
– Tak, proszę pani.
Faith przeniosła uwagę na Henry'ego prawdopodobnie świadoma, że bez jego błogosławieństwa nie wyciągną zbyt wiele od Judith.
– A pan kiedykolwiek wyjeżdżał z kraju?
– Zawsze mieszkałem w Stanach.
– Ma pan wojskowy akcent – zauważyła, co jak Will wywnioskował, znaczyło, że po prostu nie ma żadnego.
Jego powściągliwość zaczynała powoli topnieć.

– Człowiek jedzie, gdzie mu każą.

– Dokładnie tak powiedział mój brat, kiedy skierowali go za granicę. – Faith pochyliła się do przodu. – Jeśli chce pan znać prawdę, wydaje mi się, że odpowiada mu takie życie, ciągle na walizkach, bez konieczności zapuszczania korzeni.

Henry otworzył się jeszcze trochę.

– Żonaty?

– Ee-ee.

– W każdym porcie inna dama?

– Boże, mam nadzieję, że nie – roześmiała się Faith. – Moja matka widziała przed nim tylko dwie drogi: albo lotnictwo, albo kapłaństwo.

Henry zachichotał.

– Większość matek tak właśnie widzi przyszłość swoich synów. – Uścisnął dłoń żony, która obrzuciła Toma pełnym dumy, promiennym uśmiechem.

– Mówił pan, że jest kontrolerem ruchu lotniczego? – spytała go Faith.

– Tak, proszę pani – rzekł z szacunkiem, choć Faith była prawdopodobnie od niego młodsza. – Pracuję na lotnisku Charliego Browna. – Miał na myśli lokalny port lotniczy na zachodnich przedmieściach Atlanty. – Już prawie dziesięć lat. Fajna fucha. Czasami nocami obsługujemy ruch z Dobbins. – Czyli bazy lotniczej położonej za miastem. – Założę się, że pani brat nieraz stamtąd wylatywał.

– Bez wątpienia – zgodziła się Faith, patrząc mu wystarczająco długo w oczy, by mu schlebić. – Teraz mieszka pan w Conyers?

– Tak, proszę pani. – Uśmiechnął się szeroko, ukazując zęby wystające jak kły dzika. Odprężył się teraz i zrobił bardziej rozmowny. – Osiedliłem się w Atlancie, kiedy opuściłem bazę w Keesler. – Pokazał głową na matkę. – Bardzo się ucieszyłem, gdy rodzice też się tu przeprowadzili.

– Mieszkają na Clairmont Road, tak?

Tom potaknął, nadal się uśmiechając.

– Wystarczająco blisko, by wpaść z wizytą bez konieczności pakowania walizki.

Swobodny kontakt, jaki się między nimi zawiązywał,

najwyraźniej był nie w smak Judith, która czym prędzej wtrąciła się do rozmowy.

– Żona Toma uwielbia swój ogród. – Zaczęła grzebać w torebce. – Mark, jego syn, ma bzika na punkcie samolotów. Z każdym dniem coraz bardziej przypomina swojego ojca.

– Mamo, państwo nie muszą oglądać... – zaprotestowałam, ale za późno.

Judith wyciągnęła już fotografię i podała ją Faith, która wydała stosowne odgłosy zachwytu, zanim przekazała zdjęcie Willowi.

Popatrzył na nie z kamiennym wyrazem twarzy. Geny Coldfieldów z pewnością nie należały do recesywnych. Chłopiec i dziewczynka z fotografii stanowili wierne kopie swojego ojca. Co gorsza, Tom nie znalazł sobie atrakcyjnej żony, która mogłaby zmienić ten stan rzeczy. Miała cienkie blond strąki zamiast włosów i pełen rezygnacji wyraz ust, który zdawał się wskazywać, że może być już tylko gorzej.

– Darla – Judith podała imię synowej. – Są małżeństwem od prawie dziesięciu lat, prawda, Tom?

Wzruszył ramionami w ten zażenowany sposób, w jaki dzieci kwitują zachowanie rodziców.

– Bardzo ładne – powiedział Will, oddając zdjęcie Judith.

– Ma pani dzieci? – spytała.

– Syna – odpowiedziała krótko Faith i drążyła dalej: – Tom to państwa jedyne dziecko?

– Tak. – Judith znowu się uśmiechnęła, zasłaniając usta. – Nie sądziliśmy z Henrym, że będziemy mogli... – Urwała i ponownie popatrzyła na syna z nieskrywaną dumą. – To istny cud.

Tom ponownie wzruszył ramionami, ewidentnie speszony. Faith delikatnie skierowała rozmowę na powód ich przyjazdu.

– I w dniu wypadku byliście państwo z wizytą u syna?

Judith skinęła głową.

– Chciał uczcić nasze rubinowe gody. Prawda, Tom? – Dodała nieobecnym głosem. – Taka potworna rzecz. Chyba już w każdą rocznicę będzie nas prześladować to wspomnienie.

– Nie rozumiem, jak mogło do tego dojść – wtrącił Tom. – Jak ta kobieta... – Potrząsnął głową. – To bez sensu. Kto, do cholery, mógłby zrobić coś podobnego?

– Tom – syknęła Judith. – Co to za język?

Faith spojrzała wymownie na Willa, pokazując, że tylko ostatkiem sił powstrzymuje się od przewrócenia oczyma. Jednak opanowała się szybko i zwróciła do starszej pary:

– Wiem, że powiedzieliście już państwo wszystko detektywowi Gallowayowi, ale zacznijmy od początku. Jechaliście szosą, zobaczyliście tę kobietę i co?

– Cóż – zaczęła Judith. – Z początku wydawało mi się, że to sarna. Wiele razy widywaliśmy je na poboczu. Henry zawsze po zmroku jedzie wolno, na wypadek gdyby któraś wyskoczyła na drogę.

– Blask reflektorów je paraliżuje – wyjaśnił Henry, jakby oślepiona światłami sarna była zjawiskiem kompletnie nieznanym.

– Wtedy nie było jeszcze ciemno – ciągnęła Judith. – Zdaje się, że dopiero zmierzchało. I wtedy zobaczyłam stworzenie na drodze. Otworzyłam usta, żeby powiedzieć Henry'emu, ale za późno. Uderzyliśmy w nie. W nią. – Wyjęła chusteczkę higieniczną z torebki i przyłożyła do oczu. – Ci mili panowie próbowali jej pomóc, ale nie sądzę, żeby... no bo po tym wszystkim na pewno...

Henry ponownie ujął dłoń żony.

– Czy ona... czy ta kobieta...?

– Nadal jest w szpitalu – poinformowała Faith. – Lekarze nie są pewni, czy w ogóle odzyska przytomność.

– Dobry Boże. – Judith westchnęła jakby w modlitwie. – Mam nadzieję, że nie.

– Mamo – rzucił Tom podniesionym ze zdziwienia głosem.

– Wiem, że to brzmi okrutnie, ale mam nadzieję, że ona się nigdy nie dowie.

Rodzina zamilkła. Tom popatrzył na ojca. Henry z trudem przełykał ślinę i Will widział, że starszego pana zaczynają przytłaczać wspomnienia.

– Myślałem, że mam zawał – wydusił w końcu z cierpkim śmiechem.

Judith zniżyła głos i wyjaśniła, jakby mąż nie siedział obok:

– Henry ma problemy z sercem.

– Nic groźnego – zapewnił. – Ta głupia poduszka powietrzna walnęła mnie prosto w pierś. I to ma niby być wyposażenie ochronne. Cholerstwo niemal mnie nie zabiło.

– Panie Coldfield, widział pan tę kobietę na drodze? – spytała Faith.

Henry skinął głową.

– Tak, ale jak mówiła Judith, za późno, żeby się zatrzymać. Nie pędziłem. Jechałem z dopuszczalną prędkością. Nagle coś mi mignęło przed maską, myślałem, że sarna, i dałem po hamulcach. Wyskoczyła ni stąd, ni zowąd. Jak spod ziemi. Nawet kiedy już w nią walnęliśmy, nie sądziłem, że to kobieta. Przekonałem się, dopiero kiedy wysiedliśmy z wozu i ją zobaczyliśmy. Straszne. Po prostu brak słów.

– Zawsze nosił pan okulary? – Will ostrożnie poruszył drażliwą kwestię.

– Jestem pilotem amatorem. Dwa razy w roku przechodzę badanie wzroku. – Zdjął okulary, wyraźnie dotknięty do żywego, ale panował nad tonem. – Może i jestem stary, ale latać jeszcze mogę. Żadnej zaćmy, pełna ostrość widzenia.

Will uznał, że lepiej mieć to już za sobą.

– A co z pańskim sercem?

– To nic poważnego – zapewniła Judith. – Trzeba tylko na nie uważać, pilnować, żeby się nie przemęczał.

– Zdaniem lekarzy nie ma powodów do obaw – rzucił Henry, nadal nadąsany. – Łykam potwornie wielkie prochy. Nie dźwigam ciężarów. I mam się dobrze.

Faith usiłowała go uspokoić, zmieniając temat.

– A latać nauczył się pan jako dziecko żołnierza?

Wydawało się, że starszy pan się zastanawia, czy porzucić problem swojego zdrowia czy nie. W końcu odpowiedział:

– Tata dawał mi lekcje, kiedy byłem mały. Stacjonowaliśmy w jakiejś zapadłej dziurze na Alasce. Uważał, że to dobry sposób, żebym nie wpakował się w tarapaty.

Faith się uśmiechnęła, jeszcze raz pomagając mu się rozluźnić.

– Dobre warunki pogodowe?

– Jeśli człowiek miał szczęście. – Roześmiał się z nostalgią. – Trzeba było uważać przy podchodzeniu do lądowania. Zimny wiatr rzucał maszyną na wszystkie strony. Czasami zamykałem oczy i modliłem się, żeby udało mi się usiąść na pasie, a nie lodzie.

– Zimne lotnisko – zauważyła Faith, pijąc do jego nazwiska*.

– Właśnie – skwitował, jakby słyszał tę grę słów wiele razy. Nałożył okulary i rzucił rzeczowym tonem: – Proszę posłuchać, nie lubię pouczać innych, jak mają wykonywać swoją robotę, ale dlaczego nie pytacie nas o ten drugi samochód?

– Jaki drugi samochód? Ten, który się zatrzymał, żeby pomóc?

– Nie, ten, który minął nas z naprzeciwka, pędząc jak szalony. Jakieś dwie minuty przed pojawieniem się dziewczyny.

Milczeli zszokowani, więc Judith przerwała ciszę.

– Pewnie już o nim wiecie. Przecież powiedzieliśmy wszystko temu pierwszemu policjantowi.

---

* *Cold* – zimny, *field* – pole, łąka, ale też lotnisko (przyp. tłum.).

ROZDZIAŁ JEDENASTY

Faith niewiele zapamiętała z drogi do okręgowej komendy w Rockdale, ponieważ cały czas klęła na czym świat stoi.

– Wiedziałam, że ten patafian mnie okłamuje – zapewniała, obrzucając najgorszymi epitetami Maksa Gallowaya i całą miejscową policję. – Szkoda, że nie widziałeś, jaki był cały w skowronkach, jakim zadowolonym z siebie spojrzeniem mnie obrzucił, kiedy wychodził ze szpitala. – Walnęła pięścią w kierownicę, żałując, że nie może walnąć w mosznę Gallowaya. – Czy oni sobie wyobrażają, że to jest jakaś zabawa? Nie widzieli, co zrobiono tej kobiecie? Na litość boską!

Will siedział obok w milczeniu. Jak zwykle nie miała pojęcia, co mu chodzi po głowie. Przez całą drogę nie odezwał się ani słowem i dopiero kiedy zatrzymała się na parkingu dla interesantów przed posterunkiem, spytał:

– Przestałaś się już ciskać?

– Cholera, nie, nie przestałam. Okłamali nas. Nawet nie przefaksowali nam cholernego raportu z miejsca zdarzenia. Jak, u licha, mamy prowadzić śledztwo, jeśli zatajają informacje, które...

– Zastanów się, dlaczego to zrobili – przerwał jej Will. – Jedna kobieta nie żyje, drugiej na dobrą sprawę niewiele brakuje, a oni nadal zatajają dowody. Mają gdzieś ofiary, Faith. Obchodzi ich tylko własne ego i zrobienie nam koło pióra. Stąd te przecieki do prasy i odmowa współpracy. Myślisz, że jeśli wpadniemy tam z pianą na ustach i pójdziemy z nimi na udry, to uzyskamy to, czego nam trzeba?

Faith otwierała usta, żeby odpowiedzieć, ale Will już

wysiadał z samochodu. Obszedł wóz i otworzył jej drzwiczki, jakby byli na randce.

– Zaufaj mi w tej jednej kwestii, Faith – powiedział. – Pokorne cielę dwie matki ssie.

Odrzuciła jego wyciągniętą dłoń.

– Nie dam Gallowayowi jeździć po sobie jak po łysej kobyle.

– Ja dam – zapewnił ją, wyciągając rękę, jakby potrzebowała pomocy przy wysiadaniu z auta.

Chwyciła torebkę z tylnego siedzenia i ruszyła za Willem. Nie dziwiła się, że każdy, kto ma z nim styczność, bierze go za biegłego rewidenta. Nie była w stanie pojąć, jak można mieć tak karłowate ego. Przez ten rok wspólnej pracy najsilniejszą emocją, jaką zdarzało mu się okazywać, była irytacja, głównie na nią. Bywał nie w sosie, czasem nawet smutny i Bóg jeden wie, że potrafił obwiniać się o całą masę spraw, ale nigdy jeszcze nie widziała, żeby kiedykolwiek wpadł w prawdziwy gniew. Kiedyś siedział sam w pokoju z podejrzanym, który ledwie kilka godzin wcześniej usiłował wpakować mu kulkę w głowę, a jedynym uczuciem, jakie Will okazywał, była empatia.

Funkcjonariusz w dyżurce najwyraźniej poznał Trenta. Warga podjechała mu do góry w szyderczym uśmiechu.

– Trent.

– Detektywie Fierro – pozdrowił go Will, choć mężczyzna ewidentnie nie był już detektywem. Wielki brzuch wylewał się zza guzików munduru posterunkowego niczym dżem z pączka. Zważywszy na to, co powiedział Amandzie o siorbaniu pisiora Lyle'a Petersona, Faith była zdziwiona, że nie jeździ na wózku inwalidzkim.

– Powinienem był zasunąć tę płytę nad twoją głową i zostawić cię w tej norze.

– Cieszę się, że jakoś się pan powstrzymał. – Will wskazał na Faith. – To jest agent specjalny Faith Mitchell. Musimy zamienić kilka słów z detektywem Maksem Gallowayem.

– O czym?

Faith nie miała zamiaru bawić się w subtelności. Już chciała wyskoczyć z gębą, ale Will osadził ją jednym spojrzeniem.

– Może moglibyśmy porozmawiać z komendantem Petersonem, jeśli detektyw Galloway jest zajęty.

– Możemy też pogadać z waszym kumplem Samem Lawsonem z „Atlanta Bacon" i powiedzieć mu, że przecieki, które mu podrzucacie, mają tylko służyć kryciu waszych tyłków i błędów, jakie popełniliście w śledztwie – dodała Faith.

– Strasznie się pani ciska, paniusiu.

– Jeszcze nawet nie zaczęłam. Sprowadź tu na biegu Gallowaya, zanim naślę na ciebie naszą szefową. Już urwała ci odznakę. Jak myślisz, co urwie ci teraz? Stawiam na twoje...

– Faith – powiedział Will ostrzegawczo.

Fierro podniósł słuchawkę, wcisnął jakiś wewnętrzny.

– Max, jakaś para palantów chce z tobą pogadać. – Rzucił słuchawkę na widełki. – Prosto korytarzem, potem zaraz w prawo, pierwsze drzwi na lewo.

Faith prowadziła, bo Will by nie potrafił. Posterunek był typowym budynkiem rządowym z lat sześćdziesiątych z mnóstwem luksferów i kiepską wentylacją. Ściany zdobiły listy gratulacyjne i zdjęcia funkcjonariuszy na miejskich piknikach i imprezach charytatywnych. Zgodnie ze wskazówkami, skręciła w prawo i zatrzymała się przed pierwszymi drzwiami po lewej stronie.

Przeczytała wiszącą na nich tabliczkę.

– Dupek – szepnęła. Wysłał ich do pokoju przesłuchań.

Will otworzył drzwi. Widziała, jak omiata wzrokiem pomieszczenie: przykręcony do podłogi stół, pręty biegnące wzdłuż jego krawędzi, żeby można było skuć podejrzanego.

– Nasz jest bardziej przytulny – skwitował.

Po obu stronach stołu stały dwa krzesła. Faith rzuciła torebkę na to stojące tyłem do lustra weneckiego i stanęła z ramionami skrzyżowanymi na piersi, nie chcąc siedzieć, kiedy Galloway wejdzie do pomieszczenia.

– To głupota. Powinniśmy włączyć w to Amandę. Nie tolerowałaby tego burdelu.

Will oparł się o ścianę i wsadził ręce do kieszeni.

– Jeśli ściągniemy Amandę, nie będą mieli już zupełnie nic do stracenia. Pozwólmy im zachować twarz. Co nam szkodzi, że sobie trochę na nas używają, jeśli tylko zdobędziemy potrzebne informacje?

Zerknęła na lustro weneckie, zastanawiając się, czy są obserwowani.

– Ale kiedy to się skończy, podam ich oficjalnie do raportu. Utrudnianie śledztwa, mataczenie, wprowadzanie w błąd funkcjonariusza. Ten tłusty kutas Fierro już wylądował z powrotem w mundurze. Galloway będzie miał szczęście, jeśli załapie się na okręgowego hycla.

Usłyszała, jak w głębi korytarza otworzyły się i zamknęły jakieś drzwi. Po chwili w drzwiach stanął Galloway. Wyglądał kropka w kropkę tak samo kmiotowato i indolentnie jak poprzedniego wieczoru w szpitalu.

– Słyszałem, że chcecie zamienić ze mną słówko.

– Właśnie rozmawialiśmy z Coldfieldami – rzuciła Faith.

Galloway skinął głową Willowi, który, nadal przyklejony do ściany, pozdrowił go tym samym gestem.

– Czy jest jakiś powód, dla którego nie powiedziałeś mi o tym drugim samochodzie? – zapytała Faith.

– Wydawało mi się, że mówiłem.

– Gówno prawda. – Nie wiedziała, co bardziej ją złości: fakt, że zachowywał się, jakby to była jakaś zabawa, czy fakt, że zwracała się do niego tonem, którego zwykle używała, gdy karciła Jeremy'ego.

Galloway uniósł obie ręce, uśmiechając się do Willa.

– Twoja partnerka zawsze reaguje tak histerycznie? A może to te trudne dni?

Faith poczuła, jak zaciskają jej się pięści. Facet zaraz się dowie, co to znaczy histeryczna reakcja.

– Posłuchaj – wtrącił się Will, wkraczając między nich. – Po prostu powiedz nam o samochodzie i w ogóle wszystko, co wiesz. Nie będziemy wam robić problemów. Nie chcielibyśmy zostać zmuszeni do wyciągania tych informacji w bolesny dla was sposób. – Podszedł do krzesła i usiadł, podniósłszy z niego najpierw torebkę Faith. Położył ją sobie na kolanach, przez co wyglądał śmiesznie, jak mąż czekający w sklepie, aż żona wyjdzie z przymierzalni. Wskazał Gallowayowi krzesło naprzeciwko i powiedział:

– Mamy w szpitalu poszkodowaną, która jest prawdopodobnie w nieodwracalnej śpiączce. Sekcja Jacquelyn

Zabel, tej z drzewa, nie przyniosła żadnych nowych tropów. A teraz zaginęła kolejna kobieta. Została porwana z parkingu przed supermarketem na oczach sześcioletniego syna, który teraz jest pod opieką obcych i marzy tylko o tym, żeby mama wróciła.

Galloway słuchał tego z obojętną miną.

– Nie dostałeś tej odznaki detektywa za piękne oczy – ciągnął Will. – Wczoraj w nocy zablokowaliście drogi. Wiedzieliście o tym drugim aucie, które widzieli Coldfieldowie. Zatrzymywaliście samochody do kontroli. – Zmienił taktykę. – Nie polecieliśmy z tym na skargę do waszego szefa. Nie ściągnęliśmy wam na głowę naszej szefowej. Nie możemy sobie pozwolić na luksus czekania. Mama Feliksa zapadła się pod ziemię. Może jest teraz w jakiejś innej norze, przywiązana do łóżka z miejscem wykopanym pod spodem na kolejną ofiarę. Naprawdę chcesz beknąć za to wszystko?

W końcu Galloway westchnął ciężko i usiadł. Uniósł się na krześle i wyciągnął z tylnej kieszeni notes, jęcząc, jakby sprawiło mu to fizyczny ból.

– Powiedzieli wam, że był to biały samochód, prawdopodobnie sedan? – spytał.

– Tak. Coldfield nie znał modelu. Wyglądało mu to na jakieś starsze auto.

Galloway skinął głową. Wręczył notes Willowi, który przerzucił kilka stron, niby czytając, potem podał go Faith. Zobaczyła listę trzech nazwisk z numerem telefonu i adresem w Tennessee obok. Wzięła od Willa torebkę, żeby przepisać dane.

– Dwie siostry i ojciec – powiedział detektyw. – Wracali z Florydy do Tennessee. Zepsuł im się samochód i stanęli na poboczu drogi, jakieś jedenaście kilometrów od miejsca, gdzie buick potrącił kobietę. Zobaczyli nadjeżdżającego białego sedana. Jedna z kobiet usiłowała go zatrzymać, ale samochód tylko zwolnił i pojechał dalej.

– Widziała kierowcę?

– Czarny, w bejsbolówce, z głośników płynęła na cały regulator muzyka. Jak mówi, nawet się ucieszyła, że się nie zatrzymał.

– Zapamiętali rejestrację?

– Tylko trzy litery: alfa, feliks, charlie, co zawęża krąg

do bagatela trzystu tysięcy samochodów, z czego szesnaście tysięcy jest białych, a połowa zarejestrowana w okolicy.

Faith zapisała litery AFC, myśląc, że zdadzą się psu na budę, chyba że przypadkiem natkną się na pasujący wóz. Przekartkowała notes Gallowaya, sprawdzając, co jeszcze ukrywał.

– Chciałbym porozmawiać z całą trójką – powiedział Will.

– Za późno – rzucił detektyw. – Dziś rano wrócili do Tennessee. Ojciec jest raczej wiekowy i w kiepskim stanie. Wyglądało na to, że córki zabierają go, by umarł w domu. Możecie do nich zadzwonić, ewentualnie pojechać. Ale powtarzam, wyciągnęliśmy z nich wszystko, co się dało.

– Czy coś jeszcze się wydarzyło na miejscu zdarzenia?

– Tylko to, co jest w raporcie.

– Nie dostaliśmy jeszcze żadnych raportów.

Galloway zrobił niemal skruszoną minę.

– Przykro mi. Sekretarka powinna była wam je od razu przefaksować. Pewnie leżą gdzieś na jej biurku.

– Zabierzemy je, wychodząc – zaproponował Will. – A możesz mi je streścić w kilku słowach?

– Kiedy pojawił się radiowóz, facet, który się zatrzymał, ten ratownik, zajmował się poszkodowaną. Judith Coldfield histeryzowała, przekonana, że mąż ma atak serca. Przyjechała karetka i zabrała ofiarę. Starszemu panu zrobiło się tymczasem trochę lepiej, więc poczekał na następny ambulans, który pojawił się kilka minut później. Nasi z drogówki wezwali dochodzeniówkę, zaczęli odgradzać miejsce, odwalać rutynową robotę. Nie pojawiło się nic szczególnego, słowo.

– Chcielibyśmy pogadać z policjantem, który jako pierwszy pojawił się na miejscu zdarzenia.

– Jest z teściem na rybach w Montanie. – Galloway wzruszył ramionami. – Nie wpuszczam was w maliny. Miał ten wyjazd zaplanowany już od jakiegoś czasu.

Faith natknęła się w notesie detektywa na znajome nazwisko.

– O co chodzi z tym Bermanem? – Wyjaśniła Willowi: – To jeden z tych gości, którzy się zatrzymali, żeby pomóc Annie.

– Annie? – zdziwił się Galloway.

– Takie imię podała w szpitalu – powiedział Will. – Ten drugi był ratownikiem, tak?

– Zgadza się. Niejaki Rick Sigler – potwierdził detektyw. – Ale ta cała ich historyjka o rzekomym wypadzie do kina trochę mi śmierdzi.

Faith prychnęła z pogardą, zastanawiając się, jak długo facet będzie jeszcze gonić własny ogon, zanim w końcu umrze z czystej głupoty.

– Tak czy siak – mruknął Galloway, ostentacyjnie ignorując Faith. – Obu sprawdziłem w bazach. Sigler jest czysty, ale Berman był notowany.

Faith ścisnęło w dołku. Rano spędziła dwie godziny przy komputerze, ale nie przyszło jej do głowy, żeby sprawdzić, czy nazwiska świadków figurują w kartotekach.

– Nagabywanie do czynów lubieżnych. – Galloway uśmiechnął się na widok zszokowanej miny Faith. – Facet jest żonaty i ma dwójkę dzieci. Został zgarnięty pół roku temu za posuwanie innego gościa w toalecie centrum handlowego. Jakiś nastolatek wszedł i przyłapał ich na zabawach. Zboczeniec jeden. Moja żona robi tam zakupy.

– Rozmawiałeś z Bermanem?

– Podał mi fałszywy numer. – Detektyw rzucił Faith kolejne jadowite spojrzenie. – Adres na jego prawie jazdy jest nieaktualny, a nic nie wyskoczyło w systemie.

Dostrzegła lukę w jego wersji i natychmiast ją wytknęła.

– To skąd wiesz, że ma żonę i dwójkę dzieci?

– Z protokołu zatrzymania. Był z nimi wtedy w tym centrum handlowym. Czekali, aż wyjdzie z toalety. – Skrzywił usta z odrazą. – To jego powinniście szukać, jeśli chcecie znać moje zdanie.

– Ofiary zgwałcono. – Oddała mu notes. – Geje nie lubią kobiet. Dlatego właśnie są gejami.

– A ten sprawca wygląda ci na gościa, który lubi kobiety?

Nie odpowiedziała, głównie dlatego, że uwaga była słuszna.

– A co z Rickiem Siglerem? – spytał Will.

Galloway powoli zamknął notes i wsadził go do kieszeni.

– Jest czysty. Od szesnastu lat pracuje w pogotowiu. Chodził do liceum Heritage rzut beretem stąd. – Znowu skrzywił się z odrazą. – Grał w drużynie futbolowej. Dacie wiarę?

Will nie spieszył się z zadaniem ostatniego pytania.

– Co jeszcze ukrywasz?

Detektyw popatrzył mu prosto w oczy.

– To wszystko, co mam, naprawdę.

Faith mu nie wierzyła, ale Will wydawał się usatysfakcjonowany. Do tego stopnia, że wyciągnął rękę i uścisnął Gallowayowi dłoń.

– Dziękuję, że poświęcił nam pan czas, detektywie.

Faith zapaliła światło, wchodząc do kuchni. Rzuciła torebkę na blat i zatonęła w tym samym krześle, w którym rozpoczęła dzień. Miała migrenę, a mięśnie karku tak sztywne, że prawie nie mogła obrócić głowy. Podniosła słuchawkę, żeby odsłuchać pocztę głosową. Wiadomość od Jeremy'ego była krótka i zaskakująco miła: „Cześć, mamo, tak kontrolnie dzwonię. Kocham cię". Faith zmarszczyła czoło i pomyślała, że albo zawalił kolokwium z chemii, albo potrzebuje pieniędzy.

Wykręciła jego numer, ale prawie natychmiast się rozłączyła. Była ledwie żywa, tak nieludzko zmęczona, że obraz przed oczami jej się rozmazywał i marzyła tylko o gorącej kąpieli i lampce wina. Na żadną z tych przyjemności nie mogła sobie pozwolić w swoim stanie, nie musiała więc jeszcze pogarszać sytuacji, wrzeszcząc na syna.

Jej laptop nadal leżał na stole, ale wolała nie sprawdzać poczty. Amanda kazała jej się zgłosić u siebie w biurze przed końcem dnia, żeby wyjaśnić kwestię omdlenia na parkingu przed sądem. Faith zerknęła na zegar na kuchence. Dochodziła prawie dwudziesta druga i dzień pracy dawno dobiegł końca. Amanda prawdopodobnie siedziała już w domu, wysysając krew z owadów, które zaplątały się w jej pajęczynę.

Faith zastanawiała się, czy ten dzień może zrobić się jeszcze gorszy, i uznała, że jest to matematycznie nieprawdopodobne z uwagi na porę. Ostatnie pięć godzin spędziła z Willem, wsiadając i wysiadając z samochodu, dobijając się do domów i mieszkań, rozmawiając z mężczyznami, kobietami czy dziećmi, którzy otwierali drzwi – jeśli je otwierali – i pytając o Jake'a Bermana. W całym okręgu metropolitalnym mieszkało, razem wziąwszy, dwudziestu trzech Jake'ów Bermanów. Z sześcioma z nich udało im się porozmawiać, dwunastu wykluczyli, a nie zdołali znaleźć pięciu, którzy albo byli nieobecni w domu, albo byli nieobecni w pracy, albo nie otwierali drzwi.

Gdyby gość nie okazał się taki trudny do zlokalizowania, może Faith tak by się nim nie przejmowała. Świadkowie co rusz okłamywali policję. Podawali nieprawdziwe nazwiska, nieprawdziwe numery, nieprawdziwe szczegóły zdarzenia. Było to tak powszechne, że Faith rzadko się złościła, gdy się zdarzało. Ale z Bermanem sytuacja przedstawiała się odmiennie. Każdy zostawiał za sobą jakiś ślad w dokumentach. Można było wyciągnąć stare billingi telefoniczne albo adresy i ani się człowiek obejrzał, a już stał przed świadkiem, udając, że nie zmarnował pół dnia na ustalanie jego miejsca pobytu.

Żaden ślad Jake'a Bermana nie istniał w dokumentach. Nawet nie wypełnił zeznania podatkowego w zeszłym roku. Przynajmniej nie na nazwisko Jake Berman – co z kolei przywołało widmo brata Pauline McGhee. Może zmienił nazwisko, tak jak to zrobiła Pauline Steward. Może Faith siedziała naprzeciwko sprawcy przy stoliku w stołówce szpitalnej w noc, kiedy śledztwo się zaczęło.

A może Jake Berman jest zwykłym oszustem podatkowym, który nie korzysta z kart kredytowych czy telefonów komórkowych, Pauline McGhee zaś po prostu postanowiła odejść i zacząć nowe życie, bo czasami to właśnie robią kobiety – odchodzą.

Faith zaczynała rozumieć plusy podobnego rozwiązania.

W przerwie między dobijaniem się do kolejnych drzwi Will zadzwonił do Beulah, Edny i Wallace'a O'Connorów z Tennessee. Max Galloway nie kłamał co do stanu ojca. Mężczyzna był w domu i z tego, co mówił Will, Faith domyśliła się, że starszy pan raczej nie zachował jasności umysłu. Córki okazały się rozmowne i bardzo chciały pomóc, ale nie potrafiły powiedzieć o białym sedanie prującym szosą zaledwie kilka kilometrów od miejsca zdarzenia nic ponad to, że miał błoto na zderzaku.

Rozmowa z Rickiem Siglerem, główną przyczyną leśnych podróży Jake'a Bermana, okazała się tylko trochę bardziej owocna. Faith zadzwoniła do niego i ratownik ewidentnie omal nie dostał zawału, kiedy się przedstawiła. Wiózł właśnie pacjenta do szpitala i miał zaplanowane jeszcze dwie wizyty. Ustalili, że spotkają się następnego dnia o ósmej rano, kiedy zejdzie z dyżuru.

Faith wbiła wzrok w laptopa. Wiedziała, że powinna to wszystko umieścić w raporcie do wiadomości szefowej, choć wyglądało na to, że Amanda doskonale radzi sobie ze zdobywaniem informacji własnym sumptem. Mimo to postanowiła odwalić ten obowiązek. Przysunęła komputer, otworzyła go i wcisnęła klawisz spacji, włączając go w tryb aktywny.

Zamiast sprawdzić skrzynkę pocztową, uruchomiła wyszukiwarkę. Jej dłonie zawisły nad klawiaturą, potem palce zaczęły same się poruszać: SARA LINTON OKRĘG GRANT GEORGIA

Firefox wyświetlił niemal trzy tysiące linków. Faith kliknęła na pierwszy, ale zabrał ją na stronę poświęconą pediatrii, gdzie znajdował się dostępny po zalogowaniu artykuł Sary na temat ubytków przegrody międzykomorowej u niedożywionych noworodków. Drugi link dotyczył czegoś równie pasjonującego i Faith dopiero na dole wyników znalazła wzmiankę prasową o jakiejś strzelaninie w barze Buckhead, której ofiarami zajmowała się w szpitalu Sara.

Faith uświadomiła sobie, że głupio działa. Ogólny rekonesans w sieci nie był zły, ale nawet artykuły prasowe zawierałyby tylko część prawdy o zdarzeniu. W przypadku zabójstwa funkcjonariusza zawsze wzywano GBI. Mogła łatwo uzyskać dostęp do prawdziwych akt sprawy przez bazy danych Biura. Otworzyła program i wprowadziła nazwisko Sary. Znowu wyskoczyło jej tysiące linków do najróżniejszych spraw, w których lekarka zeznawała jako koroner. Zawęziła zakres wyszukiwania, wykluczając zeznania biegłego.

Tym razem pojawiły się tylko dwa wyniki. Pierwszy dotyczył sprawy o napaść na tle seksualnym sprzed prawie dwudziestu lat. Pod linkiem, jak w większości wyszukiwarek, znajdował się krótki opis zawartości – kilka linijek, które streszczały charakter sprawy. Faith przeleciała go wzrokiem i przesunęła kursor myszy na link, ale go nie kliknęła. Zadźwięczały jej w uszach słowa Willa, jego dzielna obrona prawa Sary do prywatności.

Może miał po części rację.

Kliknęła w drugi link, otwierając akta sprawy Jeffreya Tollivera. To było zabójstwo gliniarza. Raporty były rozwlekłe i bardzo szczegółowe, pisane w ten sposób, by każde słowo obroniło się w toku przewodu sądowego i ogniu pytań adwokatów. Faith zapoznała się z doświadczeniem zawodowym Tollivera, przeczytała o latach spędzonych w służbie sprawiedliwości. Zerkała na odnośniki do spraw, nad którymi pracował. Niektóre z nich znała z doniesień telewizyjnych, inne obiły jej się o uszy w trakcie rozmów w biurze.

Przewijała stronę za stroną, czytając o życiu Tollivera, wyrabiając sobie zdanie o jego charakterze na podstawie pełnych szacunku słów, jakimi opisywali go inni. W końcu dotarła do dokumentacji fotograficznej miejsca zdarzenia. Tolliver zginął od prymitywnej bomby domowej roboty. Sara stała tuż obok, widziała wszystko na własne oczy, patrzyła, jak umierał. Faith zebrała się na odwagę i otworzyła plik ze zdjęciami z sekcji. Zjeżyły jej się włosy na głowie: zdjęcia były przeraźliwe, obrażenia potworne. Nie wiedzieć czemu, zaplątały się tu też fotografie z miejsca zdarzenia: Sara z wyciągniętymi przed siebie rękami, żeby aparat mógł utrwalić rozpryski krwi, jej twarz w zbliżeniu, ciemna krew na ustach, spojrzenie równie puste i bez życia jak fotografie męża z prosektorium.

Na wszystkich dokumentach sprawa figurowała jako otwarta. Brak było wzmianki o jakimkolwiek postanowieniu, aresztowaniu czy skazaniu. Dziwne jak na zabójstwo gliniarza. Co Amanda mówiła o Coastal?

Faith otworzyła nowe okno w wyszukiwarce. GBI prowadziło postępowania wyjaśniające w przypadku wszystkich zgonów, do których dochodziło na terenie własności stanowej. Zażądała informacji o wszystkich przypadkach śmierci w więzieniu stanowym Coastal w ciągu ostatnich czterech lat. Było ich w sumie szesnaście, z tego trzy zabójstwa: chuderlawego białego skina, który został skatowany na śmierć w sali rekreacyjnej, i dwóch Afroamerykanów, dźgniętych w sumie prawie dwieście razy zaostrzonym końcem szczoteczki do zębów. Faith przebiegła wzrokiem pozostałe trzynaście przypadków: osiem samobójstw i pięć zgonów z przyczyn naturalnych. Przypomniały jej się słowa Amandy do Sary: „Dbamy o swoich".

Strażnicy więzienni nazywają to „zwolnieniem warunkowym do Pana". Śmierć musi być cicha, mało spektakularna i nie budząca absolutnie żadnych podejrzeń. Policjant wiedziałby, jak zatrzeć ślady. Podejrzewała, że któreś z samobójstw czy złotych strzałów padło na zabójcę Tollivera – smutna, żałosna śmierć, ale sprawiedliwa. Zrobiło jej się lżej na sercu, że sprawca został ukarany, a wdowie zaoszczędzono przewlekłego procesu.

Zamknęła akta, klikając na pliki jeden po drugim, aż zniknął ostatni, potem znowu uruchomiła Firefoxa. Wpisała nazwisko Tollivera za nazwiskiem Sary. Pojawiły się artykuły z miejscowej gazety. „Grant Observer" raczej nie miał szans na Pulitzera. Na pierwszej stronie widniał codzienny jadłospis stołówki lokalnej szkoły podstawowej, a najwięcej miejsca w środku poświęcano wyczynom drużyny futbolowej miejscowego liceum.

Znając już datę zdarzenia, bardzo szybko znalazła teraz wzmianki i artykuły o zabójstwie Tollivera. Okupowały pierwsze strony gazety przez wiele tygodni. Do któregoś dołączono jego fotografię z Sarą u boku na jakimś urzędowym przyjęciu. Ku jej zaskoczeniu okazało się, że był bardzo przystojny. Miał na sobie smoking, a lekarka zmysłową czarną suknię. Zupełnie nie przypominała obecnej Sary, wprost promieniała przy mężu. Co dziwne, to właśnie to zdjęcie spowodowało, że Faith poczuła się źle w związku ze swoim tajnym dochodzeniem. Na twarzy lekarki malował się taki błogi wyraz, jakby zupełnie niczego nie brakowało jej do szczęścia. Popatrzyła na datę na zdjęciu. Zostało wykonane na dwa tygodnie przed śmiercią Tollivera.

Po tym ostatnim odkryciu Faith zamknęła komputer, smutna i lekko zdegustowana sama sobą. Will miał rację przynajmniej w tej jednej sprawie: nie powinna była sprawdzać.

W ramach pokuty za grzechy wyjęła glukometr. Stężenie cukru było podwyższone i musiała przez chwilę się zastanowić, co powinna zrobić. Kolejna igła, kolejny zastrzyk. Zajrzała do toby. Zostały jej już tylko trzy insulinowe peny i wbrew swoim obietnicom nie umówiła się na wizytę do Delii Wallace.

Uniosła spódnicę, odsłaniając gołe udo. Nie zniknął jeszcze z niego ślad po zastrzyku, który zrobiła sobie w toalecie w porze lunchu. Miejsce wkłucia otaczał mały siniak i doszła do wniosku, że może powinna spróbować tym razem na drugiej nodze. Ręka nie trzęsła jej się już tak bardzo i odliczyła zaledwie do dwudziestu siedmiu, zanim wbiła igłę w udo. Opadła na krzesło, czekając, żeby poczuć się lepiej. Po minucie poczuła się gorzej.

Jutro, pomyślała. Zaraz po wstaniu, z samego rana umówi się z Delią Wallace.

Opuściła spódnicę i wstała. W kuchni panował bałagan: w zlewie walały się brudne naczynia, śmieci nie mieściły się już w koszu. Faith nie należała do pedantek, ale jej kuchnia z reguły prezentowała się nieskazitelnie. Napatrzyła się na zbyt wiele ciał zamordowanych kobiet rozciągniętych na podłodze brudnych kuchni. Ten widok zawsze prowokował ją do zbyt łatwych sądów, jakby zabita słusznie została skatowana na śmierć przez swojego chłopaka czy zastrzelona przez obcego, ponieważ zostawiła brudne naczynia w zlewie.

Zastanawiała się, co myślał Will, gdy zjawiał się na miejscu przestępstwa. Uczestniczyła z nim w oględzinach nieskończenie wielu trupów, ale jego twarz zawsze pozostawała nieprzenikniona. Po wstąpieniu do służby od razu trafił do GBI. Nigdy nie nosił munduru, nigdy nie został wezwany do podejrzanego zapachu i nie znalazł martwej staruszki na kanapie. Nigdy nie chodził w patrolu, nie zatrzymywał piratów drogowych, nie wiedząc, czy za kółkiem siedzi głupi nastolatek czy członek gangu, który przystawi ci gnata do twarzy i pociągnie za spust, żeby nie dostać punktów karnych.

Po prostu zachowywał się tak cholernie pasywnie. Faith tego nie rozumiała. Wbrew temu, jak się nosił, był wielkim, silnym mężczyzną. Codziennie biegał, bez względu na pogodę. Ćwiczył na siłowni. Wykopał staw w swoim ogrodzie.

Pod tymi garniturami, w których paradował, kryło się tyle mięśni, że jego ciało wydawało się jak wyrzeźbione z granitu. A mimo to dzisiaj po południu siedział z torebką Faith na kolanach i błagał Gallowaya o informacje. Na miejscu Willa Faith przycisnęłaby idiotę do ściany i wykręcała mu jądra, dopóki nie wyśpiewałby wszystkiego sopranem.

Ale nie była na miejscu Willa, a on nigdy by czegoś takiego nie zrobił. Zamiast jaj wolał ściskać Gallowayowi rękę i dziękować mu za służbową przysługę niczym jakaś gigantyczna, tępa dupa wołowa z uszami.

Zajrzała do szafki pod zlewem w poszukiwaniu płynu do mycia naczyń, ale znalazła tylko puste opakowanie. Podeszła do lodówki, żeby dodać go do listy zakupów. Napisała pierwsze trzy litery, kiedy zdała sobie sprawę, że już to wcześniej zrobiła. Dwa razy.

– Cholera – szepnęła, przykładając rękę do brzucha.

Jak ma się zająć małym dzieckiem, jeśli nie jest w stanie zająć się samą sobą? Kochała Jeremy'ego bezgranicznie, uwielbiała w nim wszystko, ale czekała osiemnaście lat, żeby wreszcie zacząć żyć normalnie, i teraz, kiedy to się stało, miała w perspektywie kolejne osiemnaście lat czekania. Gdy dobiegną końca, będzie miała pięćdziesiątkę na karku i prawo do ulgowych biletów do kina dla emerytów.

Czy tego właśnie chce? Czy w ogóle sprosta sytuacji? Nie może znowu prosić matki o pomoc. Evelyn kochała Jeremy'ego i nigdy się nie skarżyła, że musi się zajmować wnukiem – ani kiedy Faith była w akademii policyjnej, ani gdy pracowała na dwie zmiany, żeby jakoś związać koniec z końcem – ale byłoby naiwnością spodziewać się że po raz drugi udzieli jej takiego wsparcia.

Ale z drugiej strony na kogo innego mogła liczyć?

Z pewnością nie na ojca dziecka. Victor Martinez był wysoki, smagły, przystojny i... kompletnie niezaradny. Był dziekanem na stanowej politechnice, odpowiedzialnym za prawie dwadzieścia tysięcy studentów, ale za chińskiego boga nie potrafił wyszukać sobie w szufladzie dwóch czystych skarpetek. Spotykali się przez pół roku, zanim wprowadził się do Faith, co z początku wydawało się romantyczne i spontaniczne, dopóki nie zakradła się rzeczywistość. Nie minął tydzień, a Faith robiła Victorowi pranie, odbierała jego rzeczy z pralni chemicznej, gotowała mu posiłki i sprzątała po nim. Miała wrażenie, że znowu ma w domu dziecko, tyle że Jeremy'ego mogła ukarać za nieróbstwo. Czara się przelała, kiedy skończyła właśnie szorować zlew, a Wiktor rzucił na suszarkę nóż upaćkany masłem orzechowym. Gdyby miała wtedy przy sobie broń, zastrzeliłaby go na miejscu.

Nazajutrz rano się wyprowadził.

Mimo to kiedy teraz ściągała sznurek w worku na śmieci, poczuła, jak robi jej się miękko na sercu na wspomnienie Victora. Tym właśnie różnił się in plus jej ekskochanek od jej syna: Victorowi nigdy nie trzeba było przypominać sześć razy, żeby wyrzucił śmieci. Sama nie cierpiała tego robić i teraz, co absurdalne, łzy napłynęły jej do oczu na myśl o konieczności podniesienia worka i stargania go po schodach do pojemnika na zewnątrz.

Rozległo się pukanie do drzwi: trzy ostre stuknięcia i dźwięk dzwonka.

Szła korytarzem, ocierając oczy, policzki miała tak mokre, że musiała użyć rękawa. Na biodrze ciągle wisiała jej kabura, więc nie zawracała sobie głowy zaglądaniem przez judasza.

– To jakaś odmiana – rzucił Sam Lawson. – Kobiety zwykle płaczą, kiedy odchodzę, a nie kiedy się pojawiam.

– Czego chcesz, Sam? Jest już późno.

– Nie zaprosisz mnie? – Poruszył brwiami. – Przecież wiesz, że chcesz.

Faith nie miała sił się spierać, więc odwróciła się na pięcie, pozwalając, by poszedł za nią do kuchni. Sam Lawson był ciachem, którym swego czasu obsesyjnie się objadała przez kilka lat, ale teraz już nawet nie pamiętała, dlaczego zawracała sobie nim głowę. Nie wylewał za kołnierz. Miał żonę. Nie lubił dzieci. Był na podorędziu i wiedział, kiedy się ulotnić, co w przypadku Faith oznaczało, że znikał krótko po spełnieniu swego zadania.

Dobra, już sobie przypomniała, dlaczego zawracała sobie nim głowę.

Wyjął kulkę gumy z ust i wrzucił ją do śmieci.

– Cieszę się, że się dzisiaj spotkaliśmy. Muszę ci coś powiedzieć.

Faith przygotowała się na złe wieści.

– Strzelaj.

– Jestem trzeźwy. Prawie od roku.

– Przyszedłeś z propozycją rekompensaty?

Roześmiał się.

– Cholera, Faith. Jesteś chyba jedyną osobą w moim życiu, której nie skrzywdziłem.

– Tylko dlatego, że pogoniłam ci kota, zanim zdążyłeś.

Ściągnęła sznurek na worku, mocno go zawiązując.

– Torba nie wytrzyma.

Rozerwała się dokładnie w momencie, kiedy to powiedział.

– Cholera – mruknęła.

– Chcesz, żebym...

– Poradzę sobie.

Oparł się o blat.

– Uwielbiam obserwować kobiety przy pracy fizycznej.

Spiorunowała go wzrokiem.

Posłał jej kolejny uśmiech.

– Słyszałem, że dzisiaj narobiłaś trochę dymu w Rockdale.

Faith przeklęła w duchu, przypominając sobie, że Max Galloway ma jeszcze przekazać im wstępne raporty z miejsca zdarzenia. Była wtedy tak wściekła, że nie pomyślała, żeby pójść tym tropem, a w życiu nie uwierzy im na słowo, że wszystko odbyło się rutynowo.

– Faith?

Poczęstowała go standardowym tekstem.

– Policja z Rockdale w pełni współpracuje przy śledztwie.

– To o tę Joelyn Zabel powinniście się martwić. Oglądałaś wiadomości? Twierdzi, że jej siostra zginęła przez twojego partnera.

Zabolało bardziej, niż chciała okazać.

– Sprawdź sobie opinię z sekcji.

– Już sprawdziłem – powiedział. Faith się domyśliła, że Amanda przekazała protokół kilku wpływowym osobom, żeby treść jak najszybciej trafiła do opinii publicznej. – Jacquelyn Zabel sama się zabiła.

– Powiedziałeś to tej siostrze?

– Nie jest zainteresowana prawdą.

Faith spojrzała na niego wymownie.
– Jak wielu innych ludzi.
Wzruszył ramionami.
– Dostała ode mnie to, co chciała. Teraz przerzuciła się na kablówkę.
– Łamy „Atlanta Bacon" są dla niej zbyt skromne, co?
– Czemu się mnie tak czepiasz?
– Nie podoba mi się twoja praca.
– Ja niespecjalnie szaleję za twoją. – Podszedł do szafki pod zlewem i wyjął opakowanie worków na śmieci. – Wsuń stary w nowy.
Faith wyciągnęła torbę i trzymając w rękach biały kawałek plastiku, starała się nie myśleć o tym, co Pete znalazł w trakcie sekcji.
Sam, niczego nieświadom, odłożył opakowanie na miejsce.
– A tak w ogóle to co to za gość? Ten Trent?
– Wszystkie zapytania proszę kierować do biura prasowego.
Sam nigdy nie dawał się łatwo zbyć.
– Francis usiłował mi wcisnąć, że Galloway dzisiaj zrobił z niego jelenia. Tak to przedstawiał, jakby z gościa był naprawdę ciężki idiota.
Faith przestała się martwić śmieciami.
– Kto to jest Francis?
– Fierro.
Poczuła dziecięcą przyjemność, słysząc to dziewczęce imię.
– A ty wydrukowałeś każe słowo, które ten dupek wypowiedział, nie zawracając sobie głowy, żeby to zweryfikować u kogoś, kto zna prawdę?
Sam oparł się o blat.
– Odpuść mi, maleńka. Ja tylko wykonuję swoją pracę.
– Tak się tłumaczycie w AA?
– Nie puściłem kawałka o Nerkowym Wampirze.
– Tylko dlatego, że okazał się wyssany z palca, zanim poszedł do druku.
Roześmiał się.
– Nigdy nie pozwalasz sobie wcisnąć kitu. – Patrzył, jak wpycha śmieci do nowego worka. – Jezu, brakowało mi ciebie.

Posłała mu kolejne ostre spojrzenie, ale złapała się na tym, że wbrew niej samej, poruszyły ją te słowa. Kilka lat temu Sam był jej tratwą ratunkową – dość wolny, by zawsze był, kiedy go potrzebowała, ale nie na tyle, by czuła się osaczona.

– Nie wydrukowałem ani słowa o twoim partnerze – zapewnił.

– Dziękuję.

– Ale o co chodzi chłopakom z Rockdale? Naprawdę są na was cięci.

– Bardziej im zależy na zrobieniu nam koło pióra niż na ustaleniu, kto porwał te kobiety. – Nie dała sobie czasu na zastanawianie się, dlaczego powtarza opinie Willa. – Sam, to nie są przelewki. Widziałam jedną z ofiar. Zabójca... kimkolwiek jest... – Omal nie zapomniała, do kogo mówi.

– Rozmawiamy prywatnie – zapewnił.

– Nie ma prywatnych rozmów.

– Oczywiście, że są.

Wiedziała, że Sam ma rację. Powierzała mu w przeszłości tajemnice, które nigdy nie wypłynęły. Tajne informacje o śledztwach. Informacje o przeszłości matki, dobrej policjantki, którą zmuszono do odejścia ze służby, ponieważ jednego z jej detektywów przyłapano na handlowaniu towarem z policyjnych nalotów. Sam nigdy nie wydrukował niczego, co mu powiedziała, i powinna mu teraz zaufać. Ale nie mogła. Teraz nie chodziło już tylko o nią. Will był w to wmieszany. Może go i chwilowo nienawidziła za to, że jest takim mięczakiem, ale prędzej by się zabiła, niż naraziła go na kolejne nieprzyjemności.

– Co się z tobą dzieje, maleńka?

Faith spuściła wzrok na rozdarty worek ze śmieciami, wiedząc, że gdyby spojrzała mu w oczy, wyczytałby wszystko z jej twarzy. Przypomniała sobie dzień, w którym się dowiedziała, że matka wylatuje ze służby. Evelyn nie chciała pocieszeń. Pragnęła być sama. Faith czuła się podobnie, dopóki Sam się nie zjawił. Wprosił się do środka tak samo jak dzisiaj wieczorem. Kiedy ją objął, coś w niej pękło i zalała się łzami, szlochając jak dziecko w jego ramionach.

– Maleńka?

Otworzyła kolejny nowy worek na śmieci.

– Jestem zmęczona, nie w sosie, a ty najwyraźniej nie chcesz zrozumieć, że nie zdobędziesz tu materiału na artykuł.

– Nie chcę materiału. – Głos mu się zmienił. Uniosła głowę i ze zdziwieniem zobaczyła, że na jego ustach igra uśmiech. – Wyglądasz... jesteś...

W głowie Faith natychmiast zakotłowało się od podpowiedzi: opuchnięta, spocona, potwornie gruba.

– Wyglądasz pięknie – powiedział, ku zdziwieniu ich obojga.

Sam nigdy nie był specjalnie skory do prawienia komplementów, Faith zaś z pewnością nie była przyzwyczajona do ich wysłuchiwania.

Oderwał się od blatu i podszedł bliżej.

– Wyglądasz jakoś inaczej. – Musnął jej ramię i dotyk szorstkiej skóry jego dłoni sprawił, że zalała ją fala gorąca. – Wyglądasz tak... – Stał teraz blisko, patrząc na jej usta, jakby zamierzał je pocałować.

– Och – powiedziała Faith i dodała: – Nie, Sam. – Cofnęła się o kilka kroków. Przerabiała to już podczas pierwszej ciąży – umizgi mężczyzn, którzy nagle zaczynali się do niej dostawiać, mówić jej, jaka jest piękna, kiedy miała brzuch już tak wielki, że nie mogła się schylić, żeby zawiązać sznurowadła. To musi być kwestia hormonów, feromonów czy czegoś tam jeszcze. W wieku lat czternastu wydawało jej się to obrzydliwe, w wieku lat trzydziestu trzech już tylko irytujące. – Jestem w ciąży.

Jej słowa zawisły w powietrzu jak tłusty dowcip w salonie. Uświadomiła sobie, że po raz pierwszy wypowiedziała je na głos.

Sam próbował obrócić je w żart.

– O rany, nawet nie zdjąłem jeszcze spodni.

– Mówię serio. – Powtórzyła: – Jestem w ciąży.

– Czy to... – Wyglądało na to, że nagle zabrakło mu języka w gębie. – A ojciec?

Pomyślała o Victorze, jego brudnych skarpetkach w jej koszu na pranie.

– Nie wie.

– Powinnaś mu powiedzieć. Ma prawo wiedzieć.

– Odkąd to jesteś takim arbitrem etyki?

– Odkąd się dowiedziałem, że moja żona usunęła ciążę, nawet nie pisnąwszy mi słówkiem. – Podszedł bliżej, znowu położył jej ręce na ramionach. – Wydawało jej się, że mnie to przerośnie. – Wzruszył ramionami, nie zdejmując dłoni z jej ramion. – Pewnie miała rację, ale mimo wszystko.

Faith ugryzła się w język. Oczywiście, że Gretchen miała rację. Pies z kulawą nogą byłby bardziej pomocny w opiece nad dzieckiem niż Sam. Spytała:

– Czy to się wydarzyło, kiedy się ze mną spotykałeś?

– Potem. – Spuścił wzrok, patrząc, jak jego dłoń przesuwa się po jej ramieniu, palce ślizgają się wokół dekoltu. – Zanim jeszcze znalazłem się na dnie.

– Nie byłeś raczej w stanie podjąć dojrzałej decyzji.

– Nadal staramy się to jakoś poukładać.

– To dlatego tu jesteś?

Przycisnął usta do jej ust. Poczuła szorstkość jego brody, cynamonowy smak gumy, którą wcześniej żuł. Uniósł ją, posadził na blacie i znalazł językiem jej język. Ponieważ nie było to nieprzyjemne, nie powstrzymała go, kiedy przesunął dłońmi po jej udach, unosząc spódnicę. A nawet, po prawdzie, trochę mu pomogła, co z perspektywy czasu okazało się błędem, bo zakończyło sprawę znacznie szybciej, niżby wolała.

– Przepraszam. – Sam potrząsnął głową, lekko zdyszany. – Nie chciałem. Tylko...

Faith to nie przeszkadzało. Choć przez te lata jej umysł wyparł Sama ze świadomości, ciało najwyraźniej pamiętało go w najdrobniejszych szczegółach. Tak cholernie dobrze było znaleźć się znowu w jego ramionach, poczuć bliskość ciała kogoś, kto znał jej rodzinę, pracę i przeszłość – nawet jeśli aktualnie niewielki był z tego ciała pożytek. Z ogromną czułością pocałowała go w usta, bez żadnych ukrytych zamiarów, tylko po to, by znowu poczuć ich dotyk.

– Nie ma sprawy.

Sam się odsunął. Był zbyt zażenowany, by zrozumieć, że to nie ma znaczenia.

– Sammy...

– Jeszcze nie nabrałem wprawy na trzeźwo.

– Nie ma sprawy – powtórzyła i jeszcze raz spróbowała go pocałować.

Cofnął się jeszcze dalej, patrząc gdzieś nad jej ramieniem, zamiast w oczy.

– Chcesz, żebym... – Bez szczególnego entuzjazmu pokazał na jej krocze.

Ciężko westchnęła. Dlaczego wszyscy mężczyźni w jej życiu okazywali się takim rozczarowaniem? Bóg jeden wie, że nie miała wielkich wymagań.

Popatrzył na zegarek.

– Gretchen pewnie jeszcze się nie położyła. Czeka, aż wrócę. Ostatnio często pracuję do późna.

Faith się poddała i oparła głową o szafkę z tyłu. W takim razie może równie dobrze upiec przy tym ogniu chociaż jedną pieczeń.

– Możesz, wychodząc, wynieść ten worek do śmietnika?

ROZDZIAŁ DWUNASTY

Cholera jasna! – szepnęła Pauline i zdziwiła się, dlaczego nie wrzeszczy na całe gardło. – Cholera jasna! – rozdarła się ile tchu w płucach, aż głos uwiązł jej w gardle.

Zadzwoniła kajdankami na nadgarstkach, szarpiąc za nie ile sił, choć wiedziała, że to na nic. Była jak jakiś przeklęty skazaniec w lochu, ręce miała skute i przypięte ściśle do skórzanego pasa, tak że nawet gdy zwijała się w kłębek, z trudem sięgała palcami do podbródka. Stopy krępował łańcuch, którego grube ogniwa pobrzękiwały o siebie przy każdym kroku. Wystarczająco długo ćwiczyła cholerną jogę, by móc założyć sobie nogę na głowę, ale co z tego? W czym, do cholery, może pomóc pozycja odwróconego pługu, gdy walczy się o pieprzone życie?

Przepaska na oczach jeszcze pogarszała sytuację, choć Pauline udało się nieco ją unieść, trąc twarzą o surowe betonowe pustaki pokrywające jedną ze ścian. Materiał ściśle przylegał do twarzy, ale milimetr po milimetrze zdołała go trochę odsunąć do góry, zdzierając sobie przy okazji kawałek skóry z policzka. Niewiele to zmieniło, jeśli chodzi o pole widzenia, ale czuła, że zdołała czegoś dokonać, że będzie mogła się przygotować, kiedy te drzwi się otworzą i zobaczy odprysk światła pod przepaską.

Na razie było ciemno. Tylko tyle widziała. Nie było żadnych okien, światła, sposobu na ocenienie upływu czasu. Gdyby myślała o tym, że nie widzi, nie wie, czy jest obserwowana, filmowana lub Bóg wie co jeszcze, oszalałaby. Cholera, już prawie traciła rozum. Była przemoczona do suchej nitki, pot lał się z niej strumieniami. Maleńkie kropelki spływały jej po twarzy, łaskocząc w nos. Można było się wściec, a pieprzone ciemności wcale nie ułatwiały sprawy.

Felix lubił ciemności. Uwielbiał, kiedy kładła się z nim w łóżku, przytulała go i opowiadała bajki. Lubił zagrzebywać się w pościeli, przykrywać kołdrą aż po czubek głowy. Może za bardzo się z nim pieściła, gdy był mały. Nigdy nie spuszczała go z oka. Bała się, że ktoś go jej zabierze, dojdzie do wniosku, że nie powinna być matką, że nie potrafi kochać dziecka tak, jak dziecko powinno być kochane. Ale potrafiła. Kochała swojego syna. Kochała go tak bardzo, żetylko myśl o nim powstrzymywała ją od zwinięcia się w kłębek, owinięcia szyi łańcuchem i odebrania sobie życia.

– Pomocy! – wrzasnęła, choć wiedziała, że to na nic. Gdyby ktoś mógł ją usłyszeć, zostałaby zakneblowana.

Wiele godzin temu przemierzyła całe pomieszczenie, oceniając jego wielkość: jakieś sześć metrów na pięć. Po jednej stronie ściana z pustaków, tynk na pozostałych, metalowe drzwi zaryglowane od zewnątrz. Winylowy materac w rogu. Kibel z pokrywką. Pod stopami czuła chłód betonu. Z pomieszczenia obok dochodził cichy szum jakiegoś urządzenia, chyba podgrzewacza do wody. Znajdowała się w piwnicy, pod ziemią, skóra cierpła jej na samą myśl o tym. Nie znosiła podziemi. Do tego stopnia, że nie korzystała nawet z cholernego parkingu w pracy.

Przestała chodzić, zamknęła oczy.

Nikt nie śmiał parkować na jej miejscu. Znajdowało się tuż przy drzwiach. Czasami wychodziła zaczerpnąć powietrza i stawała w wejściu na parking tylko po to, by się upewnić, że nikt nie zajął jej miejsca. Z ulicy widziała napis: PAULINE McGHEE. Jezu, ileż musiała się nażerać, żeby firma graficzna była łaskawa przerobić to „c" na minuskułę. Ktoś wyleciał za to z roboty, no i dobrze, bo najwyraźniej nie potrafił wykonywać swojej pracy jak należy.

Jeśli komuś zdarzyło się stanąć na jej miejscu, wzywała parkingowego i kazała odholować dupka. Porsche, bentley, mercedes – bez znaczenia, Pauline miała to gdzieś. Ciężko zapracowała sobie na to miejsce. Nawet jeśli sama nie zamierzała z niego korzystać, na pewno nie pozwoli, żeby czynił to ktoś inny.

– Wypuśćcie mnie! – wrzasnęła, pobrzękując łańcuchami i próbując ściągnąć pas.

Był gruby i przypominał te, w jakich w latach siedemdziesiątych paradował jej brat. Dwa rzędy metalowych nitów na całej długości, dwie szpile w sprzączce. Metal miał strukturę plastra miodu i domyśliła się, że szpile zostały zlutowane. Nie pamiętała, kiedy się to stało, ale wiedziała, jaki jest w dotyku pieprzony zlutowany pas.

– Pomocy! – krzyczała. – Ratunku!

Nic. Znikąd pomocy. Znikąd odpowiedzi. Pas wrzynał jej się w ciało, ocierając się o kość biodrową. Gdyby nie była taką tłustą krową, mogłaby się z niego wyślizgnąć.

Woda, pomyślała. Kiedy ostatni raz piła? Człowiek mógł się obejść bez jedzenia przez wiele tygodni, czasem nawet miesięcy, ale z wodą było inaczej. Po trzech, czterech dniach pojawiały się skurcze, zachcianki jedzeniowe. Potworne migreny. Czy dostanie coś do picia? Czy też ma tu powoli słabnąć i dogorywać, aż będzie można zrobić z nią wszystko, gdy będzie leżała na podłodze bezbronna jak dziecko.

Dziecko.

Nie. Nie będzie myślała o Feliksie. Morgan na pewno się nim zajmie. Nie pozwoli, żeby coś złego przydarzyło się jej synowi. To drań i łgarz, ale zaopiekuje się Feliksem, bo w głębi duszy nie jest złym człowiekiem. Pauline wiedziała, jak wygląda zły człowiek, i nie był nim Morgan Hollister.

Usłyszała odgłos kroków z tyłu, za drzwiami. Zatrzymała się, wstrzymując oddech, żeby lepiej słyszeć. Schody – ktoś schodził po stopniach. Pomimo ciemności zobaczyła, jak ściany pomieszczenia zbliżają się i zacieśniają wokół jej szyi. Co było gorsze: tkwić tu samej czy tkwić tu z kimś jeszcze?

Bo wiedziała już, co się stanie. Z taką samą pewnością, z jaką wiedziała, jak to wyglądało w przeszłości. Jedna nigdy nie wystarczała. Zawsze chciał dwóch: o ciemnych włosach, ciemnych oczach, ciemnych sercach, które mógł łamać. Trzymał je osobno tak długo, jak długo zdołał wytrzymać, ale teraz chciał mieć je obie razem. Zamknięte w klatce jak zwierzęta. Walczące jak zwierzęta.

Pierwszy klocek domina zaraz się przewróci, za nim polecą następne. Jedna kobieta sama, dwie kobiety same, a potem...

Usłyszała sapanie: „Nie-nie-nie-nie" i uświadomiła sobie, że dobywa się z jej własnych ust. Cofnęła się, przyciskając się do ściany pustaków, i gdyby nie one, upadłaby – tak bardzo trzęsły jej się kolana. Kajdanki pobrzękiwały na dygoczących dłoniach.

– Nie – wyszeptała tylko jedno słowo, biorąc się w garść. Jest twarda. Nie po to przeżyła ostatnie dwadzieścia lat swojego życia, żeby teraz zdechnąć w jakiejś jebanej podziemnej norze.

Drzwi się otworzyły. Pod przepaską na oczy zobaczyła blask światła.

– Twoja przyjaciółka – powiedział.

Usłyszała, jak coś pada na ziemię – powiew wilgotnego powietrza, szczęk łańcuchów, cisza. Potem rozległ się drugi dźwięk: głuchy odgłos uderzenia, który rozszedł się echem po pomieszczeniu.

Drzwi się zamknęły. Światło zniknęło. Słychać było świsty i ciężki oddech. Macając dokoła, Pauline znalazła ciało. Długie włosy, przepaska na oczach, szczupła twarz, małe piersi, ręce skute z przodu. Poświstywania dochodziły ze złamanego nosa.

Nie czas się tym martwić. Sprawdziła kieszenie kobiety, próbując znaleźć coś, dzięki czemu mogłaby się stąd wydostać. Nic. Nic oprócz drugiej osoby, która będzie chciała jeść i pić.

– Kurwa.

Usiadła na piętach, z trudem powstrzymując się od krzyku. Uderzyła o coś stopą i wyciągnęła ręce w tamtym kierunku, przypominając sobie drugi odgłos.

Przebiegła dłońmi po kartonowym opakowaniu. Miało jakieś piętnaście centymetrów na piętnaście i trochę ważyło: może około kilograma. W jednym boku znajdowała się linia perforowania, przycisnęła do niej palce i odpieczętowała. Wsadziła rękę do środka i dotknęła czegoś śliskiego.

– Nie – szepnęła.

Tylko nie znowu.

Zamknęła oczy i poczuła, jak pod przepaską zalewa się łzami. Felix, jej praca, jej luksusowe auto, całe jej życie – wszystko to wymknęło jej się z rąk, kiedy poczuła pod palcami śliski plastik worków na śmieci.

DZIEŃ TRZECI

ROZDZIAŁ TRZYNASTY

Will zmusił się, żeby wstać jak zwykle o piątej rano. Przebieżka była ospała, prysznic daleki od orzeźwiającego. Stał przy zlewie z miseczką rozmiękłych płatków śniadaniowych, kiedy Betty trąciła go nosem w kostkę, wyrywając z otępienia.

Znalazł jej smycz przy drzwiach i pochylił się, żeby zapiąć ją na obroży. Polizała go po dłoni i, wbrew sobie samemu, pogłaskał ją po łebku. Nałykał się już przez nią tyle wstydu. Chihuahua była rasą stworzoną do skórzanych toreb młodych gwiazdek, a nie psem dla mężczyzn postury Willa. Co gorsza, Betty miała może piętnaście centymetrów w kłębie, a jedyna smycz w sklepie zoologicznym, wystarczająco długa, by mógł ją wygodnie prowadzić, była jaskraworóżowa. Pasowała do nabijanej strasami obroży, o czym informowało go w parku mnóstwo bardzo atrakcyjnych kobiet – przedtem, nim próbowały umówić go ze swoimi braćmi.

Betty dostała mu się w swego rodzaju spadku, porzucona kilka lat temu przez jego sąsiadkę. Angie znienawidziła ją od pierwszego wejrzenia i czepiała się Willa za to, co jak oboje wiedzieli, było prawdą: człowiek, który dorastał w sierocińcu, nie odda psa do schroniska, żeby nie wiem jak śmiesznie czuł się z nim na spacerze.

Jego opieka nad psem wiązała się z jeszcze bardziej żenującymi sprawami, o których nawet Angie nie wiedziała. Will miał nieregularne godziny pracy i czasami, kiedy śledztwo wchodziło w fazę krytyczną, ledwo znajdywał czas, żeby przyjechać do domu i zmienić koszulę. Wykopał dla Betty staw w ogrodzie, myśląc, że obserwowanie pływających rybek zapewni jej jakąś rozrywkę na czas jego nieobecności. Przez kilka dni obszczekiwała karpie, ale potem wróciła do smętnego przesiadywania na kanapie w oczekiwaniu na jego powrót.

Podejrzewał nawet, że go oszukuje, że wskakuje na kanapę na dźwięk klucza w zamku, udając, że czekała tam przez cały dzień, podczas gdy w rzeczywistości biegała wte i wewte po ogrodzie, bawiąc się z karpiami, jak na psa przystało, i słuchając muzyki.

Poklepał się po kieszeniach, upewniając się, że ma przy sobie telefon i portfel, potem założył na pas kaburę. Wyszedł z domu i zamknął drzwi na klucz. Betty jak szalona wymachiwała na wszystkie strony uniesionym w górę ogonkiem, kiedy prowadził ją do parku. Sprawdził czas na komórce. Za pół godziny miał się spotkać z Faith w kawiarence po drugiej stronie parku. Za każdym razem gdy śledztwo się rozkręcało, zwykle umawiał się z nią tam zamiast w domu. Nawet jeśli zauważyła, że kawiarenka mieści się tuż obok dziennego domu opieki dla psów o nazwie Pan Szczekalski, była na tyle miła, by nie poruszać tego tematu.

Przeszli przez ulicę na czerwonym. Will zwolnił kroku, żeby nie wpaść na suczkę, podobnie jak zrobił to dzień wcześniej, gdy szedł za Amandą. Nie wiedział, co go bardziej martwi: śledztwo, w którym ciągle poruszali się po omacku, czy fakt, że Faith ewidentnie była na niego wkurzona. Bóg świadkiem, że wściekała się już na niego wiele razy, ale tym razem za jej złością kryło się rozczarowanie.

Czuł, że ma do niego żal, choć nigdy by tego nie powiedziała. Problem polegał na tym, że jako policjanci różnili się od siebie jak dzień od nocy. Od dawna wiedział, że jego mniej agresywna postawa w pracy kłóci się z jej podejściem, jednak do tej pory ta odmienność, zamiast przeszkadzać, okazywała się raczej pomocna. Teraz nie był już tego taki pewien. Faith chciała, żeby Will zachowywał się jak tacy gliniarze, jakimi pogardzał – goście, którzy wkraczają do akcji, waląc na oślep pięściami i martwiąc się o konsekwencje później. Will ich nie cierpiał i doprowadził do relegowania ze służby już niejednego. Nie można było utrzymywać, że stoi się na straży prawa, i jednocześnie zachowywać się jak przestępca. Faith powinna to wiedzieć. Wychowała się w policyjnej rodzinie. Ale z drugiej strony, jej matka została zwolniona ze służby za przekroczenie uprawnień, zatem może Faith wiedziała, tylko miała to gdzieś.

Will nie bardzo jednak w to wierzył. Faith była nie tylko dobrą policjantką, ale także dobrym człowiekiem. Nadal obstawała przy niewinności swojej matki. Nadal wierzyła, że istnieje wyraźna granica między dobrem a złem, między tym, co słuszne, a tym, co niewłaściwe. Will nie mógł po prostu powiedzieć jej, że jego sposób postępowania jest najwłaściwszy – musiała sama się o tym przekonać.

Nigdy nie chodził w patrolu tak jak Faith, ale nieraz miał do czynienia z małymi, zamkniętymi społecznościami i nauczył się na własnej skórze, że nie należy zadzierać z miejscowymi policjantami. Zgodnie z przepisami to góra wzywała na pomoc GBI, a nie zwykli detektywi i krawężnicy, którzy dalej uparcie prowadzili śledztwo w przekonaniu, że zdołają rozwiązać je sami, i patrzyli krzywym okiem na każdą interwencję z zewnątrz. Z reguły okazywało się, że prędzej czy później człowiek od nich czegoś potrzebował i jeśli nie dało się im szans na zachowanie twarzy, zaczynali rzucać mu kłody pod nogi, nie bacząc na konsekwencje.

Doskonałym tego przykładem był okręg Rockdale. Amanda już wcześniej przy okazji innego śledztwa zrobiła sobie wroga z Lyle'a Petersona, tamtejszego komendanta. I teraz, kiedy potrzebowali współpracy miejscowej policji, ta stawała okoniem w osobie Maksa Gallowaya, którego zachowanie oscylowało między czystą głupotą a rażącym zaniedbaniem.

Faith musiała zrozumieć, że policjanci nie zawsze kierują się tylko dobrem śledztwa. Mają swoją dumę. Swój obszar działania. Są jak zwierzęta znaczące terytorium: jeśli przekroczy się jego granice, stają w jego obronie bez względu na to, jak gęsto ściele się trup. Dla niektórych jest to gra, w której muszą zwyciężyć, choćby się waliło i paliło i niewinni ludzie mieli za to zapłacić.

Jakby czytając w jego myślach, Betty przystanęła przy wejściu do Piedmont Park, żeby się załatwić. Will czekał, potem posprzątał po niej i wrzucił torebkę z odchodami do jednego z parkowych koszy. Na alejki wylegli tłumnie fani joggingu, niektórzy sami, inni z psami, wszyscy starannie opatuleni w obronie przed porannym chłodem, choć ze sposobu, w jaki słońce przebijało się przez mgłę, Will zgadywał, że do południa zrobi się wystarczająco ciepło, by kołnierz marynarki zaczął go ocierać.

Mieli dwadzieścia cztery godziny śledztwa za sobą i pracowity dzień przed sobą: spotkanie z Rickiem Siglerem, ratownikiem, który pojawił się na miejscu, kiedy Anna zo stała potrącona, próbę zlokalizowania Jake'a Bermana, jednorazowego kochasia Siglera, potem przesłuchanie Joelyn Zabel, siostry z piekła rodem drugiej ofiary. Will wiedział, że nie powinno się pochopnie nikogo osądzać, ale napatrzył się na nią wczoraj wieczorem we wszystkich serwisach informacyjnych, zarówno lokalnych, jak i krajowych. Ewidentnie lubiła mówić. Jeszcze bardziej ewidentnie lubiła obwiniać. Will się cieszył, że był przy sekcji wczoraj wieczorem, że brzemię winy za śmierć Jacquelyn Zabel zostało usunięte z jego długiej listy win, bo inaczej słowa siostry zapiekłyby go do żywego.

Chciał przeszukać dom Pauline McGhee, ale Leo Donnelly prawdopodobnie by się sprzeciwił. Z pewnością dałoby się tego jakoś uniknąć i jedno Will zamierzał dziś zrobić na pewno: znaleźć sposób na włączenie Leo do sprawy. Przez większość nocy, zamiast spać, rozmyślał o Pauline. Za każdym razem, gdy zamykał oczy, widok jej twarzy mieszał mu się ze wspomnieniami z ziemianki, tak że widział ją leżącą na drewnianym łóżku, skrępowaną jak zwierzę, i siebie bezradnie stojącego obok. Intuicja mówiła mu, że zniknięcie McGhee ma związek z ich sprawą. Wprawdzie uciekła kiedyś z domu, ale to było dwadzieścia lat temu, teraz zapuściła korzenie. Felix to dobry dzieciak. Matka nigdy by go nie opuściła.

Zaśmiał się pod nosem. Właśnie on ze wszystkich ludzi na świecie powinien najlepiej wiedzieć, że matki co rusz porzucają swoich synków.

– Chodź – powiedział, szarpiąc lekko za smycz, żeby odciągnąć Betty od gołębia prawie równego jej rozmiarami.

Wsadził zziębnięte ręce do kieszeni, nadal rozmyślając nad śledztwem. Nie był na tyle niemądry, by przypisywać sobie zasługi za wszystkie rozwiązane sprawy. Prawda wyglądała tak, że ludzie, którzy popełniali zbrodnie, z reguły bywali głupi. Większość zabójców popełniała błędy, ponieważ działała pod wpływem chwili. Wywiązywała się kłótnia, atmosfera robiła się coraz bardziej gorąca, leżąca na podorędziu broń sama trafiała do ręki i już po wszystkim można się było tylko zastanawiać, czy oskarżenie wystąpi z zarzutem zabójstwa pierwszego czy drugiego stopnia.

Porwania na tle seksualnym to była jednak zupełnie inna bajka. Znacznie trudniej rozwiązywało się takie sprawy, zwłaszcza gdy ofiar było więcej. Seryjni zabójcy z definicji znali się na swojej robocie. Wiedzieli, że zamierzają pozbawić życia. Wiedzieli, kogo chcą zabić i jak chcą to zrobić. I robili to raz po raz, szlifując swoje umiejętności i nabierając coraz większej wprawy. Umieli zacierać za sobą ślady, ukrywać je albo w ogóle ich nie zostawiali. Z reguły wpadali dopiero przypadkiem, kiedy policji się poszczęściło albo kiedy zaczynali się czuć zbyt pewnie.

Ted Bundy został zatrzymany podczas rutynowej kontroli drogowej. Dwa razy. Dennis Reder – który swoje listy do mediów i policji podpisywał szyderczo inicjałami BTK, pokazując, że lubi wiązać, torturować i zabijać* – wpadł przez dyskietkę komputerową, którą dał przez przypadek swojemu pastorowi. Richarda Ramireza pobił członek straży obywatelskiej, którego samochód usiłował ukraść. Wszyscy zostali złapani czystym zbiegiem okoliczności i wszyscy mieli wtedy już na koncie po kilka, kilkanaście zbrodni. Większość działała całymi latami, podczas których policja mogła tylko liczyć kolejne ofiary i modlić się o szczęśliwy traf, dzięki któremu sprawcy trafią przed oblicze sprawiedliwości.

Will myślał o tropach, którymi dysponują: pędzący biały sedan, komnata tortur w leśnym pustkowiu, para leciwych świadków, których zeznania były mało pomocne.

---

* BTK, akronim od *bind* – wiązać, *torture* – torturować i *kill* – zabijać (przyp. tłum.).

Jake Berman mógłby coś wnieść do sprawy, ale niewykluczone, że go nigdy nie znajdą. Rick Sigler miał czystą kartotekę, zalegał tylko z kilkoma ratami za dom, co nie dziwiło z uwagi na kryzys. Coldfieldowie byli teoretycznie typowym małżeństwem przeciętnych emerytów. Pauline McGhee miała brata, którego się bała, ale być może z powodów zupełnie niezwiązanych ze sprawą. Niewykluczone, że koniec końców, nie ma z nią nic wspólnego.

Dowody rzeczowe przedstawiały się równie marnie. Worki na śmieci znalezione w pochwach ofiar nie różniły się niczym od tych dostępnych w każdym supermarkecie czy sklepie ogólnospożywczym. Nie można było wyśledzić pochodzenia żadnego z przedmiotów z nory, począwszy od akumulatora po narzędzia zbrodni. Na miejscu zabezpieczono mnóstwo śladów papilarnych i biologicznych, ale próby ich identyfikacji przez system komputerowy spaliły na panewce. Przestępcy seksualni byli z reguły przebiegli i pomysłowi. Blisko osiemdziesiąt procent przestępstw wykrywanych dzięki śladom DNA miało tak naprawdę charakter rabunkowy, nie seksualny. Krew na wybitej szybie, zranienie się kuchennym nożem, zgubiona pomadka do ust – to wszystko jak po sznurku doprowadzało policję do włamywacza, który z reguły miał już bogatą kartotekę. Ale w przypadku zgwałcenia dokonanego przez osobę nieznaną wcześniej ofierze szukanie sprawcy przypominało szukanie igły w stogu siana.

Betty przystanęła, węsząc w wysokiej trawie na brzegu stawu. Will zobaczył biegnącą w ich kierunku kobietę. Miała na sobie długie, czarne spodnie, jaskrawozieloną bluzę i włosy schowane pod bejsbolówką w tym samym kolorze. U jej boku biegły dwa charty z uniesionymi głowami i prostymi ogonami. Były piękne: zgrabne, długonogie, dobrze umięśnione. Podobnie jak ich właścicielka.

– Szlag – mruknął Will. Zgarnął Betty na rękę i schował ją za plecami.

Sara Linton zatrzymała się kilka metrów dalej; psy przywarowały przy jej nogach niczym świetnie wyszkoleni komandosi. Betty była wyszkolona tylko w żarciu.

– Witam – powiedziała z nutką zaskoczenia w głosie. Kiedy nie odpowiedział, spytała: – Will?

– Dzień dobry. – Czuł, jak Betty liże go po ręce.
Sara przyjrzała mu się badawczo.
– Co pan tam chowa takiego kudłatego?
– Tylko myśli.
Uśmiechnęła się skonsternowana, a on z ociąganiem pokazał jej Betty.
Rozległy się okrzyki zachwytu, gruchanie i Will czekał na zwyczajowe pytanie.
– Należy do pana żony?
– Tak – skłamał. – Mieszka pani w okolicy?
– W loftach przy North Avenue.
Niecałe dwie przecznice od jego domu.
– Nie sprawiła pani na mnie wrażenia fanki loftów.
Znowu popatrzyła na niego zmieszana.
– A jakie sprawiłam?
Will nigdy nie był specjalnie biegły w sztuce konwersacji, a już na pewno nie wiedział, jak opisać wrażenie, jakie sprawiła na nim Sara Linton – przynajmniej tak, by nie wyjść na głupca.
Wzruszył ramionami i postawił Betty na ziemi. Charty się poruszyły, ale Sara jednym cmoknięciem przywołała je do porządku.
– Lepiej już pójdę – powiedział Will. – Mam się spotkać z Faith w kawiarni po drugiej stronie parku.
– To może przejdę się z panem. – Nie czekała na odpowiedź.
Psy wstały, a Will wziął Betty na rękę, wiedząc, że będzie ich tylko zwalniała. Sara była wysoka, próbował, nie gapiąc się na nią, oszacować, jak bardzo: Angie udawało się położyć mu brodę na ramieniu, gdy wspięła się na palce. Sara zrobiłaby coś takiego bez większego wysiłku. Mogła swobodnie sięgnąć do jego ucha ustami, gdyby chciała.
Zdjęła czapkę i zacisnęła mocniej kucyk.
– Myślałam o tych workach na śmieci – powiedziała.
Will zerknął na nią.
– Co takiego?
– To bardzo wyraźny komunikat.
Will nie myślał o nich w kategoriach komunikatu, raczej makabry.

– Ma je za śmieci.

– No i co im robi: każdą pozbawia wzroku, słuchu, mowy.

Jeszcze raz na nią popatrzył.

– Nie widząc zła, nie słysząc zła, nie mówiąc zła.

Potaknął, nie rozumiejąc, dlaczego wcześniej nie przyszło mu to do głowy.

– Zastanawiałam się – ciągnęła – czy sprawa nie ma tła religijnego. Na taki wątek naprowadziło mnie coś, co powiedziała Faith tej pierwszej nocy w szpitalu. Bóg usunął żebro Adamowi, by stworzyć Ewę.

– Wesaliusz – wymruczał Will.

Roześmiała się, zaskoczona.

– Ostatni raz słyszałam to nazwisko na pierwszym roku studiów.

Will wzruszył ramionami, zmawiając w duchu dziękczynną modlitwę, że zdołał obejrzeć *Wielkich ludzi nauki* na kanale Historia. Wesaliusz był anatomem, który między innymi dowiódł, że mężczyźni mają tyle samo żeber co kobiety. Watykan niemal wsadził go do więzienia za to odkrycie.

– No i jest jeszcze – ciągnęła Sara – liczba jedenaście. – Urwała, jakby się spodziewała, że Will coś powie. – Jedenaście worków na śmieci, jedenaste żebro. To musi być jakoś powiązane.

Will się zatrzymał.

– Co proszę?

– Każda z ofiar miała w pochwie jedenaście worków. Sprawca usunął Annie jedenaste żebro.

– Sądzi pani, że zabójca ma obsesję na punkcie liczby jedenaście?

Lekarka szła dalej i Will ruszył za nią.

– Jeśli się weźmie pod uwagę, jak przejawiają się zachowania kompulsywne, na przykład nadużywanie środków odurzających, zaburzenia odżywiania, ruminacje i kompulsje sprawdzania, kiedy chory czuje przymus sprawdzania, czy drzwi zostały zamknięte, gaz zakręcony albo żelazko wyłączone, to wydaje się sensowne, że seryjny zabójca, a więc osoba, która czuje przymus zabijania, też będzie miał specyficzny wzór działania albo, jak w tym wypadku, określoną liczbę, która ma w jego oczach szczególne znaczenie. Przecież w bazach FBI można porównać okoliczności różnych przestępstw i szukać w nich prawidłowości i wzorców działania. Może moglibyście przeszukać je pod kątem liczby jedenaście.

– Nie wiem, czy to w ogóle możliwe. To znaczy, system wyszukiwania jest oparty na przedmiotach: nożach, brzytwach, rodzajach obrażeń, ogólnie na tym, co robi sprawca, a nie ile razy to robi, chyba że rzecz sama rzuca się w oczy.

– Sprawdźcie Biblię. Jeśli liczba jedenaście ma jakąś religijną symbolikę, to może uda wam się ustalić motyw działania zabójcy. – Wzruszyła ramionami, jakby powiedziała już wszystko, ale dodała: – W tę niedzielę jest Wielkanoc. Niewykluczone, że to także ma znaczenie.

– Jedenastu apostołów – stwierdził.

Znowu obrzuciła go tym dziwnym spojrzeniem.

– Zgadza się. Judasz zdradził Jezusa. Zostało tylko jedenastu apostołów. Ktoś miał go potem zastąpić? Didymos? Nie pamiętam. Założę się, że moja matka by wiedziała. – Znowu wzruszyła ramionami. – Oczywiście, może się okazać, że to tylko zawracanie głowy i strata pańskiego czasu.

Will zawsze uważał, że zbiegi okoliczności i przypadkowe zbieżności też są tropami.

– Warto to sprawdzić.

– A co z matką Feliksa?

– Jak na razie jest po prostu osobą zaginioną.

– Dotarliście do jej brata?

– Policja go szuka. – Nie chciał nic więcej zdradzać. Sara pracowała w Gradym, gdzie non stop przez izbę przyjęć przewijali się gliniarze z podejrzanymi i świadkami. – Nie mamy pewności, czy jest powiązana z naszą sprawą – dodał.

– Przez wzgląd na Feliksa mam nadzieję, że nie. Nie wyobrażam sobie, jak biedak musi się czuć opuszczony, sam w jakimś okropnym sierocińcu.

– Te domy nie są takie złe. – Ruszył na odsiecz obrażanym sierocińcom i zanim miał czas pomyśleć, powiedział: – Dorastałem w jednym z nich.

To wyznanie zszokowało ją nie mniej niż jego, choć oczywiście z innych powodów.

– Ile miał pan lat, gdy pan tam trafił?

– Niewiele – odpowiedział, żałując, że nie może cofnąć wypowiedzianych słów, ale mimo to dodał kolejne: – Byłem niemowlęciem. Pięciomiesięcznym.

– I nie został pan adoptowany?

Pokręcił głową. Rozmowa stawała się coraz trudniejsza i, co gorsza, kłopotliwa.

– Mąż i ja... – Popatrzyła przed siebie w zamyśleniu. – Zamierzaliśmy zaadoptować dziecko. Byliśmy już jakiś czas na liście oczekujących i... – Spuściła głowę. – Kiedy zginął, to wszystko po prostu okazało się za trudne.

Will nie miał pojęcia, czy powinien jej współczuć, ale myślał tylko o tym, ile razy jako dziecko brał udział w zapoznawczych piknikach, przekonany, że wróci do normalnego domu z nowymi rodzicami, tylko po to, by wylądować z powrotem we wspólnej sali w sierocińcu.

Poczuł niewysłowioną wprost ulgę na dźwięk klaksonu samochodu Faith, który zaparkowała nieprzepisowo przed kawiarnią. Wysiadła z auta, nie gasząc silnika.

– Amanda chce, żebyśmy pojechali do firmy. – Pozdrowiła Sarę skinieniem głowy. – Joelyn Zabel przesunęła termin przesłuchania. Upchnie nas między *Good morning America* a CNN. Będziemy musieli odwieźć Betty do domu później.

Will całkiem zapomniał o suczce na ręku. Wsadziła pyszczek między guziki jego kamizelki.

– Ja się nią zaopiekuję – zaproponowała Sara.

– Ależ nie mogę...

– Robię dzisiaj pranie, więc siedzę w domu – przerwała mu Sara. – Nic jej się nie stanie. Proszę tylko wpaść po nią po pracy.

– To naprawdę...

Faith miała jeszcze mniej cierpliwości niż zwykle.

– Ożeż, po prostu daj jej tego psa, Will. – Wsiadła do samochodu, a Will rzucił Sarze przepraszające spojrzenie.

– Lofty przy North Avenue? – spytał, jakby zapomniał.

Sara wzięła Betty na ręce, ocierając się przypadkiem o jego dłoń zimnymi palcami.

– Betty? – upewniła się. – Skinął głową, a ona dodała: – Proszę się nie martwić, jeśli praca się przeciągnie. Nie mam żadnych planów na dzisiaj.

– Dziękuję.

Uśmiechnęła się, unosząc Betty niczym kieliszek wina w toaście.

Przeszedł przez ulicę i wsiadł do mini, ciesząc się, że nikt nie siedział na miejscu pasażera, odkąd jechał nim z Faith po raz ostatni, dzięki czemu nie musiał teraz wykonywać małpich ewolucji, żeby wsiąść do środka.

Faith od razu przeszła do rzeczy, gdy tylko ruszyli.

– Co robiłeś z Sarą Linton?

– Wpadłem na nią przypadkiem. – Zastanawiał się, dlaczego właściwie się broni, co szybko sprowadziło go do pytania, dlaczego Faith go atakuje. Domyślał się, że nadal jest na niego zła w związku z jego rozmową z Maksem Gallowayem, ale nie wiedział, co mógłby z tym zrobić oprócz prób odwrócenia jej uwagi. – Sara ma interesującą teorię dotyczącą naszej sprawy.

Faith włączyła się do ruchu.

– Nie mogę się doczekać, żeby ją usłyszeć.

Usłyszał przekąs w jej głosie, ale i tak streścił koncepcję, kładąc nacisk na liczbę jedenaście i inne kwestie, które podniosła lekarka.

– Wielkanoc jest w tę niedzielę – powiedział. – To może mieć coś wspólnego z Biblią.

Trzeba przyznać, że nawet zdawała się to rozważać.

– Sama nie wiem – powiedziała w końcu. – Możemy w firmie zajrzeć do Biblii, sprawdzić tę jedenastkę w necie. Jestem pewna, że znajdziemy całą masę stron religijnych maniaków.

– Gdzie w Biblii jest mowa o stworzeniu Ewy z żebra Adama?

– W Księdze Rodzaju.

– To ta starsza część, tak? Nie późniejsza?

– Stary Testament. Pierwsza księga Biblii. Sam początek. – Faith popatrzyła na niego z ukosa tak jak wcześniej Sara. – Wiem, że nie możesz czytać Biblii, ale nie chodziłeś nigdy do kościoła?

– Mogę czytać Biblię – odpalił. Mimo wszystko jednak

wolał wścibstwo Faith od jej furii, więc mówił dalej: – Pamiętaj, gdzie spędziłem dzieciństwo. Rozdział państwa od kościoła.

– O, nie pomyślałam o tym.

Prawdopodobnie dlatego, że była to jedna wielka blaga. Domy dziecka nie mogły się angażować w kwestie wyznaniowe, ale ochotnicy z niemal wszystkich miejscowych kościołów wysyłali furgonetki, które co tydzień zabierały dzieci i zawoziły je do szkółki niedzielnej. Will raz wziął udział w takim wypadzie, zorientował się, że to naprawdę szkoła, gdzie wymaga się czytania, i nigdy już się w niej nie pojawił.

– Naprawdę nigdy nie byłeś w kościele? Serio? – naciskała Faith.

Will zamilkł, plując sobie w brodę, że jak głupi ją sprowokował.

Faith zatrzymała samochód przed światłami.

– Chyba nigdy jeszcze nie spotkałam kogoś, kto ani razu nie był w kościele – wymruczała.

– Możemy zmienić temat?

– To po prostu dziwne.

Gapił się pustym wzrokiem przez okno, myśląc, że każda osoba, z którą miał styczność, prędzej czy później znajdywała w nim coś dziwnego. Światło się zmieniło i wóz ruszył. City Hall East leżał pięć minut drogi od parku, ale dzisiaj dojazd tam zdawał się ciągnąć całymi godzinami.

– Nawet jeśli Sara ma rację – zaczęła Faith – znowu to robi. Wścibia nos w naszą sprawę.

– Jest koronerem. A przynajmniej była. Zajmowała się Anną w szpitalu. To zupełnie zrozumiałe, że chce wiedzieć, co się dzieje.

– To jest śledztwo w sprawie zabójstwa, nie Big Brother – żachnęła się. – Czy ona wie, gdzie mieszkasz?

Will wcześniej się nad tym nie zastanawiał, ale nie miał takiej paranoi jak Faith.

– A niby skąd?

– Może cię śledziła.

Wybuchnął śmiechem, ale zaraz zamknął usta, gdy dotarło do niego, że ona mówi serio.

– Mieszka tuż obok. Biegała z psami w parku.

– Jak doskonale się składa.

Potrząsnął głową, zirytowany. Nie podobało mu się, że Faith odreagowuje na Sarze swoje pretensje do niego.

– Musimy o tym zapomnieć, Faith. Wiem, że jesteś na mnie wkurzona za wczoraj, ale idąc na to przesłuchanie, musimy działać jak zgrany zespół.

Wcisnęła gaz, kiedy światło się zmieniło.

– Jesteśmy zgranym zespołem.

Jak na zgrany zespół przystało, nie rozmawiali przez resztę krótkiej drogi. Dopiero kiedy znaleźli się już w budynku i jechali windą, Faith się w końcu odezwała:

– Krawat ci się przekrzywił.

Will dotknął węzła. Sara Linton pewnie wzięła go za niechluja.

– Teraz lepiej?

Faith grzebała w swoim BlackBerry, mimo że w windzie nie było dostępu do sieci. Uniosła wzrok, skinęła krótko głową i wróciła do urządzenia.

Bił się z myślami, co by tu powiedzieć, kiedy drzwi windy się otworzyły. Na zewnątrz stała Amanda i tak jak Faith sprawdzała pocztę, tyle że na iPhonie. Will poczuł się nagle jak idiota z pustymi rękami, zupełnie tak samo, jak gdy pojawiła się przy nim Sara Linton ze swoimi pięknymi psami, a on zgarnął Betty na rękę niczym kłębek włóczki.

Ruszyli korytarzem do gabinetu Amandy, która szła przodem, przewijając palcem maile. Rzuciła lekko nieobecnym tonem:

– Mówcie.

Faith wyliczyła bardzo długą listę tego, czego nie wiedzieli, i nader lapidarny wykaz tego, co wiedzieli. Przez cały ten czas Amanda czytała pocztę, udając, że słucha przekazywanych przez Faith informacji, które zapewne znała już z ich raportów.

Will nie był fanem wielozadaniowości, głównie dlatego że z reguły sprowadzała się do półzadaniowości. Człowiek fizycznie nie był w stanie poświęcić pełnej uwagi dwóm różnym sprawom. Jakby na dowód tego Amanda podniosła głowę znad ekranu iPhone'a i spytała:

– Co?

– Linton uważa, że sprawa może mieć aspekt biblijny.
Amanda przystanęła i spojrzała na Faith z uwagą.
– Dlaczego?
– Jedenaście żeber, jedenaście worków na śmieci, Wielkanoc w końcu tygodnia.
Amanda znowu spuściła wzrok na iPhone'a i stukając palcem w ekran dotykowy, mówiła:
– Ściągnęłam ludzi z prawnego na przesłuchanie Joelyn Zabel. Przyprowadziła adwokata, więc ja poprosiłam o trzech naszych. Musimy rozegrać to bardzo ostrożnie, bo jestem pewna, że wszystko, co jej powiemy, trafi na pierwsze strony gazet. – Popatrzyła na nich znacząco. – Głównie ja będę mówiła. Możecie zadawać swoje pytania, ale bez improwizacji.
– Niczego z niej nie wyciągniemy – powiedział Will. – Licząc tylko prawników, mamy już cztery osoby na sali, z nami robi się siedem plus ona, świadoma, że gdy tylko opuści budynek, znajdzie się w błysku fleszy i obiektywach kamer. Musimy przycisnąć ją na osobności.
Amanda znowu wróciła do iPhone'a.
– A twój genialny pomysł, żeby to zrobić, polega na?
Willowi nic nie przychodziło do głowy. Powiedział tylko:
– Może udałoby się z nią pogadać już po jej telewizyjnych wywiadach, złapać ją w hotelu bez tego całego szumu i mediów.
Amanda nie zaszczyciła go spojrzeniem.
– Może wygram w totka. Może dostaniesz awans. Widzisz, dokąd nas prowadzi to gdybanie?
Brak snu i frustracja dały znać o sobie. Spytał:
– W takim razie po co nas tu ściągnęłaś? Dlaczego sama nie zajmiesz się Zabel i nie pozwolisz, żebyśmy my zajęli się czymś bardziej użytecznym niż dostarczanie jej materiału źródłowego do książki?
Amanda wreszcie podniosła głowę znad iPhone'a. Podała urządzenie Willowi.
– Nie wiem, co o tym myśleć, agencie Trent. Może mi pan to przeczyta i powie, co sądzi?
Momentalnie wzrok mu się wyostrzył, a w uszach rozległo się dziwne, wysokie podzwanianie. iPhone wisiał w powietrzu niczym doskonale zarzucony haczyk. Na ekra-

nie były jakieś słowa. Tyle Will mógł powiedzieć. Poczuł w ustach krew z przygryzionego języka i wyciągnął rękę po urządzenie, ale Faith chwyciła je pierwsza.

– Jedenaście na ogół symbolizuje w Biblii karę albo zdradę – odczytała ostrym tonem. – Pierwotnie istniało jedenaście przykazań, ale katolicy połączyli dwa pierwsze, protestanci zaś dwa ostatnie, żeby ich liczba wynosiła równe dziesięć. – Przewinęła stronę. – Filistyni zapłacili Dalili jedenaście tysięcy srebrników za zdradę Samsona. Jezus opowiedział jedenaście przypowieści w drodze do Jerozolimy. – Urwała, przewijając dalej. – Kościół katolicki uznaje jedenaście ksiąg apokryficznych za kanoniczne. – Oddała iPhone'a Amandzie. – Możemy ciągnąć tak przez cały dzień bez końca. Samolot rejsowy lot 11 11 września uderzył w wieże World Trade Center, które same przypominały wyglądem liczbę jedenaście. Apollo 11 dokonał pierwszego lądowania na Księżycu. Pierwsza wojna światowa zakończyła się 11 listopada. Powinnaś trafić do jedenastego kręgu piekła za to, co właśnie zrobiłaś Willowi.

Amanda uśmiechnęła się, chowając iPhone'a do kieszeni, i ruszyła dalej korytarzem.

– Pamiętajcie o regułach gry, dzieci.

Will nie wiedział, czy ma na myśli te, zgodnie z którymi to ona jest u władzy, czy te, które im wyłożyła odnośnie do przesłuchania Joelyn Zabel. Nie miał czasu jednak łamać sobie nad tym głowy, ponieważ właśnie przeszła przez sekretariat i otworzyła drzwi swojego gabinetu. Przedstawiła ich wszystkim zgromadzonym, podchodząc do biurka i siadając na krześle. Jej gabinet był naturalnie największy w całym budynku, bliższy rozmiarami sali konferencyjnej na piętrze, na którym znajdowały się pokoje Willa i Faith.

Joelyn Zabel i mężczyzna będący najpewniej jej adwokatem zajęli miejsca dla gości naprzeciwko Amandy. Za biurkiem stały dwa dodatkowe krzesła, przeznaczone, jak się domyślał Will, dla Faith i dla niego. Prawnicy stanowi siedzieli w trzyosobowym rządku na kanapie na tyłach pokoju: czarne garnitury i jedwabne krawaty w stonowanych kolorach nie pozostawiały wątpliwości co do ich profesji. Adwokat Joelyn Zabel ubrany był w błękit w odcieniu skóry rekina, który idealnie do niego pasował, zważywszy na to, że jego uśmiech przywodził na myśl drapieżną rybę.

– Dziękuję, że pani przyszła – powiedziała Faith. Uścisnęła dłoń kobiety i zajęła miejsce.

Joelyn Zabel wyglądała jak pulchniejsza wersja swojej siostry. Nie była gruba, ale w przeciwieństwie do chłopięco szczupłej Jacquelyn, miała zdrowo zaokrąglone biodra. Witając się z nią, Will poczuł zapach papierosów.

– Proszę przyjąć wyrazy współczucia. Przykro mi z powodu pani straty – powiedział.

– Trent – zauważyła. – To pan ją znalazł.

Will starał się nie uciec wzrokiem w bok, nie okazać prześladującego go nadal poczucia winy, że nie zdążył dotrzeć do siostry kobiety na czas. Mógł tylko powtórzyć:

– Przykro mi z powodu pani straty.

– Taa – warknęła. – Słyszałam.

Usiadł obok Faith i Amanda klasnęła w dłonie jak przedszkolanka przywołująca dzieci do porządku. Położyła rękę na szarej teczce, która, jak się domyślił Will, zawierała skrócony protokół sekcji i opinię anatomopatologa. Pete został poproszony o nieujawnianie informacji o workach na śmieci. Z uwagi na zażyłe stosunki policji Rockdale z prasą dysponowali bardzo niewielką liczbą faktów znanych tylko sprawcy, które mogłyby pomóc w jego przygwożdżeniu.

– Pani Zabel – zaczęła Amanda – zakładam, że znalazła pani czas, żeby przejrzeć raport koronera?

– Będę potrzebował jego kopii do swoich akt, Mandy – odezwał się adwokat.

Amanda rzuciła mu w odpowiedzi uśmiech, nawet jeszcze bardziej rekini niż jego własny.

– Ależ naturalnie, Chuck.

– Dobra, no więc się znacie. – Joelyn skrzyżowała ręce na piersi, ramiona podjechały jej do góry. – Może mi pani łaskawie wytłumaczy, co robicie, żeby znaleźć mordercę mojej siostry?

Uśmiech Amandy ani drgnął.

– Robimy wszystko, co w naszej mocy, żeby...

– Macie już jakiegoś podejrzanego? Cholera, przecież ten gość to pieprzone zwierzę.

Amanda nie odpowiedziała, co Faith uznała za sygnał dla siebie.

– Zgadzamy się z panią. Ktokolwiek to zrobił, jest zwierzęciem. Dlatego właśnie musimy porozmawiać o pani siostrze. Dowiedzieć się czegoś o jej życiu. Z kim się przyjaźniła. Jakie miała zwyczaje.

Joelyn spuściła na chwilę oczy z miną winowajcy.

– Nie utrzymywałyśmy zbyt bliskich kontaktów. Obie byłyśmy zajęte. Ona mieszkała na Florydzie.

Faith spróbowała zagrać na sympatyczniejszą nutę.

– Mieszkała nad Zatoką, prawda? Musi być tam pięknie. Wymarzone miejsce na wakacje przy okazji rodzinnej wizyty.

– Taa, może, ale suka nigdy mnie nie zaprosiła.

Adwokat dotknął jej ramienia, usiłując ją powściągnąć. Will widział wcześniej Joelyn Zabel w obiektywach kamer wszystkich większych stacji telewizyjnych. Uderzała w szloch z powodu tragicznej śmierci siostry przed każdym reporterem. Nie widział jednak, żeby choć jedna łza spłynęła z jej oczu, choć markowała wszystkie ruchy płaczącej osoby – pociągała nosem, ocierała oczy, kołysała się w przód i w tył. Teraz nie zadała sobie nawet tego trudu. Ewidentnie musiała stać przed kamerą, żeby odczuwać ból. Równie ewidentnie, adwokat nie zamierzał pozwolić wyjść jej z roli pogrążonego w rozpaczy członka rodziny.

Pociągnęła nosem, nadal bez śladu łzy w oczach.

– Bardzo kochałam siostrę. Matka właśnie przeniosła się do domu opieki. Zostało jej może pół roku życia, a tu taka tragedia. Śmierć dziecka to dla rodzica straszny cios.

Faith starała się ostrożnie kontynuować przesłuchanie.

– A pani ma dzieci?

– Czwórkę – rzuciła z dumą.

– Jacquelyn nie miała.

– A gdzie tam. Trzy skrobanki przed trzydziestką. Bała się, że zgrubnie. Dacie wiarę? Spuściła je do kibla, bo dbała o pieprzoną linię. A potem, gdy na karku zawisła jej czterdziestka, nagle chce zostać matką.

Faith nie okazała zaskoczenia.

– Starała się zajść w ciążę?

– Nie słyszała pani, co powiedziałam o skrobankach? Możecie to sprawdzić. Nie kłamię.

Will zawsze wychodził z założenia, że gdy ktoś zapewnia, że mówi prawdę w jednej sprawie, to na pewno kłamie w innej. Ustalenie, w jakiej, dałoby im haka na Joelyn Zabel. Nie sprawiła na nim wrażenia szczególnie kochającej siostry i na pewno będzie chciała przeciągnąć możliwie jak najbardziej swoje niespodziewane pięć minut sławy.

– Czy Jackie myślała o surogatce? – spytała Faith.

Joelyn chyba wyczuła, jak ważne jest to, co powie. Nagle wszyscy czekali na jej słowa w nabożnym skupieniu. Nie spieszyła się z odpowiedzią.

– O adopcji.

– Drogą oficjalną? Prywatną?

– A kto ją tam, kurwa, wie. Miała mnóstwo pieniędzy. Przywykła, że zawsze kupuje sobie to, co chce. – Zaciskała dłonie na poręczy krzesła i Will widział, że jest to temat, na który lubi pogadać. – Na tym polega właśnie tragedia: nie móc zobaczyć, jak ląduje z jakimś debilowatym przybłędą na karku, który zalałby jej sadła za skórę, gdyby zaczął kraść albo nagle dostał szmergla.

Will poczuł, że Faith zesztywniała, i przejął prowadzenie przesłuchania.

– Kiedy ostatni raz rozmawiała pani z siostrą?

– Jakiś miesiąc temu. Rozpływała się nad macierzyństwem, jakby miała o nim pojęcie. Plotła o adoptowaniu dziecka z Chin, Rosji czy skądś. Wiecie, niektóre z takich bachorów wyrastają na morderców. Są maltretowane, chore na głowę. Nie uświadczy się tam normalnego dziecka.

– Często to widujemy. – Will potrząsnął głową, jakby była to powszechna tragedia. – Czy sprawa postępowała? Wie pani, z którą agencją adopcyjną miała kontakt?

Pytana o szczegóły zrobiła się powściągliwa.

– Jackie nie lubiła się zwierzać. Zawsze miała obsesję na punkcie swojej prywatności. – Wskazała głową na stanowych prawników, którzy robili, co mogli, żeby zlać się z obiciem sofy. – Wiem, że te palanty siedzące na sofie nie pozwolą wam przeprosić, ale moglibyście przynajmniej przyznać, że spieprzyliście sprawę.

Wtrąciła się Amanda:

– Pani Zabel, wyniki sekcji pokazują...

Joelyn wzruszyła wojowniczo ramieniem.

– Pokazują to, co sama wiem: że jak ostatnie dupy wołowe staliście z założonymi rękoma, kiedy moja siostra umierała.

– Może niezbyt uważnie przeczytała pani raport koronera, pani Zabel – rzuciła Amanda delikatnym, uspokajającym tonem, którego użyła wcześniej, zanim upokorzyła Willa. – Pani siostra sama odebrała sobie życie.

– Bo nawet nie kiwnęliście cholernym palcem, żeby jej pomóc.

– Ma pani świadomość, że była ślepa i głucha?

Po pospiesznym spojrzeniu, jakim Zabel obrzuciła adwokata, Will zorientował się, że jakoś umknęła jej ta informacja.

Amanda wyciągnęła kolejną teczkę z górnej szuflady biurka. Zaczęła przerzucać jej zawartość i Will zobaczył kolorowe fotografie Jacquelyn Zabel wiszącej na drzewie i leżącej na prosektoryjnym stole. Uznał to zagranie za szczególnie okrutne, nawet jak na Amandę. Joelyn mimo wszystko, bez względu na to, jak okropna była, straciła siostrę w sposób najgorszy z możliwych. Zauważył, że Faith poruszyła się na krześle, i wiedział, że myśli o tym samym.

Amanda niespiesznie odnalazła właściwy dokument, który przypadkiem leżał zagrzebany między najdrastyczniejszymi zdjęciami. Znalazła fragment poświęcony obdukcji zwłok.

– Drugi akapit – powiedziała.

Joelyn zawahała się, zanim przesunęła się na brzeg krzesła. Starała się lepiej przyjrzeć rozrzuconym na biurku fotografiom w ten sam sposób, w jaki niektórzy ludzie zwalniają, żeby popatrzeć sobie na jakąś co straszniejszą kraksę samochodową. W końcu wzięła protokół i opadła na oparcie krzesła. Will obserwował, jak przesuwa wzrokiem po tekście, ale nagle znieruchomiała i wiedział, że już nie czyta.

Głośno przełknęła ślinę. Wstała i wymamrotała „Przepraszam", po czym wypadła z pokoju.

Wydawało się, że razem z nią uszło z pomieszczenia powietrze. Faith patrzyła prosto przed siebie, Amanda nieśpiesznie składała zdjęcia w równą kupkę.

– Nieładnie, Mandy – rzucił adwokat.

– Takie życie, Chuck, co robić.

Will wstał.

– Pójdę rozprostować kości.

Wyszedł z gabinetu, nie czekając na reakcję. Caroline, sekretarka Amandy, siedziała za biurkiem. Uniósł podbródek, a ona wyszeptała:

– W toalecie.

Ruszył korytarzem z rękoma w kieszeni, zatrzymał się przed drzwiami damskiej ubikacji i otworzył je nogą. Zajrzał do środka. Joelyn Zabel stała przed lustrem. Trzymała w ręku zapalonego papierosa. Wzdrygnęła się na widok Willa.

– Nie wolno panu tu wchodzić – warknęła, unosząc pięść, jakby gotowała się do bójki.

– W całym budynku obowiązuje zakaz palenia. – Wszedł do toalety i oparł się o drzwi, nie wyjmując rąk z kieszeni.

– Co pan tu robi?

– Chciałem sprawdzić, czy nic pani nie jest.

Zaciągnęła się mocno papierosem.

– Wparowując do damskiej toalety? To niedopuszczalne. Tak nie wolno.

Will rozejrzał się po pomieszczeniu. Nigdy wcześniej nie był w damskiej toalecie. Stała tu wygodna z wyglądu sofa i stolik z kwiatkami w wazonie obok. W powietrzu unosił się zapach perfum, podajniki na papier były pełne, a dokoła umywalki nie było rozchlapanej wody, tak że człowiek nie moczył sobie przodu spodni, gdy mył ręce. Nic dziwnego, że kobiety spędzały tyle czasu w tym miejscu.

– Halo?! – zawołała Joelyn. – Odbiło panu? Niech się pan zabiera z damskiej toalety.

– Co pani ukrywa?

– Powiedziałam wam wszystko, co wiem.

Pokręcił głową.

– Tu nie ma kamer, prawników, świadków. Może pani śmiało zrzucić wszystko z serca.

– Odpierdol się.

Poczuł na plecach delikatny nacisk otwieranych drzwi, zaraz jednak się zamknęły.

– Nie lubiła pani siostry – powiedział.

– Co ty nie powiesz, Sherlocku. – Ręka jej się trzęsła, kiedy wciągała kolejną porcję dymu do płuc.

– Dlaczego jej pani nie lubiła?

– Bo to zła kobieta była.

To samo można było powiedzieć i o niej, ale Will zatrzymał to dla siebie.

– Czy manifestowało się to w jakiś szczególny sposób wobec pani, czy to tylko taka luźna obserwacja?

Wlepiła w niego oczy.

– A co, do cholery, to znaczy?

– To znaczy, że mam gdzieś, co pani zrobi po opuszczeniu tej toalety. Może pani pozywać kogo dusza zapragnie: stan, biuro, mnie osobiście. Nie dbam o to. Ktokolwiek zabił pani siostrę, prawdopodobnie przetrzymuje inną kobietę, gwałcąc ją i torturując właśnie teraz, gdy rozmawiamy. Zatajając informacje, akceptuje to pani.

– Tylko niech pan nie zwala tego na mnie.

– To proszę powiedzieć, co pani ukrywa.

– Niczego nie ukrywam. – Odwróciła się od lustra i otarła dolne powieki palcami, tak żeby nie rozmazać makijażu. – To Jackie ukrywała różne sprawy.

Will milczał.

– Zawsze była skryta i zachowywała się, jakby była lepsza ode mnie.

Skinął głową na znak, że rozumie.

– Zawsze była w centrum uwagi, zmieniała chłopców jak rękawiczki. – Potrząsnęła głową i stanęła twarzą do Willa. Oparła się o blat, kładąc dłoń za umywalką. – Ja w dzieciństwie chudłam i grubłam na przemian. Jackie wyzywała mnie od grubych krów za każdym razem, gdy szłyśmy na plażę.

– Ewidentnie wyrosła pani z tego problemu.

Pokręciła głową z niedowierzaniem, zbywając komplement.

– Wszystko zawsze jej tak łatwo przychodziło: pieniądze, faceci, sukcesy. Ludzie ją lubili.

– Niezupełnie – zaoponował Will. – Nikogo z sąsiadów

nie poruszyło jej zniknięcie. Po prawdzie to nawet go nie zauważyli, dopóki policja nie zapukała do ich drzwi. Mam wręcz wrażenie, że im ulżyło, gdy się dowiedzieli.

– Nie wierzę.

– Sąsiadka pani matki, Candy, także nie rwała włosów z głowy.

Ewidentnie nie dawała temu wiary.

– Nie. Jackie powiedziała, że Candy pałęta się za nią wszędzie jak psiak, nie daje spokoju.

– To nieprawda – powiedział Will. – Candy za nią nie przepadała. Powiedziałbym, że nawet bardziej niż pani.

Dopaliła papierosa, potem weszła do jednego z boksów, żeby wrzucić peta do sedesu. Will widział, że przetrawia tę nową informację o siostrze. Z zadowoleniem. Wróciła do umywalki i znowu oparła się o blat.

– Zawsze była z niej kłamczucha. Ściemniała nawet w małych sprawach, zupełnie nieistotnych.

– Na przykład?

– Na przykład, że idzie do sklepu, kiedy tak naprawdę szła do biblioteki. Że spotyka się z jednym chłopakiem, podczas gdy spotykała się z zupełnie innym.

– To trochę trąci obłudą.

– Tak. Słowo pasuje jak ulał: była obłudna. Matka miała z nią krzyż pański.

– Często pakowała się w kłopoty?

Joelyn parsknęła śmiechem.

– Była pupilką nauczycieli, zawsze podlizywała się komu trzeba i wszyscy nabierali się na te jej słodkie słówka.

– Nie wszyscy – zauważył Will. – Powiedziała pani, że matka miała z nią krzyż pański. Musiała wiedzieć, co się dzieje.

– Wiedziała. Wydała fortunę, próbując jej pomóc. To zrujnowało mi całe pieprzone dzieciństwo. Wszystko się zawsze kręciło wokół Jackie: jak Jackie się czuje, co Jackie robi, czy Jackie jest szczęśliwa. Moje szczęście jakoś nikogo nie obchodziło.

– Proszę mi opowiedzieć o tej sprawie z adopcją. Z którą agencją rozmawiała?

Jackie spuściła wzrok z miną winowajcy.

Will ciągnął, jak gdyby nigdy nic.

– Oto dlaczego pytam: jeśli Jackie próbowała przysposobić dziecko, będziemy musieli pojechać na Florydę i odszukać agencję, z którą się kontaktowała. Jeśli wchodziła w grę adopcja zagraniczna, niewykluczone, że będziemy musieli pojechać do Rosji albo Chin i sprawdzić, czy jej działania są legalne. Jeśli szukała surogatki na własną rękę, będziemy musieli porozmawiać z kobietami, które mogły się z nią kontaktować. Będziemy musieli dokładnie sprawdzić i prześwietlić każdą agencję adopcyjną, aż znajdziemy coś, cokolwiek, co wiąże się z pani siostrą, ponieważ Jackie spotkała na swojej drodze bardzo złego człowieka, który ją gwałcił i torturował przez co najmniej tydzień, a jeśli uda nam się ustalić, w jaki sposób poznała porywacza, to może też dojdziemy do tego, kim jest ten mężczyzna. – Dał jej chwilę, żeby to przetrawiła. – A więc, pytam: czy znajdziemy takie powiązanie przez agencję adopcyjną, Joelyn?

Milczała ze wzrokiem wbitym w dłonie. Will liczył kafle na ścianie za jej głową. Doszedł do trzydziestu sześciu, kiedy się wreszcie odezwała:

– Tak tylko powiedziałam o tej adopcji. Jackie o tym przebąkiwała, ale tak naprawdę nie zamierzała nic zrobić. Podobał jej się pomysł zostania matką, ale wiedziała, że nigdy się na to nie zdobędzie.

– Jest pani pewna?

– To tak jak z ludźmi, którzy widzą dobrze wyszkolonego psa, nie? Też chcieliby mieć takiego, ale tego konkretnego, a nie nowego, którego dopiero musieliby tresować.

– Siostra lubiła pani dzieci?

Joelyn odchrząknęła.

– Nigdy ich nie widziała.

Will dał jej chwilę.

– Została zatrzymana za jazdę po pijanemu na krótko przed śmiercią.

Joelyn zrobiła zdziwioną minę.

– Serio?

– Dużo piła?

Pokręciła głową stanowczo.

– Nie lubiła tracić kontroli.

– Ta sąsiadka, Candy, twierdzi, że paliła z nią trawkę.

Joelyn otworzyła usta ze zdziwienia. Jeszcze raz pokręciła głową.

– Nie kupuję tego. To zupełnie nie w jej stylu. Owszem, lubiła, kiedy inni pili za dużo, tracili panowanie nad sobą, ale sama nigdy czegoś takiego nie robiła. Mówimy o kobiecie, która ważyła tyle samo co dwadzieścia lat temu. Miała tak napięty tyłek, że skrzypiała, gdy chodziła. – Zastanowiła się jeszcze chwilę i pokręciła głową. – Nie, nie Jackie.

– Dlaczego sama porządkowała dom matki? Dlaczego nie zapłaciła komuś, żeby odwalił brudną robotę?

– Nikomu nie ufała. Wszystko musiała mieć zrobione po swojemu i żeby człowiek nie wiem jak się starał, nigdy by jej nie dogodził.

Przynajmniej to zgadzało się z opinią Candy. Cała reszta składała się na zupełnie inny obraz, co było zrozumiałe, zważywszy na to, że Joelyn nie utrzymywała zażyłych stosunków z siostrą.

– Czy liczba jedenaście coś pani mówi?

Ściągnęła brwi.

– Nic a nic.

– A słowa „Nie wyrzeknę się"?

Pokręciła głową.

– Ale to dziwne. Mimo całego swojego bogactwa Jackie bez przerwy czegoś się wyrzekała.

– Czego?

– Jedzenia. Alkoholu. Radości. – Zaśmiała się smutno. – Przyjaciół. Rodziny. Miłości. – Łzy napłynęły jej do oczu – pierwsze prawdziwe łzy, które Will u niej zobaczył. Oderwał się od drzwi i wyszedł. Na zewnątrz czekała na niego Faith.

– I?

– Kłamała w sprawie adopcji. Przynajmniej tak twierdzi.

– Możemy zweryfikować to u Candy. – Wyjęła telefon i odszukała numer. Rozmawiała z Willem, czekając na połączenie. – Dziesięć minut temu mieliśmy się spotkać z Rickiem Siglerem w szpitalu. Dzwoniłam do niego, żeby to przełożyć, ale nie odbierał.

– A co z jego przyjacielem Bermanem?

– Zleciłam go kilku mundurowym. Mają dać znać, kiedy go znajdą.

– Myślisz, że to podejrzane, że nie możemy go namierzyć?

– Jeszcze nie, ale spytaj mnie wieczorem, jeśli nadal będzie nieuchwytny. – Przyłożyła telefon do ucha i zostawiła wiadomość w poczcie głosowej Candy z prośbą o kontakt. Zamknęła aparat i zacisnęła na nim dłoń. Will czuł, jak wzbiera w nim lęk przed tym, co za chwilę usłyszy: kolejną diatrybę przeciwko Amandzie, Sarze Linton czy jemu samemu. Na szczęście tym razem padło na sprawę. Powiedziała:

– Uważam, że Pauline McGhee jest kolejną ofiarą.

– Dlaczego?

– Przeczucie. Nie potrafię tego wyjaśnić, ale coś za dużo tu zbieżności.

– Sprawę McGhee nadal prowadzi Leo. Nie mamy nad nią jurysdykcji ani powodu, żeby prosić o jej przekazanie. – Mimo to musiał zapytać: – Myślisz, że mogłabyś go urobić?

Pokręciła głową.

– Nie chcę narobić mu kłopotów.

– Ma do ciebie zadzwonić, tak? Kiedy namierzy rodziców Pauline w Michigan?

– Tak powiedział.

W milczeniu stanęli przy windzie.

W końcu Will powiedział:

– Myślę, że powinniśmy pojechać do pracy Pauline.

– Myślę, że masz rację.

ROZDZIAŁ CZTERNASTY

Faith przemierzała hol firmy projektowej o idiotycznej nazwie XAC HOMAGE, w której pracowała Pauline McGhee. Biura znajdowały się na trzynastym piętrze Symphony Tower, niezgrabnego architektonicznie drapacza chmur, który wznosił się na rogu Peachtree i Czternastej niczym wielki wziernik ginekologiczny. Faith wzdrygnęła się na jego widok, przypominając sobie, co przeczytała w protokole sekcji Jacquelyn Zabel.

W zgodzie z pretensjonalną nazwą firmy pod oknami w holu ustawiono niziutkie kanapy, na których dawało się siedzieć, albo zaciskając wszystkie mięśnie w tyłku, albo rozwalając się w nonszalanckiej pozie, z której można się podnieść jedynie przy pomocy osób trzecich. Faith zdecydowałaby się na tę drugą ewentualność, gdyby nie miała na sobie spódniczki, która i tak wykazywała tendencję do podjeżdżania do góry, nawet jeśli jej właścicielka nie siedziała jak kurwa gangstera na rapowym teledysku.

Burczało jej w brzuchu, ale nie wiedziała, co może zjeść. Kończyła jej się insulina i nadal nie była pewna, czy dobrze odmierza dawki. Nie umówiła się na wizytę z poleconą przez Sarę lekarką. Stopy jej spuchły, plecy bolały i miała ochotę walnąć głową w ścianę, bo żeby nie wiem jak się starała, nie potrafiła przestać myśleć o Samie Lawsonie. Kiełkowało w niej też podejrzenie, z uwagi na ukradkowe spojrzenia, jakie rzucał jej Will, że zachowuje się jak kompletna wariatka.

– Boże – wymruczała, przyciskając czoło do czystej szyby.

Dlaczego ciągle popełnia tyle błędów? Nie jest przecież głupia. A może jednak. Może przez te wszystkie lata się oszukiwała i tak naprawdę jest najgłupszą osobą na świecie.

Popatrzyła w dół na samochody sunące wolno po Peachtree Street niczym mrówki po czarnym asfalcie. W zeszłym miesiącu w poczekalni u dentysty przeczytała w jakimś czasopiśmie, że kobiety są genetycznie zaprogramowane, by lgnąć do mężczyzn, z którymi się kochały przynajmniej przez trzy tygodnie od poczęcia, bo tyle właśnie zajmuje organizmowi zorientowanie się, że jest w ciąży. Wtedy się z tego śmiała, ponieważ jak żyła, nigdy nie lgnęła do mężczyzn. Przynajmniej nie po ojcu Jeremy'ego, który wyjechał ze stanu, kiedy powiedziała mu, że spodziewa się jego dziecka.

A mimo to teraz proszę: sprawdza telefon i skrzynkę mailową co dziesięć minut, myśląc tylko o tym, by porozmawiać z Samem, dowiedzieć się, co u niego i czy jest na nią zły – jakby to, co się stało, było jej winą. Jakby był takim wspaniałym kochankiem, że nie mogła się nim nasycić. Jest już w ciąży, zatem to nie na skutek genetycznego zaprogramowania zachowuje się jak egzaltowana podfruwajka. A może tak. Może po prostu jest ofiarą własnych hormonów.

A może nie powinna czerpać wiedzy z „Ladies' Home Journal".

Odwróciła głowę i obserwowała Willa stojącego we wnęce z windami. Rozmawiał przez telefon, trzymając aparat oburącz, żeby się nie rozpadł. Nie potrafiła się już na niego wściekać. Świetnie poradził sobie z Joelyn Zabel. Musiała to przyznać. Jego metody pracy różniły się od jej metod i czasami okazywało się to pomocne, a czasami wprost przeciwnie. Pokręciła głową. Nie mogła się zastanawiać nad tymi różnicami – nie teraz, kiedy całe życie znalazło się na krawędzi gigantycznego klifu, a ziemia usuwała jej się spod nóg.

Skończył rozmowę i wrócił do niej. Zerknął na puste biurko, przy którym wcześniej siedziała sekretarka. Poszła po Morgana Hollistera co najmniej dziesięć minut temu. Faith już sobie wyobrażała, jak oboje z furią drą akta, choć bardziej prawdopodobne było to, że kobieta, tleniona blondynka, która zdawała się mieć problem ze zrozumieniem i wykonaniem najprostszej prośby, po prostu o nich zapomniała i pytlowała przez komórkę w toalecie.

– Z kim rozmawiałeś?

– Z Amandą. – Wyjął kilka cukierków z misy na stoliczku. – Dzwoniła z przeprosinami.

Faith roześmiała się z żartu i on też się zaśmiał. Wyjął kolejnego cukierka i podał misę Faith. Pokręciła głową.

– Zwołała kolejną konferencję prasową na popołudnie. Joelyn Zabel wycofuje pozew przeciwko miastu – oświadczył.

– Ciekawe dlaczego.

– Jej adwokat uznał, że brak jest podstaw. Nie martw się, w przyszłym tygodniu pani Zabel znowu znajdzie się na okładce jakiegoś pisma, a za dwa tygodnie będzie nam groziła kolejnym procesem, bo nie znaleźliśmy zabójcy jej siostry.

Po raz pierwszy któreś z nich głośno dało wyraz nękającej obojga obawie: że sprawca jest na tyle sprytny, by wywinąć się od kary.

Will pokazał na zamknięte drzwi za biurkiem.

– Myślisz, że powinniśmy tam wejść?

– Poczekajmy jeszcze minutkę. – Próbowała zetrzeć z szyby ślad po czole i w efekcie rozmazała go jeszcze bardziej. Napięcie między nimi zmieniło jakoś punkt ciężkości, kiedy tu jechali, i teraz to już nie Will się gryzł, że Faith się na niego gniewa, tylko ona się zamartwiała, że go zdenerwowała.

– Nie gniewasz się na mnie?

– Oczywiście, że nie.

Nie uwierzyła mu, ale nie mogła nic na to poradzić, jeśli się upierał, że nie ma problemu, to obstawałby przy tym do upadłego, aż zaczynała mieć wrażenie, że coś mu się roi.

– Cóż, ale przynajmniej wiemy, że jędzowatość jest u sióstr Zabel rodzinna.

– Joelyn jest w porządku.

– Niełatwo jest być tym dobrym dzieckiem z dwójki rodzeństwa.

– To znaczy?

– Jeśli się starasz, dobrze uczysz, nie sprawiasz kłopotów itepe, a twoja siostra wszystko chrzani i rozrabia, rodzice poświęcają jej całą uwagę, a ty czujesz się wykluczony, jakby twoje wysiłki nie miały znaczenia, bo żebyś stanął na rzęsach, starzy i tak będą myśleli tylko o trudnym braciszku czy siostrzyczce.

W jej głosie musiało być słychać gorycz, bo Will powiedział:

– Myślałem, że twój brat jest w porządku.

– Jak najbardziej. To ja byłam tą zakałą, której poświęcało się całą uwagę. – Zachichotała. – Pamiętam, że raz spytał rodziców, czy nie oddaliby go do adopcji.

Will posłał jej słaby uśmiech.

– Wszyscy chcą być adoptowani.

Przypomniała sobie okropną tyradę Joelyn Zabel o planach przysposobienia dziecka przez siostrę.

– To, co powiedziała Joelyn...

Przerwał jej.

– Czemu jej adwokat zwracał się do Amandy per „Mandy"?

– To zdrobnienie od Amandy.

Pokiwał głową w zamyśleniu i Faith zastanawiała się, czy zdrobnienia też są częścią jego dysfunkcji. To miałoby sens. Zanim człowiek może zdrobnić imię, musi wiedzieć, jak się je pisze.

– Wiedziałaś, że szesnaście procent wszystkich znanych seryjnych zabójców to dzieci adoptowane?

Faith zmarszczyła czoło.

– Niemożliwe.

– Joel Rifkin, Kenneth Bianchi, David Berkowitz. Teda Bundy'ego usynowił ojczym.

– A skąd tak nagle stałeś się ekspertem od seryjnych zabójców?

– Kanał Historia – wyjaśnił. – Wierz mi, przydaje się.

– Jak znajdujesz tyle czasu na oglądanie telewizji?

– Raczej nie prowadzę bujnego życia towarzyskiego.

Faith znowu popatrzyła przez okno, myśląc o wspólnym porannym spacerze Willa i Sary. Z akt sprawy jej męża zorientowała się, że Tolliver był dokładnie takim policjantem, jakim Will nie chciał być: brutalnym, stanowczym, niecofającym się przed niczym, byleby tylko rozwiązać sprawę. Nie żeby Willowi zbywało na determinacji, ale prędzej wyciągnąłby od podejrzanego przyznanie się do winy siłą spojrzenia niż pięści. Faith czuła instynktownie, że Will nie jest w typie Sary Linton, i dlatego zrobiło jej się go tak bardzo żal rano, kiedy widziała, jak skrępowany czuje się przy lekarce.

Musiał także myśleć o porannym spacerze, ponieważ powiedział:

– Nie znam numeru jej mieszkania.

– Sary?

– Mieszka w loftach na Berkshire.

– Na pewno jest tam spis loka... – Faith ugryzła się w język. – Mogę ci napisać jej nazwisko, żebyś mógł je porównać ze spisem lokatorów. Nie może ich być zbyt wielu.

Wzruszył ramionami, ewidentnie zniechęcony.

– Możemy sprawdzić w sieci.

– Prawdopodobnie nie będzie figurowała.

Otworzyły się drzwi i wróciła tleniona sekretarka. Za nią szedł bardzo wysoki, bardzo opalony i bardzo przystojny mężczyzna w najładniejszym garniturze, jaki Faith do tej pory widziała.

– Morgan Hollister – przedstawił się i wyciągnął rękę, idąc przez hol. – Bardzo przepraszam, że kazałem państwu tak długo czekać. Miałem telekonferencję z klientem z Nowego Jorku. Ta sprawa z Pauline bardzo nam pokrzyżowała szyki, jak to się mówi.

Faith nie była pewna, kto tak mówi, ale wybaczyła mu, gdy uścisnęła jego dłoń. Był najatrakcyjniejszym mężczyzną i jednocześnie najbardziej gejowskim gejem, jakiego dane jej było ostatnio poznać. Zważywszy na to, że znajdowali się w Atlancie, stolicy gejów całego Południa, to coś znaczyło.

– Agent Trent – przedstawił się Will, ignorując lubieżny wzrok, jakim pożerał go Morgan – a to jest agent Mitchell.

– Pakuje pan?

– Głównie swobodne ciężary, sztangi i sztangielki. Trochę wyciskania.

Morgan klepnął go w ramię.

– Solidne.

– Dziękujemy za zgodę na przejrzenie rzeczy Pauline –

powiedział Will, choć Morgan żadnej zgody nie wyraził. – Wiem, że była już tu policja. Mam nadzieję, że nie utrudniamy państwu za bardzo życia.

– Ależ naturalnie, że nie. – Morgan położył dłoń na ramieniu Willa, prowadząc go w stronę drzwi. – Naprawdę odchodzimy od zmysłów z powodu Paulie. Była świetną dziewczyną.

– Słyszeliśmy, że potrafiła być trochę trudna w obejściu.

Morgan zachichotał, co Faith zrozumiała jako tekst z rodzaju „typowa kobieta". Ucieszyła się, że seksizm szerzy się też w środowisku gejów.

– Czy nazwisko Zabel, Jacquelyn Zabel, coś panu mówi? – spytał Will.

Morgan pokręcił głową.

– Jestem odpowiedzialny za kontakty z klientami. Na pewno bym zapamiętał, ale mogę jeszcze sprawdzić w komputerze. – Zrobił zbolałą minę. – Biedna Paulie. To był dla nas wszystkich taki szok.

– Udało nam się tymczasowo umieścić Feliksa w rodzinnym domu dziecka – poinformował go Will.

– Feliksa? – przez chwilę mężczyzna wydawał się skonsternowany, potem powiedział: – Aa, tak, małego człowieka. Jestem pewien, że da sobie radę. To twardziel.

Szli długim korytarzem, po prawej stronie mijając kolejne boksy z oknami wychodzącymi na autostradę. Na biurkach walały się próbki materiałów i plany mieszkań. Faith z lekką nostalgią popatrzyła na światłokopie projektów rozłożone na stole konferencyjnym.

W dzieciństwie chciała zostać architektem, jednak to marzenie wzięło w łeb, gdy miała czternaście lat i została wyrzucona ze szkoły z powodu ciąży. Teraz sytuacja wyglądała już inaczej, ale wtedy, jeśli nastolatka zaszła w ciążę, wykluczano ją i nigdy o niej nie wspominano, chyba że w odniesieniu do chłopaka, który zrobił jej brzuch, a i wtedy mówiono o niej tylko jak o „tej puszczalskiej, która o mały włos nie zmarnowała chłopakowi życia".

Morgan zatrzymał się przed zamkniętymi drzwiami, na których znajdowała się tabliczka z nazwiskiem Pauline McGhee. Wyjął klucz.

– Zawsze zamykacie pokoje? – spytał Will.

– Paulie zamykała. Jedno z jej przyzwyczajeń.

– Miała dużo przyzwyczajeń?

– Lubiła robić wszystko po swojemu. – Morgan wzruszył ramionami. – Dawałem jej wolną rękę. Była dobra w papierkowej robocie, w kontaktach z podwykonawcami. – Uśmiech spełzł mu z twarzy. – No, ale koniec końców, pojawił się problem. Zawaliła bardzo ważne zamówienie, co kosztowało firmę masę pieniędzy. Nie jestem pewien, czy jeszcze by tu pracowała, nawet gdyby nic jej się nie stało.

Jeśli nawet Will się zastanawiał, dlaczego Morgan uparcie mówi o niej jak o zmarłej, nie spytał o to. Wyciągnął tylko rękę po klucz.

– Zamkniemy, gdy skończymy.

Morgan się zawahał. Najwyraźniej spodziewał się, że będzie obecny przy przeszukaniu.

– Przyniosę go, gdy już się ze wszystkim uporamy, dobrze? – Walnął Morgana w ramię. – Dzięki, stary. – Odwrócił się do niego plecami i zniknął w gabinecie.

Faith weszła za nim i zamknęła za sobą drzwi. Musiała spytać:

– To ci nie przeszkadza?

– Morgan? – Wzruszył ramionami. – Wie, że nie jestem zainteresowany.

– No, ale mimo wszystko...

– W domu dziecka wychowywało się mnóstwo homoseksualnych chłopców. Większość z nich była o wiele milsza niż ci normalni.

Nie potrafiła sobie wyobrazić, jak rodzice w ogóle mogą oddać dziecko do sierocińca, a co dopiero z takiego powodu.

– To okropne.

Will najwyraźniej nie chciał o tym rozmawiać. Rozejrzał się po gabinecie i powiedział:

– Raczej ascetyczny.

Musiała się zgodzić. Pokój Pauline wyglądał tak, jakby nikt nigdy w nim nie pracował. Na biurku nie było nawet skrawka papierka. Tacki na korespondencję przychodzącą i wychodzącą były puste. Podręczniki aranżacji wnętrz ustawiono na regale równiutko jak pod sznurek i w porządku alfabetycznym. Pisma branżowe stały na baczność w kolorowych pojemnikach. Wyglądało na to, że nawet monitor komputera na rogu biurka jest ustawiony dokładnie po kątem czterdziestu pięciu stopni. Jedynym przedmiotem o wartości sentymentalnej było zdjęcie Feliksa na huśtawce.

– Mały twardziel – spapugował Morgana Will z gorzką ironią. – Wczoraj wieczorem dzwoniłem do tej kobiety z opieki społecznej. Chłopiec kiepsko to znosi.

– To znaczy?

– Dużo płacze. Nie chce jeść.

Faith popatrzyła na zdjęcie, nieokiełznaną radość w oczach chłopca uśmiechającego się do matki. Przypomniała sobie, jak wyglądał Jeremy w tym wieku. Był taki słodki, że miała ochotę schrupać go jak cukierka. Właśnie skończyła akademię policyjną i przeniosła się do taniego mieszkanka na Monroe Drive, pierwszego lokum, w którym nie mieszkali z matką. Faith nigdy wcześniej nie wyobrażała sobie, że można żyć z kimś w tak pełnej symbiozie. Jeremy stał się do tego stopnia częścią jej samej, że z trudem zostawiała go w przedszkolu, gdy szła do pracy. Wieczorami kolorował obrazki, gdy ona pisała codzienne raporty na stole w kuchni. Kiedy przygotowywała kolację i kanapki na następny dzień, śpiewał jej piosenki swoim piskliwym głosikiem. Czasami wpełzał do jej łóżka i zwijał się na jej ramieniu jak kotek. Nigdy w życiu nie czuła się tak ważna, tak potrzebna – ani wcześniej, ani później.

– Faith? – Will powiedział coś, co jej umknęło.

Odstawiła zdjęcie z powrotem na biurko Pauline, zanim zdążyła rozryczeć się jak dziecko.

– Tak?

– Założysz się, że dom Jacquelyn Zabel na Florydzie wygląda tak samo sterylnie?

Odchrząknęła, próbując skupić myśli.

– Pokój, w którym spała w domu matki, lśnił czystością. Myślałam, że go tak wysprzątała, ponieważ reszta domu była zabałaganiona. No wiesz, żeby mieć miejsce wytchnienia na szalejącym morzu. Ale może była chorobliwą pedantką.

– Osobowość typu A.

Will obszedł biurko i otworzył szufladę. Faith zerknęła na zawartość: rząd kolorowych ołówków ułożonych równiutko na plastikowej tacce. Karteczki samoprzylepne w kwadratowym bloczku. Wysunął kolejną szufladę i znalazł duży segregator, który położył na blacie. Przerzucił jego zawartość i Faith zobaczyła szkice pomieszczeń, próbki materiałów, zdjęcia mebli.

Włączyła komputer, podczas gdy Will sprawdzał kolejne szuflady. Była pewna, że niczego tu nie znajdą, ale, rzecz dziwna, miała wrażenie, że to, co robią, pomaga śledztwu. Znowu dogadywała się z Willem, znowu działali jak partnerzy, a nie jak przeciwnicy. To musiało zaowocować.

– Spójrz.

Otworzył najniższą szufladę po lewej stronie. W środku panował bałagan – niczym w kuchennej szufladzie na rupiecie: zaścielały ją kule zmiętego papieru i kilka opakowań po chipsach ziemniaczanych na spodzie.

– No, przynajmniej wiemy, że miała jakieś ludzkie cechy – powiedziała Faith.

– Dziwne. Wszędzie panuje porządek, z wyjątkiem tej szuflady.

Faith wzięła jedną z papierowych kul i rozprostowała ją na biurku. Zawierała listę spraw do załatwienia, z pozycjami odhaczanymi prawdopodobnie w miarę wykonywania: zakupy, lampa do salonu Powella, skontaktować się z Jordanem w sprawie próbek obić. Wyjęła kolejny zwitek papieru, na którym figurował podobny wykaz.

– Może mięła je po załatwieniu spraw? – zastanawiał się głośno Will.

Zerknęła na listę spod zmrużonych powiek, starając się spojrzeć na nią oczyma Willa. Był tak cholernie dobry w ukrywaniu swojej dysleksji, że nawet ona czasami o niej zapominała.

Przeglądając biblioteczkę, zdjął pudło z czasopismami z jednej ze środkowych półek.

– Co to? – Usunął następne pudło, potem jeszcze jedno. Faith zobaczyła tarczę sejfu. Nacisnął klamkę, ale bez skutku. Przebiegł palcami po krawędzi. – Jest wmurowany w ścianę.

– Chcesz spytać swojego kumpla Morgana o kombinację?

– Idę o każdy zakład, że jej nie zna.

Faith nie skorzystała z propozycji. Wszystko wskazywało na to, że, podobnie jak Jacquelyn Zabel, Pauline McGhee lubi sekrety.

– Najpierw sprawdź w komputerze, potem ewentualnie po niego pójdę – powiedział.

Popatrzyła na monitor, na którym wyświetliło się polecenie podania hasła dostępu.

Will też to zobaczył.

– Spróbuj: „Felix".

Poszła za jego sugestią i udało się. Zanotowała sobie w myślach, by zmienić w domu swoje hasło z Jeremy'ego na jakieś inne, i otworzyła program pocztowy. Przeglądała wiadomości, a Will wrócił do biblioteczki. Znalazła maile od kolegów z pracy, ale żadnego bardziej osobistego, który wskazywałby na przyjaciela czy powiernika. Wyprostowała się i otworzyła wyszukiwarkę w nadziei, że znajdzie inne konto pocztowe w historii przeglądanych stron: nie wyświetlił się żaden serwis webmailowy typu Gmail czy Yahoo, ale odkryła kilka stron internetowych.

Kliknęła na chybił trafił na jedną i pojawiła się ikonka YouTube. Kiedy filmik się ładował, sprawdziła dźwięk. Z głośników na dole monitora popłynęły dźwięki gitary i wyświetliły się słowa „Jestem szczęśliwa", a potem „Uśmiecham się".

Will stanął za jej plecami. Odczytywała kolejne zdania, zanim rozpływały się w ciemnym tle: „Czuję". „Żyję". „Umieram".

Z każdym słowem dźwięk gitary przybierał na sile i w końcu pojawiło się zdjęcie młodej dziewczyny w stroju cheerleaderki: odsłaniających brzuch szortach i koszulce ledwie przykrywającej biust. Była taka chuda, że Faith mogła policzyć jej żebra.

– Jezu. – Wyświetliła się kolejna fotografia, tym razem czarnej dziewczynki: leżała na łóżku zwinięta w kłębek, plecami do obiektywu. Miała napiętą skórę i kości wystające tak bardzo, że poszczególne kręgi i żebra zdawały się niemal przebijać przez cienkie powłoki. Łopatka sterczała niczym nóż.

– Czy to strona jakiejś organizacji humanitarnej? – spytał Will. – Zbiórka na ofiary AIDS?

Faith pokręciła głową, kiedy pojawiło się następne zdjęcie – modelki na tle miasta z nogami i rękoma cienkimi jak patyki. Po niej ukazała się następna dziewczyna, kobieta właściwie o potwornie wystających obojczykach i skórą na ramionach przypominającą mokry papier.

Faith włączyła jeszcze raz historię otwieranych stron. Puściła kolejny filmik. Tło muzyczne było inne, ale ten sam rodzaj intro. Odczytała na głos zdania: „Jedz, żeby żyć. Nie żyj, żeby jeść", które rozpłynęły się w zdjęcie dziewczyny tak straszliwie chudej, że aż żal było na nią patrzeć. Faith otworzyła następną stronę, potem jeszcze jedną.

– „Zostało tylko jedno prawo, prawo, żeby się głodzić" – przeczytała. – „Chude jest piękne. Grube jest brzydkie". – Popatrzyła na górę ekranu, sprawdzając źródło pochodzenia filmu. – Thinspo. Pierwsze słyszę.

– Nie rozumiem. Te dziewczyny wyglądają, jakby przymierały głodem, ale mają telewizory w pokojach, są ładnie ubrane.

Faith kliknęła na kolejny link.

– Thinspiration – powiedziała. – Dobry Boże, nie wierzę. One są kompletnie wyniszczone.

– Jest tam jakaś grupa dyskusyjna?

Faith jeszcze raz zerknęła na historię. Przejrzała listę i znalazła kolejne filmy, ale nic, co wyglądałoby na chat room. Otworzyła kolejną stronę i trafiła na żyłę złota.

– Atlanta-Pro-Anna kropka com – odczytała. – To witryna ruchu anorektyczek. – Kliknęła na link, ale pojawiło się kolejne okienko hasła dostępu. Wpisała ponownie „Felix", ale bez skutku. Przeczytała instrukcję: – Hasło ma sześć znaków, a Felix tylko pięć. – Wstukiwała różne kombinacje, odczytując je na głos. – Zero-Felix. Jeden-Felix. Felix-zero.

– Ile liter jest w „Thinspiration? – spytał.

– Za dużo – powiedziała. – „Thinspo" ma siedem. – Spróbowała, ale bez skutku.

– Jak brzmi jej login?

Faith przeczytała nazwę w okienku nad hasłem:

– A-T-L thin – Uświadomiła sobie, że niewiele mu to powie. – To skrót od „Atlanta thin". – Wpisała login w miejsce hasła. – Guzik. O, mam. – Stuknęła się w myślach w głowę. – Data urodzin Feliksa. – Otworzyła program kalendarz i wpisała hasło „urodziny". Pojawiły się tylko dwa wyniki: data urodzin Pauline i jej syna. – jeden-dwa-osiem-zero-trzy – Ekran się nie zmienił. – Eee-ee, to nie to.

Skinął głową, drapiąc się po ręce w zamyśleniu.

– Sejfy mają sześciowyrazowe kombinacje, tak?

– Co szkodzi spróbować? – Faith czekała, ale Will się nie ruszył. – Jeden-dwa-zero-osiem-zero-trzy – powtórzyła, wiedząc, że z liczbami radzi sobie doskonale. Mimo to nadal stał w miejscu i wreszcie ją oświeciło. – Och, przepraszam.

– Nie przepraszaj. To moja wina.

– Nie, moja. – Wstała i podeszła do sejfu, przekręcając tarczę w prawo i zatrzymując się na dwunastce, potem obracając ją w lewo dwa razy i zatrzymując się na ósemce. To nie cyfry stanowiły problem dla Willa, tylko kierunki.

Faith ustawiła ostatnią cyfrę i poczuła lekkie rozczarowanie, że poszło tak łatwo, kiedy usłyszała klik i ostatnia zapadka weszła na miejsce. Otworzyła sejf i zobaczyła notes w oprawie spiralnej, taki, jaki można znaleźć w tornistrze każdego ucznia, i pojedynczy arkusz papieru do ksero: był to wydruk e-maila dotyczącego konieczności wykonania pomiarów windy w celu upewnienia się, że jakaś kanapa wejdzie do środka – coś, czego zrobienie nigdy nie przyszłoby Faith do głowy, choć pierwsza lodówka, którą kupiła, okazała się zbyt duża, by zmieścić się w drzwiach.

– Sprawy zawodowe – poinformowała Willa, biorąc do ręki brulion.

Otworzyła go na pierwszej stronie. Włosy zjeżyły jej się na karku i musiała stłumić dreszcz, kiedy dotarło do niej, co widzi. Całą stronę, linijka za linijką, pokrywało staranne pismo i tylko jedno powtarzające się zdanie. Faith odwróciła stronę, potem kolejną. W niektórych miejscach litery wykreślono tak mocno, że długopis przerwał papier. Nie wierzyła w siły nadprzyrodzone, ale gniew promieniujący z tego zeszytu był niemal namacalny.

– To samo, tak? – Will prawdopodobnie zorientował się po odstępach i niewielkiej odległości zdania powtarzanego na okrągło, pokrywającego strony niczym jakaś sadystyczna forma sztuki.

„Nie wyrzeknę się, nie wyrzeknę się, nie wyrzeknę się".

– To samo – powtórzyła Faith. – To łączy Pauline z pieczarą oraz Jackie i Anną.

– Tutaj jest napisane długopisem – zauważył. – Tamto było ołówkiem.

– Tak czy siak, zdanie jest to samo. „Nie wyrzeknę się". Pauline pisała je z własnej woli, nie pod przymusem. Nikt jej nie kazał. O ile wiemy, nie przebywała w tej ziemiance. – Faith przerzuciła strony, upewniając się, że wszystkie wyglądają tak samo. – Jackie Zabel była szczupła. Może nie tak chuda jak te dziewczyny z filmu, ale bardzo szczupła.

– Jej siostra powiedziała, że w chwili śmierci ważyła tyle samo co w liceum.

– Myślisz, że cierpiała na zaburzenia odżywiania?

– Myślę, że miała wiele cech wspólnych z Pauline: lubiła kontrolować sytuację, lubiła sekrety. Pete uznał, że Pauline była niedożywiona na skutek działań sprawcy, ale może już wcześniej sama się głodziła.

– A co z Anną? Też jest szczupła?

– Tak samo. Powinnaś zobaczyć jej... – Przyłożył dłoń do obojczyka. – Myśleliśmy, że to była część tortur – morzenie głodem. Ale te dziewczęta z Internetu robią to celowo, prawda? Te filmy są jak pornografia dla anorektyków.

Faith skinęła głową i zaraz poczuła dreszcz, gdy w głowie wyświetliło jej się kolejne powiązanie.

– Może poznały się w sieci. – Wróciła do okienka z hasłem dostępu przykrywającego chat room forum Pro-Anna i zaczęła wpisywać datę urodzin Feliksa we wszystkich możliwych kombinacjach, które przyszły jej do głowy – bez zer, z zerami, pełną datę, przestawiając kolejność cyfr. – Niewykluczone, że Pauline przydzielono hasło, którego nie mogła zmienić.

– A może treści zawarte w tym chat roomie są dla niej cenniejsze niż wszystko inne w komputerze i w sejfie.

– To jest trop. Powiązanie, Will. Jeśli wszystkie ofiary miały zaburzenia odżywiania, to wreszcie mamy coś, co je łączy.

– I czat, do którego nie możemy się dostać, plus rodziny, które nie są specjalnie pomocne.

– A co z bratem Pauline? Powiedziała Feliksowi, że wujek jest złym człowiekiem. – Odwróciła się od monitora i spojrzała na Willa. – Może powinniśmy jeszcze raz porozmawiać z chłopcem, sprawdzić, czy czegoś sobie nie przypomniał.

Zrobił sceptyczną minę.

– Ma tylko sześć lat, Faith. Jest zrozpaczony, bo stracił matkę. Nie wydaje mi się, żeby udało nam się z niego jeszcze coś wyciągnąć.

Oboje się wzdrygnęli, kiedy zadzwonił telefon na biurku. Niewiele myśląc, Faith sięgnęła po słuchawkę i rzuciła:

– Biuro Pauline McGhee.

– Witam. – Morgan Hollister nie sprawiał wrażenia zachwyconego.

– Znalazł pan Jacquelyn Zabel w swoich papierach?

– Niestety nie, ale dziwnym trafem na drugiej linii jest do pani połączenie.

Faith wzruszyła ramionami, patrząc na Willa, i wcisnęła podświetlony guzik.

– Faith Mitchell.

Leo Donnelly z miejsca zaczął się pieklić.

– Nie przyszło ci do głowy, żeby spytać mnie o zdanie, zanim zaczniesz pakować się z butami w moje śledztwo?

Faith już chciała bić się w piersi i posypywać głowę popiołem, ale Leo nie dał jej nawet wykrztusić zwykłego przepraszam.

– Dostałem telefon od szefa, do którego zadzwonił ten fagas Hollister z pytaniem, dlaczego to stanowi przekopują gabinet McGhee, kiedy my już rano wszystko przetrząsnęliśmy. – Ciężko oddychał. – Mój szef, Faith, chce wiedzieć, czemu nie potrafię utrzymać w karbach własnego śledztwa. Wiesz, jak przez to wyglądam?

– Sprawy są powiązane – powiedziała Faith. – Znaleźliśmy trop łączący Pauline z naszymi ofiarami.

– To się, kurwa, cieszę, Mitchell. Zwłaszcza że sam mam przerąbane na całej linii, bo nie mogłaś poczekać dwóch sekund, żeby dać mi cynk.

– Leo, strasznie mi przykro.

– Daruj sobie – warknął. – W zasadzie to w ogóle nie powinienem ci tego mówić, ale nie jestem takim gościem.

– Mówić czego?

– Mamy kolejną zaginioną.

Serce zabiło jej mocniej.

– Kolejną zaginioną kobietę – powtórzyła z myślą o Willu. – Pasuje do naszego profilu?

– Trzydzieści parę lat, ciemne włosy, brązowe oczy. Pracuje w jakimś wypasionym banku w Buckhead, do którego człowiek nawet nie ma szans wejść, jeśli na kilometr nie śmierdzi groszem. Żadnych przyjaciół. Wredna suka w opinii znajomych.

Faith skinieniem głowy dała znać Willowi. Kolejna ofiara, kolejny zegar nieubłaganie odmierzający czas.

– Jak się nazywa? Gdzie mieszka?

– Olivia Tanner. – Rzucił nazwisko i adres tak szybko, że musiała go prosić, by powtórzył. – Virginia Highland.

Zapisała ulicę na dłoni.

– Wisisz mi za to.

– Leo, przepraszam, że...

Nie dał jej skończyć.

– Na twoim miejscu, Mitchell, uważałbym na siebie. Z wyjątkiem części dotyczącej sukcesów, pasujesz kropka w kropkę do tego profilu.

Usłyszała ciche kliknięcie, które w pewien sposób było gorsze, niż gdyby trzasnął słuchawką.

Olivia Tanner mieszkała w jednym z tych pozornie niewielkich bungalowów w Midtown, które od ulicy sprawiają wrażenie góra stumetrowych, podczas gdy w rzeczywistości mają sześć pokoi i prawie tyle samo łazienek i chodzą po bańce z hakiem. Po wizycie w gabinecie Pauline McGhee, która tak wiele powiedziała im o psychice zaginionej, dom Olivii ukazał się Faith w zupełnie innym świetle. Ogród od frontu był piękny, ale wszystkie rośliny rosły w równiutkich rządkach. Fasadę świeżo odmalowano, rynny biegły w eleganckiej linii pod okapami. Na ile Faith znała okolicę, bungalow był przypuszczalnie o dobre trzydzieści lat starszy od jej własnego skromnego domku parterowego, ale w porównaniu z nim wyglądał na zupełnie nowy.

– Dobrze – rzucił Will do telefonu. – Dziękuję za rozmowę. – Rozłączył się i poinformował Faith: – Joelyn Zabel twierdzi, że w czasach liceum siostra zmagała się z anoreksją i bulimią. Nie jest pewna, jak sytuacja przedstawiała się ostatnio, ale prawdopodobnie niewiele się zmieniło.

Faith dała sobie czas na przetrawienie tej informacji.

– Okay – powiedziała wreszcie.

– No więc mamy. Związek między ofiarami.

– Tylko co z tego? – Wyłączyła silnik. – Technicy nie mogą się włamać do komputera Jackie. Niewykluczone, że miną miesiące, zanim złamią hasło dostępu Pauline McGhee, a przecież nie wiemy nawet, czy ten chat room dla anorektyczek to naprawdę jest miejsce, gdzie poznała inne ofiary, czy też może po prostu zajrzała tam w czasie lunchu. Choć w sumie nie jadła lunchu. – Jeszcze raz obrzuciła wzrokiem dom Olivii Tanner. – O co się założysz, że tu też niczego nie znajdziemy?

– Myślisz o Feliksie, podczas gdy powinnaś skupiać się na Pauline – powiedział cicho.

Faith już chciała się żachnąć, ale miał rację. Nie mogła przestać myśleć o chłopcu wypłakującym oczy u jakiejś rodziny zastępczej. Powinna się skoncentrować na ofiarach, na tym, że Jacquelyn Zabel i Anna były poprzedniczkami Pauline McGhee i Olivii Tanner. Jak długo obie zdołają wytrzymać tortury i poniżenie? Każda upływająca minuta przedłużała ich cierpienie.

Z każdą upływającą minutą Felix coraz bardziej tęsknił za matką.

– Jedynym sposobem, żeby pomóc chłopcu, jest uratowanie jego matki.

Faith westchnęła ciężko.

– Naprawdę zaczyna mnie już irytować, że tak dobrze mnie znasz.

– Błagam – wymruczał. – Jesteś słodką zagadką.

Otworzył drzwiczki samochodu i wysiadł. Patrzyła, jak idzie zdecydowanym krokiem w stronę domu.

Faith ruszyła za nim.

– Żadnego garażu, żadnego bmw – zauważyła.

Po nieprzyjemnej rozmowie z Leo wykonała telefon do dyżurnego, który przyjął zgłoszenie o zaginięciu Olivii Tanner. Kobieta jeździła granatowym bmw 325, raczej nierzucającym się w oczy w tej okolicy. Była samotna, pracowała na stanowisku wiceprezesa lokalnego banku, nie miała dzieci, a jej jedynym żyjącym krewnym jest brat.

Will nacisnął klamkę, ale drzwi okazały się zamknięte.

– Gdzie się podział ten brat?

Faith zerknęła na zegarek.

– Jego samolot wylądował godzinę temu. Jeśli korki są duże... – Urwała. W Atlancie korki zawsze były duże, zwłaszcza w okolicy lotniska.

Will się pochylił, by poszukać klucza pod wycieraczką. Nie znalazł, więc przebiegł dłonią po górze futryny i zajrzał do donic na kwiaty, ale też bez skutku.

– Może powinniśmy po prostu wejść?

Faith nie skomentowała jego chęci dokonania włamania i nielegalnego wdarcia się do cudzego domu. Pracowała z nim wystarczająco długo, by wiedzieć, że frustracja działa na niego jak adrenalina, podczas gdy na nią jak valium.

– Dajmy mu jeszcze kilka minut.

– Ale wezwijmy lepiej ślusarza, na wypadek gdyby brat nie miał kluczy.

– Spokojnie, powoli, dobrze?

– Mówisz do mnie tak jak do świadków.

– Nie wiemy nawet jeszcze, czy Olivia Tanner jest jedną z naszych ofiar. Może się okazać tlenioną blondynką z masą przyjaciół i psem.

– W banku powiedzieli, że odkąd tam pracuje, nie opuściła ani jednego dnia.

– Mogła spaść ze schodów. Zapragnąć wyrwać się z miasta. Wyjechać z poznanym w barze mężczyzną.

Will nie odpowiedział. Osłonił dłońmi oczy i przytknął twarz do okna od frontu, usiłując zajrzeć do środka. Policjant, który przyjął wczoraj zgłoszenie o zaginięciu, na pewno już to zrobił, ale Faith pozwoliła Willowi marnować czas, kiedy czekali na pojawienie się Michaela Tannera, brata Olivii.

Pomimo swojej wściekłości Leo wyświadczył im przysługę, przekazując informację o zaginięciu. Procedura wymagała przydzielenia do takiej sprawy detektywa. Jeśli miałby ręce pełne roboty, mogła minąć nawet doba, zanim Michael Tanner porozmawiałby z kimś, kto nie ograniczyłby się tylko do wypełnienia zgłoszenia. Kolejny dzień mógł upłynąć, zanim GBI zostałoby poinformowane, że profil zaginionej odpowiada profilowi ofiar. Leo zaoszczędził im dwa drogocenne dni śledztwa, w którym liczyła się każda minuta. W zamian za co oni go ugotowali.

Faith poczuła wibrowanie smartfona. Sprawdziła pocztę, dziękując w duchu Caroline, asystentce Amandy.

– Mam protokół aresztowania Jake'a Bermana za incydent w centrum handlowym.

– I?

Faith obserwowała podświetloną ikonkę transferu danych.

– Kilka minut potrwa, zanim się załaduje.

Will obszedł dom, zaglądając do każdego okna. Faith szła za nim, trzymając przed sobą smartfon niczym różdżkę. Kiedy wreszcie wyświetliła się pierwsza strona raportu, odczytała z nagłówka.

– Zgodnie ze skargami klientów centrum handlowego... – Przeszła na dół strony, szukając najistotniejszych ustępów. – „Podejrzany wykonał wtedy typowy gest dłoni sygnalizujący, że jest zainteresowany odbyciem stosunku. Kiwnąłem dwukrotnie głową w odpowiedzi i wtedy skierował mnie z powrotem w stronę boksów na tyłach męskiej toalety". Przeskoczyła jeszcze niżej. – Żona podejrzanego i jego dwóch synów, w wieku odpowiednio rok i trzy lata, czekali na zewnątrz".

– Dane żony są podane?

– Nie.

Will wszedł po schodkach tarasu biegnącego na tyłach domu. Atlanta leży na pogórzu Appalachów, co oznacza, że roi się tam od wzgórz i dolin. Dom Olivii Tanner znajdował się u stóp stromego pagórka, dzięki czemu jej sąsiedzi z tyłu mieli świetny widok na bungalow.

– Może coś widzieli? – zasugerował Will.

Faith popatrzyła na dom sąsiadów. Był ogromny, w typie nowobogackiej rezydencji, które zwykle widywało się tylko na przedmieściach. Górne dwa piętra miały spore balkony, a dół duży otwarty taras w ogródku z murowanym paleniskiem. Wszystkie żaluzje i okiennice na tyłach były zamknięte na głucho, z wyjątkiem jednej zasłony na drzwiach na dole.

– Wygląda na pusty – stwierdziła Faith.

– Prawdopodobnie zajęty przez wierzyciela. – Will nacisnął klamkę tylnych drzwi bungalowu. Były zamknięte. – Olivii nie ma co najmniej od wczoraj. Jeśli jest naszą ofiarą, to oznacza, że została porwana albo tuż przed, albo tuż po Pauline. – Sprawdził okna. – Czy przypuszczamy, że Jake Berman może być bratem Pauline McGhee?

– To niewykluczone – zgodziła się Faith. – Pauline ostrzegła Feliksa, że jej brat jest niebezpieczny. Nie chciała, żeby miał kontakt z dzieckiem.

– Na pewno nie bała się go bez powodu. Może jest agresywny. Może to przez niego uciekła z domu i zmieniła nazwisko. Zerwała wszystkie kontakty z rodziną w bardzo młodym wieku. Musiała bać się go jak śmierci.

– Jake Berman znajdował się na miejscu zdarzenia – zaczęła wyliczać Faith. – Teraz zniknął. Jako świadek nie był specjalnie skłonny do współpracy. Jego nazwisko nie figuruje w żadnych dokumentach z wyjątkiem protokołu zatrzymania w związku z zakłócaniem porządku publicznego i obrazą moralności.

– Jeśli Berman to nazwisko, którym posługuje się brat Pauline, to jest mocne, skoro nie wypłynęło jako fałszywka w czasie aresztowania i postępowania.

– Zakładamy, że zmienił je, kiedy uciekła Pauline. Dwadzieścia lat to dla publicznych archiwów prawie wieczność. W końcu lat dziewięćdziesiątych modernizowano system i wprowadzano dane starych spraw do komputerów. Wiele z nich nigdy nie zostało zdigitalizowanych, zwłaszcza w małych miasteczkach. Zobacz, jak trudno było Leo zlokalizować rodziców Pauline, a przecież złożyli oficjalne zawiadomienie o jej zaginięciu.

– Ile lat ma Berman?

Faith wróciła na pierwszą stronę protokołu.

– Trzydzieści siedem.

Will przystanął.

– Tyle samo co Pauline. Może są bliźniętami?

Faith zaczęła grzebać w torebce i wyłowiła czarno-białą kopię prawa jazdy Pauline. Próbowała przypomnieć sobie twarz Bermana, ale zaraz zorientowała się, że trzyma akta jego sprawy w drugiej ręce. Smartfon jeszcze nie załadował pliku. Uniosła go nad głowę w nadziei, że sygnał będzie silniejszy.

– Wróćmy do drzwi frontowych – zaproponował Will.

Kiedy obchodzili dom z drugiej strony, sprawdzał okna, upewniając się, że nie widać niczego podejrzanego. Kiedy dotarli na ganek, zdjęcie z akt się wreszcie załadowało.

Jake Berman na fotografii z aresztu miał brodę – rozczochranego rumcajsa, w jakich lubili paradować drobnomieszczańscy tatusiowie, kiedy chcieli wyglądać na wywrotowców. Faith pokazała Willowi fotografię.

– Kiedy z nim rozmawiałam był gładko ogolony – powiedziała.

– Felix mówił, że mężczyzna, który porwał jego matkę, miał wąsy.

– Nie mógłby ich zapuścić tak szybko.

– Możemy zlecić wykonanie symulacji, jak by wyglądał bez zarostu, z wąsami, itede.

– Amanda musi zdecydować, czy ujawnimy to mediom.

Po publikacji portretu Berman zapewne by spanikował i zadekował się jeszcze głębiej, a jeśli jest sprawcą, mógłby uznać, że ziemia zaczyna mu się palić pod nogami, zlikwidować świadków i wyjechać ze stanu albo, co gorsza, nawet z kraju. Lotnisko Hartsfielda obsługiwało każdego dnia dwieście pięćdziesiąt lotów.

– Ma ciemne włosy i ciemne oczy jak Pauline – powiedział Will.

– Wielu takie ma.

Will wzruszył ramionami i przyznał:

– Nie wygląda na jej bliźniaka. Może brata, ewentualnie.

Faith znowu wykazała się refleksem. Sprawdziła daty urodzenia.

– Berman miał urodziny już po aresztowaniu. Przyszedł na świat osiemnaście miesięcy przed Pauline. Irlandzkie bliźnięta.

– Miał na sobie garnitur w chwili zatrzymania?

Faith przejrzała protokół.

– Dżinsy i bluzę. Podobnie jak wtedy, gdy rozmawiałam z nim w szpitalu.

– Co figuruje w rubryce zawód wykonywany?

Faith sprawdziła.

– Bezrobotny. – Przeczytała resztę informacji, kręcąc głową. – Strasznie na odwal ten protokół. W głowie się nie mieści, że ktoś go zaakceptował.

– Sam robiłem kiedyś takie naloty. Łapiesz dziesięciu, czasem piętnastu gości dziennie. Większość od razu przyznaje się do wykroczenia albo płaci grzywnę w nadziei, że sprawa przycichnie. Ostatnie, czego chcą, to spotkania z oskarżającym, więc te sprawy nigdy nie trafiają do sądów.

– A jak wygląda ten „charakterystyczny gest", którym proszą o seks? – spytała Faith.

Will pokazał jej, ale było to tak obsceniczne, że pożałowała swojej ciekawości.

– Musi być jakiś powód, dla którego Berman się ukrywa – upierał się Will.

– Albo jest oszustem podatkowym, albo bratem Pauline, albo naszym sprawcą. Albo wszystko naraz.

– Albo nic. Tak czy siak, musimy z nim pogadać.

– Amanda skierowała cały zespół do poszukiwań. Sprawdzają w systemie wszystkie możliwe wariacje jego imienia i nazwiska: Jake Steward, Jack Steward. Plus McGhee, Jackson, Jakeson.

– A jak ma na drugie?

– Henry. To nam daje Hanka, Harry'ego, Hossa.

– Jak to możliwe, że mamy protokół jego zatrzymania i nie możemy ustalić miejsca jego pobytu?

– Nie używa kart kredytowych. Nie ma komórki ani hipoteki. Żaden z jego ostatnich znanych adresów nie zaowocował tropem. Nie wiemy, gdzie pracuje ani czy pracował wcześniej.

– Może wszystko jest na żonę, której nazwiska nie znamy.

– Gdyby mój mąż został przyłapany na czymś takim w męskim kiblu, gdy ja czekałabym z dziećmi na zewnątrz... – Faith nie zawracała sobie głowy kończeniem zdania. – Sytuacja wyglądałaby inaczej, gdyby adwokat zajmujący się tą sprawą nie był takim totalnym kutafonem.

Prawnik odmawiał wyjawienia jakichkolwiek informacji na temat klienta i upierał się, że nie może się z nim skontaktować. Amanda już występowała o nakaz przejrzenia dokumentów kancelarii, ale tego typu procedury wymagały czasu, którego nie mieli.

Przed domem zatrzymał się granatowy ford escape. Mężczyzna, który z niego wysiadł, wyglądał jak podręcznikowy przykład niepokoju – począwszy od zmarszczonego czoła, a skończywszy na sposobie, w jaki wykręcał sobie dłonie przed lekko wydatnym brzuchem. Miał początki łysiny, urodę na wysokości stanów średnich i się garbił. Faith strzelała, że wykonuje pracę, która wymaga spędzania więcej niż ośmiu godzin dziennie przed monitorem komputera.

– Państwo są policjantami, z którymi rozmawiałem? – spytał szorstko. Potem, być może uświadomiwszy sobie swoją obcesowość, dodał: – Przepraszam. Michael Tanner. Brat Olivii. Jesteście z policji?

– Tak, proszę pana. – Faith wyciągnęła legitymację. Przedstawiła Willa i siebie. – Ma pan klucz do domu siostry?

Wydawał się zdenerwowany i zakłopotany jednocześnie, jakby to mogło być tylko jakieś nieporozumienie.

– Sam nie wiem, czy powinniśmy to robić. Olivia jest wyczulona na punkcie swojej prywatności.

Faith popatrzyła znacząco na Willa. Kolejna kobieta, która jest dobra we wznoszeniu murów.

– Jeśli trzeba, możemy wezwać ślusarza. Powinniśmy zajrzeć do domu, na wypadek gdyby coś się stało. Pańska siostra mogła upaść albo...

– Mam klucz. – Wsadził rękę do kieszeni i wyciągnął pojedynczy klucz na breloku z elastycznego paska. – Przysłała mi go pocztą trzy miesiące temu. Nie wiem dlaczego. Po prostu chciała, żebym go miał. Pewnie dlatego, że wiedziała, że go nie użyję. Może teraz też nie powinienem z niego korzystać.

– Nie leciałby pan taki kawał drogi aż z Houston, gdyby nie podejrzewał pan, że coś się stało.

Twarz Michaela pobielała i Faith uświadomiła sobie, jak musiało wyglądać ostatnich kilka godzin jego życia: kiedy jechał na lotnisko, wsiadał na pokład, wynajmował samochód i wmawiał sobie, że zachowuje się niemądrze, że siostrze nic się nie stało, przez cały czas wiedząc podświadomie, że prawdopodobnie jest wprost przeciwnie.

Podał Willowi klucz.

– Policjant, z którym rozmawiałem wczoraj, powiedział, że wysłał funkcjonariusza, żeby tu zajrzał. – Urwał, jakby czekał, aż potwierdzą, że tak się stało. – Martwiłem się, że nie traktuje mnie poważnie. Wiem, że Olivia jest dorosłą kobietą, ale ma swoje przyzwyczajenia, ustalony porządek dnia, którego bardzo przestrzega.

Will otworzył drzwi i wszedł do środka. Faith zatrzymała Tannera na ganku.

– Jak wygląda ten porządek dnia?

Zamknął na chwilę oczy, jakby próbując zebrać myśli.

– Pracuje w prywatnym banku w Buckhead już prawie od dwudziestu lat. Chodzi tam sześć dni w tygodniu, z wyjątkiem poniedziałków, kiedy robi zakupy, sprząta, zagląda do pralni chemicznej czy biblioteki. Pracę zaczyna o ósmej rano i kończy przed dwudziestą, chyba że akurat jest jakaś impreza. Odpowiada za wizerunek zewnętrzny banku i public relations. Jeśli akurat odbywa się przyjęcie dobroczynne czy inna impreza, którą bank sponsoruje, musi być na miejscu. W przeciwnym razie zawsze jest w domu.

– Czy to z banku do pana zadzwoniono?

Przyłożył rękę do gardła, pocierając żywoczerwoną bliznę. Faith domyśliła się, że przeszedł tracheotomię lub podobny zabieg.

– Bank nie ma mojego numeru – powiedział. – To ja do nich zadzwoniłem, kiedy Olivia nie odezwała się do mnie wczoraj rano. Skontaktowałem się z nimi po wylądowaniu. Nie mają pojęcia, gdzie jest. Nigdy wcześniej nie zdarzyło jej się nie stawić do pracy.

– Ma pan aktualne zdjęcie siostry?

– Nie. – Wyglądało na to, że rozumie, dlaczego pyta o fotografię. – Przykro mi. Olivia nie cierpiała się fotografować. Od zawsze.

– Nie szkodzi – zapewniła. – W razie potrzeby weźmiemy zdjęcie z jej prawa jazdy.

Will zszedł po schodach. Pokręcił głową i Faith wprowadziła mężczyznę do domu. Starając się rozładować napięcie, powiedziała:

– To piękny dom.

– Nigdy wcześniej go nie widziałem – przyznał.

Podobnie jak Faith rozglądał się dokoła i prawdopodobnie myślał to samo co ona: miejsce przypominało muzeum. Długi korytarz prowadził do kuchni, która lśniła bielą marmurowych blatów i szafek. Na schodach leżał biały chodnik, salon prezentował się równie spartańsko: wszystko, począwszy od ścian przez meble po dywan, było nieskazitelnie białe, nawet obrazki na ścianach: białe płótna w białych ramach.

Michael się wstrząsnął.

– Jak tu zimno.

Faith wiedziała, że nie chodzi mu o temperaturę.

Poprowadziła obu mężczyzn do salonu. Stała tam sofa i dwa fotele, ale nie mogła się zdecydować, czy ma stać, czy usiąść. W końcu przysiadła na kanapie, która okazała się wyjątkowa twarda.

– Zacznijmy od początku, panie Tanner – poprosiła.

– Doktorze – rzucił, potem się skrzywił. – Przepraszam. To bez znaczenia. Proszę mówić mi Michael.

– A zatem, Michael – zagaiła Faith spokojnym, kojącym tonem, wyczuwając, że mężczyzna jest na granicy paniki. Zaczęła od łatwego pytania. – Jest pan lekarzem?

– Radiologiem.

– Pracuje pan w szpitalu?

– Centrum leczenia raka piersi.

Zamrugał i Faith uświadomiła sobie, że próbuje powstrzymać łzy. Przeszła do rzeczy.

– Dlaczego zawiadomił pan wczoraj policję?

– Olivia dzwoni teraz do mnie codziennie. Wcześniej tego nie robiła. W dzieciństwie nie byliśmy ze sobą blisko, potem ona poszła na studia i oddaliliśmy się jeszcze bardziej. – Uśmiechnął się słabo. – Dwa lata temu wykryto u mnie raka. Gruczołu tarczowego. – Znowu dotknął blizny na szyi. – Poczułem jakby pustkę? – Zabrzmiało to jak pytanie i Faith skinęła głową, że rozumie. – Chciałem być z rodziną. Chciałem, żeby Olivia znowu stała się częścią mojego życia. Wiedziałem, że jest to możliwe tylko na jej warunkach, ale byłem gotów na to poświęcenie.

– Jakie warunki narzuciła?

– Żebym nigdy do niej nie dzwonił. To ona zawsze dzwoniła do mnie.

Faith nie wiedziała, co na to rzec.

– Robiła to regularnie? – spytał Will.

Michael zaczął kiwać głową, jakby się cieszył, że ktoś wreszcie rozumie, dlaczego się tak niepokoi.

– Tak. Od osiemnastu miesięcy dzwoni do mnie codziennie. Czasami niewiele mówi, ale zawsze dzwoni dokładnie o tej samej porze rano.

– Czemu mówi niewiele?

Michael spuścił wzrok na ręce.

– To dla niej trudne. Kiedy dorastaliśmy, wiele przeszła. Nie jest typem osoby, która uśmiecha się na dźwięk słowa „rodzina". – Znowu potarł bliznę i Faith wyczuwała emanujący z niego głęboki smutek. – W ogóle rzadko się uśmiecha.

Will zerknął na Faith, żeby się upewnić, że może przejąć zadawanie pytań. Skinęła lekko głową. Ewidentnie Michael Tanner czuł się swobodniej, rozmawiając z Willem. Jej zadanie polegało teraz na wtopieniu się w tło.

– Pańska siostra nie była szczęśliwą osobą? – spytał Will.

Michael pokręcił powoli głową, jego przygnębienie unosiło się w pokoju jak powietrze.

Will milczał przez chwilę, pozwalając mu odetchnąć.

– Kto ją molestował?

Faith zszokowało to pytanie, ale łzy, które spłynęły z oczu Michaela, powiedziały jej, że Trent trafił bezbłędnie.

– Nasz ojciec. Dzisiaj to w zasadzie chleb powszedni.

– Kiedy?

– Nasza matka umarła, gdy Olivia miała osiem lat. Myślę, że to się zaczęło niedługo potem. Trwało przez kilka miesięcy, aż Olivia wylądowała u lekarza. Miała obrażenia, błona dziewicza została przerwana. Lekarz to zgłosił, ale ojciec... – Łzy płynęły mu teraz ciurkiem. – Powiedział, że sama to sobie zrobiła. Specjalnie. Że coś sobie tam... wsadziła... żeby się okaleczyć. I zwrócić na siebie uwagę, bo brakowało jej matki. – Otarł oczy z gniewem. – Ojciec był sędzią. Znał policjantów, oni myśleli, że znają jego. Skoro powiedział, że Olivia kłamie, wszyscy uznali ją za mitomankę, zwłaszcza ja. Przez całe lata jej nie wierzyłem.

– A co sprawiło, że zmienił pan zdanie?

Zaśmiał się smutno.

– Logika. Wydawało się bez sensu, żeby zachowywała się tak, gdyby coś strasznego nie przydarzyło jej się w dzieciństwie.

Will dalej patrzył mężczyźnie prosto w oczy.

– Czy ojciec kiedykolwiek pana skrzywdził?

– Nie – rzucił zbyt szybko. – To znaczy, nie seksualnie. Czasami mnie karał. Sięgał po pas. Bywał brutalny, ale myślałem, że tacy właśnie są ojcowie. Że to normalne, a najlepszym sposobem na uniknięcie lania jest bycie dobrym synem. Więc byłem dobrym synem.

Will ponownie odczekał, zanim zadał kolejne pytanie.

– Jak Olivia karała się za to, co się stało?

Michael usiłował zapanować nad emocjami, powściągnąć je, ale przegrał z kretesem. W końcu przycisnął kciuk i palec wskazujący do oczu i zaniósł się szlochem. Will siedział nieruchomo bez słowa. Faith poszła za jego przykładem. Instynktownie wiedziała, że najgorsze, co może teraz zrobić, to pocieszać Michaela Tannera.

W końcu mężczyzna otarł łzy wierzchem dłoni. Powiedział:

– Miała bulimię. Podejrzewam, że nadal zmaga się z anoreksją, ale zaklinała się, że już nie wymiotuje

Faith uświadomiła sobie, że wstrzymała oddech. Olivia Tanner cierpiała na zaburzenia odżywiania, tak jak Pauline McGhee i Jackie Zabel.

– Kiedy to się zaczęło?

– Jak miała dziesięć lat, może jedenaście. Nie pamiętam. Jestem o trzy lata młodszy. Wiem tylko, że to było potworne. Zaczęła... zaczęła po prostu niknąć w oczach.

Will skinął głową, pozwalając mężczyźnie mówić.

– Zawsze miała obsesję na punkcie swojego wyglądu.

Była taka ładna, ale nie akceptowała... – Urwał. – Myślę, że tata jeszcze dolewał oliwy do ognia. Podszczypywał ją, dokuczał, mówił, że powinna zgubić tłuszczyk. Nie była gruba. Po prostu normalna. I była piękna. Była. Wie pani, co się dzieje, gdy człowiek zaczyna się tak głodzić?

Patrzył teraz na Faith, a ona pokręciła głową.

– Na plecach miała odleżyny. Wielkie, ziejące rany w miejscach, gdzie kości do żywego otarły skórę. Nie mogła nawet usiąść, zająć wygodnej pozycji. Przez cały czas było jej zimno, dłonie i stopy miała zgrabiałe, bez czucia. W niektóre dni była zbyt słaba, by przejść do łazienki. Oddawała kał pod siebie. – Urwał przytłoczony napływem wspomnień. – Spała po dziesięć, dwanaście godzin każdego dnia. Powypadały jej włosy. Miała ataki niekontrolowanej drżączki. Serce pracowało za szybko. Skóra... nie dało się na nią patrzeć: cała się łuszczyła, suchy naskórek odpadał z niej jak łupież. A Olivii się wydawało, że to właśnie jest to. Że dopiero teraz jest piękna.

– Czy była kiedykolwiek hospitalizowana?

Zaśmiał się, jakby w ogóle nie zrozumieli grozy sytuacji.

– Non stop lądowała w szpitalu. Odżywiali ją przez zgłębnik, przybierała na wadze na tyle, że ją wypuszczano, a ona od razu wracała do prowokowania wymiotów i łykania środków przeczyszczających. Dwukrotnie siadły jej nerki. Lekarze martwili się o stan serca. Byłem wtedy na nią taki zły. Nie rozumiałem, dlaczego z własnej woli robi sobie coś tak okropnego. To po prostu wydawało się... Dlaczego człowiek miałby chcieć się głodzić? Narażać na... – Rozejrzał się po salonie, tym zimnym miejscu, które jego siostra dla siebie stworzyła. – Kontrola. Chciała mieć kontrolę nad chociaż jedną rzeczą i chyba tą rzeczą było jedzenie.

– A ostatnio? – spytała Faith. – Czuła się lepiej?

Skinął głową i wzruszył ramionami jednocześnie.

– Poczuła się lepiej, gdy uciekła od ojca. Poszła na studia, zrobiła dyplom z zarządzania, przeprowadziła się do Atlanty. Myślę, że odległość jej pomogła.

– Chodziła na terapię?

– Nie.

– A może korzystała z pomocy jakiejś grupy wsparcia? Albo czatu w sieci?

Pokręcił głową, zdecydowany.

– Olivia uważała, że nie potrzebuje pomocy. Wierzyła, że nad tym panuje.

– Miała przyjaciół albo...

– Nie. Nikogo.

– Pański ojciec jeszcze żyje?

– Umarł dziesięć lat temu. Bardzo spokojnie. Wszyscy się cieszyli, że po prostu odszedł we śnie.

– Olivia jest religijna? Chodzi do kościoła?

– Spaliłaby Watykan, gdyby tylko udało jej się ominąć straże.

– Czy mówią panu coś następujące imiona lub nazwiska: Jacquelyn Zabel, Pauline McGhee, Anna?

Pokręcił głową.

– Czy któreś z was było kiedykolwiek w Michigan?

Popatrzył na nich zdziwiony.

– Nie. To znaczy, ja nie byłem. Olivia całe dorosłe życie mieszka w Atlancie, ale może wybrała się tam na wycieczkę, o której nie wiem.

– A co ze słowami „Nie wyrzeknę się" – spróbował Will. – Czy one coś panu mówią?

– Nie. Ale Olivia postępuje dokładnie na odwrót. Wyrzeka się wszystkiego.

– W takim razie może „thinspo" albo „thinspiration"?

Znowu pokręcił głową.

– A co z dziećmi? – włączyła się Faith. – Czy Olivia miała dzieci? Albo chciała mieć?

– To byłoby fizycznie niemożliwe – odpowiedział. – Jej organizm... skutki tego, co sobie robiła... nie miała szans ani zajść w ciążę, ani jej donosić.

– Mogła się zdecydować na adopcję.

– Olivia nie cierpiała dzieci. – Powiedział to tak cicho, że Faith z trudem usłyszała. – Wiedziała, co je może spotkać.

Will zadał pytanie, które nie dawało Faith spokoju.

– Sądzi pan, że znowu to robiła? Głodziła się?

– Nie – powiedział Michael. – A przynajmniej nie w takim stopniu jak wcześniej. To dlatego dzwoni do mnie punkt szósta każdego ranka, żeby dać znać, że dobrze się czuje. Czasami rozmawiamy, czasami po prostu oświadcza: „Wszystko w porządku" i odkłada słuchawkę. Myślę, że to dla niej swego rodzaju lina ratunkowa. Mam taką nadzieję.

– Ale wczoraj do pana nie zadzwoniła – powiedziała Faith. – Czy mogła się o coś pogniewać?

– Nie. – Znowu otarł oczy. – Nigdy się na mnie nie gniewała. Martwiła się o mnie. Martwiła się o mnie przez cały czas.

Will tylko skinął głową, więc Faith spytała:

– Dlaczego?

– Bo... – Przerwał i odchrząknął kilka razy.

– Bo broniła go przed ojcem – dokończył Trent.

Michael skinął głową i w pokoju znowu zaległa cisza. Wydawało się, że mężczyzna zbiera się na odwagę.

– Myślicie, że... – Urwał. – Porządek dnia był dla niej święty. Nigdy by od niego nie odstąpiła z własnej woli.

Will popatrzył mu prosto w oczy.

– Mogę być miły albo szczery, doktorze Tanner. Zachodzą tu tylko trzy możliwości. Pierwsza taka, że pańska siostra po prostu się gdzieś zabrała, odeszła. Ludzie to robią. Nie uwierzyłby pan jak często. Druga, że uczestniczyła w wypadku, jest ranna albo zginęła.

– Obdzwoniłem wszystkie szpitale.

– Tutejsza policja także. Sprawdzili wszystkie zgłoszenia i nie ma nikogo o nazwisku pańskiej siostry albo niezidentyfikowanego.

Michael skinął głową, prawdopodobnie dlatego, że już to wiedział.

– Jaka jest trzecia możliwość? – spytał cicho.

– Że ktoś ją porwał – odpowiedział Will. – Ktoś, kto chce jej zrobić krzywdę.

Mężczyzna z trudem przełknął ślinę. Patrzył na swoje ręce przez dobrą chwilę, zanim wreszcie skinął głową.

– Dziękuję za szczerość, detektywie.

Will wstał.

– Pozwoli pan, żebyśmy rozejrzeli się po domu, przejrzeli rzeczy pańskiej siostry?

Michael znowu skinął głową i Will powiedział do Faith:

– Zajmę się górą. Ty sprawdź dół.

Nie dał jej czasu na dyskusję i postanowiła się nie spierać, chociaż Olivia Tanner prawdopodobnie trzymała komputer na górze.

Zostawiła Michaela Tannera w salonie i poszła do kuchni. Słońce wlewało się przez okna, przez co pomieszczenie wydawało się jeszcze bielsze. Było piękne, ale równie sterylne jak reszta domu. Blaty były całkiem puste, jeśli nie liczyć najcieńszego telewizora, jaki Faith oglądała na oczy. Nawet przewody zasilania i anteny zostały ukryte w otworze wydrążonym w lekko prążkowanym marmurze.

Spiżarnia zdecydowanie nie pękała w szwach od zapasów. Nieliczne produkty, które tam trafiły, ustawiono w równej linii i przodem, by marka była widoczna, podobnie puszkowane zupy. Stało tam też sześć dużych buteleczek aspiryny, jeszcze nierozpieczętowanych. Różniły się marką od tych z sypialni Jackie Zabel, ale i tak fakt, że obie kobiety zażywały jej tak dużo, był zastanawiający.

Kolejny element układanki, który nie miał sensu.

Faith wykonała kilka telefonów, przeglądając szafki kuchenne. Możliwie jak najciszej poprosiła o sprawdzenie przeszłości Michaela Tannera, żeby na pewno móc go wykluczyć z kręgu ich zainteresowania. W kolejnej rozmowie zwróciła się z prośbą o skierowanie kilku funkcjonariuszy policji do przeczesania okolicy. Wystąpiła o przekazanie billingów rozmów z aparatu stacjonarnego Olivii, żeby sprawdzić, z kim rozmawiała, ale już jej komórka najprawdopodobniej była zarejestrowana na bank. Jeśli będą mieli szczęście, znajdą w domu jakiegoś smartfona, dzięki któremu uda się zajrzeć do jej maili. Może w życiu Olivii istniał ktoś, o kim brat nie wiedział. Pokręciła głową, świadoma, że szanse są mikre. Dom prezentował się okazale, ale nie sprawiał wrażenia zamieszkanego. Nie odbywały się tu żadne przyjęcia, żadne weekendowe spędy znajomych. Z pewnością nie mieszkał tu żaden mężczyzna.

Jak wyglądało życie Olivii Tanner? Faith zajmowała się już wcześniej zaginięciami. Klucz do ustalenia, co się stało z poszukiwaną – bo w większości przypadków były to kobiety – stanowiła próba wejścia w jej skórę. Co lubiła, a czego nie? Z kim się przyjaźniła? Co takiego strasznego w jej chłopaku/mężu/kochanku sprawiło, że postanowiła odejść?

W przypadku Olivii jednak nie dysponowali żadnym tropem, żadną emocjonalną kotwicą, na jakiej mogliby się oprzeć. Mieszkała w pozbawionym życia domu bez choćby jednego wygodnego fotela, w którym mogłaby zatonąć pod koniec dnia. Wszystkie naczynia były w idealnym stanie, bez śladów zadrapań czy szczerb i wyglądały na nieużywane. Nawet denka kubków do kawy lśniły czystością. Jak Faith miała wejść w skórę kobiety, która żyła w doskonale utrzymanym białym pudełku?

Odwróciła się do szafek, ponownie nie znajdując ani jednej rzeczy, która nie byłaby na swoim miejscu. Nawet to, co w zamyśle miało być chyba szufladą na narzędzia, raziło porządkiem: śrubokręty tkwiły w plastikowym opakowaniu, młotek leżał na zwiniętym w kłębek szpagacie. Przebiegła palcem po wewnętrznej krawędzi szafki, nie znajdując śladu tłuszczu czy kurzu. Wiele dało się powiedzieć o osobie, która często myła szafki kuchenne w środku i na zewnątrz.

Faith otworzyła najniższą szufladę i znalazła dużą kopertę, z gatunku tych, których zwykle używa się do przesyłania zdjęć. Otworzyła ją i wyciągnęła plik błyszczących fotografii starannie wyciętych z czasopism. Wszystkie ukazywały modelki w różnym stopniu negliżu, niezależnie od tego, czy reklamowały perfumy czy złote zegarki. Różniły się od typowych gospodyń domowych z reklam w bliźniakach i perłach, które z radością odkurzały swoje domy i sprzątały po swoich uroczych dzieciach. Epatowały seksem, wyuzdaniem i, przede wszystkim, chudością.

Faith widziała niektóre z tych anorektycznych modelek już wcześniej. Jak każdej osobie stojącej w kolejce do kasy zdarzało jej się przeglądać „Cosmo", „Vogue" i „Elle", ale teraz, gdy wiedziała, że Olivia Tanner wycięła te zdjęcia nie dlatego, że chciała zapamiętać, jaki tusz czy błyszczyk ma kupić, ale dlatego, że uważała te podrasowane fotoshopem szkielety za osiągalny ideał, poczuła, jak żołądek podchodzi jej do gardła.

Przypomniała jej się opowieść Michaela Tannera o torturach, jakim poddawała się jego siostra, żeby być chuda.

Nie mogła dociec, skąd Will miał taką pewność, że Olivia starała się chronić swojego brata. Wydawało się mało prawdopodobne, by mężczyzna, który gwałcił córkę, nagle nabrał ochoty na syna, ale Faith zbyt długo pracowała w policji, by wierzyć, że działaniami przestępców kierują racjonalne przesłanki. Mimo że sama zaszła w ciążę jako nastolatka, jej rodzina była całkiem normalna, bez agresywnych alkoholików czy opętanych seksem wujków. W kwestiach dotyczących dysfunkcyjnego dzieciństwa zawsze polegała na Willu.

On sam nigdy wprost tego nie potwierdził, ale domyślała się, że jako dziecko był ofiarą maltretowania. Górna warga została ewidentnie rozcięta i nigdy nie zrosła się prawidłowo. Blada blizna biegnąca z boku żuchwy, wzdłuż szyi i niknąca za kołnierzykiem wyglądała na starą, z rodzaju tych, które nabyte w dzieciństwie pozostają już z człowiekiem do końca życia. Pracowała z Willem w najbardziej skwarne miesiące, ale nigdy nie widziała, żeby podwinął rękawy koszuli czy choćby poluzował krawat. Jego pytanie o to, jak karała się Olivia, mówiło szczególnie wiele. Faith często myślała, że Angie Polaski jest karą, którą Trent bez końca na siebie nakłada.

Usłyszała dźwięk kroków na schodach. Will wszedł do kuchni, kręcąc głową.

Trzymał w ręku jakąś książkę.

– Co to?

Podał jej cienką powieść z sygnaturą biblioteki na grzbiecie. Na okładce widniała przykucnięta naga kobieta. Miała na sobie szpilki, ale poza była bardziej artystyczna niż perwersyjna, jasno sygnalizując, że to literatura, a nie jakiś tam chłam. Zatem raczej nie książka, po którą sięgnęłaby Faith. Przeleciała wzrokiem tekst na tylnej okładce i powiedziała:

– Historia chorej na cukrzycę kobiety uzależnionej od amfetaminy i agresywnego ojca.

– Hmm, *love story*. – Strzelił: – „Expose"?

Był całkiem blisko. Faith się domyślała, że zwykle czyta trzy pierwsze litery słowa i zgaduje resztę. Często trafiał, ale rzadko występujące słowa nastręczały mu trudności.

Odłożyła książkę na blat wierzchem do dołu.

– Znalazłeś komputer?

– Nie. Ani pamiętnika. Ani kalendarza. – Otworzył szufladę i wyjął pilot do telewizora. Włączył odbiornik i skręcił ekran w swoją stronę.

– To jedyny w całym domu.

– W sypialni nie ma telewizora?

– Nie. – Przerzucał kanały z normalnej cyfrowej oferty. – Nie ma kablówki. Ani modemu DSL w skrzynce przyłączowej w piwnicy.

– Czyli nie ma szerokopasmowego dostępu do Internetu – podsumowała Faith. – Może korzysta z telefonicznego. A laptopa mogła zostawić w pracy.

– Albo ktoś go zabrał.

– Albo po prostu nie przynosi pracy do domu. Jej brat twierdzi, że wysiaduje w tym banku od świtu do nocy.

– Znalazłaś coś tutaj?

– Aspirynę. – Pokazała buteleczki w spiżarni. – Co miałeś na myśli, mówiąc, że chroniła Michaela?

– Rozmawialiśmy o tym u Pauline. Twoi rodzice mieli dużo czasu dla twojego brata, kiedy wpakowałaś się w kłopoty?

Faith pokręciła głową, uświadamiając sobie nagle, że to, co wcześniej powiedział, brzmi jak najbardziej sensownie. Olivia odciągała złą uwagę od brata, żeby zapewnić mu jakąś namiastkę normalnego życia. Nic dziwnego, że Michaela dręczyło poczucie winy. Tylko on wyszedł z tego bez szwanku.

Will wyglądał przez tylne okno na ewidentnie niezamieszkany dom wznoszący się wyżej za bungalowem Olivii.

– Ta zasłona na drzwiach nie daje mi spokoju.

Faith podeszła do okna. Miał rację. Wszystkie żaluzje na oknach z tyłu były opuszczone i tylko te jedne piwniczne drzwi nie zostały zasłonięte.

Faith podniosła głos.

– Doktorze Tanner, wychodzimy na chwilę na zewnątrz. Za moment będziemy z powrotem.

– Dobrze – odpowiedział łamiącym się głosem.

– Niczego jeszcze nie znaleźliśmy. Ciągle szukamy – dodała.

Czekała, jednak nie było odpowiedzi.

Will otworzył tylne drzwi i wyszli na taras.

– Wszystkie jej ubrania są w rozmiarze trzydzieści cztery. Czy to normalne?

– Chciałabym – wymruczała Faith i zaraz uświadomiła sobie, co powiedziała. – Jest chuda, ale nie straszliwie.

Jeszcze raz zlustrowała wzrokiem ogród na tyłach domu Olivii. Jak większość śródmiejskich parceli i ta nie przekraczała tysiąca metrów, płoty wyznaczały granicę między sąsiednimi działkami, a słupy telefoniczne wznosiły się co sześćdziesiąt metrów. Faith zeszła za Willem po schodkach tarasu. Podwórko otaczał z wyglądu kosztowny cedrowy płot. Sztachety były płaskie i ściśle do siebie przylegały, podpory biegły na zewnątrz.

– Nie wygląda ci na nowy? – spytała.

Pokręcił głową.

– Został tylko oczyszczony pod ciśnieniem. Świeży cedr ma bardziej czerwony odcień.

Dotarli na koniec podwórza i przystanęli. Na sztachetach widać było ślady: wyraźne rysy biegnące środkiem. Will się pochylił.

– Wyglądają na ślady butów, jakby ktoś usiłował przejść na drugą stronę – orzekł.

Faith jeszcze raz zerknęła na podwórze i dom sąsiada Olivii.

– Wygląda na pusty. Myślisz, że to zajęcie hipoteki?

– Tylko w jeden sposób możemy się przekonać. – Will podszedł do innego odcinka płotu i zaczął się podciągać, kiedy przypomniał sobie, że jest z Faith.

– Zaczekasz tu na mnie? Albo możemy pójść naokoło.

– Wyglądam w twoich oczach aż tak żałośnie? – Złapała się za górną krawędź płotu. Robili podobne rzeczy w akademii policyjnej, ale to było lata temu i nie miała wtedy na sobie spódnicy. Postanowiła nie zauważyć, kiedy Will pomógł jej z tyłu, i miała nadzieję, że w zamian on nie zauważy, że włożyła jasnoniebieskie babcine majtasy.

Jakimś cudem udało jej się w końcu przeleźć na drugą stronę. Will upewnił się, że stanęła bezpiecznie na ziemi, po czym przeskoczył płot niczym dziesięcioletni chiński gimnastyk.

– Szpaner – mruknęła, idąc stromym wzniesieniem w kierunku pustego domu.

Na najniższym piętrze znajdowała się wychodząca na podwórze przeszklona ściana z drzwiami balkonowymi po obu jej końcach. Jedne z nich były otwarte, co dostrzegła, gdy podeszła bliżej. Wiatr przybrał na sile i kawałek białej zasłony trzepotał na zewnątrz.

– To nie może być takie proste – powiedział Will, najwyraźniej myśląc o tym samym co Faith: Czy podejrzany ukrywał się w środku? Czy to tam przetrzymywał swoje ofiary? Szedł zdecydowanym krokiem i Faith spytała:

– Może zadzwonię po wsparcie?

Najwyraźniej nie miał ochoty przejmować się taką drobnostką. Pchnął drzwi łokciem i wsadził głowę do środka.

– Obił ci się kiedyś o uszy termin „uzasadnione podejrzenie popełnienia przestępstwa"?

– Słyszysz ten hałas? – spytał, choć w środku było jak makiem zasiał.

Zgodnie z prawem mogli wkroczyć do czyjegoś domu tylko z nakazem przeszukania albo w przypadku groźby bezpośredniego zagrożenia życia.

Faith odwróciła się i spojrzała na dom zaginionej. Kobieta najwyraźniej nie lubiła zasłaniać okien. Z miejsca, w którym stała, Faith miała doskonały widok na kuchnię i prawdopodobnie sypialnię Olivii.

– Powinniśmy wystąpić o nakaz przeszukania.

Will był już w środku. Faith przeklęła go pod nosem i wyciągnęła pistolet z torebki. Weszła do środka, ostrożnie stawiając stopę na białym berberyjskim dywanie. Pomieszczenie pełniło prawdopodobnie rolę bawialni; stał tu stół do bilardu i barek, a ze ściany, w miejscu, gdzie zainstalowany był wcześniej system kina domowego, wystawały przewody. Nie było natomiast śladu Willa.

– Idiota – wyszeptała, odpychając drzwi balkonowe tak, że walnęły w ścianę. Nadstawiła uszu, wytężając słuch tak bardzo, że poczuła ból.

– Will – szepnęła.

Nie było odpowiedzi, więc ruszyła dalej z sercem dziko tłukącym się w piersi. Przechyliła się przez barek, zaglądając do środka, ale zobaczyła tylko jakieś puste pudełko i puszkę po napoju gazowanym. Za nią znajdowała się szafka z uchylonymi drzwiami. Otworzyła je szeroko lufą pistoletu.

– Pusta – powiedział Will, wychodząc zza winkla i napędzając jej stracha.

– Co, u licha, wyprawiasz? – warknęła Faith. – Mógł tu być.

Ewidentnie nie zrobiło to na nim wrażenia.

– Musimy ustalić, kto ma dostęp do tego domu. Pośrednicy w handlu nieruchomościami. Przedsiębiorcy budowlani. Każdy, kto jest zainteresowany jego kupnem. – Wyjął z kieszeni parę lateksowych rękawiczek i sprawdził zamek w drzwiach balkonowych. – Są ślady narzędzi. Ktoś je otworzył wytrychem.

Podszedł do okien, które zasłaniały tanie plastikowe żaluzje. Jedna z listewek była odgięta. Obrócił plastikową rączkę, wpuszczając do środka naturalne światło. Przykucnął i oglądał badawczo podłogę.

Faith schowała pistolet do torebki. Serce nadal jej waliło jak werbel.

– Will, na śmierć mnie przestraszyłeś. Umawialiśmy się, że do podejrzanego domu wchodzimy razem.

– Bo co?

– Co to znaczy? – spytała, choć sama się domyśliła. Starał się być bardziej agresywny, żeby ją zadowolić.

– Spójrz – przywołał ją. – Ślady.

Faith zobaczyła czerwonawy zarys śladu butów na dywanie. Jednym z uroków życia w Georgii była czerwonawa glina, która przywierała do każdej powierzchni, suchej czy mokrej. Wyjrzała na zewnątrz przez odgiętą listewkę żaluzji. Dom Olivii był jak na widelcu.

– Miałaś rację – powiedział Will. – Obserwuje je. Śledzi, poznaje ich rozkład dnia, dowiaduje się, kim są. – Wszedł za barek, zajrzał do szafek. – Ktoś zrobił sobie w tej puszce po coli popielniczkę.

– Może pracownicy firmy przewozowej.

Otworzył lodówkę. Usłyszała podzwanianie szkła.

– Piwo korzenne Doktora Petersona. – Chyba poznał logo.

– Powinniśmy wyjść, zanim do końca uniemożliwimy technikom pracę.

Na szczęście, wyglądało na to, że się zgadza. Wyszedł za Faith na zewnątrz, zostawiając drzwi lekko uchylone – tak jak je zastali.

– To wygląda inaczej.

– To znaczy?

– Nie wiem. W domu matki Jackie nie znaleźliśmy żadnych śladów. Podobnie w gabinecie Pauline. Leo przeszukał jej dom, też bez skutku. Sprawca nie zostawia tropów, to skąd tu nagle tyle odcisków butów? Dlaczego drzwi były otwarte?

– Uciekły mu dwie ofiary. Może Olivia Tanner miała być następna, może dopiero ją rozpracowywał, ale musiał wszystko przyspieszyć, żeby zastąpić Annę i Jackie.

– Kto mógłby wiedzieć, że dom stoi pusty?

– Każdy, kto by się interesował.

Faith popatrzyła w kierunku bungalowu i zobaczyła, że Michael Tanner stoi na tylnym tarasie. Nie bardzo uśmiechała jej się perspektywa ponownego szmuglowania tyłka przez płot.

– Ja przejdę tędy – powiedział Will. – Ty obejdź dookoła.

Pokręciła głową i ruszyła stanowczym krokiem przez podwórze. Z tej strony płot powinien być łatwiejszy do pokonania, z uwagi na wystające poziome podpory: przez środek biegła długa kantówka, którą Faith wykorzystała w charakterze stopnia, gramoląc się na drugą stronę z mniejszą pomocą Willa niż poprzednio. On znowu przeskoczył przez ogrodzenie, opierając się tylko na jednej ręce.

Michael Tanner stał przy tylnych drzwiach domu siostry ze splecionymi dłońmi i patrzył, jak się zbliżają.

– Coś się stało? – spytał.

– Nic, o czym moglibyśmy teraz z panem rozmawiać – powiedziała Faith. – Będę musiała pana prosić...

Poślizgnęła się, kiedy weszła na pierwszy stopień schodów. Poleciała do tyłu, a z jej ust dobył się komiczny dźwięk zbliżony do „hau", choć wcale nie było jej do śmiechu. Zakręciło jej się w głowie, przed oczyma zawirowały gwiazdki. Odruchowo powędrowała ręką do brzucha, myśląc tylko o dziecku, które się tam rozwija.

– Nic ci nie jest? – spytał Will. Klęczał przy niej, trzymając jej głowę w dłoniach.

Michael Tanner przykucnął z drugiej strony.

– Proszę bardzo wolno oddychać, aż nabierze pani tchu. – Obmacywał jej kręgosłup i już miała go spoliczkować, kiedy przypomniała sobie, że jest lekarzem. – Powolne, głębokie oddechy. Wdech i wydech.

Faith starała się pójść za jego radą. Nie wiedzieć czemu, dyszała.

– Nic ci nie jest? – powtórzył Will.

Skinęła głową w nadziei, że nie.

– Po prostu powietrze uszło mi z płuc – rzuciła. – Pomóż mi się podnieść.

Will chwycił ją pod ramiona i uświadomiła sobie, jak bardzo jest silny, gdy bez problemu postawił ją na nogi.

– Musisz przestać tak upadać.

– Idiotka ze mnie.

Nadal trzymała dłoń na brzuchu i teraz zmusiła się, żeby ją zabrać. Stała dalej nieruchomo, nasłuchując własnego ciała, starając się wyczuć najmniejsze ukłucie czy skurcz, które sugerowałyby, że coś jest nie tak. Nie czuła nic niepokojącego. Ale czy na pewno nic jej się nie stało?

– Co to? – Will wyciągnął coś z jej włosów i pokazał: między kciukiem a palcem wskazującym tkwił kawałek konfetti.

Faith przebiegła palcami po włosach, obejrzała się za siebie. Zobaczyła na trawie inne maleńkie kolorowe ścinki papieru.

– Szlag by to – przeklął Will. – Widziałem taki na tornistrze Feliksa. To nie jest konfetti. To z paralizatora. Z tasera.

ROZDZIAŁ PIĘTNASTY

Sara nie wiedziała, dlaczego znowu wylądowała w szpitalu, mimo wolnego dnia. Uporała się tylko z połową prania, kuchnia nadal niemal nie nadawała się do użytku, a łazienka była w takim potwornym stanie, że zalewał ją wstyd za każdym razem, gdy o tym myślała.

A jednak wróciła do szpitala i schodami weszła na szesnaste piętro, tak by nikt nie widział, jak podąża na OIOM.

Robiła sobie wyrzuty, że nie zbadała Anny dokładniej, gdy ta trafiła na urazówkę, nie zleciła dodatkowych rentgenogramów, rezonansu, USG. Niemal wszyscy chirurdzy w szpitalu się nią zajmowali i wszyscy przeoczyli te jedenaście worków na śmieci. Nie zorientowali się nawet specjaliści z CDC robiący posiewy i próbujący zidentyfikować źródło ogólnoustrojowego zakażenia. Na ciele Anny znajdowały się obrażenia po niewyobrażalnych torturach, niezliczone rany cięte i szarpane, które nie chciały się goić z powodu plastiku tkwiącego w jej pochwie. Kiedy Sara usunęła worki, pomieszczenie wypełnił smród. Kobieta zaczynała gnić od środka. Cud, że nie rozwinął się zespół wstrząsu toksycznego.

Na zdrowy rozum Sara wiedziała, że to nie jej wina, ale podświadomie czuła, że popełniła błąd. Przez cały ranek, kiedy składała ubrania i szorowała naczynia, wracała myślami do tego wieczoru sprzed dwóch dni, kiedy przywieziono Annę. Wyobrażała sobie alternatywną rzeczywistość, w której mogła zrobić coś więcej, niż tylko przekazać poszkodowaną w inne ręce. Musiała sobie przypominać, że nawet próba położenia chorej na wznak do zdjęć sprawiła jej potworny ból. Zadanie Sary polegało na doprowadzeniu pacjentki do stanu stabilnego, tak by zniosła operację, a nie na przeprowadzaniu pełnego badania ginekologicznego.

Mimo to czuła się winna.

Zatrzymała się na szóstym piętrze, lekko zdyszana. Prawdopodobnie nigdy wcześniej nie była w tak dobrej formie, jednak bieżnia i orbiterek na siłowni nie wystarczały jako przygotowanie do prawdziwego życia. Jeszcze w styczniu obiecała sobie biegać co najmniej raz w tygod niu. Położona niedaleko siłownia, z telewizorami, bieżniami i stałą temperaturą powietrza, nie mogła zaoferować jednej z kluczowych korzyści biegania: czasu spędzonego sam na sam ze sobą. Oczywiście czym innym było twierdzić, że potrzebuje się pobyć samemu, a czym innym wprowadzić to w czyn. Styczeń minął, nadszedł luty, a teraz był już kwiecień, jednak dopiero dzisiaj rano po raz pierwszy od złożonej obietnicy poszła pobiegać do parku.

Złapała poręcz i wspięła się na następne piętro. Na dziesiątym uda zaczęły ją palić. Kiedy dotarła do szesnastego, musiała przystanąć, zgiąć się wpół i złapać oddech, żeby pielęgniarki na OIOM-ie nie wzięły jej za wariatkę.

Włożyła rękę do kieszeni, szukając balsamu do ust, i znieruchomiała. W przypływie nagłej paniki przeszukała inne kieszenie. Listu nie było. Nosiła go przy sobie od niepamiętnych czasów, jak talizman, którego dotykała za każdym razem, gdy myślała o mężu. Zawsze przypominał jej o okropnej kobiecie, która go napisała, osobie odpowiedzialnej za jego śmierć, a teraz zniknął.

Gorączkowo usiłowała sobie przypomnieć, gdzie mogła zostawić kopertę. Może ją uprała z którąś porcją prania. Serce podeszło jej do gardła na tę myśl. W końcu przypomniała sobie, że położyła ją na blacie w kuchni, kiedy wczoraj wróciła z sekcji Jacquelyn Zabel.

Otworzyła usta, odetchnęła głośno z ulgą. List jest w domu. Rano przełożyła go na gzyms kominka, nie wiedzieć czemu. Leżała tam już obrączka Jeffreya i urna z częścią jego prochów: ostatnie miejsce, w którym powinna znaleźć się ta koperta. O czym, na Boga, myślała, kładąc ją tam.

Otworzyły się drzwi oddziału i na klatkę wyszła Jill Marino, pielęgniarka z OIOM-u, która zajmowała się Anną dzień wcześniej. W dłoni trzymała paczkę papierosów.

– Nie masz dziś przypadkiem wolnego? – spytała.

Sara wzruszyła ramionami.

– Nie mogę się nacieszyć tym miejscem. Jak ona się ma?

– Zakażenie reaguje na antybiotyki. Świetna robota. Gdybyś nie usunęła tych worków, już by nie żyła.

Sara zbyła komplement ruchem głowy, myśląc, że gdyby je od razu zobaczyła, pacjentka miałaby większe szanse.

– Około piątej ją odintubowano. – Jill przytrzymała drzwi, przepuszczając Sarę. – Mózg w tomografii wygląda w porządku z wyjątkiem uszkodzenia nerwu wzrokowego. Jest nieodwracalne. Przewody słuchowe bez zmian, więc przynajmniej będzie słyszała. Poza tym wszystko dobrze i nie wiadomo dlaczego się nie budzi. – Chyba uświadomiła sobie, że kobieta ma mnóstwo powodów, żeby się nie budzić, bo dodała: – To znaczy, wiesz, co mam na myśli.

– Kończysz już?

Jill z miną winowajcy pokazała papierosy.

– Nie, tylko mała wycieczka na dach, żeby napsuć trochę powietrza.

– Czy powinnam strzępić sobie język i mówić, że to cię zabije?

– Praca tutaj zabije mnie pierwsza – rzuciła pielęgniarka i ruszyła na oddział.

Sali, na której leżała Anna, nadal pilnowali dwaj gliniarze. Nie ci sami co dzień wcześniej, ale i tak pozdrowili Sarę. Jeden nawet odciągnął jej zasłonę, żeby mogła przejść. Podziękowała uśmiechem i weszła do środka. Na stoliku przy ścianie stały piękne kwiaty. Sara obejrzała je z bliska, ale nie znalazła żadnego bileciku. Siadając na krześle, pomyślała, że jakiś pacjent, opuszczając szpital, w ramach podziękowania dał kwiaty pielęgniarkom, by rozmieściły je w salach według uznania. Jednak bukiet wyglądał na świeży, jakby rośliny zerwano dziś rano w ogródku. Może Faith je przysłała. Sara z miejsca odrzuciła tę myśl. Agent Mitchell nie sprawiła na niej wrażenia osoby szczególnie sentymentalnej. Ani szczególnie mądrej – przynajmniej jeśli idzie o kwestie własnego zdrowia.

Sara zadzwoniła do gabinetu Delii Wallace: Faith nie umówiła się jeszcze na wizytę. Niedługo skończy jej się insulina i albo zaryzykuje kolejne omdlenie, albo wróci do Sary.

Oparła łokcie na łóżku, patrząc na twarz Anny. Bez rurki intubacyjnej w gardle łatwiej było ocenić, jak wyglądała, zanim to wszystko jej się przydarzyło. Siniaki na twarzy zaczynały się goić, co znaczyło, że wyglądały gorzej niż dzień wcześniej. Skóra miała zdrowszy odcień, ale pojawiły się obrzęki od podawanych płynów, a cały organizm był tak wyniszczony i niedożywiony, że będzie musiało upłynąć ładnych kilka miesięcy, zanim kości znikną pod zdrową warstewką tłuszczyku.

Sara ujęła dłoń kobiety, sprawdzając stan skóry i przekonała się, że nadal jest przesuszona. Znalazła buteleczkę emulsji nawilżającej w zamkniętej na suwak torebeczce, którą otrzymywał każdy pacjent. Znajdowały się tam rzeczy, które zdaniem jakiegoś administracyjnego szpitalnego ciała były potrzebne chorym: skarpetki antypoślizgowe, pomadka do ust i balsam, które pachniały lekko środkiem antyseptycznym

Wycisnęła trochę emulsji na dłonie i potarła je o siebie, żeby ją rozgrzać. Potem wzięła delikatną dłoń Anny w swoje ręce, wyczuwając każdą kosteczkę w palcu, każdy kłykieć jak szklana kuleczka. Skóra była tak wysuszona, że balsam wsiąkł całkowicie niemal od razu po nałożeniu. Sara wyciskała dodatkową porcję, kiedy Anna się poruszyła.

– Anno? – mocnym, uspokajającym ruchem przyłożyła jej rękę do policzka.

Głowa chorej lekko się poruszyła. Ludzie w śpiączce nie budzą się jak za dotknięciem różdżki. To proces, z reguły długotrwały. Otwierają oczy, zaczynają nieskładnie mówić albo wracają do przerwanej dawno temu rozmowy.

– Anno? – powtórzyła Sara, starając się zachować spokój w głosie. – Musisz się ocknąć.

Głowa znowu się poruszyła, wyraźnie przechylając się w stronę Sary.

Lekarka rzuciła stanowczym tonem:

– Wiem, że to trudne, kochanie, ale musisz się ocknąć.

Anna uchyliła lekko powieki i Sara się podniosła, stając na linii jej wzroku, choć wiedziała, że chora jej nie widzi.

– Obudź się, Anno. Jesteś już bezpieczna. Nikt cię nie skrzywdzi.

Kobieta poruszyła ustami, ale wargi miała tak suche i spierzchnięte, że natychmiast popękała jej skóra.

– Jestem przy tobie – zapewniła Sara. – Słyszę cię, kochanie. Spróbuj się ocknąć.

Anna zaczęła szybciej oddychać, wyraźnie przerażona. Powoli do jej świadomości docierały ostatnie wydarzenia: wspomnienie mąk, przez które przeszła, fakt, że nie widzi.

– Jesteś w szpitalu. Wiem, że nie możesz mnie zobaczyć, ale słyszysz mnie. Jesteś bezpieczna. Za drzwiami sali stoją dwaj policjanci. Nikt cię już nie skrzywdzi.

Drżącą ręką Anna sięgnęła do ramienia Sary, ocierając o nie palcami. Sara chwyciła jej dłoń i uścisnęła na tyle mocno, by nie spowodować bólu.

– Jesteś bezpieczna – zapewniła raz jeszcze. – Już nikt cię nie skrzywdzi.

Nagle chora mocno zacisnęła palce na jej ręce, powodując ostry, przeszywający ból.

Była w pełni przytomna.

– Gdzie jest mój syn? – spytała.

ROZDZIAŁ SZESNASTY

Naciśnięcie spustu tasera powoduje wystrzelenie za pomocą sprężonego azotu dwóch zaopatrzonych w haczyki elektrod z prędkością około 50 metrów na sekundę. Elektrody wbijają się w cel, a przez przewody długości czterech i pół metra płynie impuls elektryczny o napięciu szczytowym 50 tysięcy woltów. Powoduje on obezwładnienie osoby, porażając sensoryczne i motoryczne funkcje jej układu nerwowego. Podczas jednego ze szkoleń Will kiedyś został trafiony taserem. Nadal nie pamiętał tego, co wydarzyło się przed porażeniem i bezpośrednio po nim, z wyjątkiem tego, że to Amanda pociągnęła za spust i że miała bardzo zadowoloną minę, kiedy już był w stanie wstać.

Podobnie jak broń palną, paralizatory typu taser także się ładuje, ale nie pociskami, a specjalnymi kartridżami zawierającymi elektrody i przewody. Ponieważ autorzy konstytucji nie byli w stanie przewidzieć pojawienia się tego typu urządzeń, ich posiadanie nie wiąże się z żadnymi obostrzeniami prawnymi. Jednak ktoś zdrowo myślący zdołał wprowadzić do ich produkcji jeden warunek: wszystkie kartridże do taserów muszą zgodnie z AFIDS, czyli systemem identyfikacyjnym zapobiegającym przestępczemu użyciu broni i umożliwiającym śledzenie jej pochodzenia, być zaopatrzone w specjalne znaczniki, w formie maleńkich kawałków papieru, które rozsypują się dokoła przy każdym użyciu broni. Na pierwszy rzut oka wyglądają jak zwykłe konfetti, co jest zabiegiem celowym: są niewielkie i jest ich dużo, co uniemożliwia sprawcy wyzbieranie ich wszystkich, a tym samym zatarcie za sobą śladów. Wszystkie znaczniki mają naniesiony numer seryjny, widoczny dopiero po powiększeniu. Ponieważ firma Taser International chciała zdobyć przychylność środowiska prawników, opracowała własny program identyfikacyjny: wystarczy zadzwonić do nich i podać numer występujący na znaczniku, by uzyskać nazwisko i adres osoby, która kupiła kartridż.

Faith nie czekała nawet trzech minut przy telefonie, kiedy pracownik firmy podał jej nazwisko.

– Cholera – wyszeptała i uświadomiwszy sobie, że nadal jest na linii, dodała: – Nie. Dziękuję. To wszystko. – Zamknęła komórkę i sięgnęła do kluczyka stacyjki swojego mini. – Kartridż został zakupiony przez Pauline Steward. Jako adres jej zameldowania figuruje ten pusty dom przy bungalowie Olivii Tanner.

– Jak zapłacono?

– Kartą prezentową American Express na okaziciela. Co oznacza, że jest nie do wyśledzenia. – Spojrzała na niego wymownie. – Transakcja miała miejsce dwa miesiące temu, co oznacza z kolei, że sprawca obserwował Olivię przynajmniej tak długo. A ponieważ posłużył się nazwiskiem Pauline, musimy założyć, że już wtedy planował jej porwanie.

– Pusty dom jest własnością banku – ale nie tego, w którym pracuje Olivia. – Kiedy Faith zajmowała się taserem, Will zadzwonił pod numer pośrednika obrotu nieruchomościami, figurujący na tabliczce przed domem. – Stoi niezamieszkany prawie od roku. Nikt go nie oglądał w ciągu ostatnich sześciu miesięcy.

Faith odwróciła się, wycofując samochód z podjazdu. Will pozdrowił Michaela Tannera, który siedział w swoim fordzie z rękoma zaciśniętymi na kierownicy.

– Nie rozpoznałem znaczników z tasera na tornistrze Feliksa – powiedział.

– A jak miałeś to zrobić? Wyglądały jak konfetti na torbie dziecka. Numery seryjne można zobaczyć tylko pod lupą. Jeśli koniecznie chcesz już kogoś obwiniać – dodała – obwiniaj policję za to, że się nie zorientowała. Na miejscu zdarzenia byli technicy. Na pewno odkurzyli wykładzinę w samochodzie i zabezpieczyli wszystko, co znaleźli. Tyle że jeszcze nie przebadali, bo zaginięcie jakiejś tam kobiety nie jest w ich oczach najpilniejszą sprawą.

– Adres podany przy zakupie kartridża doprowadziłby nas do tego domu za bungalowem Oliwii.

– Kiedy oglądałeś tornister Feliksa, ona już zaginęła – zauważyła Faith. Powiedziała raz jeszcze: – To policja badała miejsce zdarzenia i to ona zawaliła sprawę. – Zadzwonił jej telefon. Zerknęła na numer na wyświetlaczu i postanowiła nie odbierać połączenia. – Poza tym odkrycie, że znaczniki na tornistrze Feliksa są z tej samej partii, co znaczniki znalezione na podwórku Olivii, nie jest jakimś wielkim przełomem w śledztwie. Mówi tylko, że sprawca przygotowywał porwania od jakiegoś czasu i że umie zacierać za sobą ślady. Wiedzieliśmy to już rano.

Will pomyślał, że teraz wiedzą znacznie więcej. Mieli teraz powiązanie łączące wszystkie zaginione kobiety.

– Mamy dowód na związek Pauline z innymi ofiarami. – „Nie wyrzeknę się" łączy ją z Anną i Jackie, a znaczniki z tasera z Olivią. – Przetrawiał to w głowie jeszcze przez chwilę, zastanawiając się, co mu umknęło.

Faith myślała o tym samym.

– Dobra, przeanalizujmy to jeszcze raz od początku. Co wiemy?

– Pauline i Olivia zostały porwane wczoraj. Obie postrzelono taserem z tego samego kartridża.

– Pauline, Olivia i Jackie cierpiały na zaburzenia odżywiania. Zakładamy, że Anna też się zmaga z tym problemem, tak?

Will wzruszył ramionami. Nie była to teza bardzo naciągana, ale nadal niepotwierdzona.

– Zgoda, załóżmy.

– Żadna z ofiar nie ma przyjaciół, którzy by za nimi tęsknili. Jackie miała sąsiadkę, Candy, ale trudno ją nazwać powierniczką. Wszystkie trzy są atrakcyjne, szczupłe, mają ciemne włosy i oczy. Dobrze zarabiają.

– Wszystkie trzy mieszkają w Atlancie z wyjątkiem Jackie – zauważył Will. – To w takim razie jak ją namierzył? Była tu najwyżej tydzień, żeby zlikwidować dom matki.

– Musiała przyjechać też wcześniej, żeby pomóc w przeniesieniu matki do domu opieki na Florydzie – zgadywała Faith. – I zapominamy o tym czacie. Niewykluczone, że wszystkie cztery tam się poznały.

– Olivia nie miała w domu komputera.

– Mogła mieć laptopa, który został skradziony.

Will podrapał się po ramieniu, myśląc o nocy, kiedy odkryli norę, o tych wszystkich prowadzących donikąd tropach, które od tamtej chwili zbadali, o ślepych uliczkach, w które wciąż się pakowali. – Wygląda na to, że wszystko zaczęło się od Pauline.

– Jest czwartą ofiarą – Faith analizowała sytuację. – Może sprawca chciał sobie zachować najlepszy kąsek na koniec.

– Nie została porwana z domu, tak jak pozostałe ofiary, przynajmniej według naszych założeń. Sprawca porwał ją w biały dzień na parkingu. Jej dziecko było w samochodzie. Nie stawiła się na ważne zebranie, co zaniepokoiło pracodawców. Zaginięcie innych kobiet przeszło w zasadzie bez echa, z wyjątkiem Olivii, ale sprawca nie mógł wiedzieć, że kobieta codziennie dzwoni do brata, chyba że założył podsłuch w jej telefonie, czego najwyraźniej nie zrobił.

– A co z bratem Pauline? Nie daje mi spokoju fakt, że bała się go na tyle, by ostrzec przed nim dziecko. W żadnych aktach czy dokumentach nie ma śladu jego istnienia. Mógł zmienić nazwisko, tak jak ona.

Will wymienił wszystkich mężczyzn, którzy pojawili się śledztwie.

– Henry Coldfield jest za stary i ma chore serce. Rick Sigler całe życie mieszkał w Georgii. Jake Berman, kto wie?

Faith w zamyśleniu stukała palcem w kierownicę. Wreszcie rzuciła:

– Tom Coldfield.

– Jest mniej więcej w twoim wieku. Kiedy Pauline uciekła z domu, był zaledwie podrostkiem.

– Masz rację – zgodziła się. – Poza tym wojskowe testy psychologiczne w siłach powietrznych bardzo szybko by go wychwyciły.

– Michael Tanner – zasugerował Will. – Jest w odpowiednim wieku.

– Kazałam sprawdzić jego przeszłość – powiedziała Faith. – Gdyby coś wyskoczyło, już byśmy wiedzieli.

– Morgan Hollister.

– Jego też prześwietlają. Nie wydawał się specjalnie przejęty zniknięciem Pauline.

– Felix twierdzi, że mężczyzna, który porwał jego matkę, miał taki garnitur jak Morgan z jej pracy.

– Ale chyba rozpoznałby jego samego?

– W sztucznych wąsach? – Pokręcił głową. – Nie wiem. Póki co, nie skreślajmy Morgana. Możemy porozmawiać z nim pod koniec dnia, jeśli nic innego nie wyskoczy.

– Wiekowo pasuje na brata, ale jeśli nim jest, jak wytłumaczyć, że Pauline z nim pracowała?

– Ofiary przemocy i wykorzystywania seksualnego robią różne głupie rzeczy – przypomniał jej. – Musimy skontaktować się z Leo i sprawdzić, co udało mu się ustalić. Miał z pomocą policji z Michigan spróbować namierzyć rodziców Pauline. Uciekła z domu. Z kim?

– Z bratem – powiedziała Faith, powodując, że znaleźli się dokładnie w punkcie wyjścia. Znowu zadzwonił jej telefon. Pozwoliła, żeby włączyła się poczta głosowa, potem go otworzyła i wybrała numer. – Sprawdzę, gdzie jest Leo. Pewnie siedzi gdzieś w terenie.

– Zadzwonię do Amandy i powiem, że musimy oficjalnie przejąć sprawę McGhee – zaproponował Will, ale gdy tylko sięgnął po aparat, rozległ się dźwięk dzwonka. Odkąd telefon się połamał, wyczyniał dziwne rzeczy. Will przycisnął komórkę do ucha.

– Halo?

– Cześć – rzuciła swobodnie i poczuł, jakby ktoś wlał mu ciepły miód do ucha. Przed oczyma mignął mu widok pieprzyka na jej łydce, wspomnienie jego faktury pod dłonią, kiedy przebiegał palcami po jej nodze. – Jesteś tam?

Will zerknął na Faith, czując, jak zlewa się zimnym potem.

– Taa.

– Kupa czasu.

Znowu popatrzył na Faith.

– Taa – powtórzył. Minęło około ośmiu miesięcy od dnia, kiedy wrócił do domu z pracy i zobaczył, że z kubeczka w łazience zniknęła szczoteczka do zębów Angie.

– Co porabiasz?

Odchrząknął, usiłując zebrać trochę śliny.

– Prowadzę śledztwo.
– To dobrze. Domyślałam się, że jesteś zajęty.
Faith skończyła swoją rozmowę. Patrzyła na drogę przed sobą, ale gdyby była kotem, strzygłaby uszami.
– Zgaduję, że chodzi o twoją przyjaciółkę – rzucił do telefonu.
– Lola ma ciekawe info.
– To niezupełnie jest moja działka – rzucił. GBI nie zaczynało spraw. Ono je kończyło.
– Pewien alfons zamienił jakiś penthouse w melinę narkotykową. Gówno każdego rodzaju poniewiera się tam jak cukierki. Pomów o tym z Amandą. Będzie się świetnie prezentowała w wieczornych wiadomościach na tle takiej masy towaru.
Will usiłował się skupić na tym, co mówiła. Byłoby mu łatwiej, gdyby nie warkot silnika i długie uszy Faith.
– Jesteś tam, kotku?
– Nie jestem zainteresowany.
– Po prostu przekaż to dalej. Zrób to dla mnie. Chodzi o mieszkanie w apartamentowcu Beeston dwadzieścia jeden. Adres jest taki sam: Beeston dwadzieścia jeden.
– Nie mogę ci pomóc.
– Powtórz, żebym wiedziała, że zapamiętasz.
Miał tak spocone ręce, że bał się, że za chwilę telefon wyślizgnie mu się z dłoni.
– Beeston dwadzieścia jeden.
– Mam wobec ciebie dług wdzięczności.
Nie mógł się oprzeć.
– Masz wobec mnie milion długów. – Ale było za późno. Już się rozłączyła. Will jeszcze przez chwilę trzymał aparat przy uchu, potem powiedział: – Dobra. Cześć. – Jakby prowadził normalną rozmowę z normalną osobą.
Na domiar złego aparat wyślizgnął mu się z rąk, kiedy próbował go zamknąć, i sznurek w końcu oderwał się spod taśmy izolacyjnej. Z tyłu aparatu powyskakiwały druciki, których nigdy wcześniej nie widział.
Usłyszał cmoknięcie. Faith otworzyła usta.
– Zostaw – powiedział.
Zamknęła usta i mocniej zacisnęła ręce na kierownicy, skręcając na czerwonym.

– Dzwoniłam do dyspozytora. Leo jest na North Avenue. Podwójne zabójstwo.

Samochód przyspieszył, gdy przemknęła przez światła. Will poluzował krawat, miał wrażenie, że w samochodzie zrobiło się gorąco. Ramiona znowu zaczynały go swędzieć i kręciło mu się w głowie.

– Spróbuję przekonać Amandę, żeby...

– Angie dzwoniła z cynkiem. – Słowa same wymknęły mu się z ust, zanim zdołał się powstrzymać. Desperacko próbował teraz coś wymyślić, żeby nie musieć rozwijać tematu, ale język najwyraźniej żył własnym życiem. – Jakiś apartament w Buckhead zamieniony w narkotykową melinę.

– Aha – skwitowała tylko Faith.

– Jedna panienka, którą Angie zna jeszcze z czasów obyczajówki, chce się wydostać z paki. Prostytutka. Niejaka Lola. Jest skłonna donieść na dilerów.

– To dobry cynk?

– Prawdopodobnie.

– Pomożesz jej?

Znowu wzruszył ramionami.

– Angie jest byłą policjantką. Nie zna kogoś w narkotykowej?

Will pozwolił, by sama odpowiedziała sobie na to pytanie. Angie nie była najlepsza w niepaleniu za sobą mostów. Zwykle podkładała pod nie ogień z radością, a potem jeszcze lała benzynę na płomienie.

Faith najwyraźniej doszła do tego samego wniosku.

– Mogę podzwonić w parę miejsc – zaproponowała. – Nikt nie będzie wiedział, że jesteś w to zamieszany.

Usiłował odchrząknąć, ale w ustach miał nadal zbyt sucho. Nie mógł znieść tego, że Angie tak na niego działa. Ani tym bardziej tego, że Faith jest świadkiem jego katuszy.

– Co powiedział Leo? – spytał.

– Nie odbiera telefonu, przypuszczalnie dlatego, że wie, że to ja dzwonię. – Jakby na zawołanie jej komórka znowu się rozdzwoniła. Faith sprawdziła numer i ponownie zignorowała połączenie.

Will uznał, że nie ma prawa pytać, o co chodzi, jeśli sam wprowadził moratorium na dyskusje o swoich rozmowach.

Odchrząknął kilka razy, tak by jego głos nie brzmiał jak u chłopca przechodzącego mutację.

– Taser oznacza odległość. Sprawca posłużyłby się zwykłym paralizatorem kontaktowym, gdyby mógł podejść do ofiar wystarczająco blisko.

Faith wróciła do ich poprzedniej rozmowy.

– Co jeszcze wiemy? – spytała. – Czekamy na wyniki badań śladów DNA z domu Jacquelyn Zabel. Czekamy na info z sekcji technicznej w sprawie laptopa Zabel i komputera z gabinetu Pauline. Czekamy na jakiekolwiek ślady kryminalistyczne z pustego domu za bungalowem Olivii.

Will usłyszał stłumione dzwonienie i Faith wyciągnęła swojego BlackBerry. Trzymała kierownicę jedną ręką, odczytując maila.

– Billingi Tanner. Jedno połączenie codziennie około siódmej rano z Huston.

– Siódma naszego czasu to w Teksasie szósta – powiedział Will. – To jedyny numer, pod który dzwoniła?

Faith skinęła głową.

– Od miesięcy. Prawdopodobnie wszystkie inne rozmowy prowadziła z komórki – Wsadziła smartfona do kieszeni. – Amanda stara się o nakaz dla banku. Byli tak mili, by sprawdzić nazwiska ofiar w bazie danych klientów, bez efektu zresztą, ale nie dadzą nam dostępu do komputera Olivii, billingów jej telefonu czy maili bez walki. Zasłaniają się federalnym prawem bankowym. Musimy dostać się do tego chat roomu.

– Nadal uważam, że gdyby uczestniczyła w jakiejś tego typu grupie, miałaby w domu dostęp do sieci.

– Jej brat twierdzi, że całe dnie wysiadywała w pracy.

– A może one wszystkie spotykają się osobiście. Jak kluby AA czy koła gospodyń wiejskich.

– I co, ogłaszają się na gminnej tablicy informacyjnej: Lubisz się głodzić? Dołącz do nas? Małe szanse.

– To jak inaczej by się poznały?

– Jackie pracuje jako pośrednik w handlu nieruchomościami, Olivia jest bankowcem, ale nie zajmuje się kredytami hipotecznymi, Pauline jest projektantką wnętrz, a Anna Bóg jeden wie, ale prawdopodobnie ma równie lukratywną posadkę. – Westchnęła ciężko. – To musi być ten chat room, Will. Jak inaczej by się poznały?

– A musiały w ogóle się poznać? – zaoponował. – Jedyną osobą, którą muszą znać, jest porywacz. Kto mógłby się kontaktować z kobietami pracującymi w tak różnych branżach?

– Dozorca, technik od kablówki, śmieciarz, deratyzator.

– Amanda kazała prześwietlić je pod tym kątem. Gdyby był jakiś trop, już byśmy wiedzieli.

– Wybacz, ale jakoś nie robię sobie wielkich nadziei. Od dwóch dni nie są w stanie namierzyć Jake'a Bermana. – Skręciła ostro kierownicą, wjeżdżając na North Avenue.

Dwa policyjne radiowozy blokowały miejsce zdarzenia. Widzieli w oddali Leo wymachującego dziko rękoma i drącego się na jakiegoś biedaka w mundurze.

Komórka Faith znowu się odezwała. Wrzuciła ją do torebki i wysiadła z samochodu.

– Nie należę teraz do ulubieńców Leo. Może ty powinieneś z nim gadać.

Will zgodził się, że tak będzie najlepiej, zwłaszcza że detektyw już i tak wyglądał na mocno rozjuszonego. Kiedy się zbliżyli, nadal wrzeszczał na funkcjonariusza. „Kurwy" słały się gęsto, w zasadzie co drugie słowo, a twarz miał tak czerwoną, że Will się zastanawiał, czy nie ma ataku serca.

Nad głowami wisiał policyjny helikopter, zwany przez miejscowych gettoptakiem. Był tak nisko nad ziemią, że Willowi pulsowały bębenki. Leo odczekał, aż odleci, i zagaił:

– Co tu, kurwa, robicie?

– Ta sprawa zaginionej, Olivii Tanner, którą nam przekazałeś – powiedział Will. – Na miejscu zdarzenia znaleźliśmy znaczniki tasera pochodzące z kartridża zakupionego przez Pauline Steward.

– Kurwa – wymruczał Leo.

– W biurze Pauline McGhee też znaleźliśmy dowody, które łączą ją z pieczarą.

Ciekawość wzięła górę.

– Myślicie, że Pauline jest waszym sprawcą?

Willowi nawet nie przyszło to do głowy.

– Nie, myślimy, że została porwana przez tego samego mężczyznę, który porwał pozostałe kobiety. Musimy wiedzieć wszystko, co...

– Nie ma tego wiele – przerwał Leo. – Rano rozmawiałem z Michigan, ale chytrze o tym zapomniałem, ponieważ twoja partnerka jest ostatnio takim pieprzonym dobrym duchem, że do rany przyłóż.

Faith już otwierała usta, ale Will podniósł rękę, żeby ją powstrzymać.

– Czego się dowiedziałeś?

– Gadałem ze starym rutyniarzem, który siedzi w dyżurce. Nazywa się Dick Winters. Trzydzieści lat stażu i zsyłają go do odbierania pieprzonych telefonów. Dasz, kurwa, wiarę?

– Pamiętał Pauline?

– Taa, pamiętał. Ponoć ładniutka. Wygląda na to, że czuł do niej miętę.

Lubieżny stary cap w mundurze uganiający się za nastolatką był ostatnią rzeczą, która interesowała teraz Willa.

– Co się stało?

– Zgarnął ją parę razy za kradzieże w sklepach, picie, awanturowanie się po pijaku. Nigdy nie zapuszkował, tylko odwoził do domu, mówił, żeby się poprawiła. Była małoletnia, więc jakoś uchodziło jej to płazem, ale kiedy skończyła siedemnaście lat, trudniej już było zamiatać sprawy pod dywan. Któregoś ze sklepikarzy poniosło i wniósł sprawę do sądu o kradzieże. Stary gliniarz złożył wizytę rodzinie, żeby im pomóc, ale zorientował się, że coś śmierdzi na kilometr. Schował małego do spodni i postanowił działać. Dziewczyna miała kłopoty w szkole, kłopoty w domu. Powiedziała mu, że jest molestowana.

– Zawiadomił opiekę społeczną?

– Taa, ale mała Pauline zniknęła, zanim zdążyli z nią porozmawiać.

– A ten glina pamięta jakieś inne nazwiska? Rodziców? Cokolwiek?

Leo pokręcił głową.

– Nic, tylko tę małą Steward. – Pstryknął palcami. – Choć nie, powiedział, że był jeszcze braciszek, lekko szurnięty w głowę, jeśli wiecie, o co chodzi. Mały popaprany cudak.

– Popaprany jak?

– Dziwny. Wiesz, jak to jest. Czujesz klimat.

Will musiał spytać.

– Ale gliniarz nie pamięta jego imienia?

– Wszystkie akta są utajnione, bo był nieletni. Dorzuć do tego jeszcze sąd rodzinny i masz kolejną przeszkodę. Będziecie musieli zdobyć nakaz w Michigan, żeby do nich zajrzeć. To było dwadzieścia lat temu, a dziesięć lat temu, jak twierdzi ten stary, w archiwum był pożar. Może nawet nie ma do czego zaglądać.

– Dokładnie dwadzieścia lat temu? – spytała Faith.

Leo zerknął na nią z ukosa.

– W Wielkanoc będzie równe dwadzieścia.

– Pauline McGhee alias Steward zaginęła równo dwadzieścia lat temu od tej Niedzieli Wielkanocnej? – chciał się upewnić Will.

– Nie – powiedział Leo. – Dwadzieścia lat temu Wielkanoc była w marcu.

– Sprawdziłeś? – spytała Faith.

Wzruszył ramionami.

– Zawsze przypada na pierwszą niedzielę po pierwszej pełni Księżyca po równonocy wiosennej.

Minęła chwila, zanim Will się zorientował, że detektyw mówi po angielsku. Miał wrażenie, jakby kot nagle zaszczekał.

– Jesteś pewien?

– Naprawdę myślisz, że jestem aż tak głupi? – spytał. – Cholera, nie odpowiadaj. Stary glina się zarzekał. Pauline dała nogę dwudziestego szóstego marca, w Niedzielę Wielkanocną.

Will usiłował obliczyć szybko w głowie, ale Faith go wyprzedziła.

– Dwa tygodnie temu. To może odpowiadać dacie porwania Jackie i Anny. – Jej komórka znowu zadzwoniła. – Jezu – syknęła, zerkając na wyświetlacz. Otworzyła telefon. – O co chodzi?

Wyraz twarzy zmienił jej się ze skrajnej irytacji w szok, a potem niedowierzanie.

– O Boże. – Przyłożyła dłoń do piersi.

Will był pewien, że chodzi o Jeremy'ego, jej syna.

– Jaki tam jest adres? – Otworzyła usta zaskoczona. – Beeston.

– To tam, gdzie Angie... – zaczął Will.

– Zaraz tam będziemy. – Zamknęła telefon. – To Sara. Anna odzyskała przytomność. Mówi.

– O co chodzi z tym Beeston?

– Mieszka tam. – Mieszkają. Ma sześciomiesięczne dziecko, Will. Ostatni raz widziała je w swoim apartamencie na Beeston dwadzieścia jeden.

Will wskoczył za kółko, trzasnął drzwiczkami i ruszył, zanim jeszcze Faith zdążyła zamknąć swoje. Przerzucał biegi ze zgrzytem, samochód podskakiwał na stalowych płytach zakrywających wykopy na drodze. Na Piedmont przejechał przez pas rozdzielczy, wykorzystując pas przeciwnego ruchu, by ominąć korek na światłach. Faith siedziała w milczeniu obok, trzymając się uchwytu nad drzwiami, ale widział, że zgrzyta zębami na każdym wyboju i zakręcie.

– Powiedz mi jeszcze raz, co mówiła – poprosiła.

Will nie chciał teraz myśleć o Angie, nie chciał się nawet zastanawiać, czy wiedziała o niemowlęciu porwanej matki, zostawionym na pastwę losu w apartamencie zamienionym w narkotykową melinę.

– Narkotyki – rzucił. – Tylko tyle powiedziała. Że zrobili tam melinę.

Milczała, kiedy zredukował bieg, skręcając w Peachtree Street. Jak na tę porę dnia, natężenie ruchu było niewielkie, co znaczyło, że korek ciągnął się tylko na pół kilometra. Will jeszcze raz skorzystał z pasa przeciwległego ruchu, a w końcu zjechał na wąskie pobocze, żeby uniknąć czołowego zderzenia z wywrotką. Faith walnęła dłońmi w deskę rozdzielczą, kiedy skręcił ostro i w końcu się zatrzymał przed apartamentowcami na Beeston.

Samochód się zakołysał, kiedy wysiadł. Pobiegł do wejścia. Słyszał daleki dźwięk syren nadjeżdżających radiowozów, sygnał karetki. Za wysokim kontuarem recepcji siedział portier i czytał gazetę. Był przy kości, wbity w uniform za mały jak na jego wielki bandzioch.

Will wyciągnął legitymację i machnął nią przed nosem mężczyzny.

– Muszę się dostać do apartamentu na najwyższym piętrze.

Portier posłał mu jeden z najbardziej gburowatych uśmiechów, jakie Will ostatnio oglądał.

– Musi pan, co? – Mówił z akcentem. Rosyjskim albo ukraińskim.

Faith dołączyła do nich, sapiąc z wysiłku. Zerknęła na tabliczkę na uniformie portiera.

– Panie Simkov, to ważne. Podejrzewamy, że dziecko może być w niebezpieczeństwie.

Wzruszył ramionami bezradnie.

– Do środka mogą wejść tylko osoby z listy, a ponieważ nie jesteście na...

Will poczuł, jak coś w nim pękło. Zanim się zorientował, co się dzieje, wyciągnął rękę, chwycił Simkova za kark i walnął jego głową o marmurowy kontuar.

– Will! – krzyknęła Faith zaskoczona.

– Daj mi klucze – zażądał Trent, przyciskając mocniej głowę portiera.

– W kieszeni – wydusił Simkov. Usta miał tak mocno przyciśnięte miał do kontuaru, że skrobał zębami po jego powierzchni.

Will przysunął się bliżej, obszukał go i znalazł klucze na kółku. Rzucił je Faith, potem ruszył do otwartej windy z rękoma zaciśniętymi w pięści.

Faith wcisnęła guzik najwyższego piętra.

– Chryste – wyszeptała. – Dowiodłeś swego, tak? Pokazałeś, że potrafisz być twardym gliną. To teraz już się uspokój.

– On pilnuje wejścia. – Will był tak wściekły, że z trudem wymawiał słowa. – Wie o wszystkim, co się dzieje w tym budynku. Ma klucze do każdego mieszkania, w tym do mieszkania Anny.

Do Faith zaczynało docierać, że wcale się nie popisywał.

– Zgoda. Masz rację. Ale nie dajmy się za bardzo ponieść, zgoda? Nie wiemy, co tam zastaniemy na górze.

Will czuł wibrowanie ścięgien w ramionach. Drzwi windy otworzyły się na poziomie górnego apartamentu. Wszedł do holu i czekał, aż Faith znajdzie właściwie oznaczony klucz. Kiedy wreszcie go wyłowiła, położył jej rękę na dłoni, przejmując dowodzenie.

Nie bawił się w subtelności. Wyjął broń i otworzył z trzaskiem drzwi.

– Fuj. – Faith się zakrztusiła i przyłożyła rękę do nosa.

Will także to poczuł: mdląco słodką woń mieszaniny palonego plastiku i cukrowej waty.

– Crack – powiedziała, wachlując się dłonią.

– Spójrz. – Pokazał na korytarzyk tuż za drzwiami.

Podłogę zaścielały zwinięte kawałki konfetti zasuszone w jakimś żółtym płynie. Znaczniki z tasera.

Na wprost biegł długi hol z dwiema parami zamkniętych drzwi po jednej stronie. Dalej było widać salon: przewrócone sofy z poprzecinanym obiciem i wydartym wypełnieniem. Wszędzie walały się śmieci. Na podłodze w korytarzu twarzą do ziemi, z głową zwróconą do ściany i rozrzuconymi na boki rękami leżał mężczyzna. Miał podwinięty rękaw koszuli i opaskę zaciskową zawiązaną na bicepsie. Z ramienia wystawała strzykawka.

Celując do niego z glocka, Will ruszył w jego kierunku. Faith wyjęła swoją broń, ale dał jej znak, żeby poczekała. Czuł już smród rozkładającego się ciała, jednak na wszelki wypadek sprawdził puls. Przy nodze martwego leżał rewolwer Smith & Wesson ze złotą okładziną robioną na zamówienie, która sprawiała, że broń wyglądała jak zabawka z taniego sklepiku. Will kopnął broń dalej, mimo że mężczyzna już nigdy miał po nią nie sięgnąć.

Dał znać Faith, żeby podeszła, i wrócił do pierwszych zamkniętych drzwi na korytarzu. Poczekał, aż będzie gotowa, i otworzył je gwałtownie. To była szafa. Wszystkie okrycia leżały zwalone na kupę na jej dnie. Will kopnął stertę ubrań i zajrzał pod spód, zanim przeszedł do kolejnych zamkniętych drzwi. Znowu poczekał na Faith, potem otworzył je kopniakiem.

Oboje zakrztusili się od smrodu. Z toalety się wylewało. Kryte ciemnym onyksem ściany wymazane były fekaliami. W umywalce zebrała się kałuża ciemnobrązowej cieczy. Willowi ścierpła skóra. Unoszący się tu zapach przypomniał mu o norze, w której przetrzymywano Jackie i Annę.

Zamknął drzwi i pokazał Faith, by poszła za nim do salonu. Musieli omijać walające się po podłodze kawałki rozbitego szkła, kondomy, igły. Zwiniętą w kłębek koszulkę, ze śladami krwi. Obok leżał but z zawiązanymi sznurówkami.

Kuchnia była tuż obok salonu. Will zajrzał za wyspę, upewniając się, że nikt się tam nie chowa, podczas gdy Faith lawirowała między powywracanymi meblami i odłamkami szkła.

– Bezpiecznie – powiedziała.

– U mnie też.

Will otworzył szafkę pod zlewem, szukając kosza na śmieci. Worek był biały, taki sam jak te, które znaleźli w pochwach ofiar, i pusty: jedyna czysta rzecz w całym mieszkaniu.

– Koka – domyśliła się Faith, wskazując na kilka białych klocków leżących na stoliku. Dokoła walały się porozrzucane rurki do palenia, igły, ruloniki z banknotów, żyletki. – Co za syf. Jak ktoś mógł tu mieszkać.

Will dawno już przestał się dziwić, jak nisko mogą stoczyć się ćpuny ani zniszczeniom, jakie czynią. Widział już wiele ładnych podmiejskich domów zamienionych zaledwie w ciągu kilku dni w sypiące się amfetaminowe meliny.

– A gdzie się wszyscy podziali?

Wzruszyła ramionami.

– Trup nie wystraszyłby ich tak bardzo, by zostawili tyle towaru. – Zerknęła na martwego mężczyznę. – Może miał robić za ochronę.

Przeszukali resztę mieszkania. Trzy sypialnie, w tym jeden pokój dziecinny urządzony w odcieniach niebieskiego, i jeszcze dwie łazienki. Wszystkie sedesy i umywalki zapchane. Pościel na łóżkach zwinięta, materace wywrócone, ubrania powywalane z szafek. Wszystkie odbiorniki telewizyjne zniknęły. W jednym z pokoi na biurku leżała klawiatura i mysz, ale nie było śladu komputera. Było oczywiste, że ktokolwiek zajął mieszkanie, ogołocił je do czysta.

Will wsadził pistolet do kabury, stając na końcu korytarza. Przy drzwiach frontowych czekali dwaj ratownicy i jeden mundurowy. Pokazał im, żeby weszli.

– Zimny trup – oznajmił jeden z ratowników, pobieżnie sprawdzając funkcje życiowe leżącego na podłodze ćpuna.

– Mój partner rozmawia z portierem – oświadczył policjant wyważonym tonem, zwracając się do Willa. – Wygląda na to, że facet się przewrócił. Podbił sobie oko.

Faith też schowała broń.

– Te podłogi na dole są strasznie śliskie.

Gliniarz skinął głową.

– Wyglądały na takie.

Trent wrócił do pokoju dziecinnego. Przejrzał ubranka na maleńkich wieszaczkach w szafie. Podszedł do łóżeczka i podniósł materac.

– Uważaj – ostrzegła Faith. – Mogą tam być igły.

– On nie zabiera dzieci – powiedział bardziej do siebie niż do niej. – Porywa kobiety, ale maluchy zostawia.

– Pauline nie została porwana w domu.

– Z Pauline jest inaczej – przypomniał jej. – Olivię porwał z podwórza, Annę przy frontowych drzwiach. Widziałaś znaczniki z tasera. Założę się, że Jackie Zabel uprowadził z domu jej matki.

– Może dziecko jest u jakiejś przyjaciółki Anny.

Will zastygł, zdziwiony jej zdesperowanym tonem.

– Anna nie ma przyjaciół. Żadna z tych kobiet ich nie ma. To dlatego je porywa.

– Minął co najmniej tydzień, Will. – Głos się jej łamał. – Rozejrzyj się. To chlew.

– Chcesz zmienić mieszkanie w miejsce zdarzenia? – spytał, przemilczając resztę pytania: „Chcesz, żeby ktoś inny odnalazł ciało?”

Faith spróbowała pójść innym tropem.

– Anna powiedziała Sarze, że ma na nazwisko Lindsey. Jest radcą prawnym. Możemy zadzwonić do jej biura i sprawdzić.

Will uniósł delikatnie plastikowy worek z kubła na pieluszki przy stoliku do przewijania. Stare pieluszki z pewnością nie były źródłem ostrej woni unoszącej się w mieszkaniu.

– Will...

Podszedł do łazienki i sprawdził kosz na śmieci.

– Chcę porozmawiać z portierem.

– Dlaczego nie zostawisz...

Wyszedł z pokoju, zanim dokończyła. Jeszcze raz udał się do salonu i zajrzał pod sofy, wyciągnął wyściółkę w fotelach z podartymi obiciami, sprawdzając, czy nic – nikt – się w środku nie chowa.

Policjant próbował kokę, zadowolony z odkrycia.

– To normalny nalot. Muszę to zgłosić.

– Daj mi chwilę – poprosił Will.

Jeden z ratowników spytał:

– Chcecie, żebyśmy tu czekali?

Faith rzuciła „nie" dokładnie w chwili, kiedy Will powiedział „tak". Sprecyzował:

– Nie ruszajcie się stąd.

Faith spytała ratownika:

– Zna pan gościa nazwiskiem Sigler? Rick Sigler?

– Ricka? Tak – wydawał się zdziwiony, że pyta.

Will nie zwracał uwagi na ich rozmowę. Wrócił do pierwszej toalety, oddychając przez usta, żeby smród szczyn i gówna nie przyprawił go o wymioty. Zamknął drzwi, potem podszedł do wejścia i pochylił się, żeby przyjrzeć się dokładnie porozrzucanym znacznikom. Był pewien, że leżą w wyschniętej kałuży moczu.

Wstał, wyszedł do holu i stamtąd popatrzył na mieszkanie. Apartament Anny zajmował całe górne piętro budynku. W pobliżu nie było żadnych innych mieszkań, żadnych sąsiadów. Nikogo, kto mógł usłyszeć jej krzyk albo zobaczyć napastnika.

Sprawca musiał stać przed jej drzwiami, tak jak Will teraz. Zerknął na hol, myśląc, że mógł wejść schodami – albo zejść nimi. Wyżej mieściło się wyjście ewakuacyjne. Mógł być na dachu. A może ten pożal się Boże stróż wpuścił go frontowym wejściem, nawet wcisnął mu guzik windy. W drzwiach mieszkania Anny było okienko judasza. Najpierw wyjrzałaby przez nie, zanim otworzyła drzwi. Wszystkie te kobiety były ostrożne. Kogo mogłaby wpuścić? Jakiegoś dostawcę. Sprzątaczkę. Może portiera.

Faith szła w jego kierunku. Z jej twarzy nie dało się nic wyczytać, ale znał ją wystarczająco długo, by wiedzieć, co myśli: Pora się zbierać.

Jeszcze raz popatrzył na hol. W ścianie naprzeciwko jej mieszkania znajdowały się zamknięte drzwi.

– Will... – rzuciła Faith, ale on już kierował się w ich stronę.

W środku znajdowały się małe metalowe drzwiczki do zsypu. Obok stała sterta pudeł, nadających się do recyklingu oraz kosz na szkło i drugi na puszki. Dziecko leżało w pojemniku na plastikowe odpady: miało lekko uchylone usta, oczy jak szparki i białą skórę. Woskową.

Faith stanęła za plecami Willa. Chwyciła go za ramię. Nie był w stanie się ruszyć. Świat zamarł dokoła. Trzymał się klamki, żeby nogi się pod nim nie ugięły. Faith wydała odgłos przypominający cichy lament.

Dziecko odwróciło główkę w jej stronę i powoli otworzyło oczy.

– O mój Boże – szepnęła. Odepchnęła Willa, padła na kolana i sięgnęła po niemowlę. – Sprowadź pomoc! Will, sprowadź pomoc!

Ocknął się i zawołał ratowników:

– Tutaj! Weźcie sprzęt!

Faith tuliła dziecko, sprawdzając jednocześnie, czy nie ma śladów obrażeń.

– Małe jagniątko – wyszeptała. – Wszystko dobrze. Trzymam cię. Wszystko dobrze.

Will patrzył, jak gładzi niemowlę po włoskach, przyciska usta do jego czoła. Miało ledwie uchylone oczy i pobielałe wargi. Chciał coś powiedzieć, ale słowa więzły mu w gardle. Było mu ciepło i zimno jednocześnie, jakby zaraz miał się rozpłakać na oczach wszystkich.

– Trzymam cię, kochanie – szeptała Faith głosem zdławionym bólem.

Łzy zalewały jej twarz. Will nigdy nie widział, jak Faith zajmuje się dzieckiem, przynajmniej nie niemowlęciem. Serce mu się krajało, gdy patrzył, jak troszczy się o drugą ludzką istotę, jak drżą jej ręce, gdy tuli dziecko do piersi.

– Nie płacze – wyszeptała. – Dlaczego on nie płacze?

Will wreszcie zdołał się odezwać.

– Bo wie, że nikt nie przyjdzie.

Pochylił się i położył dłoń na główce małego. Starał się nie myśleć o tych wszystkich godzinach, które chłopiec spędził tu samotnie, wypłakując sobie oczy i czekając, aż ktoś się zjawi.

Ratownik krzyknął zdziwiony. Zawołał kolegę i wziął dziecko od Faith. Pieluszka była pełna, brzuszek dziecka rozdęty, głowa zwieszała się na bok.

– Jest odwodniony. – Ratownik sprawdził reakcję źrenic, odchylił spierzchnięte wargi i przyjrzał się dziąsłom. – I niedożywiony.

– Wyjdzie z tego? – spytał Will.

Mężczyzna pokręcił głową.

– Nie wiem. Jest w ciężkim stanie.

– Jak długo... – Faith załamał się głos. – Jak długo tu leżał?

– Nie wiem – powtórzył mężczyzna. – Dzień. Może dwa.

– Dwa dni? – zdziwił się Will, pewien, że ratownik się myli. – Jego matka zniknęła co najmniej tydzień temu, może jeszcze wcześniej.

– Po tygodniu już dawno by nie żył. – Ratownik delikatnie obrócił dziecko. – Ma odleżyny od pozostawania zbyt długo w jednej pozycji. – Przeklął pod nosem. – Nie wiem, ile czasu trzeba było, żeby się pojawiły, ale ktoś na pewno dawał mu wodę. Bez niej nie mógłby przeżyć.

Faith rzuciła:

– Może ta prostytutka.

Nie dokończyła, ale Will wiedział, co chciała powiedzieć. Lola prawdopodobnie opiekowała się małym, gdy Anna została porwana. Potem ją zapuszkowano, a dziecko zostało samo.

– Jeśli Lola miała na niego oko, musiała móc swobodnie wchodzić i wychodzić z budynku – powiedział.

Rozsunęły się drzwi windy. Will zobaczył drugiego gliniarza w towarzystwie Simkova. Pod okiem portiera kwitł ciemniejący siniak, a brew była przerwana w miejscu, gdzie uderzył czołem o marmurowy kontuar.

– To ten – rzucił triumfalnie, pokazując na Willa. – To ten mnie zaatakował.

Will poczuł, jak dłonie zwijają mu się w pięści. Zęby miał tak mocno zaciśnięte, że o mały włos mu nie popękały.

– Wiedział pan, że to niemowlę jest na górze?

Portier znowu uśmiechnął się szyderczo.

– A co mnie tam wiedzieć o jakimś tam dziecku? Może

gość z nocnej zmiany... – Urwał na widok otwartych drzwi zdemolowanego mieszkania. – Matko Boska i wszyscy święci – wyszeptał i dodał coś w swoim ojczystym języku. – Co oni tu narobili?

– Kto? – spytał Will. – Kto tu wchodził?

– Czy ten człowiek nie żyje? – spytał Simkov, nadal zaglądając do apartamentu. – Święty Jezu, tylko spójrzcie. A ten smród! – Chciał wejść do środka, ale policjant go powstrzymał.

Will dał portierowi jeszcze jedną szansę, dobitnie wymawiając każde słowo:

– Wiedział pan, że to dziecko jest tu, na górze?

Simkov wzruszył ramionami, unosząc je prawie do uszu.

– A skąd, kurwa, mnie to wiedzieć, co się dzieje u bogaczy? Wyciągam osiem dolców na godzinę, a wy chcecie, żebym za nimi nadążał?

– Tu jest dziecko – rzucił Will tak wściekły, że prawie nie mógł mówić. – Niemowlę, które umierało.

– No to jest dziecko. Co mi, kurwa, do tego?

Nagła krew zalała Willa i dopiero gdy siedział już na mężczyźnie, okładając go pięścią jak młotem, zdał sobie sprawę z tego, co robi. Ale nie przestał. Myślał o niemowlęciu leżącym we własnych ekskrementach na śmietniku, gdzie włożył je sprawca, żeby umarło z głodu, o prostytutce, która chciała przehandlować informację o nim, żeby wyciągnąć własny tyłek z pudła, o Angie... Angie, która siedziała na tej kupie gnoju, wodziła Willa za nos, jak to zwykle robiła, manipulowała nim i mieszała mu w głowie, tak że czuł się jak takie samo gówno jak oni wszyscy.

– Will! – wrzasnęła Faith.

Wyciągała przed siebie ręce, jakby rozmawiała z wariatem. Poczuł ból w ramionach, kiedy dwaj policjanci obezwładnili go, przytrzymując mu ręce na plecach. Ziajał jak wściekły pies. Twarz spływała mu potem.

– Już dobrze – powiedziała Faith, podchodząc bliżej nadal z wyciągniętymi przed siebie rękoma. – Uspokójmy się. Po prostu się uspokójmy. – Położyła mu dłonie na twarzy, po raz pierwszy w życiu, jak sobie uświadomił, i zmusiła go, by patrzył na nią zamiast na zwijającego się na ziemi Simkova.

– Spójrz na mnie – poleciła cicho, jakby nikt inny nie powinien tego usłyszeć. – Will, popatrz na mnie.

Zmusił się, żeby spojrzeć jej w oczy. Były ciemnoniebieskie i szeroko otwarte z przerażenia.

– Wszystko dobrze – powiedziała. – Dziecku nic nie będzie. Okay? Zgoda?

Skinął głową i poczuł, jak gliniarze rozluźniają uścisk na jego ramionach. Faith nadal stała przed nim, nadal trzymała dłonie na jego twarzy.

– Już wszystko dobrze – zapewniła, zwracając się do niego tym samym tonem, którym pocieszała niemowlę. – Nic ci się nie stanie.

Cofnął się krok, tak by musiała go puścić. Widział, że jest przerażona tak samo jak portier. Will także się bał – bał się, że nadal ma ochotę przyłożyć draniowi, że gdyby nie gliniarze, byłby go zatłukł na śmierć gołymi rękoma.

Faith jeszcze chwilę patrzyła mu w oczy, potem przeniosła wzrok na zakrwawioną miazgę na podłodze.

– Wstawaj, dupku.

Simkov jęknął, zwijając się w kłębek.

– Nie mogę się ruszyć.

– Zamknij się! – Pociągnęła portiera za ramię.

– Mój nos! – wrzasnął. – Złamał mi nos!

– Nic ci nie jest! – Faith lustrowała wzrokiem hol, szukając kamer monitoringu.

Will robił to samo i odetchnął z ulgą, gdy żadnej nie znalazł.

– Brutalność policji! – wrzeszczał mężczyzna. – Widzieliście. Jesteście moimi świadkami.

Jeden ze stojących za Willem gliniarzy powiedział:

– Przewróciłeś, się, koleś. Nie pamiętasz?

– Nie przewróciłem się – upierał się portier. Krew leciała mu z nosa, cieknąc między palcami jak woda z gąbki.

Drugi ratownik zakładał dziecku wenflon. Nie podniósł głowy, ale powiedział:

– Lepiej uważaj, jak chodzisz.

I w ten oto sposób Will został jednym z tych gliniarzy, których się brzydził.

ROZDZIAŁ SIEDEMNASTY

Faith jeszcze trzęsły się ręce, kiedy stała przed salą Anny Lindsey na OIOM-ie. Dwaj policjanci, którzy pilnowali drzwi, gawędzili z pielęgniarkami w dyżurce, ale bez przerwy zerkali w ich stronę, jakby słyszeli, co się wydarzyło przed apartamentem, i nie bardzo wiedzieli, co o tym wszystkim myśleć. Jeśli chodzi o Willa, stał naprzeciwko niej z rękoma w kieszeniach, patrząc pustym wzrokiem w głąb korytarza. Zastanawiała się, czy jest w szoku. Cholera, zastanawiała się, czy sama w nim nie jest.

Zarówno w życiu zawodowym, jak i osobistym miewała do czynienia z wieloma wściekłymi mężczyznami, ale nigdy jeszcze nie widziała wybuchu tak nieokiełznanej furii. Przez chwilę w tamtym holu na Beeston bała się, że Will zabije portiera. Najbardziej wstrząsnął nią wyraz jego twarzy: zimny, bezlitosny, skupiony tylko na ciosach, które zadawał. Jak wszystkie matki na świecie, również matka Faith nie raz i nie dwa przestrzegała ją, by uważała na to, czego pragnie. Faith pragnęła, by Will był troszkę bardziej agresywny. Teraz oddałaby wszystko, by znowu stał się taki jak wcześniej.

– Nie pisną słowem – powiedziała. – Ani gliniarze, ani ratownicy.

– To bez znaczenia.

– To ty znalazłeś dziecko – przypomniała mu. – Kto wie, ile czasu by upłynęło, zanim ktoś by...

– Przestań.

Rozległo się przeciągłe dzyń, gdy otworzyły się drzwi windy. Amanda bez zwłoki przystąpiła do działania. Zlustrowała korytarz, patrząc, kto jest obecny, prawdopodobnie chciała uniknąć świadków. Faith przygotowała się na druzgocące oskarżenia, natychmiastowe zawieszenie, może nawet utratę odznaki. Zamiast tego Amanda spytała:

– Nic wam nie jest?

Faith pokręciła głową. Will tylko patrzył w podłogę.

– Cieszę się, że wreszcie pokazałeś, że masz jaja – powiedziała Amanda do Willa. – Jesteś zawieszony bez prawa do wynagrodzenia do końca tygodnia, ale nie wyobrażaj sobie ani przez chwilę, że to oznacza, że przestajesz wypruwać sobie dla mnie flaki.

– Tak jest – rzucił zduszonym głosem.

Ruszyła w kierunku klatki schodowej. Poszli za nią i Faith zauważyła, że cały wdzięk, całe opanowanie szefowej ulotniły się gdzieś. Była tak samo zszokowana jak oni wszyscy.

– Zamknij drzwi.

Faith wykonała polecenie trzęsącymi się rękoma.

– Charlie bada mieszkanie Anny Lindsay. – Głos Amandy rozbrzmiał echem po klatce schodowej. Ściszyła ton. – Zadzwoni, jeśli coś znajdzie. Oczywiście masz zakaz zbliżania się do portiera – rzuciła pod adresem Willa. – Jutro rano powinniśmy mieć wyniki ekspertyz śladów, ale nie róbcie sobie wielkich nadziei, zważywszy na stan mieszkania. Techniczni jak na razie nie zdołali złamać zabezpieczeń na komputerach obu kobiet. Próbują wszystkich programów do łamania haseł, jakimi dysponują. Ale mogą minąć tygodnie, nawet miesiące, zanim się uda, jeśli w ogóle. Hostem tej witryny o anoreksji jest jakaś podstawiona spółka z Fryzji, gdziekolwiek to jest. W każdym razie w Europie. Nie przekażą nam danych rejestracyjnych, ale informatykom udało się ustalić statystyki odwiedzin. Mają około dwustu wejść różnych użytkowników w ciągu miesiąca. Tylko tyle wiemy.

Will milczał, więc Faith spytała:

– A co z tym pustym domem koło bungalowu Olivii Tanner?

– Ślad na dywanie pochodzi z męskich butów marki Nike rozmiar jedenasty, sprzedawanych w blisko tysiąc dwustu sklepach w całym kraju. Znaleźliśmy kilka petów w puszce coli za barkiem. Spróbujemy pobrać DNA, ale nie mamy pojęcia, do kogo może należeć.

– A co z Bermanem?

– A jak, cholera, myślisz? – Amanda wciągnęła powietrze, próbując się uspokoić. – Przesłaliśmy portret pamięciowy i zdjęcie policyjne do telewizji publicznej. Jestem pewna, że media zaraz podniosą raban, ale prosiliśmy, żeby się wstrzymali choć na dwadzieścia cztery godziny.

Masa pytań cisnęła się Faith na usta, ale milczała. Niecałą godzinę wcześniej stała w kuchni Olivii Tanner, a teraz za Boga Ojca nie mogła sobie przypomnieć choć jednego szczegółu dotyczącego domu.

– Powinnaś mnie zwolnić – odezwał się wreszcie Will przybitym głosem.

– Nie upiecze ci się tak łatwo.

– Nie żartuję, Amando. Powinnaś mnie wylać.

– Ja też nie żartuję, ty głupi palancie. – Podparła się pod boki, przypominając już ciut bardziej dawną wkurzoną Amandę, jaką Faith znała. – Dziecko Anny Lindsay jest bezpieczne dzięki tobie. Myślę, że to sukces naszego zespołu.

Podrapał się po ramieniu. Faith widziała, że kłykcie ma poobcierane do krwi. Przypomniała jej się chwila na korytarzu, kiedy położyła mu dłonie na twarzy, modląc się, żeby wszystko było z nim dobrze, próbując siłą własnej woli zmusić go do odzyskania równowagi, ponieważ nie chciała nawet myśleć, co się stanie, jeśli Will Trent przestanie być tym mężczyzną, z którym dzieliła swoje życie od prawie roku.

Amanda popatrzyła Faith w oczy.

– Daj nam minutę.

Faith pchnęła drzwi i wyszła z powrotem na korytarz OIOM-u. Panował tu ruch i gwar, ale to nic w porównaniu z tym, co się działo na dole, na urazówce. Policjanci wrócili już na swój posterunek przy drzwiach do sali Anny i śledzili Faith wzrokiem, gdy przechodziła obok.

– Są w sali zabiegowej numer trzy – poinformowała ją nie wiedzieć czemu jedna z pielęgniarek i Faith, chcąc nie chcąc, tam ruszyła.

W środku zastała Sarę Linton. Lekarka stała przy plastikowym łóżeczku. Trzymała w rękach niemowlę – dziecko Anny.

– Dochodzi do siebie. To potrwa jeszcze jakiś czas, ale nic mu nie będzie. Myślę, że powrót do mamy pomoże im obojgu.

Faith nie potrafiła być teraz człowiekiem, więc postanowiła być gliniarzem.

– Czy Anna powiedziała coś jeszcze?

– Niewiele. Bardzo cierpi. Teraz, kiedy się ocknęła, dostaje większe dawki morfiny.

Faith przebiegła dłonią po plecach małego, czując miękką skórę, maleńkie kosteczki kręgosłupa.

– Jak długo według pani był bez opieki?

– Ten ratownik ma rację. Najwyżej dwa dni. Inaczej sytuacja wyglądałaby bez porównania gorzej. – Sara przełożyła sobie dziecko na drugą rękę. – Ktoś mu podawał wodę. Jest odwodniony, ale widywałam dzieci w gorszym stanie.

– Co pani tu robi? – Rzuciła Faith bez zastanowienia, ale gdy już słowa padły, uznała, że to dobre pytanie, na tyle dobre, że je powtórzyła. – Co pani tu robi? I w ogóle dlaczego była pani u Anny?

Sara delikatnie odłożyła dziecko do łóżeczka.

– To moja pacjentka. Sprawdzałam jej stan. – Okryła niemowlę kocykiem. – Tak jak usiłowałam sprawdzić pani stan. Dzwoniłam dziś do gabinetu Delii Wallace: jeszcze się pani nie umówiła na wizytę.

– Miałam ostatnio urwanie głowy, ratując dzieci ze zsypu.

– Faith, nie jestem pani wrogiem. – W głosie Sary pojawił się irytujący ton osoby, która usiłuje przemówić drugiej osobie do rozsądku. – Nie chodzi już teraz tylko o panią. Nosi pani dziecko, inne życie, za które jest pani odpowiedzialna.

– To moja sprawa i moja decyzja.

– Ale powoli ma pani coraz mniej czasu na jej podjęcie. Proszę nie pozwolić, by to organizm za panią zdecydował, bo jeśli w grę wchodzi cukrzyca i dziecko, cukrzyca zawsze będzie górą.

Faith wzięła głęboki oddech, ale nie na wiele się to zdało. Eksplodowała:

– Może pani próbować wściubiać nos w moje śledztwo, ale niech mnie diabli, jeśli pozwolę w moje prywatne sprawy.

– Przepraszam? – Jeszcze miała czelność się dziwić.

– Nie jest już pani koronerem, Saro. Nie jest pani żoną komendanta. On nie żyje. Widziała pani na własne oczy, jak go rozerwało na kawałki. Nie odzyska go pani, przesiadując w prosektorium ani wtrącając się w śledztwa.

Sara zamarła z otwartymi ustami, najwyraźniej niezdolna odpowiedzieć.

Faith wybuchła płaczem.

– O mój Boże. Strasznie przepraszam. To było okropne! – Przyłożyła dłoń do ust. – Nie wierzę, że powiedziałam...

Sara pokręciła głową ze wzrokiem wbitym w podłogę.

– Tak mi przykro. Boże, przepraszam. Proszę, niech mi pani wybaczy.

Sara odezwała się dopiero po dłuższej chwili.

– Domyślam się, że Amanda zdradziła pani szczegóły.

– Sprawdziłam w bazie danych. Nie...

– Agent Trent też to czytał?

– Nie – rzuciła Faith stanowczo. – Nie. Powiedział, że to nie jego sprawa, i ma rację. Moja też nie. Nie powinnam była sprawdzać. Jestem strasznym potworem, Saro. Nie wierzę, że mogłam coś takiego pani powiedzieć.

Sara pochyliła się nad dzieckiem, przyłożyła mu dłoń do twarzy.

– Nic się nie stało.

Faith szukała gorączkowo czegoś, co mogłaby powiedzieć, i zaczęła klepać wszystkie najgorsze swoje grzechy, jakie przyszły jej do głowy.

– Proszę posłuchać, okłamałam panią w kwestii mojej wagi. Przytyłam siedem kilogramów, nie cztery i pół. Jem nadziewane krakersy na śniadanie, czasem też na obiad, ale zwykle z dietetyczną colą. Nigdy nie ćwiczę. Nigdy. Biegam tylko, kiedy chcę zdążyć do ubikacji przed końcem reklamy, a z ręką na sercu, odkąd mam VOD, nawet i to już nie.

Sara nadal milczała.

– Bardzo mi przykro.

Lekarka dalej poprawiała kocyk, opatulając nim dokładnie niemowlę, upewniając się, że leży w ciepłym małym kokonie.

– Strasznie przepraszam – powtórzyła Faith. Czuła się tak okropnie, że miała wrażenie, że zwymiotuje.

Sara nadal nic nie mówiła. Faith zaczęła się już zastanawiać, jak zgrabnie opuścić pokój, kiedy lekarka wreszcie się odezwała:

– Wiedziałam, że to było siedem kilogramów.

Faith poczuła, że część napięcia zaczyna ulatywać. Miała dość rozumu, by nie niszczyć tego mieleniem jęzorem.

– Nikt nigdy ze mną o nim nie rozmawia – powiedziała Sara. – To znaczy, nie na samym początku, ale teraz nikt nawet nie wymienia jego imienia. Nie chcą mnie denerwować, jakby jego imię mogło mi przypomnieć... – Pokręciła głową. – Jeffrey. Nie pamiętam, kiedy sama je wymówiłam na głos. Miał na imię Jeffrey.

– To ładne imię.

Sara skinęła głową. Przełknęła głośno ślinę.

– Widziałam zdjęcia – przyznała się Faith. – Był przystojny.

Uśmiechnęła się nieznacznie.

– Tak.

– I był dobrym gliną. Można to wyczytać ze sposobu, w jaki pisali raporty.

– Był dobrym człowiekiem.

Faith zająknęła się, myśląc o tym, co by jeszcze powiedzieć.

Sara ją ubiegła.

– A co z panią?

– Ze mną?

– Z ojcem.

W zawstydzeniu Faith zupełnie zapomniała o Victorze. Położyła dłoń na brzuchu.

– Pyta pani o tatusia maleństwa?

Lekarka pozwoliła sobie na uśmiech.

– Szukał matki, nie partnerki.

– Hmm, Jeffrey nigdy nie miał tego problemu. Umiał o siebie zadbać. – W jej oczach pojawił się nieobecny wyraz. – Był najlepszym, co mnie spotkało w życiu.

– Saro...

Przerzuciła szuflady biurka i znalazła glukometr.

– Sprawdzimy stężenie cukru.

Tym razem Faith była zbyt skruszona, by protestować. Wyciągnęła rękę, czekając na ukłucie. Sara mówiła, przeprowadzając badanie.

– Nie usiłuję odzyskać męża. Proszę mi wierzyć, gdyby to było tak proste, gdyby wystarczyło tylko włączyć się do jakiegoś śledztwa, już jutro zapisałabym się do akademii policyjnej.

Faith wzdrygnęła się, gdy igła przekuła jej skórę.

– Chcę się znowu czuć pożyteczna – rzuciła Sara tonem wyznania. – Chcę czuć, że robię dla ludzi coś więcej poza przepisywaniem maści na wysypki, które prawdopodobnie i tak same by zniknęły, i składaniem do kupy bandziorów, żeby mogli wrócić na ulicę i znowu do siebie strzelać.

Faith nie brała pod uwagę, że motywacja Sary może być aż tak altruistyczna. Podejrzewała, że sama sobie wystawia fatalne świadectwo, zakładając, że wszyscy kierują się w życiu egoistycznymi pobudkami.

– Pani mąż wydał mi się taki... doskonały – powiedziała.

Sara się roześmiała, wyciskając krew na pasek testowy.

– Wieszał swoje suspensorium na klamce na drzwiach łazienki, puszczał się na prawo i lewo za pierwszym razem, kiedy się pobraliśmy, o czym przekonałam się naocznie któregoś dnia, gdy wróciłam wcześniej z pracy. I miał pozamałżeńskiego syna, o którego istnieniu dowiedział się dopiero po czterdziestce. – Odczytała wynik na wyświetlaczu i pokazała go Faith. – Jak pani myśli? Sok czy insulina?

– Insulina – wyznała. – Skończyła mi się w porze lunchu.

– Domyśliłam się. – Sara podniosła słuchawkę i wezwała jedną z sióstr. – Musi pani to opanować.

– To śledztwo jest...

– To śledztwo jest w toku, tak jak wszystkie inne, które prowadziła pani przed nim, i wszystkie następne, które będzie pani prowadzić po nim. Jestem pewna, że agent Trent poradzi sobie bez pani przez kilka godzin, tak by mogła pani to załatwić.

Faith nie była pewna, czy agent Trent w ogóle może sobie teraz poradzić.

Sara jeszcze raz zajrzała do dziecka.

– Ma na imię Balthazar.

– A już myślałam, że nic gorszego nie może go spotkać.

Była na tyle miła, że się roześmiała, ale powiedziała poważnie:

– Mam specjalizację drugiego stopnia z pediatrii, Faith, ukończyłam Uniwersytet Emory'ego z jednym z najlepszych wyników, i niemal dwadzieścia lat życia poświęciłam na pomaganie ludziom, żywym i martwym. Może pani do woli kwestionować osobiste pobudki mojego działania, ale proszę nie kwestionować moich umiejętności.

– Ma pani rację. – Faith poczuła jeszcze większą skruchę. – Przepraszam. To był naprawdę ciężki dzień.

– Szalejący cukier na pewno nie pomaga. – Rozległo się pukanie do drzwi. Sara otworzyła i odebrała od pielęgniarki garść penów do insuliny. Zamknęła drzwi i zwróciła się do Faith: – Nie może pani tego lekceważyć.

– Wiem, że nie mogę.

– Odkładanie na później wizyty u lekarza nic nie da. Proszę zwolnić się na dwie godziny i pojechać do Delii, żeby doprowadzić się do porządku i móc skupić na pracy.

– Tak zrobię.

– Zmiany nastroju, nagłe wybuchy złości, to wszystko są objawy choroby.

Faith czuła się tak, jakby matka właśnie natarła jej uszu, ale może dokładnie tego teraz potrzebowała.

– Dziękuję.

Sara położyła dłonie na łóżeczku.

– Nie będę pani przeszkadzać.

– Chwileczkę – poprosiła Faith. – Zajmuje się pani młodymi dziewczętami, prawda?

Lekarka wzruszyła ramionami.

– Gdy miałam prywatną praktykę, zajmowałam się znacznie częściej. Dlaczego pani pyta?

– Co pani wie o thinspo?

– Niewiele – przyznała. – Wiem, że to określenie na kult i propagandę anoreksji, głównie w sieci.

– Trzy z naszych ofiar cierpią lub cierpiały na zaburzenia odżywiania.

– Anna jest nadal bardzo szczupła – zauważyła Sara. – Wątroba i nerki nie działają, ale myślałam, że to skutek tego, co jej zrobiono, a nie tego, co sama sobie robiła.

– Może być anorektyczką?

– Niewykluczone. Nie brałam pod uwagę takiej ewentualności z uwagi na jej wiek. Anoreksja to głównie choroba wieku młodzieńczego. Pete zauważył coś podobnego w czasie sekcji Jacquelyn Zabel – przypomniała sobie. – Była bardzo wychudzona, ale z drugiej strony przez co najmniej dwa tygodnie nie jadła i nie piła normalnie. Założyłam po prostu, że wyjściowo musiała mieć niewielką niedowagę. Była drobnej postury. – Nachyliła się nad Balthazarem i pogłaskała go po policzku. – Anna nie mogłaby zajść w ciążę i urodzić, gdyby się głodziła. Nie bez poważnych powikłań.

– Może udało jej się tymczasowo nad tym zapanować – zasugerowała Faith. – Nigdy nie wiem, co jest czym. Czy to w anoreksji się wymiotuje?

– W bulimii. Anoreksja oznacza głodzenie. Czasami anorektyczki sięgają po środki przeczyszczające, ale nie wymiotują. Jest coraz więcej dowodów na genetyczne tło tych zaburzeń, pewne zmiany na poziomie chromosomowym mogą predysponować do ich wystąpienia. Zwykle uaktywnia je jakiś czynnik środowiskowy.

– Jak molestowanie?

– Czasem. A czasem maltretowanie. Czasem dysmorfia, zaburzenia proporcji budowy. Dużo ludzi obarcza winą czasopisma i gwiazdy filmowe, ale sprawa jest znacznie bardziej skomplikowana i nie ogranicza się do jednej przyczyny. Coraz częściej także zaczynają chorować chłopcy. To bardzo trudna do leczenia jednostka z uwagi na komponent psychologiczny.

Faith pomyślała o ofiarach.

– Czy jakiś określony typ osobowości jest bardziej podatny?

Sara zastanawiała się przez chwilę, zanim odpowiedziała.

– Mogę tylko powiedzieć, że tych kilka pacjentek z anoreksją, z którymi ja miałam do czynienia, czerpało ogromną przyjemność z głodzenia się. Zwalczenie fizjologicznej potrzeby jedzenia wymaga ogromnej siły woli. Często osoby chore mają wrażenie, że ich życie wymknęło się spod kontroli i jedyne, nad czym jeszcze panują, to jedzenie: to, czy włożą coś do ust czy nie. Uczuciu głodu towarzyszą także pewne fizyczne objawy, takie jak zawroty głowy, euforia, czasem halucynacje. Razem mogą dawać ten sam rodzaj otumanienia i haju, jaki wywołują opiaty. To doznanie bywa bardzo silnie uzależniające.

Faith usiłowała sobie przypomnieć, ile razy zdarzyło jej się w żartach żałować, że nie ma dość silnej woli, by choć na tydzień zamienić się w anorektyczkę.

– Największym problemem w terapii – dodała Sara – pozostaje fakt, że nadmierna chudość u kobiet jest znacznie łatwiej akceptowalna społecznie niż nadwaga.

– Chciałabym spotkać kobietę, która jest zadowolona z własnej wagi.

Sara uśmiechnęła się smutno.

– Moja siostra jakoś się nie uskarża.

– Jest święta?

Faith żartowała, ale Sara zbiła ją z pantałyku.

– Ciepło. Misjonarka. Kilka lat temu wyszła za pastora. Wyjechali do Afryki i opiekują się dziećmi chorymi na AIDS.

– Dobry Boże, już jej nienawidzę i nawet nie chcę znać.

– Może mi pani wierzyć, Faith, ma swoje wady – wyznała Sara. – Wspomniała pani o trzech ofiarach. Czy to znaczy, że kolejna kobieta została porwana?

Faith uświadomiła sobie, że sprawa Olivii Tanner nie trafiła jeszcze do mediów.

– Tak. Ale proszę zachować to dla siebie.

– Naturalnie.

– Wygląda na to, że dwie z nich przyjmowały duże dawki aspiryny. Ta nowa, o której zniknięciu dowiedzieliśmy się dzisiaj, miała w domu sześć olbrzymich butelek. Jacquelyn Zabel trzymała duże opakowanie przy łóżku.

Sara pokiwała głową, jakby coś zaczynało składać się do kupy.

– W dużych dawkach aspiryna ma działanie wymiotne. To by wyjaśniało, dlaczego żołądek Zabel był taki owrzodzony. I dlaczego nadal krwawiła, kiedy Will ją znalazł. Strasznie się przejmował, że nie dotarł do niej w porę.

Teraz Will miał znacznie więcej powodów do przejmowania się. Mimo to Faith sobie przypomniała:

– Potrzebuje numeru pani mieszkania.

– Po co? – zdziwiła się Sara i zaraz sama odpowiedziała na to pytanie. – A, pies jego żony.

– Właśnie. – Faith pomyślała, że przynajmniej może dla niego skłamać.

– Dwanaście. Jest w książce. – Dotknęła dziecka. – Powinnam zawieźć chłopca do matki.

Sara zaczęła pchać łóżeczko i Faith przytrzymała jej drzwi. W uszach brzęczał jej gwar korytarza, dopóki z powrotem ich nie zamknęła. Usiadła na taborecie i podciągnęła spódnicę, szukając kawałka skóry wolnego od niebieskoczarnych śladów po igłach. W ulotce dla cukrzyków radzono, by zmieniać miejsca zastrzyków, więc Faith zerknęła na brzuch, gdzie znalazła dziewiczy wałeczek tłuszczu, który chwyciła miedzy kciuk a palec wskazujący.

Trzymała pena kilka centymetrów od brzucha, ale nie wbiła go w skórę. Gdzieś pod tymi wszystkimi nadziewanymi krakersami chowało się maleńkie dzieciątko z maleńkimi rączkami, stópkami, usteczkami i oczami – oddychające z każdym jej oddechem, siusiające co dziesięć minut, kiedy biegła do ubikacji. Słowa Sary wiele Faith uświadomiły, ale chwila, w której trzymała w objęciach Balthazara Lindseya, obudziła w niej coś, czego jeszcze nigdy w życiu nie doświadczyła. Choć bardzo kochała Jeremy'ego, jego narodziny trudno było uznać za radosne wydarzenie. Piętnaście lat to nie był wiek stosowny na huczne pępkowe i nawet pielęgniarki w szpitalu patrzyły na nią z litością.

Tym razem będzie inaczej. Była wystarczająco dorosła, by być matką i nie musieć się tego wstydzić. Będzie mogła chodzić do centrum handlowego z maleństwem na biodrze, nie przejmując się, że ludzie biorą ją za siostrę własnego dziecka. Będzie mogła chodzić z nim do pediatry i podpisywać wszystkie formularze bez konieczności kontrasygnaty matki. Będzie mogła chodzić na wywiadówki i mówić jego nauczycielom, żeby się walili, nie martwiąc się, że sama trafi na dywanik dyrektora. Cholera, nie będzie musiała nawet chodzić – może jeździć samochodem.

Tym razem będzie mogła zrobić to jak należy. Będzie dobrą matką od początku do końca. Ee, cóż, no może nie od samego początku. Zestawiła szybko listę wszystkich przewinień, jakich dopuściła się wobec dziecka tylko w tym tygodniu: ignorowała je, zaprzeczała jego istnieniu, zemdlała na parkingu, rozważała aborcję, naraziła na kontakt z czymkolwiek, czego nosicielem jest Sam Lawson, spadła ze schodka na taras i ryzykowała życie ich obojga, usiłując powstrzymać Willa od rozwalenia łba jakiegoś pieprzonego portiera o piękną pętelkową wykładzinę zaścielającą podłogę holu w budynku na Beeston.

A teraz siedzi ze swoim dzieckiem na OIOM-ie szpitala Grady'ego i zamierza wbić igłę gdzieś w okolice jego głowy.

Otworzyły się drzwi.

– Co, u licha, wyprawiasz? – spytała Amanda i domyśliła się sama, zanim Faith zdążyła odpowiedzieć. – Och, na miłość boską. Kiedy zamierzałaś mi o tym powiedzieć?

Faith opuściła koszulę, myśląc, że trochę za późno na skromność.

– Tuż po tym, jak ci powiem, że spodziewam się dziecka.

Amanda usiłowała trzasnąć drzwiami, ale hydrauliczne zawiasy jej nie pozwoliły.

– Cholera jasna, Faith. Z dzieckiem nie osiągniesz wiele.

Najeżyła się.

– Osiągnęłam tyle, mając już jedno.

– Byłaś podfruwajką w mundurze wyciągającą szesnaście tysięcy rocznie. Teraz masz trzydzieści trzy lata.

– Zgaduję w takim razie, że raczej nie wyprawisz mi pępkowego.

Spojrzenie Amandy mogło ciąć szkło.

– Twoja matka wie?

– Uznałam, że pozwolę jej się cieszyć wakacjami.

Amanda klepnęła się dłonią w czoło, co byłoby komiczne, gdyby nie fakt, że trzymła w tej dłoni życie Faith.

– Dyslektyczny niepanujący nad agresją półgłówek i tłusta ciężarna diabetyczka, która nie ma pojęcia o antykoncepcji. – Pomachała jej palcem przed twarzą. – Mam nadzieję, że podoba ci się twój partner, młoda damo, bo do końca życia będziesz już pracowała w parze z Willem Trentem.

Faith starała się puścić mimo uszu słowo „tłusta”, które, Bogiem a prawdą, ubodło ją najbardziej.

– Mogę wyobrazić sobie gorszą tragedię niż partnerowanie Trentowi do końca życia.

– Powinniście oboje dziękować Panu, że monitoring nie zarejestrował jego małego napadziku szału.

– Will to dobry glina, Amando. Nie pracowałby już u ciebie, gdybyś tak nie uważała.

– Cóż... – Ugryzła się w język. – Może kiedy nie afiszuje się ze swoim zespołem porzucenia.

– Jak on się czuje?

– Przeżyje – rzuciła Amanda niezbyt przekonana. – Wysłałam go, żeby zlokalizował tę prostytutkę. Lolę.

– To ona nie siedzi w areszcie?

– W mieszkaniu była naprawdę kupa towaru: heroina, amfa, koka. Angie Polaski zdołała ją wyciągnąć za przekazanie informacji. – Amanda wzruszyła ramionami. Nie zawsze udawało jej się do końca kontrolować policję w Atlancie.

– Uważasz, że to dobry pomysł, by Will szukał tej dziwki, zważywszy na to, jak bardzo się wściekł z powodu porzucenia dziecka?

Wróciła stara Amanda – ta, której decyzji się nie kwestionowało.

– Mamy dwie zaginione kobiety i seryjnego zabójcę, który wie, co z nimi zrobić. Potrzebujemy jakiegoś przełomu, zanim sprawa wymknie nam się z rąk. Czas biegnie, Faith. Sprawca może już obserwować kolejną ofiarę.

– Miałam się spotkać dzisiaj z Rickiem Siglerem, tym ratownikiem, który pomógł Annie.

– Godzinę temu wysłałam funkcjonariusza do jego domu. Był w towarzystwie żony. Stanowczo zaprzeczył, jakoby znał jakiegoś tam Bermana. Ledwo przyznał, że w ogóle przejeżdżał tamtędy w tę feralną noc.

Faith nie wyobrażała sobie gorszych okoliczności przesłuchania Siglera.

– On jest gejem. Żona nic nie wie.

– Żony nigdy nie wiedzą – odparowała Amanda. – Tak czy siak, nie chciał mówić, a nie mamy w tej chwili podstaw, by ciągać go na komendę.

– Nie jestem pewna, czy to on jest naszym podejrzanym.

– Jeśli o mnie chodzi, każdy jest podejrzany. Czytałam protokół sekcji. Widziałam, co zrobiono tej kobiecie. Nasz sprawca lubi eksperymentować. Będzie to robił, dopóki go nie powstrzymamy.

Faith od kilku godzin funkcjonowała na adrenalinie i teraz, słysząc słowa szefowej, znowu poczuła jej przypływ.

– Chcesz, żebym obserwowała Siglera?

– Leo Donnelly waruje teraz w aucie przed jego domem. Coś mi mówi, że nie chciałabyś spędzić z nim nocy w jednym samochodzie.

– Nie – odpowiedziała Faith, i nie tylko dlatego, że Leo był nałogowym palaczem.

Prawdopodobnie winiłby ją za umieszczenie go na czarnej liście Amandy. I nie myliłby się.

– Ktoś musi pojechać do Michigan, żeby dokopać się do akt rodziny Pauline Steward. Nakaz już został wydany, ale najwyraźniej w bazach elektronicznych są tylko dane z ostatnich piętnastu lat. Musimy znaleźć kogoś z jej przeszłości, i to szybko – rodziców, tego brata, jeśli tylko nie jest nim nasz tajemniczy pan Berman. Z oczywistych powodów nie mogę wysłać Willa i kazać mu czytać akta.

Faith położyła pen do insuliny na blacie.

– Ja się tym zajmę.

– Masz tę cukrzycę pod kontrolą? – Ewidentnie wyraz jej twarzy mówił sam za siebie. – Wyślę jednego z agentów, którzy są zdatni do pracy. – Zbyła machnięciem ręki wszystkie ewentualne obiekcje Faith. – Po prostu wygrzebmy się jakoś z tego, zanim znowu odbije nam się to czkawką, zgoda?

– Przepraszam. – W ciągu ostatniego kwadransa Faith naprzepraszała się więcej niż przez całe swoje życie.

Amanda pokręciła głową, sygnalizując, że nie ma ochoty dłużej omawiać tej sytuacji.

– Portier poprosił o adwokata. Jutro z samego rana mamy z nimi porozmawiać.

– Aresztowałaś go?

– Zatrzymałam do wyjaśnienia. To cudzoziemiec. Ustawodawstwo antyterrorystyczne daje nam prawo zatrzymać go na dwadzieścia cztery godziny, żeby sprawdzić status imigracyjny. Przy odrobinie szczęścia przetrząśniemy jego mieszkanie i znajdziemy coś, czym będziemy mogli go przygwoździć.

Faith była daleka od kwestionowania procedur wymiaru sprawiedliwości.

– A co z sąsiadami? – spytała Amanda.

– To spokojny budynek. Apartament piętro niżej stoi pusty od miesięcy. Można by tam zdetonować bombę atomową i nikt by się nie zorientował.

– A ten trup?

– Diler. Przedawkowanie heroiny.

– Pracodawcy Anny nie zgłosili jej zniknięcia?

Faith powiedziała, jak niewiele udało jej się na razie dowiedzieć.

– Pracuje dla kancelarii prawniczej Bandle & Brinks.

– Słodki Jezu, to się przedstawia coraz gorzej. Słyszałaś o tej kancelarii? – Nie dała jej czasu na odpowiedź. – Specjalizują się w procesach przeciwko władzom miast: za złą ochronę porządku publicznego, złą opiekę społeczną, za wszystko, do czego mogą się przyczepić, i występują o odszkodowanie, rozwalając ci budżet w drobny mak. Nawet nie zliczę, ile razy pozywali stan i wygrywali.

– Nie chcieli odpowiadać na pytania. Nie przekażą nam żadnych jej dokumentów czy akt bez nakazu.

– Czyli zachowują się jak prawnicy. – Amanda przemierzała pokój. – Porozmawiamy teraz z Anną, potem wrócimy do jej mieszkania i przewrócimy je do góry nogami, zanim jej kancelaria się zorientuje, co robimy.

– Kiedy jest przesłuchanie portiera?

– Punkt ósma jutro rano. Myślisz, że dasz radę je wcisnąć w swój napięty plan dnia?

– Tak jest.

Amanda wyglądała jak matka, kiedy znowu pokręciła głową, patrząc na Faith, sfrustrowana i lekko zniesmaczona.

– Nie sądzę, żeby i tym razem ojciec był gdzieś na horyzoncie?

– Jestem już trochę za stara, by zaczynać coś nowego.

– Gratulacje – powiedziała, otwierając drzwi. Byłoby to miłe, gdyby nie dodatek „idiotko", który wymruczała, wchodząc na korytarz.

Dopiero kiedy Amanda wyszła, Faith zdała sobie sprawę, że wstrzymywała oddech. Odetchnęła ciężko i po raz pierwszy od chwili, kiedy dowiedziała się o cukrzycy, wbiła igłę w ciało za pierwszym podejściem. Nie bolało, a może po prostu była w takim szoku, że nic nie czuła.

Zapatrzyła się w ścianę naprzeciwko, usiłując wrócić myślami do śledztwa. Zamknęła oczy, odtwarzając sobie w myślach zdjęcia z sekcji Jacquelyn Zabel, fotografie ziemianki, gdzie przetrzymywano ją razem z Anną Lindsey. Przypomniała sobie potworności, przez które przeszły obie kobiety – tortury, ból. Znowu przyłożyła dłoń do brzucha. Czy dziecko rozwijające się w jej łonie jest dziewczynką? A jeśli tak, to na jaki świat ją wyda? Miejsce, gdzie ojcowie molestują małoletnie córki, a czasopisma wmawiają im, że nigdy nie będą wystarczająco doskonałe, gdzie sadyści mogą w mgnieniu oka wyrwać cię z normalnego życia, zabrać od dziecka i wtrącić w prawdziwe piekło na ziemi?

Wstrząsnęła się. Wstała i wyszła z pomieszczenia.

Policjanci pilnujący sali zrobili jej przejście. Gdy weszła do środka, nagle zrobiło jej się zimno i skrzyżowała ręce na piersiach. Anna leżała w łóżku, Balthazar spoczywał w zgięciu jej kościstego ramienia. Pod skórą ostro rysowały się kości, tak jak u dziewcząt z filmów, które Faith oglądała na komputerze Pauline McGhee.

– Do sali weszła właśnie agent Mitchell – poinformowała Amanda kobietę. – Usiłuje ustalić, kto to pani zrobił.

Oczy Anny były zmętniałe i zamglone, jakby miała zaćmę. Spoglądała pustym wzrokiem w stronę drzwi. Faith wiedziała, że w takich sytuacjach nie obowiązuje etykieta, nie ma jednego sposobu postępowania. W takich sytuacjach nie prowadzi się towarzyskich rozmówek. Nie pyta się ofiar, jak się czują, bo odpowiedź jest oczywista. Prowadziła już wcześniej sprawy dotyczące gwałtów i napaści seksualnych, ale nic, co byłoby choć trochę zbliżone do tej sprawy. Musiała wierzyć, że jakoś sobie poradzi.

– Wiem, że przeżywa pani ciężkie chwile – zaczęła Faith. – Mamy tylko kilka pytań.

– Pani Lindsey właśnie mi mówiła, że zakończyła dużą sprawę i wzięła sobie kilka tygodni urlopu, żeby spędzić czas z dzieckiem – poinformowała Amanda.

– Czy ktoś jeszcze o tym wiedział? – spytała Faith.

– Poinformowałam portiera. Naturalnie wiedzieli koledzy z pracy: sekretarka, partnerzy. Z sąsiadami nie rozmawiam.

Faith miała wrażenie, jakby Annę Lindsey otaczał wielki mur. Wiało od niej takim chłodem, że nawiązanie kontaktu wydawało się niemal niemożliwe. Postanowiła ograniczyć się do najniezbędniejszych pytań.

– Może nam pani powiedzieć, jak została pani porwana?

Anna oblizała suche wargi, zamknęła oczy. Kiedy się odezwała, jej głos był niewiele głośniejszy od szeptu.

– Byliśmy w mieszkaniu. Przygotowywałam właśnie Balthazara na spacer po parku. Tylko tyle pamiętam.

Faith wiedziała, że porażeniu taserem może towarzyszyć mniejsza lub większa utrata pamięci.

– Co pani zobaczyła, gdy się ocknęła?

– Nic. Później już niczego nie widziałam.

– A przypomina sobie pani jakieś dźwięki czy wrażenia?

– Nie.

– Rozpoznała pani napastnika?

Anna pokręciła głową.

– Nie. Niczego nie pamiętam.

Faith odczekała kilka sekund, starając się zapanować nad frustracją.

– Wymienię kilka nazwisk. Chcę, żeby powiedziała pani, czy któreś z nich brzmi znajomo.

Anna skinęła głową, przesuwając ręką po pościeli, by znaleźć usta syna. Włożyła mu palec do buzi, który zaczął głośno ssać.

– Pauline McGhee.

Anna pokręciła głową.

– Olivia Tanner.

Pokręciła głową.

– Jacquelyn albo Jackie Zabel?

Jeszcze raz pokręciła głową.

Faith zostawiła Jackie na koniec. Obie kobiety przebywały pod ziemią razem. To jedno wiedzieli na pewno.

– Znaleźliśmy odcisk pani palca na prawie jazdy Jackie Zabel.

Anna jeszcze raz otworzyła suche usta.

– Nie – rzuciła stanowczym tonem. – Nie znam jej.

Amanda popatrzyła na Faith z uniesionymi brwiami. Pourazowa amnezja? Czy coś innego?

– A słyszała pani określenie „thinspo"? – drążyła Faith.

Anna zesztywniała.

– Nie – rzuciła pospiesznie i tym razem głośniej.

Faith ponownie odczekała kilka sekund, dając jej czas do namysłu.

– W miejscu, w którym była pani przetrzymywana, znaleźliśmy kilka notesów. Wszystkie zapisane są od deski do deski tylko jednym zdaniem: „Nie wyrzeknę się". Czy to pani coś mówi?

Ponownie pokręciła głową.

Faith starała się, by jej głos nie zabrzmiał błagalnie.

– Może nam pani powiedzieć coś o napastniku? Czy czuła pani jakieś zapachy, na przykład olej albo benzynę? Wodę kolońską? A może zarost? Czy miał jakieś fizyczne...

– Nie – wyszeptała Anna, przebiegając palcami po ciele dziecka i biorąc jego dłoń w swoją. – Nie mogę nic powiedzieć. Nie pamiętam żadnych szczegółów. Nic.

Faith już otwierała usta, ale Amanda ją ubiegła.

– Jest pani tutaj bezpieczna, pani Lindsey. Od chwili przywiezienia pilnuje pani dwóch uzbrojonych strażników na zewnątrz. Już nikt pani nie skrzywdzi.

Anna odwróciła się do dziecka, szepcząc do niego uspokajająco.

– Niczego się nie boję.

Faith wstrząsnęła pewność w jej głosie. Może gdy się przeszło to, co ona przeszła, człowiek miał wrażenie, że zniesie wszystko.

– Podejrzewamy, że sprawca porwał i więzi dwie kolejne kobiety – powiedziała Amanda. – Że robi im to samo, co zrobił pani. Jedna z nich ma dziecko, pani Lindsey. Chłopca imieniem Felix. Ma sześć lat i bardzo tęskni za mamą. Jestem pewna, że gdziekolwiek ona teraz się znajduje, myśli o nim i marzy tylko, by go znowu przytulić.

– Mam nadzieję, że jest silna – wymruczała Anna, potem dodała głośniej: – Jak już wiele razy mówiłam, niczego nie pamiętam. Nie wiem, kto to zrobił, dlaczego to zrobił ani gdzie to zrobił. Wiem tylko, że teraz jest już po wszystkim i zamykam ten rozdział.

Faith czuła, że Amanda jest tak samo sfrustrowana jako ona.

– Chciałabym teraz odpocząć – powiedziała Anna.

– Możemy poczekać – zapewniła Faith. – Wrócić do tej rozmowy za kilka godzin.

– Nie. – Rysy twarzy kobiety stwardniały. – Znam swoje obowiązki. Podpiszę zeznanie czy postawię krzyżyk, czy co tam robią niewidomi, ale jeśli chcecie ze mną znowu rozmawiać, możecie się umówić z moją sekretarką, kiedy wrócę do pracy.

– Ale, Anno... – spróbowała Faith.

Kobieta odwróciła się. Najwyraźniej nie tylko z uwagi na ślepotę nie mogła na nie patrzeć.

ROZDZIAŁ OSIEMNASTY

Sara zdołała wreszcie posprzątać mieszkanie. Nie pamiętała już, kiedy prezentowało się tak dobrze – może gdy oglądała je po raz pierwszy z agentem nieruchomości, zanim jeszcze się do niego sprowadziła. Lofty Mleczne były swego czasu mleczarnią, zaopatrywaną przez gospodarstwa wiejskie, które onegdaj zajmowały dużą połać wschodniej części miasta. Budynek miał sześć pięter, po dwa mieszkania na każdym. Były rozdzielone długim korytarzem z ogromnymi oknami na obu końcach. Strefę dzienną mieszkania urządzono na tak zwanym otwartym planie, bez ścianek działowych: kuchnia wychodziła wprost na ogromny salon. Całą ścianę zajmowały sięgające od sufitu do podłogi okna, które z jednej strony cholernie trudno się myło, ale z drugiej zapewniały ładny widok na centrum, gdy żaluzje były podniesione. Na tyłach znajdowały się trzy sypialnie, każda z własną łazienką. Sara oczywiście spała w głównej, pokój gościnny stał odłogiem, a w trzecim urządziła gabinet i schowek.

Nigdy nie myślała o sobie jako fance loftów, jednak kiedy przeprowadziła się do Atlanty, chciała, by jej nowe życie możliwie jak najbardziej różniło się od poprzedniego. Zamiast wybrać słodki bungalow przy którejś ze starych, wysadzanych drzewami uliczek, zdecydowała się na otwartą przestrzeń ogromnego mieszkania, które niewiele odbiegało charakterem od pustego pudełka. Rynek nieruchomości w Atlancie właśnie przechodził kryzys, a Sara miała do dyspozycji absurdalnie dużą sumę. Wszystko było nowe, kiedy się wprowadziła, ale i tak przeprowadziła gruntowny remont, zmieniając mieszkanie nie do poznania. Za pieniądze, które zapłaciła za samą tylko kuchnię, przez rok wyżywiłaby się trzyosobowa rodzina. Jeśli dodać do tego okazały wystrój łazienek, fakt, że Sara tak swobodnie poczynała sobie ze swoją książeczką czekową, stawał się wprost żenujący.

W poprzednim życiu była bardzo oszczędną osobą, nowe bmw co cztery lata stanowiło jedyne finansowe szaleństwo, na jakie sobie pozwalała. Po śmierci Jeffreya otrzymała wypłatę z ubezpieczenia, jego emeryturę, oszczędności i pieniądze ze sprzedaży jego domu. Wszystko to zostawiła w banku, mając wrażenie, że wydawanie pieniędzy męża będzie równoznaczne z przyznaniem, że jego już nie ma. Rozważała nawet odrzucenie ulgi podatkowej, jaką przyznał jej stan jako wdowie po zamordowanym oficerze policji, ale jej księgowy stanął okoniem i nie było sensu kruszyć kopii.

Przekazy, które co miesiąc wysyłała do Sylacaugi w Alabamie, żeby wesprzeć matkę Jeffreya, pochodziły z jej kieszeni, podczas gdy majątek Jeffreya kapitalizował niewielki procent składany w lokalnym banku. Często myślała o przekazaniu tych pieniędzy jego synowi, ale byłoby to zbyt skomplikowane. Chłopiec nie miał pojęcia, kto był jego prawdziwym ojcem: nie mogła zrujnować mu życia, a potem wręczyć sumę, która dla studenta college'u stanowiłaby małą fortunę.

I tak oto pieniądze Jeffreya leżały bezpiecznie w banku, tak jak list leżał na kominku. Stanęła przy nim i przesunęła palcami po krawędzi koperty, zastanawiając się, dlaczego nie włożyła jej z powrotem do torebki albo nie wcisnęła do kieszeni, tylko podniosła na chwilę, żeby zetrzeć kurz pod spodem w czasie swojego wściekłego napadu porządków.

Zobaczyła teraz obrączkę Jeffreya na drugim końcu gzymsu. Nadal nosiła swoją – z białego złota do pary – ale jego sygnet uniwersytecki, złoty pierścień z insygniami Uniwersytetu Auburn, miał dla niej większą wartość. Niebieski kamień był porysowany, a sam sygnet za duży na jej palec, więc nosiła go na długim łańcuszku na szyi, jak żołnierz nieśmiertelniki. Nie pokazywała go nikomu: zawsze tkwił schowany pod bluzką, blisko serca, tak że przez cały czas go czuła.

Mimo to wzięła teraz do ręki obrączkę Jeffreya i pocałowała ją, zanim znowu odłożyła na kominek. Przez ostatnich kilka dni jej umysł umieścił Jeffreya w innej przegródce. Miała wrażenie, że znowu przechodzi żałobę, ale tym razem jakby z dystansu. Zamiast budzić się każdego ranka zdruzgotana, jak to miało miejsce przez ostatnie trzy i pół roku, czuła po prostu przygniatający smutek. Smutek, że obraca się w łóżku i nie znajduje go obok. Smutek, że już nigdy nie zobaczy jego uśmiechu. Smutek, że już nigdy go nie obejmie ani nie poczuje w sobie. Ale już nie obezwładniającą rozpacz. Już nie pragnienie śmierci. Nie tak, jakby każdy najmniejszy ruch czy myśl wymagały wysiłku. Jakby nie było żadnego światełka na końcu tego wszystkiego.

Poza tym wydarzyło się coś jeszcze. Faith Mitchell zachowała się dzisiaj okrutnie, a Sara przeżyła. Nie załamała się ani nie upadła na duchu. Nie rozsypała się. Wzięła się w garść i wytrzymała. Co dziwne, w pewien sposób czuła się przez to bliższa Jeffreyowi. Silniejsza, bardziej podobna do tej kobiety, w której się zakochał, a nie tej, która bez niego z kretesem się rozsypała. Zamknęła oczy i niemal czuła ciepło jego oddechu na swoim karku, dotyk ust tak delikatny, że przeszył ją dreszcz. Wyobraziła sobie, że obejmuje ją ręką w talii, i zdziwiła się, gdy położyła tam dłoń i poczuła tylko własną rozgrzaną skórę.

Rozległ się dzwonek u drzwi i psy wzdrygnęły się tak jak ona. Uciszywszy je, podeszła do interkomu i wpuściła dostawcę pizzy. Betty, pies Willa Trenta, została szybko zaadoptowana przez Billy'ego i Boba, jej dwa charty. Kiedy sprzątała, cała trójka umościła się na kanapie, zerkając od czasu do czasu, gdy wchodziła do pokoju, albo posyłając jej ostre spojrzenie, gdy robiła za dużo hałasu. Nawet odkurzacz ich nie przepędził.

Otworzyła drzwi, czekając na Armanda, który dostarczał pizzę do jej mieszkania co najmniej dwa razy w tygodniu. Udawała, że to zupełnie normalne, że są po imieniu, i za każdym razem dawała mu hojne napiwki, żeby nie czuł się pokrzywdzony, że widuje ją częściej niż własne dzieci.

– Wszystko u ciebie w porządku? – spytał, gdy już pizza i pieniądze przeszły z ręki do ręki.

– Wspaniale – zapewniła, ale myślami wciąż była przy Jeffreyu.

Tyle czasu już upłynęło, odkąd ostatni raz udało jej się przypomnieć, jak to było z Jeffreyem. Chciała, żeby ten moment trwał, marzyła, by wejść do łóżka i odpłynąć pamięcią do tej słodkiej krainy.

– Miłego wieczoru, Saro. – Armando odwrócił się, żeby odejść, ale nagle przystanął. – Na dole kręci się jakiś dziwny facet.

Mieszkała w centrum dużego miasta, więc nie było w tym niczego nadzwyczajnego.

– Normalnie dziwny czy dziwny z rodzaju chowaj się kto może i wzywaj gliny?

– Myślę, że sam jest gliną. Nie wygląda, ale widziałem odznakę.

– Dzięki.

Skinął jej głową i skierował się do windy. Sara położyła pizzę na blacie w kuchni i przeszła na drugi koniec pokoju. Otworzyła okno i wychyliła się na zewnątrz. Sześć pięter niżej zauważyła postać podejrzanie podobną do Willa Trenta.

– Hej! – zawołała. Nie zareagował i przez chwilę obserwowała, jak chodzi wte i wewte, i zastanawiała się, czy ją usłyszał. Spróbowała raz jeszcze – rozdarła się jak matka, która kibicuje swojemu dziecku podczas meczu. – Hej! – Gdy Will wreszcie podniósł głowę, krzyknęła: – Szóste piętro.

Patrzyła, jak wchodzi do budynku, mijając się z wychodzącym Armandem, który pomachał Sarze i rzucił coś w rodzaju: „Do zobaczenia wkrótce". Zamknęła okno, modląc się, by Will nie słyszał tych słów albo przynajmniej miał dość przyzwoitości, by udawać. Rozejrzała się po mieszkaniu, upewniając się, że wszystko jest w miarę w porządku. Na środku salonu stały dwie sofy, jedna zawalona psami, druga poduszkami, które Sara przetrzepała i z powrotem ładnie, jak miała nadzieję, ułożyła.

Dzięki dwóm godzinom harówki kuchnia lśniła czystością, nawet miedziany panel za kuchenką, który był cudowny, zanim człowiek się zorientował, że wymaga czyszczenia dwoma różnymi środkami. Minęła płaski telewizor na ścianie i stanęła jak wryta. Zapomniała odkurzyć ekran. Naciągnęła rękaw koszuli na dłoń i zrobiła, co mogła.

Kiedy otworzyła drzwi, Will już wysiadał z windy. Sara widziała go tylko kilka razy, ale wyglądał strasznie, jakby od tygodni nie zmrużył oka. Zauważyła, że skórę na kłykciach lewej dłoni ma poobcieraną tak, jakby raz po raz walił w coś pięścią.

Zdarzało się czasami, że Jeffrey wracał do domu z podobnymi obrażeniami. Sara zawsze pytała, skąd się wzięły, a on zawsze zmyślał naprędce jakieś kłamstwa, którym ona z kolei skwapliwie dawała wiarę, bo myśl, że złamał prawo, sprawiała jej przykrość. Chciała wierzyć, że jej mąż jest pod każdym względem dobrym człowiekiem. A ponieważ teraz chciała wierzyć, że Will Trent także jest taki, była skłonna wziąć za dobrą monetę każdą historyjkę, którą ją poczęstuje.

– Wszystko w porządku z pana dłonią? – spytała.

– Pobiłem kogoś. Portiera w budynku Anny.

Jego szczerość zbiła ją cokolwiek z tropu i minęło kilka sekund, zanim rzuciła:

– Dlaczego?

Znowu powiedział jej prawdę.

– Po prostu nie wytrzymałem.

– Ma pan tyły u szefowej?

– Nie bardzo.

Uwiadomiła sobie, że trzyma go w korytarzu, i usunęła się z drogi, wpuszczając go do środka.

– To dziecko miało dużo szczęścia, że pan je znalazł. Nie wydaje mi się, żeby przetrzymało kolejny dzień.

– To wygodna wymówka. – Rozejrzał się po pokoju, z roztargnieniem drapiąc się po ramieniu. – Nigdy wcześniej nie uderzyłem podejrzanego. Owszem, groziłem, że uderzę, ale nigdy się do tego nie posunąłem.

– Moja matka zawsze mi powtarzała, że między nigdy a zawsze jest bardzo cienka granica. – Patrzył na nią skonsternowany, więc wyjaśniła: – Kiedy już raz zrobi się coś złego, znacznie łatwiej jest to zrobić znowu, a potem jeszcze raz, i jeszcze, i ani się człowiek obejrzy, a już robi to bez przerwy bez żadnych wyrzutów sumienia.

Patrzył na nią bez słowa chyba z minutę. W końcu wzruszyła ramionami.

– Wszystko zależy od pana. Jeśli nie chce pan przekraczać tej granicy, wystarczy, że nigdy więcej pan tego nie zrobi. Nie będzie pan sobie tego ułatwiał.

Na jego twarzy odmalowało się zaskoczenie, potem coś na kształt ulgi. Zmienił temat.

– Mam nadzieję, że Betty nie sprawiła pani zbyt dużo kłopotu.

– Żadnego. Nie jest za bardzo szczekliwa.

– Nie – zgodził się. – Nie chciałem zrzucać jej na pani barki.

– Naprawdę żaden problem – zapewniła go Sara, choć musiała w duchu przyznać, że Faith nie pomyliła się co do pobudek, którymi kierowała się rano. Zaproponowała, że popilnuje psa, bo chciała poznać szczegóły sprawy. Chciała coś wnieść do śledztwa. Chciała być znowu potrzebna.

Will stał na środku pokoju w pomiętym trzyczęściowym garniturze, którego kamizelka wisiała mu na brzuchu, jakby stracił ostatnio kilka kilogramów. Jeszcze nigdy nie widziała kogoś, kto wyglądałby na bardziej zagubionego.

– Proszę usiąść.

Wydawało się, że się bije z myślami, ale w końcu zajął miejsce na sofie naprzeciwko psów. Nie siedział tak, jak siada większość mężczyzn – z rozstawionymi szeroko nogami, ramionami wyciągniętymi na oparciu. Mimo imponującej postury najwyraźniej bardzo się starał zajmować jak najmniej przestrzeni.

– Jadł pan kolację?

Pokręcił głową i położyła na stole karton z pizzą. Psy bardzo zainteresował taki obrót sprawy, więc usiadła z nimi na kanapie, by je zdyscyplinować. Czekała, żeby Will się poczęstował, ale on zastygł naprzeciwko z rękoma na kolanach.

– Czy to obrączka pani męża?

Zaskoczona obróciła się do kominka, na którego mahoniowym gzymsie spoczywała obrączka. List leżał z drugiej strony i Sara przez chwilę się przestraszyła, że Will się domyśli, co zawiera.

– Przepraszam – rzucił. – Nie powinienem się wtrącać.

– Tak, jego – odpowiedziała, uświadamiając sobie, że naciska kciukiem na krążek na swoim palcu i obraca go nerwowo.

– A to...? – Przyłożył rękę piersi.

Sara powtórzyła jego gest i kiedy dotknęła sygnetu Jeffreya pod cienką koszulą, nagle poczuła się obnażona.

– Coś innego – rzuciła, nie wdając się w szczegóły.

Pokiwał głową i dalej rozglądał się po pokoju.

– Znaleziono mnie w kuchennym koszu na odpadki – powiedział ni stąd, ni zowąd, obcesowo. – Przynajmniej tak napisano w moich aktach – wyjaśnił.

Sara nie wiedziała, co odpowiedzieć, zwłaszcza kiedy się roześmiał, jakby wyrwał mu się pikantny dowcip na spotkaniu kółka parafialnego.

– Przepraszam. Nie wiem, co mnie napadło. – Wyciągnął kawałek pizzy z kartonu, łapiąc ściekający ser na rękę.

– Nic się nie stało – zapewniła i położyła dłoń na łbie Boba, który przysunął pysk niebezpiecznie blisko stolika. Nie była w stanie nawet pojąć tego, co powiedział. Równie dobrze mógłby oświadczyć, że urodził się na Księżycu.

– W jakim był pan wtedy wieku? – spytała.

Przełknął i odpowiedział:

– Miałem pięć miesięcy.

Wziął kolejny kęs pizzy i patrzyła, jak przeżuwa. Wyobraziła go sobie jako pięciomiesięczne niemowlę. Dopiero co zaczął siadać i rozpoznawać dźwięki.

Ugryzł jeszcze kawałek, przeżuł dokładnie i połknął.

– Moja matka mnie tam włożyła.

– Do kosza na odpadki?

Skinął głową.

– Ktoś się włamał do domu, jakiś mężczyzna. Wiedziała, że ją zabije i mnie prawdopodobnie też. Ukryła mnie w koszu na śmieci pod zlewem i mnie nie znalazł. Chyba czułem, że muszę być cicho. – Uśmiechnął się krzywo. – Byłem dzisiaj w mieszkaniu Anny i zaglądałem do wszystkich koszy. I przez cały ten czas myślałem o tym, co powiedziała pani rano. Że zabójca umieszcza te worki na śmieci w pochwach kobiet w formie komunikatu. Żeby oznajmić światu, że są nic niewartymi śmieciami.

– Ale przecież matka pana chroniła. Nie wysyłała takiego komunikatu.

– Taa. Wiem.

– Czy... – Jej mózg nie pracował na tyle sprawnie, by formułować pytania.

– Czy złapali człowieka, który ją zabił? – dokończył za nią. Jeszcze raz rozejrzał się po pokoju. – A złapali tego, który zabił pani męża?

Zadał pytanie, ale nie oczekiwał odpowiedzi. Chciał tylko pokazać, że to nie ma znaczenia, co Sara wiedziała od momentu, kiedy jej powiedziano, że człowiek, który zorganizował zamach na Jeffreya, nie żyje.

– Każdy gliniarz, który o tym słyszał, tylko to chce wiedzieć. Czy go złapali.

– Oko za oko. – Pokazał na pizzę. – Mogę jeszcze...?

Pochłonął już połowę.

– Śmiało.

– To był ciężki dzień.

Sara roześmiała się z tego niedomówienia. On też się uśmiechnął.

Pokazała na jego dłoń.

– Chce pan, żebym ją opatrzyła?

Zerknął na rany, jakby dopiero teraz uświadomił sobie, że coś jest nie tak.

– A co może pani zrobić?

– Na szwy jest już za późno. – Wstała, żeby przynieść z kuchni apteczkę. – Mogę to oczyścić. Powinien pan przyjmować jakiś antybiotyk, żeby nie wdało się zakażenie.

– A co z wścieklizną?

– Z wścieklizną? – Związała włosy opaską, którą znalazła w kuchennej szufladzie, i zawiesiła okulary do czytania na szyi. – Ludzka jama ustna jest dosyć zanieczyszczona, ale bardzo rzadko się zdarza...

– Nie, chodzi mi o szczury – wyjaśnił Will. – W tej norze, w której więziono Annę i Jackie, były szczury. – Jeszcze raz podrapał się po prawym ramieniu i zrozumiała już, dlaczego ciągle to robi. – One przenoszą wściekliznę, tak?

Zamarła z ręką wyciągniętą po stalową miseczkę.

– Pogryzły pana?

– Nie, tylko przebiegły mi po rękach.

– Szczury przebiegły panu po rękach?

– Tylko dwa. Może trzy.

– Dwa lub trzy szczury przebiegły panu po rękach?

– To naprawdę uspokaja, gdy powtarza pani wszystko, co mówię, tylko głośniej.

Roześmiała się z tej uwagi, ale spytała:

– Czy były pobudzone? Próbowały pana atakować?

– Niezupełnie. Chciały się tylko wydostać. Myślę, że przeraziły się tak samo na mój widok jak ja na ich. – Wzruszył ramionami. – No, tylko jeden nie uciekł. Obserwował mnie, jakby sprawdzał, co robię. Ale się nie zbliżył.

Założyła okulary i usiadła obok niego.

– Proszę podwinąć rękawy.

Zdjął marynarkę i podwinął lewy rękaw, choć drapał się po prawym. Sara się nie sprzeczała. Obejrzała zadrapania na przedramieniu: nie były głębokie nawet na tyle, by krwawić. Prawdopodobnie incydent wydał mu się znacznie groźniejszy, niż był w rzeczywistości.

– Myślę, że się pan jakoś z tego wyliże.

– Jest pani pewna? Bo może dlatego tak się dzisiaj wściekłem?

Widziała, że tylko częściowo żartuje.

– Proszę powiedzieć Faith, żeby do mnie zadzwoniła, gdy piana wystąpi panu na usta.

– Niech się pani nie zdziwi, jeśli już jutro się z panią skontaktuje.

Położyła stalową miskę na kolanach, potem włożyła do niej jego lewą dłoń.

– Może zaszczypać – ostrzegła, lejąc wodę utlenioną na otwarte rany.

Will nawet nie drgnął, co uznała za szansę na dokładniejsze oczyszczenie obrażeń.

Starała się odwrócić jego uwagę od tego, co robi, poza tym była naprawdę ciekawa.

– A co z pana ojcem?

– Były okoliczności łagodzące. – Tylko tyle powiedział. – Proszę się nie martwić. Sierocińce nie są takie złe, jak można by mniemać z lektury Dickensa. – Zmienił temat. – A pani pochodzi z dużej rodziny?

– Mam tylko młodszą siostrę.

– Pete powiedział, że pani tata jest hydraulikiem.
– Zgadza się. Siostra przez jakiś czas prowadziła z nim firmę, ale została misjonarką.
– To ładnie. Obie pomagacie ludziom.
Sara głowiła się nad następnym pytaniem, czymś, co mogłaby powiedzieć, żeby się otworzył, ale nic jej nie przychodziło do głowy. Nie miała pojęcia, jak rozmawiać z człowiekiem, który nie ma rodziny, z którym nie można wymieniać się opowieściami o tyranii rodzeństwa czy nadopiekuńczości rodziców.
Wydawało się, że on także na próżno szuka słów, a może po prostu wolał milczeć. Tak czy siak nie odezwał się aż do chwili, kiedy zaczęła przyklejać plaster, by jak najlepiej zabezpieczyć uszkodzoną skórę.
– Jest pani dobrym lekarzem.
– Powinien pan zobaczyć, jak sobie radzę z łubkami.
Popatrzył na dłoń. Poruszył palcami.
– Jest pan leworęczny – zauważyła.
– To coś złego?
– Mam nadzieję, że nie. – Uniosła lewą dłoń, którą opatrywała mu rany. – Zdaniem mojej matki to świadczy o większej inteligencji. – Zaczęła sprzątać bałagan. – A gdy już o niej mowa, dzwoniłam do niej w sprawie tego apostoła, o którego pan pytał – tego, który zastąpił Judasza. Miał na imię Matthias, Maciej. – Zaśmiała się. – Głowę daję, że jeśli spotka pan kogoś o tym imieniu, znajdzie pan zabójcę.
Will też się roześmiał.
– Wystawię za nim list gończy.
– Ostatni raz widziany w paliuszu i sandałach.
Pokręcił głową.
– Nie żartujmy sobie. To najlepszy trop, jaki się dzisiaj pojawił.
– Anna nic nie mówi?
– Nie rozmawiałem z Faith od... – Pomachał uszkodzoną dłonią. – Zadzwoniłaby, gdyby się coś urodziło.
– Ona jest inna, niż myślałam – powiedziała Sara. – Anna. Wiem, że to dziwna uwaga, ale ona jest bardzo beznamiętna. Chłodna.
– Dużo przeszła.

– Wiem, o co panu chodzi, ale to coś więcej. – Sara potrząsnęła głową. – A może po prostu odzywa się moje ego. Lekarze nie są przyzwyczajeni, że się do nich zwraca jak do służących.

– Co pani powiedziała?

– Kiedy przyniosłam jej dziecko, Balthazara, sama nie wiem, to było dziwne. Nie spodziewałam się bynajmniej medalu, ale myślałam, że przynajmniej mi podziękuje. A ona oświadczyła po prostu, że mogę już odejść.

Will odwinął rękaw.

– Żadna z tych kobiet nie jest szczególnie sympatyczna.

– Faith powiedziała, że może wchodzić w grę anoreksja.

– Niewykluczone. Niewiele wiem na ten temat. Czy anorektyczki są zawsze takie odpychające?

– Nie, oczywiście, że nie. Każda jest inna. Faith spytała mnie o to samo po południu. Powiedziałam, że trzeba bardzo dużej determinacji i silnej osobowości, żeby tak się głodzić, ale to nie oznacza, że muszą być niemiłe. – Zastanawiała się przez chwilę. – Najprawdopodobniej sprawca nie wybrał tych kobiet z powodu anoreksji, tylko właśnie osobowości. Nieprzyjemnego charakteru.

– W takim razie musiałby je znać, żeby wiedzieć, jaki mają charakter. Musiałby się z nimi kontaktować.

– A macie jakieś inne wspólne tropy oprócz zaburzeń odżywiania?

– Wszystkie są niezamężne. Jedna nie cierpi dzieci, dwie je mają. Jedna też chciała mieć, choć nie do końca. Prawniczka, bankowiec, agent nieruchomości i projektantka wnętrz.

– Prawniczka, czyli konkretnie?

– Radczyni.

– Nie zajmowała się umowami hipotecznymi i własnością nieruchomości?

Pokręcił głową.

– Ta pracująca w banku także nie prowadziła kredytów hipotecznych. Była odpowiedzialna za public relations: organizowała zbiórki pieniężne, pilnowała, żeby w gazecie pojawiło się zdjęcie prezesa banku z dzieckiem chorym na raka. Te sprawy.

– Nie należą do jakiejś grupy wsparcia?

– Jest taki czat, z którego korzystały, ale nie możemy tam wejść bez hasła. – Potarł oczy rękoma. – I tak kręcimy się w miejscu.

– Wygląda pan na zmęczonego. Może jak się pan prześpi, wypocznie, łatwiej będzie znaleźć jakieś rozwiązanie.

– Taak, powinienem już iść. – Ale się nie ruszył, tylko dalej siedział i patrzył na nią.

W pokoju zrobiło się cicho jak makiem zasiał i duszno, że niemal nie sposób było oddychać. Czuła nacisk złotej obrączki na czwartym palcu swojej ręki i to, że jej udo ociera się o jego udo.

Will pierwszy się otrząsnął. Odwrócił się i sięgnął po marynarkę leżącą na oparciu sofy.

– Czas już na mnie – powiedział, podnosząc się. – Muszę poszukać prostytutki.

Sara była pewna, że się przesłyszała.

– Przepraszam?

Zachichotał.

– Świadka imieniem Lola. To ona zajmowała się dzieckiem i dała nam cynk w sprawie mieszkania Anny. Całe popołudnie jej szukałem. Podejrzewam, że teraz, wieczorem, prawdopodobnie wyległa z kryjówki.

Sara została na kanapie, uznawszy, że lepiej będzie zachować dystans, żeby Will nie zrozumiał opatrznie jej intencji.

– Zapakuję panu trochę pizzy.

– Dziękuję, nie trzeba. – Podszedł do drugiej sofy, wyciągnął Betty spomiędzy psów i przycisnął ją do piersi. – Dziękuję za rozmowę. – Urwał. – A jeśli chodzi o to, co mówiłem... – Znowu się zająknął. – Może po prostu o tym zapomnijmy, zgoda?

W głowie jej się mąciło, gdy usiłowała znaleźć jakieś słowa, które nie zabrzmiałyby lekceważąco lub, co gorsza, jak zaproszenie.

– Oczywiście. Nie ma sprawy.

Uśmiechnął się do niej znowu i wyszedł z mieszkania.

Sara opadła na oparcie kanapy, odetchnęła głośno, zastanawiając się, co, u licha, się tu przed chwilą wydarzyło. Prześledziła w myślach rozmowę, zastanawiając się, czy dała Willowi jakiś znak, niezamierzony sygnał. A może w ogóle nic się nie stało, może tylko ona coś sobie roi. Może doszukuje się zbyt wiele w spojrzeniu, jakim ją obrzucił, gdy siedzieli na kanapie. Na pewno nie pomógł fakt, że na trzy minuty przed pojawieniem się Willa myślała o kochaniu się z mężem. Mimo to jeszcze raz przeanalizowała całą wizytę, usiłując ustalić, co wywołało ten krępujący moment i czy w ogóle był jakiś moment.

Dopiero gdy przypomniała sobie, jak trzymała jego dłoń nad miską, oczyszczając rany na kłykciach, uświadomiła sobie, że Will Trent nie nosi już na palcu obrączki.

ROZDZIAŁ DZIEWIĘTNASTY

Will zastanawiał się, ilu mężczyzn na świecie w tej chwili jeździ samochodem, szukając prostytutek. Może setki tysięcy, jeśli nie miliony. Zerknął na Betty, myśląc, że prawdopodobnie jest jedynym, który robi to z chihuahua na siedzeniu pasażera.

Przynajmniej taką miał nadzieję.

Popatrzył na swoje dłonie na kierownicy, plastry pokrywające skaleczoną skórę. Nie pamiętał, kiedy ostatni raz brał udział w poważnej bójce. Chyba jeszcze w sierocińcu. Był tam jeden taki zabijaka, który używał sobie na nim ile wlezie. Will znosił to i znosił, aż w końcu nie wytrzymał. Tony Campano stracił wtedy przedni ząb i zyskał wygląd dyni w Halloween.

Znowu poruszył palcami. Sara zrobiła, co mogła, by jak najlepiej przykleić plastry, ale i tak się ciągle odklejały. Starał się odtworzyć długą listę swoich pobytów u lekarza z czasów, kiedy był dzieckiem. Prawie każdą wizytę upamiętniała inna blizna na jego ciele i posługując się nimi, odświeżał pamięć, wymieniając w myślach ojców z rodziny zastępczej czy prowodyrów z domu dla sierot, którzy byli uprzejmi złamać mu kość, pociąć skórę czy przypalić ciało.

Szybko stracił rachubę, a może po prostu nie mógł się wystarczająco skupić, ponieważ ciągle wracał myślą do tego, jak wyglądała Sara Linton, gdy zobaczył ją w drzwiach mieszkania. Wiedział, że ma długie włosy, ale zawsze nosiła je upięte. Tym razem je rozpuściła – miękkie pukle opadające za ramiona. Miała na sobie dżinsy i bawełnianą koszulkę z długimi rękawami, która świetnie podkreślała jej figurę. Była w skarpetkach, buty zrzuciła przy drzwiach. Na dodatek ładnie pachniała – nie perfumami, ale po prostu czysto, ciepło i pięknie. Kiedy opatrywała mu rękę, musiał użyć całej siły woli, żeby nie pochylić się i nie powąchać jej włosów.

Przypomniał sobie podglądacza i fetyszystę, którego złapał w okręgu Butts kilka lat temu. Mężczyzna chodził za kobietami na parking miejscowego centrum handlowego i proponował im pieniądze za możliwość powąchania ich włosów. Will nadal pamiętał relacje w mediach, wyraz twarzy miejscowego zastępcy szeryfa, wyraźnie zdenerwowanego przed obiektywami kamer. Na pytanie reportera policjant zdołał wydusić jedynie dwa zdania: „Sprawca ma problem. Problem z włosami".

Will miał problem z Sarą Linton.

Podrapał Betty pod brodą, czekając na zmianę świateł. Mała spryciula świetnie się spisała, przypochlebiając się psom Sary, ale Will nie był na tyle głupi, by sobie wyobrażać, że on sam ma choćby cień szansy. Nikt nie musiał mu tłumaczyć, że nie jest typem mężczyzny, na którego poleciałaby Sara Linton. Po pierwsze, mieszkała w pałacu. Will remontował swój dom kilka lat temu, więc doskonale znał ceny tych wszystkich rzeczy, na które nie mógł sobie pozwolić. Już sam wystrój jej kuchni kosztował jakieś pięćdziesiąt tysięcy dolarów, dwa razy więcej, niż on wydał na odnowienie całego domu.

Po drugie, była mądra. Nie obnosiła się z tym jakoś specjalnie, ale wykonywała zawód lekarza. Głupcy nie lądowali na studiach medycznych, bo inaczej Will też byłby lekarzem. W try miga zorientowałaby się, że Will nie umie czytać, i dlatego cieszył się, że już nie będzie musiał się z nią często kontaktować.

Anna dochodziła do siebie. Wkrótce opuści szpital. Niemowlę było w dobrym stanie. Nie istniał żaden powód, dla którego miałby jeszcze kiedykolwiek spotkać Sarę Linton, chyba że przypadkiem znalazłby się w szpitalu akurat wtedy, gdy miałaby dyżur.

Mógł ewentualnie liczyć na jakiś postrzał. Myślał nawet, że przydarzy mu się on już dziś po południu, kiedy Amanda zabrała go na klatkę schodową szpitala. Ale zamiast wpakować mu w brzuch serię z automatu, powiedziała tylko: „Długo czekałam, żeby urosły ci jaja" – niezupełnie słowa, których człowiek się spodziewa z ust swojego szefa po tym, jak sprał kogoś na kwaśne jabłko. Wszyscy go tłumaczyli, wszyscy go kryli i wydawało się, że tylko on sam uważa, że źle zrobił.

Ruszył ze skrzyżowania, kierując się do jednej z najbardziej obskurnych i podejrzanych części miasta. Powoli kończyły mu się miejsca, w których mógłby znaleźć Lolę, co go niepokoiło, nie tylko dlatego że Amanda kazała mu się nie pokazywać jutro w pracy, jeśli nie namierzy tej kurwy. Lola musiała wiedzieć o dziecku. Z pewnością wiedziała o narkotykach i tym, co się działo w apartamencie Anny Lindsey. Może wiedziała coś jeszcze, czym niekoniecznie chciała się dzielić w obawie o swoje życie. A może była po prostu jedną z tych zimnych, nieczułych osób, które miały w nosie, że gdzieś tam powoli umiera dziecko. Na pewno rozeszła się już wieść, że Will jest jednym z tych gliniarzy, którzy biją ludzi. Może Lola się go boi. Cholera, przez chwilę tam, w korytarzu, sam się siebie bał.

Kiedy dotarł do mieszkania Sary, był całkowicie otępiały, jakby serce zamarło mu w piersi. Myślał o tych wszystkich ludziach, którzy podnosili na niego rękę w dzieciństwie, o przemocy, której doświadczył, o zaznanym bólu. I teraz, kiedy rzucił się na tego portiera, stał się kropka w kropkę taki sam jak oni.

Opowiedział Sarze Linton o tym incydencie, ponieważ chciał zobaczyć rozczarowanie w jej oczach, zorientować się tylko po jednym spojrzeniu, że go potępia, skreśla na amen. Tymczasem zobaczył... zrozumienie. Przyznała, że popełnił błąd, ale nie uważała, by ten błąd determinował jego charakter. Kto się tak zachowuje? Na pewno żadna z tych, które Will znał. I mógł zrozumieć.

Miała rację, jeśli chodzi o łatwość, z jaką robi się coś złego po raz drugi. Will obserwował tę prawidłowość każdego dnia w pracy na przykładzie recydywistów, którym raz się upiekło, wobec czego uznali, że mogą zaryzykować i spróbować raz jeszcze. Może w ludzkiej naturze leży takie przekraczanie granic. Jedna trzecia wszystkich zatrzymywanych za prowadzenie samochodu po spożyciu alkoholu lądowała w areszcie za jazdę na cyku po raz drugi. Połowa niebezpiecznych zbrodniarzy rekrutowała się z byłych skazańców. Wśród gwałcicieli odsetek recydywistów był szczególnie wysoki.

Will dawno temu już się nauczył, że w każdej sytuacji może kontrolować tylko jedno: siebie samego. Nie był ofiarą. Nie był więźniem swojego gniewu. Mógł postanowić być dobrym człowiekiem. Sara tak powiedziała. W jej ustach wydawało się to takie proste.

A potem niepotrzebnie wywołał ten dziwny moment, gdy siedzieli na kanapie, a on gapił się na nią jak dusiciel.

– Idiota.

Przycisnął ręce do oczu, tak że niemal je zatarł. Żałował, że nie może zatrzeć tamtego wspomnienia. Nie było sensu myśleć o Sarze Linton. Koniec końców i tak nie byłoby chleba z tej mąki.

Zauważył grupkę kobiet przechadzających się po chodniku trochę dalej. Wszystkie wyglądały jak wcielenia najróżniejszych erotycznych fantazji: uczennice, striptizerki, nawet jeden transseksualista, który przypominał matkę z *Wiercipięty*. Will opuścił szybę w oknie i zaczęły się cicho naradzać, która podejdzie. Jeździł porsche 911, które gruntownie wyremontował od silnika po najmniejszą śrubeczkę. Zajęło mu to prawie dziesięć lat. Czyli niemal tyle, ile dziwkom wydelegowanie którejś.

W końcu wolnym krokiem podeszła do niego jedna z uczennic. Nachyliła się, wsadziła głowę przez okno i natychmiast ją wycofała.

– Ee-ee – powiedziała. – Mowy nie ma. Nie jestem żadnym pierdolonym psem.

Will wyciągnął banknot dwudziestodolarowy.

– Szukam Loli.

Skrzywiła usta, po czym tak szybko capnęła pieniądz, że papier niemal sparzył mu palce.

– Taa, ta suka bzyknie się z twoim pieskiem. Jest na Osiemnastej. Przy starej poczcie.

– Dziękuję.

Dziewczyna już się oddaliła, kołysząc biodrami, do koleżanek.

Will podniósł szybę i zawrócił. We wstecznym lusterku widział prostytutki. Uczennica przekazała dwudziestkę swojemu ochroniarzowi, który z kolei miał ją przekazać alfonsowi. Will wiedział od Angie, że dziewczyny rzadko oglądają na oczy zarobione przez siebie pieniądze. Alfonsi opłacają im mieszkania, wyżywienie, ubrania. W zamian za to one muszą tylko co noc ryzykować życie i zdrowie, jadąc na numerek z każdym klientem, który się zatrzyma i ma dość kasy. Stanowi to rodzaj nowoczesnego niewolnictwa, w czym kryje się pewna ironia, biorąc pod uwagę, że większość alfonsów to byli czarni.

Will skręcił w Osiemnastą i wlokąc się żółwim tempem, zbliżył się do sedana zaparkowanego pod latarnią. Kierowca siedział za kółkiem z głową odrzuconą do tyłu. Will odczekał kilka chwil i zza kolan mężczyzny wynurzyła się druga głowa. Otworzyły się drzwiczki i kobieta chciała wyjść, ale facet wyciągnął rękę i chwycił ją za włosy.

– Cholera – mruknął Will, wyskakując z auta.

Zamknął centralny zamek pilotem, podbiegł do sedana i otworzył drzwi.

– Kurwa, co jest?! – wrzasnął mężczyzna, ciągle trzymając kobietę za włosy.

– Cześć, skarbie – powiedziała Lola, wyciągając rękę do Willa.

Chwycił ją, niewiele myśląc, i dziwka wygramoliła się z samochodu, zostawiając perukę w dłoni klienta. Mężczyzna zaklął, cisnął ją na ulicę i odjechał tak szybko, że drzwiczki zamknęły się z trzaskiem.

– Musimy pogadać – oznajmił Will.

Schyliła się, żeby podnieść perukę, racząc Willa widokiem swoich przerośniętych warg sromowych.

– Prowadzę tu interes.

– Następnym razem, gdy będziesz potrzebowała pomocy...

– Angie mi pomogła, nie ty. – Obciągnęła spódniczkę. – Oglądałeś wiadomości? Gliny znalazły w tym mieszkaniu dość koki, by usypać kopiec jak stąd do nieba. Jestem pieprzoną bohaterką.

– Balthazar będzie zdrowy. To niemowlę.

– Balta co? – Skrzywiła się. – Chryste, dzieciak nie miał szans na dobrą sprawę.

– Zajęłaś się nim. Coś dla ciebie znaczył.

– Taa. – Wcisnęła perukę na głowę, usiłując ją naprostować. – Sama mam dwójkę dzieci, wiesz? Urodziłam, kiedy byłam w kiciu. Spędziłam z nimi trochę czasu, zanim mi je zabrano.

Miała ramiona jak patyki i Will znowu przypomniał sobie filmiki, które znaleźli w komputerze Pauline. Tamte dziewczęta się głodziły, bo chciały być szczupłe. Lola przymierała głosem, bo nie stać jej było na jedzenie.

– O tak – powiedział, poprawiając jej perukę.

– Dzięki.

Ruszyła w kierunku grupki koleżanek, które też tworzyły typową mieszaninę uczennic i ulicznic, ale były starsze, bardziej zahartowane w bojach. Z reguły im wyższy był numer ulicy, tym towarzystwo twardsze, a okolice niebezpieczniejsze. Niedługo Lola wyląduje ze swoją bandą na Dwudziestej Pierwszej, w miejscu tak beznadziejnym, że dyspozytorzy z okolicznych posterunków rutynowo wysłali tam karetki po ciała kobiet, które zmarły w nocy.

– Mógłbym cię aresztować za utrudnianie śledztwa.

Szła dalej.

– W pace może być miło. Zimna noc dzisiaj.

– Angie wiedziała o dziecku?

Przystanęła.

– Powiedz mi, Lola.

Odwróciła się powoli i popatrzyła mu w oczy. Nie zamierzała powiedzieć mu prawdy, tylko to, co chciał usłyszeć.

– Nie.

– Kłamiesz.

Jej twarz pozostała bez wyrazu.

– Naprawdę wszystko z nim dobrze? Z dzieckiem, znaczy się.

– Jest teraz ze swoją mamą. Myślę, że dojdzie do siebie.

Pogrzebała w torebce i wyciągnęła paczkę papierosów i zapałki. Czekał, aż zapali, zaciągnie się.

– Byłam na imprezie. Jeden znajomy, powiedział mi o tej melinie w jakimś wypasionym budynku. Portier nie robi problemów. Wpuszcza i wypuszcza wszystkich jak leci. Głównie eleganckie towarzystwo. Wiesz, ludzi, którzy potrzebują miejsca na kilka godzin bez zadawania zbędnych pytań. Przychodzą, bawią się, następnego dnia przychodzi pokojówka. Właściciele wracają z Palm Beach, czy gdzie tam jeżdżą bogaci, i nie mają o niczym pojęcia. – Zdjęła okruch tytoniu z języka. – Ale tym razem coś się stało. Simkov, ten portier, wkurzył któregoś z lokatorów. Zwolnili go z dwutygodniowym wypowiedzeniem. No to zaczął wpuszczać gorszą klientelę.

– Taką jak ty?

Uniosła podbródek.

– Ile sobie liczył?

– O tym musisz pogadać z chłopakami. Ja tylko przychodziłam i się rżnęłam.

– Z jakimi chłopakami?

Wydmuchnęła długą smugę dymu.

Will odpuścił, świadom, że naciskanie nic nie da.

– Znałaś kobietę, do której należało to mieszkanie?

– W życiu jej nie spotkałam, nie widziałam, nie słyszałam.

– Dobra, więc się pojawiasz, Simkov cię wpuszcza i co dalej?

– Z początku było fajnie. Zwykle chodziliśmy do któregoś z niższych mieszkań. A to był apartament na górze. Mnóstwo co lepszej waszej klienteli. Dobry towar. Koka, trochę hery. Po kilku dniach pokazał się crack. Potem amfa. I zaraz wszystko się posypało, zrobił się syf.

Will przypomniał sobie opłakany stan mieszkania.

– Bardzo szybko to poszło.

– Taa, ćpuny nie znają miary ani opanowania. – Zaśmiała się na wspomnienie. – Wywiązało się kilka bójek. Kilka dziwek się wmieszało. Potem tranzystory poszły w tango na całego, zaczęły się gzić i... – Wzruszyła ramionami, jakby mówiąc: „Czego się spodziewasz?”

– No a co z dzieckiem?

– Kiedy pierwszy raz tam przyszłam, było w dziecinnym pokoju. Masz dzieci?

Pokręcił głową.

– Mądra decyzja. Angie nie jest urodzoną matką.

Will nie silił się nawet na potwierdzanie, bo oboje wiedzieli, że to szczera prawda.

– Co zrobiłaś, kiedy je znalazłaś?

– To nie było dla niego odpowiednie miejsce. Widziałam, na co się zanosi. Zaczynali się pokazywać nieciekawi ludzie. Simkov wpuszczał każdego śmiecia. Wyniosłam niemowlę na korytarz.

– Do zsypu.

Wyszczerzyła się.

– Nikt se tam nie zawracał głowy wyrzucaniem śmieci.

– Karmiłaś je?

– Taa. Dawałam mu to, co znalazłam w szafkach, zmieniałam pieluchy. Robiłam to już ze swoimi dziećmi, wiesz. Tak jak mówiłam, przez jakiś czas pozwalają ci je zatrzymać, zanim zabierają. Nauczyłam się wszystkiego o karmieniu i całym tym gównie. Dobrze się nim opiekowałam.

– Dlaczego go zostawiłaś? – spytał. – Zgarnęli cię przecież z ulicy.

– Mój alf nic o tym wszystkim nie wiedział. Robiłam tam na czarno, na nielegalu, nie, i po prostu się bawiłam. Znalazł mnie i kazał wracać do pracy, więc wróciłam.

– A jak potem udawało ci się wchodzić, żeby zająć się małym?

Poruszyła dłonią z góry do dołu.

– Waliłam Simkovowi. Jest spoko.

– Dlaczego, kiedy dzwoniłaś do mnie tej pierwszej nocy, nie powiedziałaś, że chodzi o dziecko?

– Pomyślałam, że się nim zaopiekuję, kiedy wyjdę – przyznała. – Dobrze się spisałam, nie? Znaczy się, dbałam o niego jak należy, karmiłam, zmieniałam pieluchy. To słodziutki chłopaczek. Sam widziałeś, nie? Wiesz, że jest słodki.

Ten słodziutki chłopaczek był odwodniony i bliski śmierci, kiedy Will go widział.

– Jak poznałaś Simkova?

Wzruszyła ramionami.

– Otik to stary klient. – Pokazała na ulicę. – Poznałam go tu, na kurwidołku.

– Nie sprawił na mnie wrażenia samarytanina.

– Wyświadczył mi przysługę, wpuszczając mnie tam

na górę. Nieźle zarobiłam. Zaopiekowałam się dzieckiem. Czego jeszcze chcesz ode mnie?

– Czy Angie wiedziała o niemowlęciu?

Zakaszlała, odkrztuszając flegmę głęboko z płuc. Kiedy splunęła na ulicę, Willowi żołądek podszedł do gardła.

– Musisz ją o to spytać.

Zarzuciła torebkę na ramię i oddaliła się do koleżanek.

Idąc do samochodu, Will wyjął komórkę. Aparat ledwo dyszał, ale jakoś udało mu się wybrać numer.

– Halo – powiedziała Faith.

Nie chciał rozmawiać o tym, co się wydarzyło po południu, więc nie dał jej okazji do poruszenia tego tematu.

– Gadałem z Lolą – oświadczył bez wstępów i streścił to, czego się dowiedział od prostytutki. – Simkov ją wezwał, żeby mogła sobie trochę zarobić na boku. Głowę daję, że zgarnął z tego swoją działkę.

– Może będziemy mogli to wykorzystać. Amanda chce, żebym jutro z nim porozmawiała. Zobaczymy, czy jego wersja będzie się zgadzać.

– Czego się o nim dowiedziałaś?

– Niewiele. Mieszka w tym apartamentowcu na parterze. Ma siedzieć w recepcji od ósmej rano do osiemnastej, ale ostatnio nie bardzo się spisywał.

– To chyba dlatego dostał wypowiedzenie.

– Nie był notowany. Rachunek bankowy w porządku, zważywszy na to, że ma darmowy dach nad głową. – Urwała i słyszał, że wertuje notes. – W mieszkaniu znaleźliśmy trochę pornografii, ale bez pedofilii czy perwersji. Telefon jest czysty.

– Odniosłem wrażenie, że wpuszczał do budynku każdego, kto odpowiednio posmarował. Dowiedziałaś się czegoś od Anny Lindsey?

Zrelacjonowała mu nieudaną próbę wyciągnięcia czegoś z kobiety.

– Nie wiem, dlaczego nie chce mówić. Może się boi.

– A może uważa, że jeśli nie będzie o tym mówiła, jeśli wyrzuci to z myśli, to problem zniknie.

– Podejrzewam, że to działa, tylko jeśli się ma dojrzałość emocjonalną sześciolatka.

Will starał się nie brać tych słów zbyt osobiście.

– Sprawdziliśmy księgę wejść i wyjść apartamentowca. Był monter od kablówki, kilku dostawców. Przesłuchałam ich wszystkich oraz dozorcę. Nic. Nienotowani, mocne alibi.

Will wsiadł do samochodu.

– A co z sąsiadami?

– Żaden chyba nic nie wie, ale poza tym są zbyt bogaci, żeby gadać z policją.

Will miał już do czynienia z takimi. Nie chcieli się w nic mieszać ani tym bardziej oglądać swoich nazwisk w gazetach.

– Czy któryś znał Annę?

– Podobnie jak w wypadku innych ofiar każdy, kto ją znał, nie lubił jej.

– A wyniki badań śladów?

– Powinny być jutro rano.

– Komputery?

– Dalej nic, i nie wpłynął jeszcze nakaz dla banku, więc nie mamy dostępu do służbowej komórki, smartfona czy laptopa Olivii Tanner.

– Sprawca bije nas na głowę.

– Wiem – przyznała. – Mam wrażenie, że utknęliśmy w martwym punkcie.

Nastąpiła chwila ciszy. Will zastanawiał się, czym ją wypełnić, ale Faith go ubiegła.

– Czyli jutro rano przesłuchujemy z Amandą portiera, potem muszę jeszcze coś załatwić. W Snelville.

Will nie bardzo wiedział co, na Boga, można załatwiać w Snelville.

– Myślę, że to zajmie jakąś godzinkę. Przy odrobinie szczęścia będziemy już wtedy znali tożsamość Jake'a Bermana. Musimy też jeszcze raz przesłuchać Ricka Siglera. Ciągle pozwalam, żeby schodził na dalszy plan.

– Jest biały, świeżo po czterdziestce.

– Amanda też to powiedziała. Wysłała kogoś dzisiaj, żeby z nim porozmawiał. Był w domu z żoną.

Will jęknął.

– Wyparł się wszystkiego w czambuł, nawet obecności na miejscu zdarzenia?

– Próbował. Nie przyznał się, że był tam w towarzystwie Jake'a Bermana, co sprawia, że całe to ich spotkanko zaczyna coraz bardziej wyglądać na trzy ka: kino, kolacja, kopulacja. – Westchnęła. – Amanda kazała go obserwować, ale facet ma czystą przeszłość. Żadnych fałszywych nazwisk, podwójnych adresów, urodzony i wychowany w Georgii, chodził do podstawówki i liceum w Conyers. Nic nie wskazuje, by kiedykolwiek choćby był w Michigan, a co dopiero tam mieszkał.

– Trzymamy się tego brata tylko dlatego, że Pauline McGhee kazała synowi uważać na wujka.

– To prawda, ale mamy jakiś inny trop? Jeśli walniemy głową w kolejny mur, oboje doznamy wstrząśnienia mózgu.

Will odczekał kilka sekund.

– A co musisz załatwić w Snelville?

– Prywatną sprawę.

– Aha.

Wyglądało na to, że żadne z nich nie ma już nic więcej do powiedzenia. Dlaczego tak łatwo przychodziło Willowi wywnętrzanie się przed Sarą Linton, a zupełnie nie potrafił przeprowadzić normalnej rozmowy z żadną inną kobietą swojego życia – zwłaszcza z Faith?

– Powiem ci o mojej sprawie, jeśli ty powiesz mi o swoich – zaproponowała.

Roześmiał się.

– Myślę, że musimy zacząć od początku. To znaczy ze śledztwem.

Zgodziła się.

– Najlepszym sposobem na sprawdzenie, czy coś nie umknęło, jest powrót po własnych śladach.

– Kiedy tylko załatwisz swoją sprawę, pojedziemy do Coldfieldów, pogadamy z Siglerem u niego w pracy, żeby nie krępował się żony, potem jeszcze raz przeanalizujemy wszystkich świadków, nawet luźno powiązanych ze sprawą. Kolegów z pracy, dozorców, serwisantów, wszystkich, z którymi ofiary miały jakiś kontakt.

– Nie zaszkodzi – zgodziła się. Znowu zapadła cisza. I znowu to ona ją wypełniła. – Wszystko w porządku?

Will podjechał pod dom i zaparkował samochód, modląc się o piorun z jasnego nieba, który położyłby go trupem.

Na podjeździe stało auto Angie.

– Will?

– Taa – wydusił. – Zobaczymy się jutro.

Rozłączył się i schował aparat do kieszeni. W pokoju od frontu paliły się światła, ale Angie nie zadała sobie trudu zapalenia lampy na ganku. Miał w portfelu gotówkę, karty kredytowe. Mógł przenocować w jakimś hotelu. Z pewnością któryś przyjmował gości z psami. Zawsze mógł też przemycić Betty pod kurtką.

Suczka wstała i przeciągnęła się na siedzeniu. Światło na ganku się zapaliło.

Will wymruczał coś pod nosem i wziął psa na rękę. Wysiadł z samochodu, zamknął go, potem ruszył podjazdem. Otworzył furtkę na podwórko i postawił Betty na trawie, potem przez dobre kilka minut stał przed własnym domem, bijąc się z myślami, czy wejść do środka. W końcu uznał, że zachowuje się głupio, i wszedł.

Angie siedziała na sofie z podwiniętymi nogami. Była ubrana w obcisłą czarną sukienkę, która eksponowała jej krągłości, a długie włosy rozpuściła, tak jak lubił. Sara wyglądała pięknie, ale Angie seksownie. Miała ciemny makijaż i krwiście czerwone usta. Zastanawiał się, czy specjalnie się postarała. Prawdopodobnie. Zawsze bezbłędnie wyczuwała, kiedy Will zaczynał się oddalać. Była jak rekin na kilometr wyczuwający krew w wodzie.

Powitała go tak samo jak prostytutka.

– Cześć, skarbie.

– Cześć.

Wstała z kanapy i podeszła do niego przeciągając się jak kot.

– Miałeś dobry dzień? – spytała, zarzuciwszy mu ręce na szyję.

Odwrócił głowę, ale obróciła ją z powrotem i pocałowała go w usta.

– Nie rób tego – powiedział.

Pocałowała go wobec tego raz jeszcze, bo nie znosiła, żeby jej rozkazywać.

Will nie zareagował, siląc się na obojętność, i w końcu opuściła ręce.

– Co ci się stało w rękę?

– Pobiłem kogoś.

Roześmiała się, jakby powiedział dowcip.

– Naprawdę?

– Taa.

Położył dłoń na oparciu kanapy. Jeden z plastrów się odklejał.

– Pobiłeś kogoś. – Teraz już uwierzyła. – Przy świadkach?

– Nie takich, którzy by mówili.

– To dobrze, skarbie. – Stała teraz blisko, tuż za jego plecami. – Założę się, że Faith miała mokro w majtkach. – Przebiegła dłonią po jego ramieniu do nadgarstka. Ton jej się zmienił. – Gdzie masz obrączkę?

– W kieszeni. – Zdjął ją przed wizytą u Sary, oszukując się, że robi to, bo palce mu spuchły i metal zaczyna uwierać.

Wsadziła rękę do kieszeni jego spodni. Will zamknął oczy, czując nagle ciężar całego dnia. Nie tylko dnia, ostatnich ośmiu miesięcy. Angie była jedyną kobietą, z którą spał, i jego ciało było samotne, niemal obolałe z tęsknoty za nią.

Dotknęła go przez cienki materiał podszewki i zareagował natychmiast, a kiedy poczuł jej oddech w uchu, chwycił się kanapy, żeby nie upaść.

Chwyciła płatek jego ucha zębami.

– Tęskniłeś za mną?

Odchrząknął, niezdolny wydobyć głosu, kiedy przycisnęła się piersiami do jego pleców. Pochylił głowę i pocałowała go w kark, ale kiedy jej palce zacisnęły się na nim, nie myślał o niej, tylko o Sarze, o jej długich, szczupłych dłoniach, którymi opatrywała mu rany, siedząc blisko niego na kanapie. O zapachu jej włosów, bo jednak pozwolił sobie schylić się na ułamek sekundy i powąchać je ukradkiem. Pachniała dobrocią, miłosierdziem i łagodnością, tym wszystkim, czego zawsze pragnął – i co nigdy mu nie będzie dane.

– Ej. – Angie przestała go pieścić. – O czym myślisz?

Z trudem zapiął rozporek. Odepchnął ją ramieniem, idąc przez pokój.

– Masz okres? – spytała.

– Wiedziałaś o tym dziecku?

Położyła rękę na biodrze.

– Jakim dziecku?

– Nie dbam o to, jaka będzie odpowiedź, chcę tylko usłyszeć prawdę. Muszę znać prawdę.

– Pobijesz mnie, jeśli ci nie powiem?

– Znienawidzę cię – rzucił i oboje wiedzieli, że mówi serio. – Ten mały to mogłaś być ty albo ja. Cholera, to *byłem* ja.

Jej ton był ostry, defensywny.

– Mamusia zostawiła maleństwo w koszu na śmieci?

– Lepsze to niż kurwienie dziecka za speeda.

Zacisnęła usta, ale nie odwróciła głowy.

– Trafiony – powiedziała w końcu, bo Deidre Polaski właśnie to robiła swojej córeczce.

Will powtórzył pytanie, jedyne, jakie miało jeszcze znaczenie.

– Wiedziałaś, że w tym apartamencie na górze jest niemowlę?

– Lola się nim zajmowała.

– Co?

– Nie jest zła. Pilnowała, żeby nic mu się nie stało. Gdyby jej nie zapuszkowali...

– Chwila. – Podniósł ręce, żeby ją powstrzymać. – Uważasz, że ta kurwa dobrze opiekowała się małym?

– Nic mu nie jest, tak? Wykonałam kilka telefonów do szpitala. Matka i syn znowu są razem.

– Wykonałaś kilka telefonów? – Nie wierzył własnym uszom. – Jezu Chryste, Angie, to maleńkie dziecko. Już by nie żyło, gdybyśmy dotarli tam trochę później.

– Ale dotarliście wcześniej i żyje.

– Angie...

– Ludzie zawsze dbają o niemowlęta, Will. A kto dba o takie osoby jak Lola lub przejmuje się nimi?

– Martwisz się o jakąś zaćpaną kurwę, gdy małe dziecko leży na kupie śmieci i przymiera głodem? – Nie pozwolił jej odpowiedzieć. – To koniec. Szlus. Wystarczy.

– A co to ma znaczyć, do cholery?

– To znaczy, że ja wysiadam. To znaczy, że sznurek na jo-jo się przerwał.

– Pierdol się.

– Żadnych wte i wewte więcej. Żadnych rozstań i powrotów. Żadnego puszczania się na prawo i lewo i walenia mnie po rogach, porzucania w środku nocy, wracania za miesiąc albo rok i udawania, że tylko ty potrafisz wylizać moje rany.

– W twoich ustach to brzmi tak romantycznie.

Otworzył frontowe drzwi.

– Chcę, żebyś wyniosła się z mojego domu i z mojego życia.

Nie ruszyła się, więc podszedł i zaczął ją popychać w kierunku drzwi.

– Co robisz? – Odepchnęła go, a kiedy ani drgnął, walnęła ręką. – Zabieraj, kurwa, łapska i odpierdol się ode mnie.

Chwycił ją i podniósł od tyłu, ale zamknęła kopniakiem drzwi.

– Wynoś się – powiedział, trzymając ją i usiłując jednocześnie sięgnąć do klamki.

Zanim została detektywem, pracowała jako krawężnik w patrolu i wiedziała, jak sobie poradzić w takiej sytuacji. Uniosła stopę i z całej siły kopnęła go w tył kolana, rzucając na podłogę. Pociągnął ją ze sobą na dół i szamotali się na podłodze jak para wściekłych psów.

– Przestań! – wrzasnęła, kopiąc go gdzie popadnie, okładając pięścią, usiłując zadać ból każdą częścią ciała.

Will przewrócił ją na brzuch i rozpłaszczył na drewnianej podłodze. Chwycił obie jej ręce w swoją dłoń i wykręcił, żeby nie mogła się bronić. Bez chwili zastanowienia sięgnął w dół i zdarł jej majtki. Zatopiła mu paznokcie w dłoni, kiedy wsunął w nią palce.

– Dupek – wysyczała, ale była tak mokra, że ledwo czuł ruch palców przesuwających się tam i z powrotem. Znalazł właściwe miejsce i zaklęła znowu, przyciskając twarz do podłogi. Nigdy nie szczytowała, kiedy się z nim kochała. To był element jej walki o władzę, demonstracja siły. Zawsze doprowadzała go do utraty wszystkich zmysłów, ale nigdy nie pozwalała, by on zrobił z nią to samo.

– Przestań – zażądała, ale ruszała się w rytm ruchów jego dłoni, naprężając się coraz bardziej z każdym kolejnym posunięciem.

Rozpiął spodnie i wszedł w nią. Starała się zacisnąć mięśnie, ale naparł mocniej, zmuszając, żeby się otworzyła. Jęknęła i poczuł cudowną wilgoć, kiedy wpuściła go głębiej, a potem jeszcze głębiej. Podciągnął ją na kolana i zaczął posuwać ile tchu w piersi, jednocześnie pracując palcami, żeby doprowadzić na szczyt. Zaczęła pojękiwać niskim, gardłowym głosem, którego nigdy wcześniej nie słyszał. Wchodził w nią brutalnie, rypiąc i nie przejmując się, czy zostawia ślady na ciele, czy jej nie rozerwie. Kiedy wreszcie doszła, zacisnęła się na nim tak mocno, że niemal poczuł ból. Jego orgazm był dziki i Will, dysząc, zwalił się na nią. Całe ciało miał obolałe.

Przetoczył się na plecy. Angie miała zmierzwione włosy, rozmazany makijaż. Oddychała równie ciężko jak on.

– Słodki Jezu – wyszeptała. – Jezu jedyny. – Wyciągnęła rękę i próbowała dotknąć jego twarzy, ale strząsnął jej dłoń.

Wydawało się, że leżeli tak, dysząc, całe godziny. Will próbował wykrzesać z siebie skruchę albo gniew, ale czuł tylko wyczerpanie. Miał już tego tak dosyć, dosyć skrajności, do których Angie go doprowadzała. Przypomniało mu się, co powiedziała Sara: Ucz się na własnych błędach.

Wyglądało na to, że Angie Polaski jest największym błędem, jaki Will popełnił w całym swoim żałosnym życiu.

– Chryste – powiedziała nadal zziajana.

Obróciła się na bok, wsunęła mu rękę pod koszulę. Jej dłoń była gorąca, wilgotna.

– Kimkolwiek ona jest, podziękuj jej.

Gapił się w sufit, bojąc się na nią spojrzeć.

– Bzykam się z tobą od dwudziestu trzech lat, skarbie, a nigdy jeszcze mnie tak nie zerżnąłeś. – Znalazła palcami miejsce u dołu żeber, gdzie skórę miał pomarszczoną od przypalenia papierosem. – Jak ona ma na imię?

Nie odpowiedział.

– Powiedz mi, jak się nazywa – wyszeptała.

Gardło go zabolało, gdy odchrząknął.

– Nie ma żadnej jej.

Zaniosła się wymownym śmiechem.

– Pielęgniarka czy glina? – Znowu się roześmiała. – Może dziwka?

Will milczał. Usiłował wyrzucić Sarę z głowy, nie chciał o niej teraz myśleć, bo wiedział, co zaraz nastąpi. On zdobył punkt, więc Angie musiała zdobyć dziesięć.

Wzdrygnął się, kiedy znalazła wrażliwe miejsce na bliźnie.

– Jest normalna? – spytała.

Normalna. Tak określali w sierocińcu ludzi innych od siebie – dzieci z rodzinami, normalnym życiem, rodzicami, którzy ich nie bili, nie kupczyli ich ciałami ani nie traktowali jak śmieci.

Angie dalej wodziła palcem dokoła oparzenia.

– Wie o twoim problemie?

Spróbował odchrząknąć. W gardle go drapało. Było mu niedobrze.

– Wie, że jesteś głupi?

Czuł się jak w potrzasku pod jej palcem, który wbijał się w okrągłą bliznę, gdzie żar papierosa stopił mu skórę. Kiedy myślał, że nie zniesie już tego dłużej, przestała. Przyłożyła wargi do jego ucha i przesuwała palcami w górę jego ramienia. Znalazła długą szramę od żyletki.

– Pamiętam, ile było wtedy krwi – powiedziała. – Jak trzęsła ci się ręka, gdy ostrze przecięło skórę. Pamiętasz?

Zamknął oczy, po policzkach popłynęły mu łzy. Oczywiście, że pamiętał. Gdyby się postarał, wytężył myśli, mógłby jeszcze poczuć, jak koniuszek ostrego metalu ociera się się o kość, bo wiedział, że ostrze powinno wejść głęboko – na tyle głęboko, by otworzyć żyłę, na tyle głęboko, by załatwić sprawę raz na zawsze.

– Pamiętasz, jak cię trzymałam? – spytała i poczuł uścisk jej ramion, mimo że teraz go już nie obejmowała. To, jak owinęła go własnym ciałem niby kocem. – Było tyle krwi.

Ściekała po jej rękach, na nogi, stopy.

Obejmowała go wtedy tak mocno, że nie mógł oddychać, i tak bardzo ją kochał, bo wiedział, że ona rozumie, dlaczego to zrobił, dlaczego musi przerwać to szaleństwo, które trwało dokoła. Każda blizna na jego ciele, każde oparzenie czy złamanie – Angie znała je tak samo, jak znała samą siebie. Każdy sekret Willa nosiła gdzieś głęboko w sobie. Trzymała się ich jak życia.

Była jego życiem.

Przełknął, ale usta nadal miał suche.

– Jak długo?

Położyła mu rękę na brzuchu. Wiedziała, że znowu ma go na własność, że wystarczy tylko pstryknąć palcami.

– Jak długo co, skarbie?

– Jak długo chcesz, żebym cię kochał?

Nie odpowiedziała od razu i już miał spytać raz jeszcze, kiedy powiedziała:

– To nie jest przypadkiem tytuł jakiegoś kawałka country?

Odwrócił się, żeby na nią spojrzeć, szukając w jej oczach miłosierdzia, którego nigdy tam nie znalazł.

– Po prostu powiedz mi, jak długo, żebym mógł odliczać dni, wiedzieć, kiedy się to wreszcie skończy.

Przebiegła dłonią po jego twarzy.

– Pięć lat? Dziesięć? – W gardle go dławiło, jakby ktoś nakarmił go szkłem. – Tylko to mi powiedz, Angie. Ile czasu musi minąć? Kiedy będę mógł cię przestać kochać?

Nachyliła się i znowu przyłożyła mu usta do ucha.

– Nigdy.

Zerwała się z podłogi, obciągnęła spódnicę, zebrała buty i bieliznę. Will leżał, gdy otworzyła drzwi i wyszła, nawet się nie obejrzawszy. Nie miał do niej o to żalu. Nigdy nie oglądała się za siebie. Wiedziała, co jest za nią, tak jak zawsze wiedziała, co jest przed nią.

Nie podniósł się, kiedy usłyszał odgłos jej kroków na stopniach ganku i zapalanego silnika. Nie podniósł się, kiedy usłyszał, jak Betty drapie drzwiczki dla psa, które zapomniał otworzyć. Nie podniósł się w ogóle. Leżał na podłodze przez całą noc do chwili, kiedy słońce wlewające się przez okna powiedziało mu, że czas wracać do pracy.

DZIEŃ CZWARTY

ROZDZIAŁ DWUDZIESTY

Pauline była głodna, ale mogła to wytrzymać. Rozumiała bóle żołądka i jelit, skurcze rozchodzące się po wnętrznościach, gdy organizm domagał się pożywienia. Dobrze je znała i mogła znieść. Jednak pragnienie to co innego. Na pragnienie nie było sposobu. Jeszcze nigdy nie wytrzymała bez wody tak długo. Była zdesperowana, gotowa na wszystko. Nasikała nawet na podłogę, żeby wypić własny mocz, ale uryna tylko jeszcze nasiliła pragnienie. Pauline uklękła, wyjąc jak wilk.

Dosyć. Nie może dłużej siedzieć w tym ciemnym miejscu. Nie może pozwolić, żeby to znowu wytrąciło ją z równowagi, osaczyło, tak żeby chciała tylko zwinąć się w kłębek i tęsknić za synem.

Felix. Dla niego się stąd wydostanie, będzie walczyć, nie pozwoli pojebowi odebrać matki własnemu dziecku.

Położyła się na boku z rękoma przyciśniętymi do brzucha i wyciągniętymi stopami. Uniosła tułów i naprężyła szyję, żeby odpowiednio się ustawić. Przez chwilę trwała w takiej pozie, z napiętymi mięśniami, zlana potem, biorąc cel. Łańcuchy na nadgarstkach zadzwoniły; zanim zdołała się powstrzymać, odchyliła głowę i walnęła nią w ścianę.

Ból przeszył jej kark. Zobaczyła gwiazdy – prawdziwe gwiazdy – przed oczyma. Upadła na plecy, dysząc, starając się nie doprowadzić do hiperwentylacji, żeby nie zemdleć.

– Co robisz? – spytała druga kobieta.

Dziwka leżała na plecach jak trup przez ostatnie dwanaście godzin, nie reagując, obojętna na wszystko, i teraz nagle zadaje pytania?

– Zamknij się – warknęła Pauline.

Nie miała czasu na takie gówno. Znowu przewróciła się na bok, ustawiała równo ze ścianą, celując kilka centymetrów niżej. Wstrzymała oddech, zacisnęła powieki i jeszcze raz walnęła głową w mur.

– Kurwa! – wrzasnęła, gdy głowa eksplodowała bólem. Ponownie opadła na plecy. Na czole pojawiła się krew, spłynęła pod przepaskę i ściekła do oczu. Nie mogła jej zetrzeć, strząsnąć powiekami. Miała wrażenie, jakby pająki pełzały jej po powiekach, wchodziły do gałek.

– Nie – powiedziała i nagle pogrążyła się w halucynacjach, pająki chodziły jej po całej twarzy, wgryzały się w skórę, składały jaja w oczach. – Nie!

Zerwała się do siadu i zakręciło jej się w głowie od nagłej zmiany pozycji. Znowu dyszała i przycisnęła głowę do kolan, dotknęła piersiami ud. Musi się wziąć w garść. Nie może się poddać pragnieniu, pozwolić, żeby jej mózg znowu popadł w otępienie, stracić orientację, gdzie się znajduje.

– Co robisz? – spytała znowu nieznajoma z przerażeniem w głosie.

– Daj mi spokój.

– Usłyszy cię. Zejdzie tu.

– Nie zejdzie – warknęła Pauline. – Potem, żeby dowieść swojej racji, krzyknęła: – Chodź tu na dół, skurwielu! – Gardło miała tak suche, że zaniosła się kaszlem z wysiłku, ale nadal krzyczała: – Próbuję uciec! Chodź i spróbuj mnie powstrzymać, ty pojebany zwiędłasie!

Czekały i czekały. Pauline odliczała sekundy. Nie rozległy się żadne kroki na schodach. Nie zapaliło się światło. Nie otworzyły się drzwi.

– Skąd wiesz? – spytała nieznajoma. – Skąd wiesz, co on robi?

– Czeka, aż jedna z nas się załamie – powiedziała Pauline. – I to nie będę ja.

Kobieta zadała jeszcze jakieś pytanie, ale Pauline puściła je mimo uszu, ponownie układając się przy ścianie. Zebrała siły, żeby jeszcze raz uderzyć głową w ścianę, ale nie mogła. Nie mogła znowu zadać sobie bólu. Nie teraz. Później. Odpocznie kilka minut i znowu spróbuje.

Przewróciła się na plecy z twarzą zalaną łzami. Nie otworzyła ust, bo nie chciała, by tamta wiedziała, że płacze. Już wcześniej słyszała jej łkania, słyszała, jak Pauline pełza we własnych szczynach. To przedstawienie się już skończyło. Kasa nie sprzedaje więcej biletów.

– Jak się nazywasz? – spytała kobieta.

– Nie twoja cholerna sprawa! – warknęła. Nie chciała się zaprzyjaźniać. Chciała się stąd wydostać każdym możliwym sposobem i jeśli to oznaczało konieczność przejścia po trupie tej kobiety, Pauline to zrobi. – Po prostu się zamknij.

– Powiedz mi, co robisz, to może ci pomogę.

– Nie możesz mi pomóc. Kumasz? – Pauline przekręciła się, by zwrócić się twarzą do obcej, mimo że dokoła panowała całkowita ciemność. – Posłuchaj, pindo. Tylko jedna osoba wyjdzie z tego żywcem i to nie będziesz ty. Rozumiesz? Gówno zawsze spływa w dół i nie mam zamiaru śmierdzieć jak ściek, gdy to się skończy. Jasne?

Nieznajoma milczała. Pauline opadła na plecy, patrząc w ciemność, usiłując zebrać siły, by znów uderzyć w ścianę.

Głos kobiety był niewiele głośniejszy od szeptu.

– Jesteś Atlanta Thin, prawda?

Pauline poczuła ucisk w gardle, jakby ktoś zarzucił jej pętlę na szyję.

– Co?

– Pieniądze zawsze idą do góry, gówno spływa w dół i to nie ja będę śmierdzieć jak ściek. Często to mówisz.

Pauline zagryzła wargę.

– Ja jestem Mia-trzy.

„Mia” – slangowe określenie bulimii. Pauline poznała ten nick, ale nadal się upierała:

– Nie wiem, o czym mówisz.

– Pokazałaś ten e-mail w pracy?

Pauline otworzyła usta, starając się uspokoić oddech. Próbowała przypomnieć sobie, czym jeszcze dzieliła się na czacie Pro_Anna, odtworzyć te wszystkie rozpaczliwe myśli, które tłukły jej się po głowie i w końcu lądowały na ekranie komputera wystukane na klawiaturze. Przypominało to wymiotowanie, tyle że zamiast żołądka człowiek opróżniał mózg. Dzielenie się tymi okropnymi myślami z innymi, świadomość, że oni też je mają, jakoś pomagała jej zwlec się z łóżka każdego dnia.

I teraz już nieznajoma nie była obca.

– Pokazałaś im ten e-mail? – powtórzyła Mia.

Pauline głośno przełknęła, choć w gardle miała tylko kurz. Nie mieściło jej się w głowie, że leżą tu spętane jak świnie, a ta chce rozmawiać o pracy. Praca już się nie liczyła. Nic już się nie liczyło. Ten e-mail należał do poprzedniego życia, tego życia, w którym Pauline miała stanowisko, które chciała zachować, dom, raty za samochód. Leżą tu i czekają na gwałty, tortury i powolne konanie, a ta kobieta przejmuje się jakimś pieprzonym e-mailem?

– Nie zadzwoniłam do Michaela, do brata. Może mnie szuka.

– Nie znajdzie cię – odpowiedziała Pauline. – Nie tutaj.

– Gdzie jesteśmy?

– Nie wiem – odpowiedziała zgodnie z prawdą. – Ocknęłam się w bagażniku samochodu. Skuta. Nie wiem, jak długo w nim leżałam. Klapa się otworzyła, zaczęłam krzyczeć i znowu poraził mnie taserem. – Zamknęła oczy. – Obudziłam się już tutaj.

– Ja byłam na podwórku – powiedziała Mia. – Usłyszałam coś, myślałam, że to kot... – Urwała. – Też się ocknęłam w bagażniku. Nie jestem pewna, jak długo mnie tam trzymał. Miałam wrażenie, że całymi dniami. Starałam się liczyć godziny, ale... – Zamilkła na dłuższą chwilę i Pauline nie widziała, jak to zinterpretować. Wreszcie się odezwała: – Myślisz, że to tak nas znalazł, przez czat?

– Prawdopodobnie – skłamała.

Doskonale wiedziała, jak je znalazł i że nie na żadnym cholernym czacie. To ona je w to wpakowała – to przez nią i przez jej niewyparzoną gębę się tu znalazły. Ale nie zamierzała mówić Mii tego, co wie. Pojawiłyby się zaraz kolejne pytania, a razem z nimi pretensje i oskarżenia, których nie byłaby w stanie znieść. Nie teraz. Nie, kiedy miała wrażenie, że mózg wypełnia jej wata, a krew ściekająca po oczach przypominała dotyk maleńkich, kosmatych pajęczych odnóży.

Odetchnęła głęboko, z trudem łapiąc powietrze i próbując znowu nie wpaść w panikę. Myślała o Feliksie, o tym, jak pachniał, kiedy go myła nowym mydłem, które kupiła w centrum handlowym Colony Square podczas przerwy na lunch.

– Nadal jest w sejfie, tak? – spytała Mia. – Znajdą e-mail w sejfie i będą wiedzieli, że kazałaś temu tapicerowi zmierzyć windę.

– Cholera, a jakie to ma znaczenie? Nie dociera do ciebie, gdzie jesteśmy, co się z nami stanie? No i co z tego, że znajdą ten e-mail? Wielkie mi, kurwa, pocieszenie: wprawdzie nie żyje, ale miała rację przez cały czas.

– To więcej niż człowiek słyszy za życia.

Przez chwilę milczały połączone wspólnym żalem. Pauline usiłowała sobie przypomnieć, co wie o Mii. Kobieta nie udzielała się zbyt często na czacie, ale jeśli już pisała jakiś post, to z reguły trafiała w dziesiątkę. Podobnie jak Pauline i kilka innych czatujących, nie lubiła płaks i wciskania kitu.

– Nie da rady nas zagłodzić – powiedziała Mia. – Ja mogę wytrzymać dziewiętnaście dni, zanim zaczynam się sypać.

Pauline była pod wrażeniem.

– Ja też coś koło tego – skłamała. Jej rekord wynosił dwanaście dni, a potem zapakowali ją do szpitala i utuczyli jak indyka na Święto Dziękczynienia.

– Problemem jest woda.

– Taa – zgodziła się Pauline. – Jak długo możesz...

– Nigdy nie odstawiałam wody – przerwała Mia. – Nie ma żadnych kalorii.

– Cztery dni – powiedziała Pauline. – Czytałam gdzieś, że człowiek może przeżyć bez picia cztery dni.

– My możemy dłużej.

To nie było pobożne życzenie. Jeśli Mia potrafiła wytrzymać dziewiętnaście dni bez jedzenia, to na bank mogła też przetrzymać bez wody dłużej niż Pauline.

Właśnie, w tym sęk. Mogła pokonać Pauline. Nikt nigdy wcześniej nie pokonał Pauline.

Zadała oczywiste pytanie:

– Dlaczego jeszcze nas nie zerżnął?

Pauline przycisnęła głowę do chłodnej betonowej podłogi, usiłując zapanować nad narastającą falą paniki. Rżnięcie nie było problemem. Tylko cała reszta – zabawy, szyderstwa, narzędzia... worki na śmieci.

– Chce, żebyśmy były słabe – myślała głośno Mia. –

Chce mieć pewność, że nie będziemy walczyć. – Jej łańcuchy zadzwoniły, gdy się poruszyła. Jej głos był teraz wyraźniejszy i Pauline domyśliła się, że przewróciła się na bok. – Co robiłaś? Przed chwilą? Dlaczego waliłaś głową w ścianę?

– Jeśli udałoby mi się przebić płytę gipsową, może zdołałabym się wydostać. Zgodnie z przepisami budowlanymi odległość między deskami szkieletu musi wynosić czterdzieści centymetrów.

W głosie Mii słychać było pełen podziwu respekt.

– Masz w pasie czterdzieści centymetrów?

– Nie, kretynko. Mogę się obrócić i prześlizgnąć bokiem.

Mia roześmiała się z własnej głupoty, ale zaraz powiedziała coś, co sprawiło, że Pauline poczuła się równie idiotycznie.

– Czemu nie używasz stóp?

Zmilkły obie, ale Pauline czuła, że coś w niej wzbiera. Ścisnęło ją w dołku i usłyszała śmiech, szczery, nieskrępowany śmiech, który wyrwał się z jej trzewi, gdy uświadomiła sobie, jak kurewsko głupio się zachowała.

– O Boże – westchnęła Mia, też ze śmiechem. – Ale idiotka z ciebie.

Pauline obróciła się na ramionach, ustawiła stopy, dociskając je do siebie, żeby łańcuch nie ściągnął jej z celu, i kopnęła. Płyta ustąpiła od pierwszego uderzenia.

– Kretynka – wymruczała, tym razem do siebie.

Obróciła się z powrotem, żeby obejrzeć z bliska otwór, zębami usuwając spękane kawały gipsu. Unoszący się kurz był trujący, ale miała to gdzieś. Wolała zdechnąć z głową wystającą na piętnaście centymetrów z tego pokoju, niż czekać w nim w potrzasku, aż ten kutas po nią przyjdzie.

– Udało się? – spytała Mia. – Rozwaliłaś...

– Cicho – rzuciła Pauline, wgryzając się w piankę akustyczną. Kutas wyciszył ściany. Można się było spodziewać. Żaden problem. Chwytała ją zębami i rwała kawałek po kawałku, myśląc tylko o tym, żeby poczuć powiew świeżego powietrza na twarzy. – Kurwa! – wrzasnęła. Obróciła się powoli, tak że jej pas znalazł się na wysokości dziury.

Sięgnęła do środka palcami, które z trudem przeszły przez popękany gips. Usunęła do końca piankę i poczuła pod palcami coś, co przypominało w dotyku drut. Odchyliła plecy w łuk, wciskając jak najgłębiej palce w otwór. Namacała nimi gęstą siatkę.

– Szlag by to!

– Co jest?

– Siatka druciana.

Obłożył ściany siatką, żeby nie mogły uciec. Znowu obróciła się i nacisnęła stopami na drut. Poczuła opór. Siatka nie ustąpiła, a siła sprawiła, że Pauline przesunęła się kilka centymetrów. Przybliżyła się znowu, żeby spróbować jeszcze raz, przewracając się na brzuch i zapierając się spotniałymi dłońmi o cementową podłogę. Cofnęła nogę i kopnęła w otwór ile sił w płucach. Ponownie napotkała silny opór i jej ciało odjechało od ściany.

– O Jezu – jęknęła, opadając na plecy. Znowu pojawiły się łzy, maleńkie pajęcze nóżki drażniące jej oczy. – Co mam zrobić?

– Nie możesz sięgnąć rękoma?

– Nie.

Zaniosła się płaczem. Nadzieja opuszczała ją z każdym oddechem. Siatka była przymocowana do desek od tyłu, jej ręce pozbawione swobody ruchów. Nie miała szans dosięgnąć drutu.

Gwałtowny szloch wstrząsnął jej ciałem. Całe lata go nie widziała, ale wiedziała, jak pracuje jego umysł. Piwnica była punktem wyjściowym, starannie przygotowanym więzieniem, gdzie głodem złamie ich opór. Ale to nie najgorsze, co je czeka. Gdzieś niedaleko musi być jakaś podziemna nora, czarna dziura w ziemi, którą pieczołowicie wykopał własnymi rękoma. Piwnica je złamie. Pieczara je unicestwi. Bydlak pomyślał o wszystkim.

Znowu.

Mia zdołała się do niej podsunąć.

– Cicho – rozkazała, odpychając Pauline z drogi. – Zrobimy to zębami.

– Co?

– To cienki drut, tak?

– Tak, ale...

– Wystarczy wyginać w tę i z powrotem i się zrywa.
Pauline pokręciła głową. To było szaleństwo.
– Wystarczy, żeby przerwał się choć jeden kawałek – rzuciła Mia, jakby to było oczywiste. – Po prostu chwyć go zębami i ciągnij na wszystkie strony, w końcu się zerwie, wtedy reszta ustąpi pod nogą. Albo wszystko przegryziemy.
– Nie da się.
– Tylko mi nie mów „nie da się". – Miała skute nogi, ale zdołała jakoś kopnąć Pauline w piszczel.
– Auu! Jezu.
– Zacznij liczyć – rozkazała Mia, podpełzając do otworu. – Kiedy dojdziesz do dwustu, będzie twoja kolej.
Pauline ani się śniło, bo nie zamierzała pozwolić, żeby ta dziwka mówiła jej, co ma robić. Ale wtedy coś usłyszała: odgłos zębów na metalu. Zgrzytanie kości, dźwięk gnącego się drutu. Dwieście sekund. Poranią sobie usta. Porozrywają dziąsła. Bez żadnej gwarancji, że się uda.
Przekręciła się do klęku.
Zaczęła liczyć.

ROZDZIAŁ DWUDZIESTY PIERWSZY

Faith nigdy nie myślała o sobie jak o rannym ptaszku, ale kiedy Jeremy był dzieckiem, przyzwyczaiła się wcześnie przychodzić do pracy. Nie sposób nie być rannym ptaszkiem, jeśli się ma chłopca, którego trzeba nakarmić, ubrać, dokładnie obejrzeć i wyekspediować na przystanek autobusowy na siódmą trzynaście góra. Gdyby nie Jeremy, może byłaby jednym z tych nocnych marków, kładących się do łóżka dobrze po północy, ale na ogół zasypiała już koło dwudziestej drugiej, nawet kiedy syn był już nastolatkiem i znacznie dłużej sypiał.

Z sobie tylko wiadomych powodów Will także zawsze wcześnie stawiał się w pracy. Kiedy wjechała na parking pod budynkiem firmy, jego porsche już stało na swoim zwykłym miejscu. Zaparkowała samochód i siedziała w nim jeszcze chwilę, starając się przysunąć bliżej fotel kierowcy, tak by móc sięgnąć do kierownicy i pedałów jednocześnie, nie nadziewając się na pierwszą i nie wyciągając nóg, żeby dotknąć drugich. Po kilku minutach znalazła wreszcie odpowiednie ustawienie i przelotnie pomyślała o przybiciu fotela do podłogi. Jeśli Willowi znowu zachce się prowadzić jej samochód, będzie musiał to robić z kolanami przy uszach.

Ktoś stuknął w szybę i Faith podniosła głowę zaskoczona. Zobaczyła Sama Lawsona z kubkiem kawy w ręku.

Otworzyła drzwiczki i wygramoliła się na zewnątrz. Czuła się tak, jakby przez noc przytyła z dziesięć kilogramów. Tylko cudem udało jej się znaleźć w szafie jakieś pasujące ubranie. Była tak obrzęknięta, że zgromadzoną w organizmie wodą mogłaby napełnić basen olimpijski. Na szczęście jej zadurzenie w Samie Lawsonie okazało się tylko dwudziestoczterogodzinną infekcją. Nie uśmiechała jej się perspektywa rozmowy z nim teraz, zwłaszcza że musiała się skupić na czekających ją zadaniach.

– Witaj, maleńka – powiedział Sam, taksując ją wzrokiem z góry na dół na swój zwykły lubieżny sposób.

Faith zabrała torebkę z tylnego siedzenia.

– Kopę lat.

Wzruszył lekko ramionami, sugerując, że jest tylko biedną ofiarą okoliczności.

– Proszę – powiedział, podając jej kubek. – Bez kofeiny.

Faith już próbowała rano napić się kawy, ale tylko powąchała i natychmiast rzuciła się do łazienki.

– Przepraszam. – Zignorowała kubek, oddalając się szybko, zanim żołądek znowu zdąży jej podejść do gardła.

Sam wrzucił kubek do kosza i zrównał się z nią.

– Poranne nudności?

Rozejrzała się na boki, w obawie, że ktoś usłyszy.

– Powiedziałam tylko szefowej.

Próbowała sobie przypomnieć, kiedy należy poinformować innych. Z pewnością minie kilka tygodni, zanim ciąża zacznie być widoczna. Faith podejrzewała, że zbliża się do tej chwili. Czy powinna zebrać wszystkich razem, zaprosić matkę i Jeremy'ego na obiad, zorganizować połączenie konferencyjne z bratem, a może dałoby się hurtem rozesłać do wszystkich anonimowe e-maile i polecieć na kilka tygodni na Karaiby, żeby uniknąć burzy, jaka się rozpęta?

Sam pstryknął jej palcami przed nosem.

– Halo, jesteś tutaj?

– Ledwie. – Faith sięgnęła do klamki drzwi w tym samym momencie co on. Pozwoliła, żeby je otworzył. – Mam mnóstwo na głowie.

– Jeśli chodzi o wczoraj...

– To było przedwczoraj, gwoli ścisłości.

Wyszczerzył się.

– Tak, ale dopiero wczoraj miałem czas o tym pomyśleć.

Faith westchnęła, wciskając guzik windy.

– Chodź tutaj. – Pociągnął ją w stronę wnęki po drugiej stronie windy. Stał tam automat z trzema rzędami lukrowanych drożdżówek, o czym wiedziała, nawet nie patrząc.

Pogłaskał ją po włosach, wsunął kosmyk za ucho. Cofnęła się. Nie była gotowa na czułości tak wcześnie rano. Nie miała pojęcia, czy w ogóle jest na nie gotowa. Niewiele myśląc, spojrzała do góry, żeby się upewnić, że nie są w obiektywie kamery monitoringu.

– Zachowałem się wtedy jak dupek. Przepraszam.

Usłyszała, jak drzwi windy się otworzyły i zamknęły.

– Nie ma sprawy.

– Nie, jest.

Nachylił się, żeby ją pocałować, ale znowu się cofnęła.

– Sam, jestem w pracy. – Nie dodała, choć pomyślała, że jest także w środku sprawy, w której jedna kobieta zmarła, druga była torturowana, a dwie kolejne zaginęły. – To nie jest dobra pora.

– Pora nigdy nie jest dobra – powiedział, co zresztą wielokrotnie jej powtarzał kilka lat temu, gdy się spotykali. – Chciałbym jeszcze raz z tobą spróbować.

– A co z Gretchen?

Wzruszył ramionami.

– Zabezpieczam sobie tyły.

Jęknęła i odepchnęła go. Podeszła do windy i wcisnęła przycisk. Sam nie odszedł, więc mu przypomniała:

– Jestem w ciąży.

– Pamiętam.

– Nie chcę złamać ci serca, ale to dziecko nie jest twoje.

– Nieważne.

Odwróciła się do niego twarzą.

– Usiłujesz wywoływać jakieś duchy z przeszłości, bo twoja żona przeszła aborcję?

– Usiłuję wrócić do twojego życia, Faith. Wiem, że to może być tylko na twoich warunkach.

– O ile pamiętam, to jednym z naszych problemów, oprócz twojego pijaństwa, mojej pracy w policji i matki, która uważała cię za antychrysta, był fakt, że nie podobało ci się, że mam syna.

– Byłem zazdrosny o uwagę, jaką mu poświęcałaś.

Podówczas dokładnie o to go oskarżała. Teraz niemal

zaparło jej dech w piersi, gdy usłyszała, jak sam się do tego przyznaje.

– Dorosłem.

Winda się otworzyła. Faith upewniła się, że kabina jest pusta, potem przytrzymała drzwi.

– Nie mogę teraz o tym rozmawiać. Mam pracę. – Wsiadła do windy i puściła drzwi.

– Jake Berman mieszka w okręgu Coweta.

Niemal straciła rękę, usiłując przytrzymać drzwi.

– Co?

Wyjął notes z kieszeni i pisał, tłumacząc jednocześnie.

– Wyśledziłem go przez jego kościół. Jest diakonem i katechetą w szkole niedzielnej. Mają piękną stronę w sieci z jego zdjęciem. Całą w baranki i tęcze. Ewangelicy.

Faith jeszcze nie ogarniała tej informacji.

– Dlaczego go odszukałeś?

– Chciałem się przekonać, czy zdołam cię ubiec.

Nie podobało jej się, dokąd zmierza ta rozmowa. Próbowała zneutralizować sytuację.

– Słuchaj, Sam, nie wiemy, czy to on jest sprawcą.

– Podejrzewam, że nigdy nie byłaś w męskiej toalecie w centrum handlowym.

– Sam...

– Nie rozmawiałem z nim – przerwał jej. – Chciałem tylko sprawdzić, czy zdołam go wyśledzić, kiedy nikt inny nie jest w stanie. Mam już dość, że ci z Rockdale trzymają mnie za jajca. Zdecydowanie wolę, jak ty to robisz.

Faith puściła komentarz mimo uszu.

– Daj mi kilka godzin, żebym mogła z nim porozmawiać.

– Już mówiłem, nie szukam tematu. – Wyszczerzył się, ukazując wszystkie zęby. – To było tylko takie ćwiczenie z wiary*.

Zmrużyła oczy.

– Chciałem się przekonać, czy mógłbym wykonywać twoją robotę. – Wyrwał stronę z notesu i puścił do niej oko. – Łatwizna.

Faith capnęła adres, zanim zmienił zdanie. Patrzyła mu w oczy, kiedy winda się zamykała, a potem wbiła wzrok

---

* Gra słów, ang. *faith* znaczy „wiara" (przyp. tłum.).

w swoje odbicie na drzwiach. Już się pociła, choć uznała, że ewentualnie może to uznać za osławioną ciążową aurę. Włosy zaczynały jej falować, ponieważ, choć był dopiero początek kwietnia, temperatura powoli się podnosiła.

Zerknęła na adres, który dostała od Sama. Otoczony był rysunkiem serca, co ją rozczuliło i zirytowało jednocześnie. Niezupełnie wierzyła, że Sam nie węszy za tematem. Może „Atlanta Beacon" przygotowywała cichcem reportaż poświęcony żonatym bigotom, którzy szukają szczęścia w toaletach i znajdują zgwałcone i torturowane kobiety na środku drogi.

Czy to możliwe, że Berman jest bratem Pauline? Teraz, kiedy miała już jego adres, nie była tego taka pewna. Jakie są szanse, że Jake Berman poderwał Siglera i obaj zupełnie przypadkiem znaleźli się na szosie w tym samym czasie, kiedy samochód Coldfieldów potrącił Annę?

Drzwi windy się otworzyły i Faith wysiadła na swoim piętrze. Na korytarzu nie paliły się lampy i włączała jedną po drugiej, idąc do gabinetu Willa. Spod drzwi nie przesączało się światło, ale i tak zapukała. Samochód na parkingu świadczył, że jest w budynku.

– Tak?

Otworzyła drzwi. Siedział po ciemku za biurkiem z rękoma złożonymi na brzuchu.

– Wszystko w porządku? – spytała.

Nie odpowiedział na pytanie.

– Co słychać?

Zamknęła drzwi i usiadła na składanym krzesełku. Zobaczyła, że na dłoni Willa obok ran od pobicia Simkova pojawiły się nowe zadrapania. Pominęła to milczeniem, przechodząc od razu do sprawy.

– Mam adres Bermana. Mieszka w Coweta. To dobre trzy kwadranse drogi stąd, tak?

– Jeśli nie ma korków. – Wyciągnął rękę po adres.

Odczytała mu go.

– Lester Street 1935.

Nadal trzymał wyciągniętą rękę. Z jakiegoś powodu Faith gapiła się na jego palce i ani drgnęła.

– Nie jestem, kurwa, jakimś pieprzonym debilem, Faith – warknął. – Potrafię przeczytać adres.

Rzucił to tak ostrym tonem, że zjeżyły jej się włosy na karku. Rzadko przeklinał i nigdy wcześniej nie słyszała, żeby powiedział „kurwa". Spytała:

– O co chodzi?

– O nic. Po prostu chcę ten adres. Nie mogę uczestniczyć w przesłuchaniu Simkova. Pojadę do Bermana i spotkamy się tutaj, gdy już załatwisz swoją sprawę w Snellville. – Pokręcił głową. – A teraz dawaj adres.

Skrzyżowała ręce na piersi. Wolałaby umrzeć, niż dać mu teraz ten kawałek papieru.

– Nie wiem, co się, u licha, z tobą dzieje, ale musisz walnąć się w głowę i porozmawiać ze mną o tym, zanim będziemy mieli prawdziwy problem.

– Faith, mam tylko dwa jądra. Jeśli chcesz jedno, musisz pogadać z Amandą albo Angie.

Angie. Z tym jednym wypowiedzianym słowem opuścił go cały bojowy nastrój. Oparła się na krześle, ciągle ze skrzyżowanymi rękoma, i obserwowała go. Wyglądał przez okno i widziała niewyraźną linię blizny na jego twarzy. Chciała wiedzieć, skąd ją ma, jak to się stało, że skóra na szczęce została uszkodzona, ale była to kolejna sprawa, jak wiele innych, o której nigdy nie rozmawiali.

Faith położyła kartkę na biurku i przysunęła ją w jego kierunku.

Will rzucił okiem na adres.

– Jest otoczony sercem.

– Sam je narysował.

Złożył papier i schował go do kieszeni.

– Spotykasz się z nim?

Nie chciała mówić „z doskoku", więc tylko wzruszyła ramionami.

– To skomplikowane.

Skinął głową – jak zawsze, gdy wypływała jakaś osobista kwestia, o której się nie rozmawiało.

Miała już tego powyżej uszu. Co się stanie za miesiąc, gdy brzuch będzie już bardziej widoczny? Co się stanie za rok, gdy zemdleje w pracy, bo zapomni wziąć insulinę albo źle obliczy dawkę? Will z taką łatwością tłumaczył sobie to, że przytyła, pomagał jej wstać i przestrzegał, by bardziej uważała, jak stawia stopy. Był tak cholernie dobry w udawaniu, że nic się nie dzieje, choćby dokoła wszystko paliło się i waliło, a on latał z wiadrami.

Podniosła ręce w geście poddania.

– Jestem w ciąży.

Will podniósł brwi w odpowiedzi.

– Victor jest ojcem. Mam też cukrzycę. To dlatego zemdlałam na parkingu.

Wydawało się, że go zatkało.

– Powinnam była powiedzieć ci wcześniej. To właśnie muszę załatwić w Snelville. Jadę do lekarki, która ma mi pomóc opanować tę cukrzycę.

– Sara nie może cię leczyć?

– Skierowała mnie do specjalisty.

– Specjalista oznacza, że sprawa jest poważna.

– To trudna sytuacja. Zwłaszcza z uwagi na ciążę. Ale nie beznadziejna. – Musiała dodać. – Przynajmniej Sara tak powiedziała.

– Chcesz, żebym pojechał z tobą?

Wyobraziła go sobie przelotnie, jak siedzi w poczekalni gabinetu z jej torebką na kolanach.

– Nie. Dziękuję. Muszę to załatwić sama.

– Czy Victor...

– Victor nie wie. Nikt nie wie, oprócz ciebie i Amandy. A jej powiedziałam tylko dlatego, że przyłapała mnie na robieniu sobie zastrzyku.

– Musisz się kłuć?

– Tak.

Widziała niemal przewalające mu się przez głowę myśli, cisnące się na usta pytania, których nie umiał sformułować.

– Jeśli chcesz innego partnera...

– Dlaczego miałbym chcieć innego partnera?

– Bo mam problem, Will. Nie wiem jeszcze, jak duży, ale poziom cukru skacze mi w górę i w dół, robię się nerwowa i albo mam ochotę urwać ci głowę, albo wybuchnąć płaczem, i nie wiem, jak mam dalej pracować w tym stanie.

– Poradzisz sobie – zapewnił, jak zwykle rzeczowy. – Ja sobie radzę. Ze swoim problemem, znaczy się.

Miał taką łatwość przystosowywania się. Cokolwiek złego się wydarzało, nieważne jak strasznego, on tylko kiwał głową i przechodził nad tym do porządku dziennego. Podejrzewała, że musiał nauczyć się tego w domu dziecka. A może Angie Polaski mu to wpoiła. Była to zdolność bardzo przydatna w szkole przetrwania, ale w normalnych stosunkach międzyludzkich irytująca jak cholera.

I Faith nic absolutnie nie mogła na to poradzić.

Will usiadł prosto. Jak zwykle postanowił rozładować napięcie dowcipem.

– Jeśli mogę wybierać, wolałbym, żebyś raczej urwała mi głowę, niż płakała.

– I *vice versa*.

– Muszę przeprosić. – Nagle znowu spoważniał. – Za to, co zrobiłem Simkovowi. Nigdy wcześniej na nikogo nie podniosłem ręki. Ani razu. – Patrzył jej prosto w oczy. – Obiecuję, że to się już nie powtórzy.

– Dzięki – rzuciła tylko Faith. Oczywiście, potępiała jego zachowanie, ale trudno było ciosać komuś kołki na głowie, jeśli sam tak dobrze wywiązywał się z tego zadania. Teraz była jej kolej na przerzedzenie atmosfery.

– Dajmy sobie na razie spokój z zabawą w dobrego i złego glinę.

– Tak, głupi glina i wredna policjantka znacznie lepiej nam wychodzą. – Sięgnął do kieszeni kamizelki i oddał jej kartkę z adresem Bermana. – Powinniśmy zadzwonić do chłopaków z Cowety i kazać im przyjrzeć się Bermanowi, żeby mieć pewność, że to ten właściwy.

Mózg Faith z oporem przestawiał się na nowe tory. Popatrzyła na drukowane litery Sama, idiotyczne serce otaczające adres.

– Nie wiem, dlaczego ten cholerny dupek wyobraża sobie, że może w pięć minut namierzyć gościa, którego wydział przetwarzania danych nie jest w stanie znaleźć od dwóch dni.

Wyjęła komórkę. Nie miała ochoty zawracać sobie głowy przedzieraniem się przez oficjalne kanały, więc zadzwoniła do asystentki Amandy. Caroline na dobrą sprawę mieszkała w firmie i odebrała telefon po pierwszym dzwonku. Faith przekazała jej adres Bermana i poprosiła o skierowanie agenta terenowego z Cowety, by zweryfikował tożsamość poszukiwanego mężczyzny i sprawdził, czy to ten, którego szukają.

– Chcecie, żeby go zatrzymał? – spytała Caroline.

Faith zastanawiała się przez chwilę i uznała, że woli nie podejmować tej decyzji sama. Zwróciła się do Willa: – Mają zgarnąć Bermana?

Wzruszył ramionami, ale odpowiedział:

– A chcemy go wystraszyć?

– Gliniarz pukający do jego drzwi i tak to zrobi.

Will znowu wzruszył ramionami.

– Powiedz, żeby zweryfikowali jego tożsamość na odległość. Jeśli to nasz facet, to pojedziemy tam po przesłuchaniu Simkova i sami go zgarniemy. Podaj agentowi moją komórkę.

Faith przekazała to Caroline. Rozłączyła się i Will odwrócił w jej stronę monitor.

– Dostałem tego e-maila od Amandy.

Faith przysunęła sobie mysz i klawiaturę. Zmieniła ustawienie kolorów, żeby nie wypaliły jej siatkówek, potem kliknęła na wiadomość. Przebiegając ją wzrokiem, streszczała Willowi.

– Informatycy nie zdołali włamać się do żadnego z komputerów. Twierdzą, że nie można wejść do chat roomu bez podania hasła, ma jakieś wymyślne kodowanie. Dziś po południu powinien spłynąć nakaz zajęcia dowodów dla banku, więc będziemy mogli dostać się do jej telefonu i dokumentów. – Przewinęła tekst. – Hmm. – Czytała cicho przez chwilę, potem powiedziała: – Dobra, to może nam pomóc dorwać się do tyłka portierowi. Na drzwiach przeciwpożarowych na ostatnim piętrze, gdzie mieści się apartament Anny, znaleziono częściowy odcisk palca na klamce. – Prawy kciuk.

Will wiedział, że Faith spędziła większość wczorajszego popołudnia, przetrząsając budynek, w którym mieszkała Lindsey.

– Skąd jest dojście do klatki schodowej?

– Albo z holu, albo z dachu – odrzekła, czytając kolejny akapit. – Na schodach przeciwpożarowych, które biegną na tyłach budynku, jest kolejny ślad papilarny odpowiadający temu z klamki. Wysyłają je do policji w Michigan, żeby porównali z tymi ze swojej bazy danych. Jeśli tylko brat Pauline był notowany, powinno się udać go zidentyfikować. Jeśli będziemy mieli nazwisko, to mamy połowę sukcesu.

– Powinniśmy sprawdzić mandaty za złe parkowanie. W Buckhead nie możesz parkować byle gdzie, straż się tam nie patyczkuje i wali kary.

– Dobry pomysł – stwierdziła Faith i otworzyła swoją skrzynkę pocztową, żeby wystosować prośbę o sprawdzenie. – Rozszerzę to na okolice zamieszkania wszystkich naszych ofiar.

– Syn Sama, David Berkowitz, został ujęty dzięki mandatowi za złe parkowanie.

Faith stukała w klawiaturę.

– Musisz przestać oglądać tyle telewizji.

– Nie mam co robić wieczorami.

Zerknęła na świeże zadrapania na jego rękach.

– Jak sprawca wyprowadził Annę Lindsey z budynku? – spytał Will. – Nie mógł przecież zarzucić jej sobie na ramię i zejść schodami pożarowymi.

Faith wysłała e-maila i odpowiedziała:

– Drzwi prowadzące na schody są zabezpieczone alarmem, który uruchamia się przy każdej próbie ich otwarcia. Może wniósł ją do windy, zjechał na dół i wyszedł frontowym wejściem.

– O to trzeba by spytać Simkova.

– On nie siedzi tam całą dobę – przypomniała mu Faith. – Sprawca mógł poczekać, aż portier zejdzie z dyżuru, i wtedy ją wynieść. Simkov miał niby mieć na wszystko oko, ale nie jest specjalnie oddany swojej pracy.

– A nie ma drugiego portiera?

– Od sześciu miesięcy starają się kogoś znaleźć. Bez skutku. Najwyraźniej mało kto chce siedzieć kamieniem na tyłku przez osiem godzin za biurkiem, dlatego tak długo tolerowali Simkova.

– A co z taśmami z monitoringu?

– Kasują je i nagrywają od nowa co dwie doby. Z wyjątkiem tych wczorajszych, które chyba gdzieś się zapodziały. – Amanda dopilnowała, żeby film pokazujący, jak Will wali głową Simkova w kontuar recepcji, został zniszczony.

Na twarzy Willa pojawił się rumieniec wstydu, ale mimo to spytał:
– Znaleźliście coś w mieszkaniu Simkova?
– Przetrząsnęliśmy je do góry nogami. Jeździ starym monte carlo, który przecieka jak sito. Żadnych kwitów z przechowalni ani nic z tych rzeczy.
– On nie może być bratem Pauline.
– Tak bardzo skupiliśmy się na bracie, że zostawiliśmy odłogiem inne hipotezy.
– Dobra, w takim razie zapomnijmy o bracie. Co z Simkovem?
– Nie grzeszy mądrością. Nie żeby był głupi, ale nasz sprawca wybiera kobiety, które chce pokonać. Nie mówię, że jest geniuszem, ale na pewno łowcą. Simkov tymczasem to żałosny kutasina, który trzyma świerszczyki pod materacem i wpuszcza do środka kurwy za loda.
– Jak dotąd nie wierzyłaś jakoś w profilowanie.
– Masz rację, ale kręcimy się beznadziejnie w miejscu. Pogadajmy o sprawcy – zaproponowała, choć zwykle tego typu sugestie wychodziły od Willa. – Jaki jest?
– Kuty na cztery nogi. Prawdopodobnie pracuje dla apodyktycznej kobiety albo ma z taką do czynienia w życiu osobistym.
– To jak niemal każdy mężczyzna na tej planecie w tych czasach.
– Wiem coś o tym.
Uśmiechnęła się, biorąc jego słowa za żart.
– Jaki ma zawód?
– Taki, który pozwala mu działać bez rzucania się w oczy i zapewnia elastyczne godziny pracy. Obserwowanie tych kobiet, poznawanie ich zwyczajów zabiera dużo czasu. Musi mieć pracę, która daje mu dużą swobodę ruchów.
– Dobrze, postawmy jeszcze raz to samo nudne, głupie pytanie: Co z ofiarami? Co je łączy, co mają ze sobą wspólnego?
– Zaburzenia odżywiania.
– No i ten czat. – Ale zaraz sama storpedowała trop. – Nawet FBI nie jest w stanie ustalić, na kogo zarejestrowana jest ta strona. Ani złamać hasła Pauline. Jak w takim razie udałoby się to sprawcy?

– Może sam założył tę stronę, żeby zwabić ofiary.

– A jak ustaliłby ich prawdziwą tożsamość? W sieci wszystkie kobiety są wysokie, szczupłe i jasnowłose. A do tego dwunastoletnie i napalone.

Wyjrzał przez okno, znowu obracając obrączkę na palcu. Faith nie mogła oderwać wzroku od zadrapań na grzbiecie jego dłoni. Medyk sądowy określiłby je mianem obrażeń obronnych. Will najwyraźniej musiał stać za kimś, kto przeorał mu skórę paznokciami.

– Jak poszło z Sarą wczoraj? – spytała.

Wzruszył ramionami.

– Odebrałem tylko Betty. Chyba zaprzyjaźniła się z jej psami. Sara ma dwa charty.

– Widziałam je wczoraj rano.

– No tak, racja.

– Ona jest w porządku – powiedziała. – Naprawdę ją lubię.

Will pokiwał głową.

– Powinieneś się z nią umówić.

Roześmiał się i tym razem dla odmiany pokręcił głową.

– Nie wydaje mi się.

– Z uwagi na Angie?

Przestał się bawić obrączką.

– Kobiety takie jak Sara Linton... – W jego oczach mignęło coś, czego nie potrafiła zinterpretować. Myślała, że zbędzie pytanie wzruszeniem ramion, ale mówił dalej trochę zachrypniętym głosem. – Faith, nie ma we mnie nic, co nie byłoby uszkodzone. Nie chodzi tylko o to, co widać gołym okiem. Są też inne rzeczy. Złe rzeczy. – Jeszcze raz potrząsnął głową, cierpkim gestem bardziej skierowanym pod własnym adresem niż Faith. W końcu dodał: – Angie wie, kim jestem. A ktoś taki jak Sara... – Znowu urwał. – Jeśli naprawdę ją lubisz, to nie chcesz, żeby mnie poznała.

Faith była w stanie powiedzieć tylko:

– Will.

Zaśmiał się z przymusem.

– Musimy przestać rozmawiać na takie tematy, zanim komuś z nas z piersi wypłynie mleko. – Wyjął komórkę. – Jest prawie ósma. Amanda pewnie czeka już na ciebie w sali przesłuchań.

– Będziesz oglądał?

– Podzwonię do Michigan i popędzę im kota, żeby byli łaskawi sprawdzić te odciski znalezione na drzwiach i schodach przeciwpożarowych u Anny. Może zadzwonisz do mnie po wizycie u lekarza? Jeśli Sam znalazł właściwego Bermana, możemy razem pojechać z nim pogadać.

Faith na śmierć zapomniała o wizycie u diabetologa.

– Jeśli to ten Berman, to powinniśmy zgarnąć go od razu.

– Dam ci znać. W przeciwnym razie jedź do lekarza, a potem zaczniemy od początku, tak jak mówiliśmy.

– Coldfieldowie, Rick Sigler, brat Olivii Tanner – wyliczyła.

– To zajmie trochę czasu.

– Wiesz co nie daje mi spokoju? – Pokręcił głową, więc wyjaśniła: – Nie dostaliśmy jeszcze tych raportów z Rockdale. – Uniosła dłonie, świadoma, że to drażliwy temat. – Jeśli mamy wystartować jeszcze raz od zera, to powinniśmy właśnie to zrobić: zdobyć wstępny raport z miejsca zdarzenia i przeanalizować go szczegółowo punkt po punkcie. Wiem, że Galloway twierdzi, że ten policjant, który interweniował jako pierwszy, jest na rybach w Montanie, ale jeśli jego raport jest dobry, wcale nie musimy z nim rozmawiać.

– Czego szukasz?

– Nie wiem. Ale niepokoi mnie, że Galloway jeszcze go nam nie przefaksował.

– Niewiele ma teraz do gadania.

– Zgoda, ale do tej pory nigdy nie zatajał informacji bez powodu. Sam to powiedziałeś. Nawet najgorsza głupota ma jakieś logiczne uzasadnienie.

– Zadzwonię do nich i zorientuję się, czy sekretarka może się tym zająć bez angażowania w to Gallowaya.

– Ktoś powinien chyba rzucić okiem na te zadrapania na twoim ręku.

Zerknął na dłoń.

– Myślę, że ty się już dość narzucałaś.

Z wyjątkiem rozmowy z Anną Lindsey w szpitalu, Faith nigdy jeszcze nie pracowała bezpośrednio z Amandą podczas żadnego śledztwa. Zakres ich kontaktów nigdy nie wykraczał poza biurko, po którego jednej stronie siedziała Amanda z dłońmi złożonymi przed siebie w wieżyczkę niczym u pełnej dezaprobaty belferki, a po drugiej wierciła się nerwowo Faith, składając raport. Z tego powodu Faith często zapominała, że szefowa prawie po trupach pięła się po szczeblach kariery w okresie, kiedy kobiety w służbach mundurowych spychano do robienia kawy i przepisywania raportów. Nie wolno im było nawet nosić broni, ponieważ góra była zdania, że jeśli zastrzelenie przestępcy będzie groziło złamaniem paznokcia, oszczędzą i przestępcę, i paznokieć.

Amanda była pierwszą policjantką, która wyprowadziła ich z tego błędu. Pewnego dnia realizowała czek w banku, gdy bandyta postanowił go odciążyć z pieniędzy. Jedna z kasjerek spanikowała i zaczął okładać ją pistoletem. Amanda strzeliła mu prosto w serce, czyli postawiła krzyżyk, zgodnie z symbolem widniejącym w tym miejscu na tarczy strzeleckiej w kształcie człowieka. Powiedziała kiedyś Faith, że zaraz potem poszła zrobić sobie manicure.

Gdyby Otik Simkov, portier z budynku, w którym mieściło się mieszkanie Anny Lindsey, znał tę historię, pewnie by się dwa razy zastanowił, zanim zadarł z Amandą. A może nie. Mały troll mimo pomarańczowego, przyciasnego więziennego uniformu i sandałów noszonych wcześniej przez tysiące aresztantów, miał tak samo arogancką minę jak wcześniej. Jego twarz była posiniaczona i poturbowana, ale nadal trzymał się prosto, prężąc ramiona. Kiedy Faith weszła do sali przesłuchań, otaksował ją takim samym spojrzeniem, jakim farmer taksuje krowę.

Cal Finney, adwokat Simkova, popatrzył ostentacyjnie na zegarek. Faith widziała go wiele razy w telewizji, jego reklamy miały własny, bardzo irytujący dżingiel. Na żywo był równie przystojny jak na szklanym ekranie. Zegarek, na który spojrzał, mógłby pokryć koszt studiów Jeremy'ego.

– Przepraszam za spóźnienie – rzuciła Faith pod adresem Amandy, wiedząc, że tylko ona się tu liczy.

Usiadła w fotelu naprzeciwko Finneya, zauważając wyraz obrzydzenia malujący się na twarzy Simkova, gdy się na nią bezczelnie gapił. Najwyraźniej nie nauczył się jeszcze szacunku do kobiet. Może Amanda to zmieni.

– Dziękuję, że zgodził się pan z nami porozmawiać, panie Simkov – zaczęła Amanda nadal jeszcze przyjemnym głosem, ale Faith uczestniczyła w wystarczająco wielu zebraniach z szefową, by wiedzieć, że portier ma kłopoty. Jej ręce spoczywały lekko na jakiejś teczce. Jeśli doświadczenie czegoś uczyło, można było założyć, że w pewnym momencie ją otworzy i rozpęta piekło nad jego głową. – Mamy tylko kilka pytań dotyczących...

– Wal się, paniusiu – warknął Simkov. – Gadaj z moim papugą.

– Doktor Wagner – wtrącił się Finney. – Jestem pewien, że ma pani świadomość, iż właśnie dzisiaj złożyliśmy pozew przeciwko miastu w związku z brutalnością i przekroczeniem uprawnień przez organa ścigania. – Otworzył swoją aktówkę i wyciągnął plik dokumentów, które rzucił z głuchym odgłosem na stół.

Faith poczuła, że się czerwieni, ale Amandzie nie drgnęła nawet powieka.

– Rozumiem, panie Finney, ale pańskiemu klientowi grozi zarzut utrudniania śledztwa dotyczącego szczególnie ohydnych zbrodni. Pod jego okiem, na jego służbie, porwano jedną z lokatorek budynku. Była wielokrotnie zmuszana do współżycia wbrew swojej woli i torturowana. Ledwo uszła z życiem. Jestem pewna, że oglądał pan relacje w serwisach informacyjnych. Jej dziecko zostało porzucone na pewną śmierć, także na jego zmianie, pod jego nadzorem. Ofiara nigdy nie odzyska wzroku. Rozumie pan zatem, dlaczego jesteśmy cokolwiek sfrustrowani faktem, że pański klient jest, mówiąc oględnie, dosyć lakoniczny w swoich wyjaśnieniach na temat tego, co dokładnie działo się w tym budynku.

– Ja nic nie wiem – upierał się Simkov z tak wyraźnym akcentem w głosie, że Faith nie zdziwiłaby się, gdyby nagle zaczął mówić o złapaniu Łosia Superktosia. – Zabierz mnie stąd – zwrócił się do adwokata. – Czemu mnie zamknęli? Już niedługo będę bogaty.

Finney zignorował klienta i zwrócił się do Amandy:

– Ile to potrwa?
– Niedługo – zapewniła, choć jej uśmiech wskazywał, że wprost przeciwnie.
Finney nie dał się nabrać.
– Macie dziesięć minut. Ograniczcie pytania wyłącznie do sprawy Anny Lindsey. – Poradził Simkovowi: – Pańska współpraca teraz pokaże pana w pozytywnym świetle podczas procesu cywilnego.
Jak można się było spodziewać, perspektywa słonej sumki z odszkodowania skłoniła portiera do większej otwartości.
– Taa. Dobra. Jakie macie pytania?
– Proszę powiedzieć, panie Simkov, jak długo jest pan już w naszym kraju?
Zerknął na adwokata, który skinieniem głowy dał mu znać, że powinien odpowiedzieć.
– Dwadzieścia siedem lat.
– Bardzo dobrze mówi pan w naszym języku. Czy określiłby pan stopień swojej znajomości angielskiego jako płynny, czy też powinnam wezwać tłumacza, żeby poczuł się pan bardziej komfortowo?
– Mój angielski jest w porządku – wypiął dumnie pierś. – Na okrągło czytam amerykańskie gazety i książki.
– Pochodzi pan z Czechosłowacji – powiedziała Amanda. – Zgadza się?
– Jestem Czechem – oświadczył, prawdopodobnie dlatego, że kraj, w którym się urodził, już nie istniał. – Dlaczego mnie przesłuchujecie? Podałem was do sądu. To wy powinniście odpowiadać na moje pytania.
– Żeby pozwać państwo, musi być pan obywatelem Stanów Zjednoczonych.
– Pan Simkov ma pozwolenie na pobyt stały.
– Zabraliście moją zieloną kartę – dodał Simkov. – Była w moim portfelu. Widziałem, że ją widzieliście.
– Bez wątpienia. – Amanda otworzyła teczkę i serce Faith zaczęło bić szybciej. – Dziękuję bardzo za przypomnienie. To zaoszczędzi nam trochę czasu. – Wsunęła na nos okulary i zaczęła czytać z jakiegoś dokumentu w teczce. – Wszystkie zielone karty wydane na czas nieokreślony między rokiem 1979 i 1989 winny zostać wymienione w cią-

gu 120 dni od otrzymania niniejszego zawiadomienia. Wszyscy legitymujący się nimi legalni imigranci są zobowiązani wypełnić podanie o zmianę karty legalnego pobytu, formularz I-90, w celu wymiany obecnego dokumentu pod groźbą utraty prawa stałego pobytu na terenie kraju. – Odłożyła dokument. – Czy to brzmi panu znajomo, panie Simkov?

Finney wyciągnął rękę.

– Proszę mi to pokazać.

Amanda podała mu zawiadomienie.

– Panie Simkov, obawiam się, że do Urzędu do spraw Imigracji i Naturalizacji nie wpłynęło pańskie podanie I-90 w celu odnowienia prawa pobytu na terenie Stanów Zjednoczonych.

– Bzdura – żachnął się Simkov, ale zerknął nerwowo na adwokata.

Amanda podała Finneyowi kolejny dokument.

– To jest fotokopia zielonej karty pana Simkova. Proszę zauważyć, że nie figuruje na niej data ważności. Niestety, pański klient rażąco pogwałcił warunki swojego pobytu i nie dopełnił obowiązków wynikających z jego statusu. Obawiam się, że będziemy musieli przekazać go urzędowi imigracyjnemu. – Uśmiechnęła się słodko. – Rano otrzymałam także telefon z Departamentu Bezpieczeństwa Narodowego. Nie miałam pojęcia, że czeska broń trafia do rąk terrorystów. Panie Simkov, był pan, zdaje się, metalowcem przed przyjazdem do Ameryki?

– Byłem kowalem – odparował. – Podkuwałem konie.

– Zatem ma pan specjalistyczną wiedzę z zakresu obróbki metalu.

Finney zaklął pod nosem.

– To wprost nie do wiary, co się tu wyprawia. Wie pani o tym?

Amanda odchyliła się na krześle.

– Nie mogę sobie przypomnieć z telewizji, panie mecenasie. Specjalizuje się pan w prawie imigracyjnym? – Zagwizdała wesoło, doskonale imitując dżingiel z telewizyjnych reklam Finneya.

– Myślicie, że się wykpicie z napaści na zatrzymanego dzięki jakimś formalnym kruczkom? Popatrzcie tylko na tego człowieka. – Finney wskazał na klienta i Faith musiała przyznać mu rację.

Nos Simkova był złamany i skręcony w bok w miejscu, gdzie chrząstka została strzaskana. Prawe oko tak napuchło, że wyglądało jak wąska szparka. Nawet ucho miał uszkodzone: płatek przecinał zaogniony rząd szwów w miejscu, gdzie pięść Willa rozerwała skórę.

– Wasz funkcjonariusz zmasakrował go niemal do nieprzytomności, a wy uważacie, że to w porządku? – Nie spodziewał się odpowiedzi. – Otik Simkov uciekł z komunistycznego reżimu i przyjechał do tego kraju, żeby zacząć swoje życie od zera. Uważacie, że to, co mu w tej chwili robicie, jest zgodne z duchem konstytucji?

Amanda miała odpowiedź na wszystko.

– Konstytucja jest dla niewinnych ludzi.

Finney z trzaskiem zamknął aktówkę.

– Zwołuję konferencję prasową.

– Z największą przyjemnością poinformuję przedstawicieli prasy, jak pan Simkov kazał sobie obciągać, zanim pozwalał kurwie wejść na górę i nakarmić umierające sześciomiesięczne niemowlę. – Nachyliła się przez biurko. – Proszę mi powiedzieć, panie Simkov, dawał jej pan kilka minut ekstra z dzieckiem, jeśli robiła z połykiem?

Minęła sekunda, zanim Finney zmienił strategię.

– Nie zaprzeczam, że to dupek, ale nawet dupki mają prawa.

Amanda posłała Simkovowi lodowaty uśmiech.

– Tylko jeśli są amerykańskimi obywatelami.

– Nie do wiary, Amando. – Finney wydawał się autentycznie zdegustowany. – To się kiedyś na tobie zemści. Wiesz o tym, prawda?

Amanda prowadziła swego rodzaju walkę na spojrzenia z Simkovem i nie zwracała na nic innego uwagi.

Finney przeniósł spojrzenie na Faith.

– A pani to nie przeszkadza, pani funkcjonariusz? Akceptuje pani bicie świadka przez pani partnera?

Faith absolutnie tego nie akceptowała, ale pora i miejsce nie sprzyjały takim wyznaniom.

– Pani agent, jeśli idzie o ścisłość. „Funkcjonariusz" to tytuł zarezerwowany dla policjantów chodzących w patrolu.

– Wspaniale. Atlanta zamienia się w nowe Guantanamo. – Odwrócił się do Simkova. – Otik, niech pan się nie da zastraszyć. Ma pan swoje prawa.

Simkov nadal gapił się na Amandę, jakby myślał, że uda mu się ją złamać. Poruszał gałkami w tę i z powrotem, odczytując jej opór. Wreszcie skinął sztywno głową.

– Dobra. Wycofuję skargę. Wy wycofajcie całą resztę.

Finney nie chciał o tym słyszeć.

– Jako pański adwokat, radzę...

– Nie jest pan już jego adwokatem – przerwała Amanda. – Prawda, panie Simkov?

– Zgadza się – potwierdził. Skrzyżował ramiona na piersi, patrząc przed siebie.

Finney znowu rzucił mięsem.

– To jeszcze nie koniec.

– Myślę, że tak – powiedziała i zabrała plik akt dotyczących pozwu.

Finney przeklął ją jeszcze raz, dodając Faith na dokładkę i opuścił pokój.

Amanda wrzuciła pozew do kosza. Cieszyła się, że Willa tu nie ma, ponieważ o ile jej własne sumienie nie dawało jej spokoju w związku z tą sprawą, o tyle sumienie Willa nie dawało mu żyć. Finney miał rację. Dzięki formalnym kruczkom Willowi upiecze się pobicie zatrzymanego. Gdyby Faith nie była na miejscu zdarzenia, może teraz czułaby się inaczej.

Przywołała wspomnienie Balthazara Lindseya leżącego w koszu na opakowania plastikowe kilka metrów od mieszkania matki i przez głowę przebiegło jej tysiące usprawiedliwień zachowania kolegi.

– Dobrze – zaczęła Amanda. – Zatem zakładamy, że nawet kryminaliści mają swój honor, panie Simkov?

Skinął głową z podziwem.

– Twarda z pani sztuka.

Wydawała się zadowolona z tej oceny, a Faith widziała, jaką przyjemność sprawił jej powrót do sali przesłuchań. Wysiadywanie na zebraniach organizacyjnych i przeglądanie całymi dniami budżetu i schematów blokowych musiało ją śmiertelnie nudzić. Nic dziwnego, że terroryzowanie Trenta było jej jedynym hobby.

– Proszę mi opowiedzieć o tym przekręcie z apartamentami – powiedziała teraz.

Wzruszył ramionami.

– Ci bogaci ludzie non stop podróżują. Czasami użyczam ich mieszkań ludziom w potrzebie. Wchodzą, trochę się zabawią. – Wykonał dłonią gest symbolizujący kopulowanie. – Otik trochę zarobi. Następnego dnia przychodzi sprzątaczka. Wszyscy są szczęśliwi.

Amanda pokiwała głową, jakby to był zupełnie oczywisty układ.

– A co się stało z mieszkaniem Anny Lindsey?

– Pomyślałem se, czemu fest nie zarobić? Ten dupek pan Regus z 9A skapnął się, że coś jest na rzeczy. On nie pali. Wrócił z jednej z podróży służbowych i zobaczył dziurę od szluga w dywanie. Też ją widziałem. Ledwo co widać, żadna sprawa. Ale ten podniósł raban i narobił mi problemów.

– I zwolnili pana?

– Dwa tygodnie wypowiedzenia, dobre referencje. Już i tak miałem narajoną inną robotę. Osiedle miejskich rezydencji niedaleko Phipps Plaza. Dwudziestoczterogodzinny nadzór. Miejsce z klasą. Ja i drugi facet mamy się wymieniać, on w dzień, ja nocą.

– Kiedy zauważył pan, że Anna Lindsey zniknęła?

– Zawsze o siódmej schodzi z dzieckiem na dół, a któregoś dnia nie zeszła. Sprawdziłem swoją skrzynkę, gdzie lokatorzy zostawiają mi wiadomości, głównie skargi: a to że okno się nie otwiera, a to że telewizor szwankuje, a przecież takie tam nie należą do moich obowiązków, nie? No ale patrzę, a tam zawiadomienie od pani Lindsey, że wyjeżdża na dwutygodniowy urlop. No to uznałem, że se pojechała. Zwykle mówią też, gdzie jadą, ale może doszła do wniosku, że skoro i tak mnie tu już nie będzie po jej powrocie, to nie ma sensu.

To się zgadzało z zeznaniami Anny Lindsey.

– Czy to tak właśnie się zwykle z panem komunikowała, na piśmie?

Kiwnął głową.

– Ona mnie nie lubi. Mówi, że jestem niechluj. – Wykrzywił usta z odrazą. – Zmusiła administrację, żeby kupili mi uniform, cobym wyglądał jak małpa. Kazała mi mówić do siebie: „Tak, proszę pani", „Nie, proszę pani", jak jakiemuś smarkaczowi.

Takie zachowanie zgadzało się z profilem ofiar.

– Skąd pan wiedział, że wyjechała? – spytała Faith.

– Nie schodziła na dół. Zwykle wychodzi na siłownię, do sklepu, na spacer z dzieckiem. Każe wstawiać i wystawiać wózek z windy. – Wzruszył ramionami. – No to se pomyślałem, ani chybi pojechała.

– Zatem założył pan, że pani Lindsey nie będzie przez dwa tygodnie, co ładnie się pokrywało z końcem pana umowy.

– Jak ulał – zgodził się.

– Kogo pan poinformował?

– Alfonsa. Tego martwego. – Wydawało się, że po raz pierwszy Simkov stracił trochę buty. – Nie był taki zły. Freddy na niego wołali. Nie wiem, jak się naprawdę nazywał, ale zawsze był wobec mnie w porządku. Mówiłem: dwie godziny, to po dwóch się zabierał. Płacił sprzątaczce. Inni jadą na bezczelnego: próbują negocjować, nie wychodzą na czas. Ale nie ze mną te numery. Nie dzwonię do takich potem, gdy jest wolny lokal. Freddy kiedyś tam kręcił jakiś teledysk. Nawet szukałem go w telewizji, ale nie widziałem. Może nie znalazł agenta. Muzyka to trudny biznes.

– Impreza w mieszkaniu Anny Lindsey wymknęła się spod kontroli – stwierdziła oczywistość Amanda.

– Taa, zupełnie – zgodził się. – Freddy to dobry chłopak. Nie chodziłem go sprawdzać. Za każdą razą, gdy wsiadam do windy, ktoś mówi: „O, panie Simkov, mógłby pan zerknąć na to u mnie w mieszkaniu? Może pan podlać mi kwiaty? Może pan wyprowadzić mojego psa?" To nie moja robota, ale jak tak człowieka osaczają, to niby co ma powiedzieć? Odpierdol się? Nie, nie wolno. Więc siedzę w recepcji, mówię im, że nie mogę nic zrobić, bo muszę pilnować wejścia, a nie wyprowadzać ich pieski, nie?

– Apartament był całkiem zdewastowany. Aż trudno uwierzyć, że ledwie tydzień wystarczył, by go doprowadzić do takiego stanu.

Wzruszył ramionami.

– Ci ludzie. Niczego nie uszanują. Srają w kącie jak

psy. Mnie tam to nie dziwi. To pieprzone zwierzaki, zrobią wszystko, byleby dać sobie w żyłę.

– A jak to było z tym dzieckiem? – spytała Amanda.

– Ta kurwa Lola. Myślałem, że chodzi tam trochę zarobić. Freddy tam siedział. Lola miała do niego słabość. Nie wiedziałem, że nie żyje. Ani że zdemolowali mieszkanie pani Lindsey. Rozumie się.

– Jak często tam chodziła?

– Nie liczyłem. Kilka razy na dzień. Podejrzewam, że lubi sobie od czasu do czasu wciągnąć. – Przesunął wierzchem dłoni pod nosem uniwersalnym gestem symbolizującym zażywanie kokainy. – Ale nie jest zła. Ot, porządna kobieta wykolejona przez złe okoliczności.

Najwyraźniej nie zdawał sobie sprawy, że sam jest jedną z tych okoliczności.

– Zauważył pan coś niezwykłego w budynku w ciągu ostatnich dwóch tygodni? – wtrąciła się Faith.

Nawet nie zaszczycił jej spojrzeniem. Zwrócił się prosto do Amandy.

– Dlaczego ta dziewczyna zadaje mi pytania?

Faith bywała już traktowana z góry, ale wiedziała, że tego gościa trzeba trzymać krótko.

– Mam sprowadzić swojego partnera, żeby z panem porozmawiał?

Prychnął, jakby wizja kolejnego pobicia nie robiła na nim wrażenia, ale odpowiedział na pytanie:

– Coś niezwykłego? Co ma pani na myśli? To Buckhead. Wszystko jest niezwykłe.

Apartament kosztował pewnie Annę jakieś trzy miliony dolarów. Kobieta nie mieszkała w getcie.

– Widział pan, żeby w okolicy kręcili się jacyś obcy?

Zbył ją machnięciem ręki.

– Obcy są wszędzie. To duże miasto.

Faith pomyślała o sprawcy. Musiał mieć dostęp do budynku, żeby porazić Annę paralizatorem i wynieść ją z mieszkania. Simkov najwyraźniej nie zamierzał jej niczego ułatwiać, więc spróbowała zablefować.

– Wie pan, o czym mówię. Niech mi pan tu nie wciska kitu, bo zawołam partnera, żeby popracował jeszcze trochę nad pana szpetną facjatą.

Znowu wzruszył ramionami, ale tym razem jakoś inaczej. Faith czekała i w końcu powiedział:

– Czasami idę na dymka na tyły budynku.

Prowadzące na dach schody przeciwpożarowe mieściły się na tyłach budynku.

– I co pan zobaczył?

– Samochód. Srebrny, czterodrzwiowy.

Faith zmusiła się, by nie okazać podekscytowania. Zarówno Coldfieldowie, jak i rodzina z Tennessee widzieli białego sedana uciekającego z miejsca wypadku. Robiło się ciemno. Może wzięli srebrne auto za białe.

– Zapisał pan numer rejestracyjny?

Pokręcił głową.

– Zobaczyłem, że drabinka pożarowa do schodów jest otwarta. Wszedłem na dach.

– Po schodach?

– Windą. Te schody to nie na moje nogi. To dwadzieścia trzy piętra. Mam chore kolano.

– Co pan zobaczył na dachu?

– Puszkę po napoju gazowanym. Ktoś zrobił sobie z niej popielniczkę. W środku było mnóstwo petów.

– Gdzie stała?

– Przy okapie. Tuż obok schodów.

– I co pan z nią zrobił?

– Skopłem – powiedział, częstując ją kolejnym wzruszeniem ramion. – Patrzyłem, jak walnęła o ziemię. Wybuchła jak... – Złożył ręce razem, a potem rozrzucił je na boki. – Bardzo widowiskowo.

Faith była na tyłach budynku, przeszukała go od piwnicy aż po dach.

– Nie znaleźliśmy żadnej puszki ani petów po papierosach na tyłach.

– Właśnie o to się rozchodzi. Następnego dnia zniknęły. Ktoś je posprzątał.

– A co z tym srebrnym samochodem?

– Też zniknął.

– Jest pan pewien, że nie widział żadnych podejrzanie wyglądających osób kręcących się przy budynku?

Wydmuchnął głośno powietrze.

– Nie, psze pani. Już mówiłem. Tylko to piwo korzenne.

– Jakie piwo korzenne?

– No ta puszka. To było piwo korzenne Doktora Petersona.

Takie samo, jakie odkryli w domu za bungalowem Olivii Tanner.

ROZDZIAŁ DWUDZIESTY DRUGI

Jadąc do domu Jake'a Bermana w okręgu Coweta, Will rozważał stopień furii, w jaką wpadnie Faith, kiedy się dowie, że ją oszukał. Nie był pewien, co ją bardziej zezłości: wierutne kłamstwo, jakim ją poczęstował, mówiąc, że Sam znalazł nie tego Bermana, czy fakt, że postanowił pojechać do niego sam. Nie wchodziło w grę, żeby zdążyła na swoją wizytę u lekarza, gdyby jej powiedział, że prawdziwy Jake Berman żyje, ma się dobrze i mieszka na Lester Drive. Nalegałaby, żeby zabrać się razem z nim, a on nie byłby w stanie wymyślić żadnego powodu, dla którego nie miałaby jechać, oprócz tego, że spodziewa się dziecka, ma cukrzycę i wystarczająco dużo na głowie bez kuszenia losu i narażania się w trakcie przesłuchania świadka, który równie dobrze może być podejrzanym.

Przyjęłaby to naprawdę bardzo dobrze. Jak on jej poród.

Will poprosił Caroline, asystentkę Amandy, by kazała sprawdzić Bermana w bazach na podstawie adresu na Lester Drive. Dysponując tą informacją, bardzo łatwo go rozpracowali. Dom był zapisany na nazwisko żony, podobnie jak wszystkie karty kredytowe, świadczenia i rachunki. Lydia Berman pracowała jako nauczycielka. Jake zbliżał się do końca okresu zasiłkowego, a nadal nie znalazł pracy. Osiemnaście miesięcy temu ogłosił bankructwo. Miał blisko pół miliona dolarów długu. To by tłumaczyło, dlaczego tak trudno było go namierzyć: nikt w jego sytuacji nie chciałby ściągać sobie na kark wierzycieli. Zważywszy na to, że kilka miesięcy temu został aresztowany za obrazę moralności, wydawało się sensowne, że nie chciał zwracać na siebie uwagi.

Z drugiej strony, jeśli byłby sprawcą, zachowywałby się tak samo.

Porsche nie sprawdzało się najlepiej na długich dystansach i kiedy Will dotarł do Lester Drive, bolały go plecy. Korki na drogach były gorsze niż zazwyczaj, ciągnik siodłowy z naczepą, który wywrócił się na autostradzie, zatamował ruch na bitą godzinę. Will nie chciał być sam na sam ze swoimi myślami. Zdążył posłuchać wszystkich dostępnych stacji radiowych, zanim w końcu wjechał do okręgu Coweta.

Zatrzymał się przy nieoznakowanym chevy caprice u wylotu Lester Drive. Z tyłu furgonetki wystawała kosiarka do trawy. Siedzący za kierownicą mężczyzna miał na sobie kombinezon roboczy i gruby złoty łańcuch na szyi. Will rozpoznał Nicka Sheltona, regionalnego agenta operacyjnego na rejon 29.

– Jak leci? – spytał Nick, ściszywszy ryczące z głośników country.

Will spotkał go już wcześniej kilka razy. Tak bardzo lubił country, że nawet kark miał czerwony, ale był solidnym śledczym i znał się na swojej robocie.

– Berman jest nadal w domu? – spytał Will.

– Chyba że wymknął się tyłem. Ale spokojna twoja głowa. Zrobił na mnie wrażenie leniwca.

– Rozmawiałeś z nim?

– Podałem się za gościa od zieleni, szukającego pracy – Podał mu wizytówkę. – Powiedziałem, że biorę stówę za miesiąc, na co odpalił, że sam zajmie się swoim cholernym ogrodem i dziękuje bardzo. – Parsknął śmiechem. – I to mówi facet, który o tej godzinie jeszcze paraduje w piżamie.

Will rzucił okiem na wizytówkę ozdobioną rysunkiem kosiarki do trawy i kwiatków.

– Ładna – pochwalił.

– Fałszywy numer telefonu przydaje się w kontaktach z damami. – Nick jeszcze raz zachichotał. – Dobrze się przyjrzałem staremu Jake'owi, kiedy robił mi wykład na temat konkurencyjnej polityki cenowej. To na bank wasz gość.

– Dostałeś się do domu?

– Nie był tak głupi. Chcesz, żebym został?

Will zastanowił się nad sytuacją, faktem, że Faith miałaby rację, gdyby dał jej tę szansę: Nie pakuj się na nierozpoznany teren bez wsparcia.

– Jeśli nie masz nic przeciwko. Po prostu czekaj tu i pilnuj, żeby nie odstrzelił mi łba.

Roześmiali się obaj, trochę głośniej, niżby wypadało, prawdopodobnie dlatego, że Will nie do końca żartował. Podniósł szybę i odjechał. Żeby trochę ułatwić sprawę, Caroline zadzwoniła do Bermana, zanim Will wyjechał z firmy. Podała się za operatora miejscowej telewizji kablowej. Berman ją zapewnił, że będzie w domu i wpuści montera, który miał wykonywać generalną modernizację instalacji, tak by sygnał docierał bez zakłóceń. Istniała cała masa sposobów na upewnienie się, że dana osoba będzie w domu. Sztuczka z kablówką była najlepsza. Ludzie byli w stanie obejść się bez wielu rzeczy, ale jeśli szło o telewizję, potrafili rezygnować z normalnego życia i siedzieć w domu kamieniem, czekając na ekipę techniczną.

Will sprawdził numer domu na skrzynce na listy, upewniając się, że zgadza się z tym skreślonym ręką Sama. Dzięki mapom wydrukowanym z MapQuest, które zaopatrywano w duże strzałki, i kilku postojom przy przydrożnych sklepikach Will zdołał wcześniej w miarę bezproblemowo przejechać przez miasteczko, tylko kilka razy myląc drogę.

Mimo to teraz po raz trzeci sprawdził numer na skrzynce pocztowej, zanim wysiadł z samochodu. Zobaczył serce, w które ujęty był adres napisany przez Sama Lawsona, i znowu się zdziwił, dlaczego człowiek, który nie jest ojcem dziecka Faith, robi coś takiego. Will spotkał dziennikarza tylko raz, ale go nie lubił. Kilka razy rozmawiał z nim przez telefon i siedział obok niego podczas niewiarygodnie nudnej ceremonii rozdania nagród, w której Amanda kazała uczestniczyć całemu zespołowi, prawdopodobnie po to, by mieć pewność, że ktoś będzie klaskał, gdy padnie jej nazwisko. Victor chciał rozmawiać o sporcie, ale z wyłączeniem futbolu i baseballu, czyli jedynych dwóch dyscyplin, jakimi interesował się Will. Hokej był dla jankesów z Północy, a piłka nożna dla Europejczyków. Nie miał pojęcia, jak to się stało, że Victor się nimi zainteresował, dość, że rozmowa się nie kleiła. Bez względu na to, co Faith widziała w tym gościu, Will ucieszył się w duchu, kiedy zauważył, że jego samochód zniknął z jej podjazdu.

Oczywiście Will był ostatnią osobą, która mogłaby się wypowiadać na temat związków. Całe ciało jeszcze miał obolałe po ostatnim *tête-à-tête* z Angie. Ale nie była to dobra obolałość, tylko taka, która sprawiała, że człowiek miał ochotę wpełznąć do łóżka i spać przez tydzień. Choć Will wiedział z doświadczenia, że to nic nie da, bo gdy tylko się z niego zwlecze i zacznie powoli iść do przodu, odbudowując jakąś namiastkę normalnego życia, Angie wróci, a on znajdzie się z powrotem w tym samym miejscu. Taki już był schemat jego życia. Nic go nigdy nie zmieni.

Dom Bermanów był jednopiętrowy i zajmował dużą parcelę. Wyglądał na zamieszkany, choć w tym gorszym znaczeniu. Trawnik był nieprzystrzyżony, rabatki zarośnięte chwastami. Zielona toyota camry na podjeździe dawno nie miała kontaktu z wodą: błoto oblepiało opony, karoserię pokrywała zastarzała warstewka brudu. Z tyłu znajdowały się dwa foteliki dziecięce, a na przedniej szybie oczywiście płatki śniadaniowe. Dwie żółte romboidalne przywieszki wisiały na bocznym oknie, prawdopodobnie z napisem: „Dziecko w samochodzie". Will przyłożył dłoń do maski. Silnik był zimny. Sprawdził czas na wyświetlaczu komórki. Dochodziła dziesiąta. Faith prawdopodobnie jest teraz u lekarza.

Zapukał do drzwi i czekał. Znowu pomyślał o Faith, o tym, jak bardzo będzie się pieklić, zwłaszcza jeśli się okaże, że Will stał twarzą w twarz z mordercą. Choć ewidentnie zanosiło się na to, że z nikim nie stanie twarzą w twarz. Nikt nie otwierał drzwi. Zapukał raz jeszcze. Kiedy nie poskutkowało, zrobił krok do tyłu i popatrzył w okna. Wszystkie żaluzje były podniesione. Paliło się światło. Może Berman bierze prysznic. A może doskonale wie, że policja usiłuje z nim porozmawiać. Nick świetnie wcielił się w ogrodnika, ale tkwił na końcu ulicy już prawie godzinę. W tak spokojnej okolicy telefony pewnie się już urywały.

Nacisnął klamkę frontowych drzwi, ale były zamknięte. Postanowił obejść dom dokoła, zaglądając w okna. Na końcu korytarza paliło się światło. Podchodził do kolejnej szyby, kiedy usłyszał trzaśnięcie drzwiami. Przyłożył rękę do pistoletu na pasie, czując, jak podnoszą mu się włoski na karku. Coś tu było nie tak, tymczasem Nick Shelton siedział w swoim samochodzie i słuchał muzyki.

Rozległ się trzask zamykanego okna. Will rzucił się na tył budynku w samą porę, by zobaczyć mężczyznę uciekającego podwórkiem. Jake Berman miał na sobie spodnie od piżamy i goły tors, ale zdążył włożyć buty. Obejrzał się przez ramię, przebiegając obok huśtawek w kierunku ogrodzenia z siatki, które oddzielało posesję Bermanów od podwórza sąsiadów.

– Cholera.

Will rzucił się za nim. Był dobrym biegaczem, ale Berman też sobie dobrze radził – niesamowicie szybko przebierał nogami, młócąc powietrze ramionami.

– Policja! – wrzasnął Will.

Źle ocenił wysokość ogrodzenia, na skutek czego zaplątała mu się stopa. Upadł na ziemię i pozbierał się najszybciej, jak mógł. Widział, jak Berman biegnie przez podwórze, obok kolejnego domu, a potem w stronę ulicy. Will Trent ruszył w tym samym kierunku, trochę bardziej na przełaj, skracając dystans do uciekającego.

Rozległ się pisk opon, kiedy Nick oderwał się od krawężnika. Berman uskoczył przed autem, walnął dłonią o maskę i pobiegł w stronę kolejnego podwórza.

– Cholera – zaklął Will. – Policja! Stój!

Berman biegł dalej, ale był sprinterem, nie maratończykiem. Jeśli Will miał jakąś zaletę, była nią wytrzymałość. Złapał drugi oddech, kiedy Jake Berman przystanął, usiłując otworzyć drewnianą furtkę prowadzącą na podwórze sąsiada. Obejrzał się przez ramię, zobaczył Willa i znowu rzucił się do ucieczki. Był już jednak bardzo zmęczony. Coraz wolniej przebierał nogami i Will wiedział, że zaraz się podda. Mimo to wolał nie ryzykować. Kiedy znalazł się dostatecznie blisko, rzucił się do przodu i obalił uciekającego na ziemię jednym ciężkim padem, od którego obu im zaparło dech w piersiach.

– Ty palancie! – wrzasnął Nick Shelton, kopiąc Bermana w bok.

Po starciu z portierem, Trent sądził, że sam będzie teraz delikatniejszy w obejściu, ale serce waliło mu tak mocno w piersi, że czuł mdłości, a adrenalina pompowała mu do głowy najbardziej nieprzyjemne myśli.

Nick ponownie kopnął Bermana.

– Nigdy nie uciekaj przed władzą, piździelcu.

– Nie wiedziałem, że jesteście z policji.

– Zamknij się. – Zaczął go skuwać, ale Berman wił się i rzucał, usiłując wyrwać. Nick ponownie uniósł stopę, ale Will go uprzedził: wbił kolano w plecy zatrzymanego tak mocno, że poczuł, jak żebra się ugięły. – Przestań.

– Nic nie zrobiłem!

– To dlatego uciekałeś?

– Wyszedłem pobiegać! – wrzasnął. – Zawsze biegam o tej porze.

– W piżamce? – spytał Nick.

– Walcie się.

– Wprowadzanie w błąd organów ścigania to poważne przestępstwo. – Will wstał i pociągnął Bermana za sobą. – Pięć lat paki. I w bród męskich toalet.

Twarz mężczyzny pobielała. Zebrała się grupka sąsiadów. Nie mieli najradośniejszych min. Na ich twarzach nie widać też było współczucia.

– Nic się nie stało – zapewnił ich Berman. – To tylko pomyłka.

– Pomyłka tego palanta, który myśli, że może uciec policji.

Will nie bawił się w zachowywanie pozorów. Podniósł ręce Bermana wysoko, zmuszając go do zgięcia się wpół, i tak prowadził go przez ulicę.

– Mój adwokat się o tym dowie.

– Nie zapomnij mu opowiedzieć, jak zmykałeś niczym przestraszona mała dziewczynka – poradził Nick.

Will zwrócił się do niego:

– Mógłbyś to zgłosić?

– Chcesz wsparcie?

– Chcę, żeby radiowóz na sygnale zajechał z piskiem opon pod jego dom, tak żeby wszyscy w okolicy go widzieli.

Nick zasalutował i odszedł do samochodu.

– Popełniacie błąd – rzucił Berman.

– Twoim błędem była ucieczka z miejsca przestępstwa.

– Co? – Odwrócił się z wyrazem autentycznego zaskoczenia na twarzy. – Jakiego przestępstwa?

– Na 316.

Nadal patrzył na niego zdumiony.

– To o to chodzi?

Albo dawał właśnie oscarowy występ, albo naprawdę nie miał o niczym pojęcia.

– Byłeś świadkiem wypadku samochodowego na drodze 316 cztery dni temu. Kobieta została potrącona przez samochód. Rozmawiałeś potem z moim partnerem, agent Mitchell.

– Nie zostawiłem tej dziewczyny samej. Była tam karetka. Powiedziałem temu policjantowi w szpitalu wszystko, co wiedziałem.

– Podałeś fałszywy telefon i adres.

– Ja tylko... – Rozejrzał się dokoła i Will się zastanawiał, czy nie ma zamiaru znowu rzucić się do ucieczki. – Zabierzcie mnie stąd – poprosił. – Na posterunek, dobrze? Weźcie mnie na posterunek, dajcie mi mój telefon i jakoś to wyjaśnimy.

Will odwrócił go, trzymając mu rękę na ramieniu, na wypadek gdyby znowu chciał spróbować szczęścia. Czuł, jak z każdym krokiem narasta w nim wściekłość. Berman wyglądał coraz bardziej jak nędzna karykatura człowieka. Zmarnowali dwa dni śledztwa, szukając tego dupka, a potem jeszcze idiota przegonił go przez połowę osiedla.

Berman odwrócił się do niego:

– Może da się zdjąć te bransoletki, żebym...

Will szarpnął tak gwałtownie, że musiał go złapać, żeby kutas nie zarył nosem o ziemię. Jego najbliższa sąsiadka stała w otwartych drzwiach swojego domu i przyglądała się widowisku. Podobnie jak reszta kobiet nie wyglądała na szczególnie strapioną widokiem sąsiada prowadzonego w kajdankach.

– Nie cierpią cię, bo jesteś gejem? – spytał Will. – Czy dlatego, że jesteś darmozjadem pasożytującym na własnej żonie?

Berman jeszcze raz się obrócił.

– To już, kurwa, jest...

Will obrócił go z powrotem tak mocno, że tym razem prawie się przewrócił.

– Jest dziesiąta, a ty jeszcze łazisz w piżamie. – Prowadził go przez wysoką trawę porastającą podwórko. – Nie masz kosiarki?

– Nie stać nas na ogrodnika.

– Gdzie są twoje dzieci?

– W przedszkolu. – Znowu próbował się obrócić. – A co to was obchodzi?

Will pchnął go znowu, zmuszając do wejścia na podjazd. Nie cierpiał gościa z wielu powodów, przede wszystkim dlatego, że miał żonę i dzieci, które prawdopodobnie go kochały, a on nawet nie mógł skosić dla nich głupiego trawnika czy umyć samochodu.

– Dokąd mnie zabieracie? Mówiłem, że chcę pojechać na posterunek.

Will milczał, pchając go ścieżką i szarpiąc do góry ręce, gdy tylko zwalniał albo próbował się odwrócić.

– Jeśli jestem zatrzymany, to musicie mnie zawieźć do aresztu.

Poszli na tył domu. Berman protestował przez całą drogę. Zachowywał się jak człowiek nawykły do tego, że się go słucha, i wyglądało na to, że bardziej irytuje go ignorowanie niż popychanie, więc Will w absolutnym milczeniu prowadził go w stronę patio.

Nacisnął klamkę tylnych drzwi, ale były zamknięte. Popatrzył na Bermana, który – sądząc po zadowolonej minie – uznał, że zaczyna mieć przewagę. Okno, przez które się wyślizgnął, zamknęło się. Will podniósł je do góry przy szczęku starych sprężyn.

– Nie ma sprawy – powiedział Berman. – Poczekam tutaj.

Will się zastanawiał, gdzie się podział Nick Shelton. Prawdopodobnie siedzi przed domem, przekonany, że wyświadcza Willowi przysługę, zostawiając go sam na sam z podejrzanym.

– Tak – wymruczał i przypiął Bermana do grilla. Podciągnął się i wgramolił przez okno do środka. Znalazł się w kuchni, w której było mnóstwo gęsich motywów: gęsi na pasku ozdobnym tapety, gęsi na ściereczkach, gęsi na wykładzinie pod stołem.

Wyjrzał przez okno. Berman stał przy grillu i wygładzał spodnie od piżamy, jakby przymierzał je w jakimś sklepie.

Will przejrzał szybko dom. Znalazł tylko to, czego można by się spodziewać: pokoje dziecięce z piętrowymi łóżkami, dużą sypialnię z łazienką, bawialnią i gabinet z jedną książką na regale. Will nie był w stanie odczytać tytułu, ale poznał zdjęcie Donalda Trumpa na okładce i domyślił się, że to poradnik z cyklu, jak się szybko wzbogacić. Najwyraźniej Berman nie poszedł za radą autora. Z drugiej strony, zważywszy na to, że stracił pracę i ogłosił bankructwo, może jednak tak.

Budynek nie miał piwnicy, garaż stał pusty, z wyjątkiem pudeł zawierających chyba wyposażenie dawnego biura Bermana: zszywacz, ładny komplet na biurko, mnóstwo papierów z wykresami, mapami i diagramami. Will otworzył przesuwane drzwi na patio i znalazł Bermana siedzącego pod grillem z podniesioną ręką.

– Nie macie prawa przeszukiwać mojego domu.

– Uciekałeś z miejsca zamieszkania. To wystarczająca podstawa.

Berman chyba kupił to tłumaczenie, które brzmiało całkiem sensownie nawet w uszach Willa, choć on oczywiście wiedział, że jest zupełnie niezgodne z prawem.

Trent przysunął sobie krzesło i usiadł. Powietrze było jeszcze zimne i pot, którym spłynął, goniąc Bermana, teraz z niego parował.

– To nie fair – powiedział Berman. – Chcę zobaczyć numer pańskiej odznaki, legitymację, nazwisko i...

– Prawdziwe czy może chcesz, żebym coś zmyślił, tak jak ty to zrobiłeś?

Berman miał dość rozsądku, by nie odpowiadać.

– Dlaczego uciekałeś, Jake? Gdzie zamierzałeś się schować w piżamie?

– Nie myślałem o tym – burknął. – Nie chcę się teraz tym zajmować. Mam dość problemów na głowie.

– Masz dwa wyjścia: albo powiesz mi, co się wydarzyło tamtej nocy, albo zabiorę cię do więzienia w piżamie. – Dodał, żeby groźba była jasna: – Nie do okręgowego aresztu, tylko prosto do federalnego więzienia w Atlancie. I nie pozwolę ci się przebrać. – Pokazał palcem na falującą z gniewu i przerażenia klatkę piersiową mężczyzny. Berman ewidentnie pracował nad ciałem. Był napakowany, miał kaloryfer na brzuchu, ramiona szerokie i muskularne. – Przekonasz się, że te wszystkie podciągania na drążku nie poszły na marne.

– To o to chodzi? Jesteś jakimś homofobicznym ciołkiem?

– Nie obchodzi mnie, komu obciągasz w toalecie – to akurat była prawda, ale Will rzucił to ostrym tonem, by zasugerować coś przeciwnego.

Każdy miał jakiś drażliwy punkt, a w wypadku Bermana była to orientacja seksualna. U Willa natomiast ewidentnie świadomość, że ten krętacki kutas przykuty do grilla wali po rogach swoją żonę i oczekuje, że ona będzie to cierpliwie znosiła, nie wychodząc z roli dobrej małżonki. Nie umknęła mu ironia sytuacji rodem z *Oprah Winfrey Show*.

– Chłopcy pod celą są wniebowzięci, gdy pojawia się nowe mięsko.

– Mam to w dupie.

– Oj, będziesz miał w dupie, nawet nie wiesz co i ile. Zerżną cię tak głęboko, że sperma będzie ci tryskała gębą.

– Idź do diabła.

Przez chwilę Will pozwolił mu się dąsać, usiłując opanować emocje. Myślał o tym, ile czasu zmarnowali na szukanie tego żałosnego idioty, podczas gdy mogli sprawdzać prawdziwe tropy.

– Stawianie oporu policji, wprowadzanie w błąd organów ścigania, utrudnianie śledztwa – wymienił mu listę przewin. – Możesz dostać za to dziesięć lat, Jake, i to pod warunkiem że sędzia cię polubi, co jest mało prawdopodobne, zważywszy na to, że jesteś już notowany i sprawiasz wrażenie aroganckiego dupka.

Do Bermana chyba wreszcie dotarło, że jest w tarapatach.

– Mam dzieci. – W jego głosie pojawił się błagalny ton. – Synów.

– Taa, czytałem o nich w protokole twojego zatrzymania, kiedy cię zgarnęli w centrum handlowym.

Berman spuścił wzrok na betonowe patio.

– Czego chcesz?

– Prawdy.

– Już sam nie wiem, co jest prawdą.

Ewidentnie znowu postanowił użalać się nad sobą. Will miał ochotę kopnąć go w twarz, ale wiedział, że w ten sposób niczego nie uzyska.

– Musisz zrozumieć, że nie jestem twoim terapeutą, Jake. Nie obchodzi mnie twój kryzys sumienia, to, czy masz dzieci ani że walisz swoją żonę po rogach.

– Kocham ją! – Po raz pierwszy przez jego usta przemówiła miłość inna niż własna. – Kocham moją żonę!

Will postanowił trochę mu odpuścić i powściągnąć gniew. Mógł się wściekać albo mógł uzyskać informację. Tylko po jedną z tych rzeczy tu przyjechał.

– Kiedyś byłem kimś – mówił Berman. – Miałem pracę. Chodziłem każdego dnia do roboty. – Popatrzył na dom. – Mieszkałem w ładnym miejscu. Jeździłem mercedesem.

– Byłeś przedsiębiorcą budowlanym? – spytał Will, choć dowiedział się tego wcześniej, kiedy Caroline dogrzebała się do jego zeznań podatkowych.

– Wysokościowce – potwierdził. – Rynek się załamał. Zostałem w jednej koszuli.

– To dlatego wszystko jest na twoją żonę?

Kiwnął powoli głową.

– Byłem zrujnowany. Przeprowadziliśmy się tu z Montgomery rok temu. To miał być niby nowy początek, ale... – Wzruszył ramionami, jakby nie było o czym mówić.

Will pomyślał, że jego akcent jest ciut bardziej południowy.

– To tam się urodziłeś? W Alabamie?

– Tam poznałem żonę. Oboje studiowaliśmy na tamtejszym uniwersytecie. Lydia literaturę angielską. Dopóki nie straciłem pracy, to było bardziej jej hobby. Teraz ona uczy w szkole, a ja siedzę w domu i zajmuję się dziećmi. – Popatrzył na huśtawki kołyszące się na wietrze. – Kiedyś dużo podróżowałem. Tak się relaksowałem. Podróżowałem i robiłem, co musiałem, a potem wracałem do domu, byłem z żoną, chodziłem do kościoła. I tak to funkcjonowało przez prawie dziesięć lat.

– Pół roku temu zostałeś zatrzymany.

– Powiedziałem Lydii, że to pomyłka. Te wszystkie cioty z Atlanty polują w centrum, próbują podrywać normalnych mężczyzn. Policjanci starali się to ukrócić. Wzięli mnie za pedała, bo... Nie wiem, co jej powiedziałem. Bo jestem ładnie ostrzyżony. Chciała mi uwierzyć, więc uwierzyła.

Will pomyślał, że chyba można mu wybaczyć, iż nieco bardziej solidaryzuje się z okłamywaną i zdradzaną małżonką.

– Powiedz, co się wydarzyło na 316.

– Zobaczyliśmy wypadek, ludzi na drodze. Powinienem zrobić coś więcej. Ten mężczyzna, który był ze mną – nawet nie znam jego imienia – jest ratownikiem. Próbował pomóc tej potrąconej kobiecie. A ja po prostu stałem bezczynnie na drodze, usiłując wymyślić jakieś kłamstwo dla żony. Nie sądzę, żeby znowu mi uwierzyła, gdyby coś podobnego wypłynęło.

– Jak się poznaliście?

– Miałem pójść do baru i obejrzeć mecz. Zobaczyłem go, jak wchodzi do kina. Przystojny facet, bez towarzystwa. Wiedziałem, po co przyszedł. – Westchnął ciężko. – Poszedłem za nim do toalety. Postanowiliśmy pojechać w bardziej ustronne miejsce.

Jake Berman nie był nowicjuszem i Will nie pytał go, dlaczego pojechał w miejsce oddalone czterdzieści minut od domu, żeby obejrzeć jakiś mecz w barze. Coweta może i była wiejskim okręgiem, ale Will przejechał obok co najmniej trzech knajp, w których można było obejrzeć transmisję meczu, kiedy zjechał z autostrady, a w centrum było ich jeszcze więcej.

Ostrzegł go:

– Musisz wiedzieć, że niebezpiecznie jest wsiadać z obcym do samochodu.

– Chyba czułem się samotny – przyznał. – Potrzebowałem towarzystwa. Towarzystwa kogoś, przy kim mógłbym być sobą. Powiedział, że możemy pojechać jego samochodem, znaleźć jakieś miejsce w lesie, żeby być razem dłużej niż kilka minut w toalecie. – Zaśmiał się cierpko. – Zapach moczu jakoś nie działa na mnie jak afrodyzjak, może mi pan wierzyć lub nie. – Spojrzał Willowi w oczy. – Ma pan ochotę zwymiotować, słuchając tego?

– Nie – odpowiedział zgodnie z prawdą Will.

Nasłuchał się tysięcy opowieści o przypadkowym seksie i przygodnych numerkach. Naprawdę nie miało znaczenia, z mężczyzną, z kobietą czy z obojgiem naraz. Wrażenia były podobne, a cel zawsze ten sam: zdobyć informację potrzebną do rozwiązania sprawy.

Jake ewidentnie wiedział, że Will mu nie popuści. Powiedział:

– Jechaliśmy drogą i ten facet, z którym byłem...

– Rick.

– Rick. No tak. – Miał taką minę, jakby wolał nie znać jego imienia. – Rick prowadził. Miał rozpięte spodnie. – Jake znowu spiekł raka. – Odepchnął mnie. Powiedział, że coś się dzieje na drodze przed nami. Zwolnił i zobaczyłem coś, co wyglądało na poważny wypadek. – Urwał i ważył swoje słowa, winę. – Powiedziałem mu, żeby jechał dalej, ale odpowiedział, że jest ratownikiem, że nie może odjechać z miejsca wypadku. Chodzi chyba o jakiś kodeks czy coś. – Urwał znowu i Will zrozumiał, że stara się przypomnieć sobie, co się stało.

– Nie spiesz się.

Jake pokiwał głową i zastanawiał się kilka sekund.

– Rick wysiadł z samochodu, ja zostałem w środku. Na ulicy stała ta starsza para. Mężczyzna trzymał się za serce. Siedziałem w samochodzie i obserwowałem to wszystko przez szybę, jak jakiś film. Ta starsza kobieta wyciągnęła telefon, chyba po to, żeby wezwać karetkę. To było dziwne, bo trzymała dłoń przy ustach, o tak. – Osłonił ręką usta, jak miała to w zwyczaju Judith Coldfield, kiedy się śmiała. – Wyglądało to tak, jakby mówiła komuś coś w tajemnicy, ale i tak nie było obok nikogo, kto mógłby podsłuchać, więc... – Wzruszył ramionami.

– Wysiadłeś z samochodu?

– Taa. W końcu się ruszyłem. Usłyszałem nadjeżdżającą karetkę. Podszedłem do staruszka. Zdaje się, że ma na imię Henry? – Will skinął głową. – Tak. Henry. Był w kiepskim stanie. Oboje chyba byli w szoku. Ręce tej kobiety trzęsły się jak szalone. Ten drugi gość, Rick, zajmował się potrąconą. Nie przyglądałem jej się za bardzo. Ciężko było na nią patrzeć. To nie był miły widok. Ale pamiętam, że kiedy przyjechał ich syn, wytrzeszczył na nią gały i powtarzał w kółko „O Jezu".

– Chwilka – powiedział Will. – Syn Judith Coldfield był na miejscu wypadku?

– Tak.

Will wrócił myślą do rozmowy z Coldfieldami, zastanawiając się, dlaczego Tom nie wspomniał o takim ważnym szczególe. Miał sto sposobności, mimo obecności apodyktycznej matki.

– Kiedy ich syn pojawił się na miejscu?

– Jakieś pięć minut przed karetką.

Will czuł się idiotycznie, powtarzając wszystko, co Berman mówił, ale musiał mieć pewność.

– Tom Coldfield pojawił się na miejscu przed karetką?

– I przed policją. Przyjechała już po odjeździe karetek. Wcześniej żywej duszy. To było straszne. Chyba ze dwadzieścia minut ta dziewczyna umierała na drodze i nikt nie przyjechał jej pomóc.

Will poczuł, że kawałek układanki trafił na miejsce – wprawdzie nie ten, którego potrzebował do rozwiązania sprawy, ale teraz wyjaśniło się przynajmniej, dlaczego Max Galloway nie chciał się dzielić informacjami. Musiał wiedzieć, że karetka zabrała poszkodowaną przed przyjazdem policji. Faith miała rację. Istniał powód, dla którego Rockdale nie przefaksowało im wstępnego raportu z miejsca zdarzenia: chronili własne tyłki. Spóźnione interwencje stanowiły ulubiony temat lokalnych mediów. Tego było już Willowi za wiele. Dopilnuje, by zanim ten dzień się skończy, Galloway stracił odznakę detektywa. Nie wiadomo, jakie inne dowody zostały ukryte albo, co gorsza, zniszczone.

– Ej – powiedział Berman. – Interesuje to pana czy nie?

Will się zorientował, że za bardzo się zamyślił.

– Więc pojawił się Tom Coldfield. Potem przyjechały karetki? – podjął.

– Na początku tylko jedna. Wsadzili do niej kobietę, tę potrąconą przez samochód. Coldfield zdecydował, że zaczeka, bo chce pojechać z żoną, a w jednym ambulansie by się nie zmieścili. Wywiązała się jakaś dyskusja wokół tego, ale Rick powiedział: „Jedźcie już, jedźcie", bo wiedział, że z tą ranną jest kiepsko. Dał mi kluczyki do swojego samochodu i wsiadł do karetki, żeby dalej się nią zajmować.

– Po jakim czasie pojawił się drugi ambulans?

– Po jakichś dziesięciu, może piętnastu minutach.

Will szybko policzył w głowie. Minęły prawie trzy kwadranse od zdarzenia, a na miejscu nie pojawiła się jeszcze policja.

– I co się wtedy stało?

– Zabrali Henry'ego i Judith. Syn pojechał za nimi, a ja zostałem na drodze.

– A policji nadal nie było?

– Zaraz po odjeździe karetki usłyszałem syreny. Na miejscu był samochód, ten, którym jechali Coldfieldowie. – Obejrzał się na huśtawki na podwórku, jakby wyobrażał sobie dzieci bawiące się w słońcu. – Zastanawiałem się, czy nie odstawić samochodu Ricka do kina. Nikt by o mnie nie wiedział, nie? To znaczy, nie moglibyście ustalić mojej tożsamości, gdybym nie pojechał do szpitala i nie podał nazwiska.

Will wzruszył ramionami, ale była to prawda. Gdyby nie fakt, że Berman podał im prawdziwe nazwisko, nie siedzieliby tu teraz.

– Więc wsiadłem do samochodu i zawróciłem w stronę kina.

– W kierunku radiowozów?

– Nadjeżdżały z przeciwnego kierunku.

– A co sprawiło, że zmieniłeś zdanie?

Wzruszył ramionami i łzy napłynęły mu do oczu.

– Chyba miałem już dość uciekania. Uciekania... przed wszystkim. – Przyłożył wolną rękę do oczu. – Rick powiedział mi, że zabierają ją do szpitala Grady'ego, więc wyjechałem na autostradę i tam pojechałem.

Ewidentnie na krótko wystarczyło mu odwagi, ale Will powstrzymał się od komentarza.

– Czy ze starszym panem wszystko w porządku? – spytał Berman.

– Nic mu nie jest.

– Słyszałem w wiadomościach, że ta potrącona też dochodzi do siebie.

– Powoli wraca do zdrowia – potwierdził Will. – Ale to, co jej się przydarzyło, już zawsze z nią będzie. Nie uda jej się od tego uciec.

Otarł oczy grzbietem dłoni.

– Jakaś nauka dla mnie, co? – Znowu się rozczulił nad sobą. – Ale pana to nie obchodzi, tak?

– Wiesz, co mi się w tobie nie podoba?

– Niech mnie pan oświeci.

– Zdradzasz żonę. Nieważne z kim. Zdrada to zdrada. Jeśli chcesz być z kimś innym, to bądź, ale pozwól żonie odejść. Daj jej żyć normalnie. Spotkać kogoś, kto naprawdę ją pokocha, zrozumie i będzie chciał z nią dzielić życie.

Mężczyzna smutno pokręcił głową.

– Nie rozumie pan.

Will uznał, że w wypadku Bermana nauki na nic się nie zdadzą. Wstał od stolika i go rozkuł.

– Uważaj, wsiadając do samochodu z obcymi.

– Skończyłem już z tym. Naprawdę. Nigdy więcej.

Powiedział to z taką niezachwianą pewnością, że Will niemal mu uwierzył.

Dopiero gdy wyjechał z osiedla, jego telefon złapał zasięg. Ale nawet wtedy odbiór był nie najlepszy, przerywany i musiał zjechać na pobocze, by wykonać połączenie. Wybrał numer komórki Faith i słuchał sygnału. Włączyła się jej poczta głosowa i się rozłączył. Sprawdził godzinę: 10.15. Prawdopodobnie jest jeszcze u lekarza w Snelville.

Tom Coldfield ani się zająknął o tym, że był na miejscu zdarzenia – kolejna osoba, która ich okłamała. Will zaczynał mieć już powyżej uszu tych łgarstw. Otworzył telefon i zadzwonił na informację. Uzyskał połączenie z wieżą kontrolną lotniska Charliego Browna, gdzie telefonistka poinformowała go, że Tom wyszedł właśnie na papierosa. Już chciał przekazać dla niego wiadomość, kiedy rozmówczyni zaproponowała, że poda mu numer komórki Coldfielda. Kilka minut później Will słuchał, jak Tom wydziera się do słuchawki, przekrzykując warkot odrzutowca.

– Cieszę się, że pan zadzwonił, agencie Trent. – Jego głos był bliski wrzasku. – Zostawiłem wiadomość agentce Mitchell, ale nie oddzwoniła.

Will włożył palec do ucha, jakby to mogło pomóc stłumić ryk samolotu startującego na drugim krańcu miasta.

– Przypomniał pan coś sobie?

– O, nie, niestety – powiedział. Huk ucichł i jego głos wrócił do normy. – Rozmawiałem wczoraj wieczorem z rodzicami i zastanawialiśmy się, jak idzie śledztwo.

Rozległ się ogłuszający świst odrzutowca. Will odczekał, aż ucichnie, myśląc, że to jakieś szaleństwo.

– O której kończy pan pracę?

– Za jakieś dziesięć minut, potem muszę odebrać dzieci od mamy.

Will uznał, że może upiec dwie pieczenie na jednym ogniu.

– Możemy się spotkać w domu pańskich rodziców?

Tom odczekał, aż ucichnie kolejny warkot.

– Jasne. Powinienem być na miejscu góra za trzy kwadranse. A coś się stało?

Will popatrzył na zegar na desce rozdzielczej.

– W takim razie do zobaczenia za niecałą godzinę.

Zakończył połączenie, zanim Tom zdążył zadać więcej pytań. Niestety, zakończył je także, zanim sam zdążył ustalić adres Coldfieldów. Ale znalezienie osiedla emerytów nie powinno nastręczać problemów. Clairmont Road biegła niemal przez cały okręg DeKalb, ale seniorzy upodobali sobie szczególnie tylko jedną okolicę, mianowicie sąsiedztwo szpitala dla weteranów. Will wrzucił bieg, włączył się do ruchu i skierował w stronę autostrady.

Jadąc, zastanawiał się, czy nie zadzwonić do Amandy i nie powiedzieć jej, że Max Galloway znowu ich oszukał, ale spytałaby na pewno, gdzie jest Faith, a on nie chciał jej przypominać, że Mitchell ma problemy ze zdrowiem. Amanda nienawidziła słabości i była bezwzględna, jeśli idzie o upośledzenie Willa. Nie sposób było przewidzieć, jak sobie poużywa na Faith w związku z cukrzycą. Will nie zamierzał jej dawać do rąk amunicji.

Mógł oczywiście zadzwonić do Caroline, która przekazałaby informacje szefowej. Wziął telefon do ręki, modląc się, żeby aparat się nie rozpadł, i wybrał numer asystentki Amandy.

Caroline wiedziała, do czego służy wyświetlacz.

– Cześć, Will.

– Możesz wyświadczyć mi jeszcze jedną przysługę?

– Jasne.

– Judith Coldfield zadzwoniła pod 911 i dwie karetki zdążyły dotrzeć na miejsce zdarzenia, zanim przyjechała policja.

– To karygodne.

– Owszem – zgodził się Will. Było. Fakt, że Max Galloway skłamał, oznaczał, że zamiast rozmawiać z wyszkolonym policjantem, który dokonał interwencji, o tym, co zastał na miejscu zdarzenia, Will będzie musiał polegać na relacji Coldfieldów. – Sprawdź czasy przyjazdów. Jestem pewien, że Amanda będzie chciała wiedzieć, co zatrzymało chłopców z Rockdale.

– Nic mi nie powiedzą.

– Spróbuj sprawdzić billingi Judith Coldfield. – Gdyby Will zdołał przyłapać ich na kolejnym kłamstwie, mieliby jeszcze jedną broń, którą mogliby przeciwko nim wykorzystać. – Masz jej numer?

– Cztery-zero-cztery...

– Chwileczkę – Will uznał, że numer Judith może mu się przydać. Wyjął dyktafon, który zawsze trzymał w kieszeni i włączył. – Mów.

Caroline podała mu numer komórki Judith Coldfield. Will wyłączył dyktafon i przyłożył telefon do ust, żeby jej podziękować. Kiedyś miał własny system, który umożliwiał mu łatwe przechowywanie i orientację w danych osobowych świadków i podejrzanych, ale Faith stopniowo przejęła wszystko, co wiązało się z dokumentacją, i teraz Will czuł się bez niej zagubiony. Przy następnym śledztwie będzie musiał to zmienić. Nie podobało mu się, że jest od niej tak zależny – zwłaszcza że teraz była w ciąży. Kiedy dziecko się urodzi, pewnie weźmie co najmniej tydzień wolnego.

Zadzwonił do Judith, ale odezwała się poczta głosowa. Zostawił jej wiadomość, potem wybrał numer Faith i powiedział, że jest w drodze do Coldfieldów. Miał nadzieję, że do niego oddzwoni i poda mu adres starszych państwa na Clairmont Road. Nie chciał jeszcze raz zawracać głowy Caroline, bo dziwiłaby się, dlaczego agent nie ma gdzieś zapisanych tego typu informacji. Poza tym jego telefon zaczął trzeszczeć. Musi zrobić coś, żeby go naprawić, i to szybko. Delikatnie odłożył aparat na siedzenie pasażera. Teraz już tylko jeden kawałek sznurka i jeden kawałek taśmy trzymały go razem.

Ściszył radio i skierował się do miasta. Zamiast jechać przez centrum, wskoczył na I-85. Przy zjeździe na Clairmont było więcej korków niż zazwyczaj, więc nadłożył drogi, objeżdżając Lotnisko Peachtree DeKalb i jadąc przez okolice tak egzotyczne kulturowo i narodowościowo, że nawet Faith nie byłaby w stanie przeczytać niektórych szyldów.

Przedarłszy się przez jeszcze kilka korków, znalazł się wreszcie we właściwej dzielnicy. Wjechał w pierwsze strzeżone osiedle naprzeciwko szpitala weteranów, wiedząc, że najlepiej zrobi, jak podejdzie do sprawy metodycznie. Mężczyzna pilnujący bramy był uprzejmy, ale Coldfieldowie nie figurowali na liście mieszkańców. W następnym kompleksie spotkał go ten sam zawód, ale poszczęściło mu się przy bramie trzeciego, najładniejszego z nich wszystkich.

– Henry i Judith – uśmiechnął się stróż, jakby byli starymi przyjaciółmi. – Hank, zdaje się, gra w golfa, ale Judith powinna być w domu.

Will czekał, aż mężczyzna wykona telefon, by go wpuścić. Rozglądał się po zadbanym terenie z ukłuciem zazdrości. Nie miał dzieci ani na dobrą sprawę żadnej rodziny. Perspektywa emerytury go niepokoiła i od otrzymania swojej pierwszej wypłaty oszczędzał na czarną godzinę. Nie był ryzykantem, więc nie stracił wiele na giełdzie. Większość ciężko zarobionych pieniędzy lokował w wekslach skarbowych i obligacjach komunalnych. Potwornie się bał, że wyląduje jako stetryczały samotny starzec w jakimś państwowym domu opieki. Coldfieldowie mieszkali w takim kompleksie dla seniorów, o jakim Will marzył – życzliwy strażnik przy bramie, dobrze utrzymane ogrody, świetlica, gdzie można było zagrać w karty albo w shuffle-board.

Oczywiście, o ile Will znał życie, Angie zapadnie na jakąś potworną, wyniszczającą chorobę, która pożre całe jego zabezpieczenie emerytalne, zanim w końcu ją uśmierci.

– Może pan wjeżdżać, młody człowieku! – Strażnik się uśmiechnął, ukazując proste białe zęby pod krzaczastym siwym wąsem. – Niech pan skręci w lewo zaraz za bramą, potem jeszcze raz w lewo i znajdzie się pan na Taylor Drive. Mieszkają pod szesnaście dziewięćdziesiąt trzy.

– Dzięki. – Will zrozumiał tylko nazwę ulicy i numer. Mężczyzna był na tyle miły, by pokazać mu, gdzie powinien pojechać najpierw, więc przejechał przez bramę i skręcił w tamtą stronę. Dalej był w kropce. – Cholera – wymruczał. Jechał zgodnie z obowiązującym ograniczeniem prędkości do szesnastu kilometrów na godzinę, okrążając duży staw na środku kompleksu. Wszystkie jednopiętrowe domki porozrzucane dokoła wyglądały tak samo: omszałe gonty, jednostanowiskowe garaże i najróżniejsze rodzaje betonowych kaczuszek i króliczków na przystrzyżonych trawnikach.

Po uliczkach spacerowali starsi ludzie i kiedy machali do niego, odmachiwał. Podejrzewał, że sprawia wrażenie osoby, która wie, dokąd zmierza. Co nie było prawdą. Zatrzymał się przed starszą kobietą w liliowych dresach. Miała w rękach kijki narciarskie, jakby uprawiała biegi narciarskie.

– Dzień dobry – powiedział Will. – Szukam Taylor Drive szesnaście dziewięćdziesiąt trzy.

– O, Henry i Judith! – wykrzyknęła narciarka. – Jest pan ich synem?

Pokręcił głową.

– Nie, proszę pani. – Nie chciał jej niepokoić, więc powiedział: – Jestem tylko znajomym.

– Ma pan bardzo ładny samochód.

– Dziękuję, proszę pani.

– Założę się, że nie dałabym rady wsiąść do środka – oświadczyła. – A nawet gdyby, to później pewnie już bym nie wysiadła.

Roześmiała się i zawtórował jej przez grzeczność, skreślając w myślach to konkretne osiedle z listy miejsc, gdzie chciałby się osiedlić na emeryturze.

– Pracuje pan z Judith w schronisku dla bezdomnych? – indagowała narciarka.

Pomyślał, że ostatni raz maglowano go tak podczas szkolenia z przesłuchiwania świadków w Akademii GBI.

– Tak, proszę pani – skłamał.

– Kupiłam to w tym ich sklepiku z używanymi artykułami – poinformowała, pokazując dres. – Wygląda na nowiutki, prawda?

– Jest śliczny – zapewnił Will, choć kolor nie przypominał niczego, co można spotkać w naturze.

– Proszę przekazać Judith, że mam jeszcze kilka bibelotów, które chętnie oddam, jeśli zechce przysłać transport. – Spojrzała na niego znacząco. – W moim wieku człowiek się przekonuje, że nie potrzebuje już tylu rzeczy.

– Tak, proszę pani.

– Cóż. – Kobieta skinęła głową, zadowolona. – Musi pan pojechać tam, na prawo. – Patrzył, gdzie jej ręka zatacza łuk. – Taylor Drive jest na lewo.

– Dziękuję. – Wrzucił bieg, ale go zatrzymała.

– A wie pan, następnym razem byłoby łatwiej, gdyby pan tuż za bramą skręcił w prawo, potem zaraz w lewo, a później...

– Dziękuję – powtórzył Will i odjechał.

Był przekonany, że mózg mu eksploduje, jeśli porozmawia choćby z jeszcze jedną taką osobą. Wlókł się żółwim tempem w nadziei, że jedzie we właściwym kierunku. Zadzwonił jego telefon i omal nie rozpłakał się z ulgi, gdy zobaczył na wyświetlaczu numer Faith.

Ostrożnie otworzył połamany aparat i przyłożył do ucha.

– Jak wizyta u lekarza?

– Dobrze. Słuchaj, właśnie rozmawiałam z Tomem Coldfieldem...

– O spotkaniu? Ja też.

– Jake Berman będzie musiał poczekać.

Will poczuł ucisk w dołku.

– Już rozmawiałem z Bermanem.

Była spokojna... zbyt spokojna.

– Faith, przepraszam. Po prostu pomyślałem, że będzie lepiej, jeśli... – Nie wiedział, jak zakończyć zdanie. Telefon poluzował mu się w dłoni, na linii pojawiły się trzaski. Kiedy zniknęły, powtórzył: – Przepraszam.

Odczekała boleśnie długą chwilę, zanim opuściła topór. Rzuciła krotko urywanym głosem, jakby słowa więzły jej w gardle:

– Ja nie traktuję cię inaczej z powodu twojego upośledzenia.

Bardzo się łudziła, ale Will doskonale wiedział, że nie pora na taką rozmowę.

– Berman powiedział mi, że Tom Coldfield był na miejscu wypadku. – Nie wrzeszczała na niego, więc ciągnął: – Podejrzewam, że Judith go zawiadomiła, bo Henry miał atak serca. Tom pojechał za nimi do szpitala swoim samochodem. Policja pojawiła się, dopiero wtedy gdy wszyscy już zniknęli.

Wyglądało na to, że się zastanawia, czy woli na niego pokrzyczeć, czy zająć się sprawą. Jak zwykle górę wzięła dusza policjanta.

– To dlatego Galloway nas wodził za nos. Krył dupska kolesiów z okręgu. – Przeszła do następnej kwestii: – A Tom Coldfield nie powiedział nam, że był na miejscu wypadku.

Will przeczekał kilka trzasków.

– Wiem.

– Jest po trzydziestce, bardziej zbliżony wiekowo do mnie. Brat Pauline był starszy, tak?

Will wolał omówić z nią to wszystko osobiście, a nie przez połamany, trzeszczący telefon.

– Gdzie jesteś?

– Przed domem Coldfieldów.

– Dobrze – powiedział, zdziwiony, że dotarła tam tak szybko. – Ja jestem tuż za rogiem. Będę za dwie minuty.

Rozłączył się i rzucił aparat na siedzenie obok. Kolejny drucik pojawił się między połówkami aparatu. Tym razem czerwony, co nie było dobrym znakiem. Zerknął we wsteczne lusterko. Narciarka szła w jego kierunku. Zbliżała się szybko, więc przyspieszył do dwudziestu pięciu kilometrów, żeby od niej uciec.

Tabliczki z nazwami ulic były większe niż normalnie, czarne ze śnieżnobiałymi napisami, co było dla Willa potwornym połączeniem. Skręcił w pierwszą lepszą uliczkę, nawet nie próbując czytać oznaczeń. Mini Faith będzie się rzucał w oczy jak latarnia morska wśród tych cadillaków i buicków, w których zwykle gustowali ludzie na emeryturze.

Will dojechał do końca uliczki, ale nigdzie nie było śladu auta Faith. Skręcił w następną i niemal walnął w narciarkę. Pokazała ręką, żeby opuścił szybę.

Przywołał na twarz miły uśmiech.

– Tak, proszę pani?

– To zaraz tam – powiedziała, pokazując na domek na rogu. Na trawniku ustawiono figurkę dżokeja o świeżo odmalowanej białej twarzy. Przy skrzynce na listy stały dwa duże kartonowe pudła, każde oznaczone czarnym markerem. – Chyba nie zabiera pan ich tym swoim samochodzikiem?

– Nie, proszę pani.

– Judith mówiła, że jej syn przyjedzie po nie dziś furgonetką. – Zerknęła na niebo. – Oby nie za późno.

– Jestem pewien, że to nie potrwa długo – zapewnił ją.

Tym razem nie była taka skora do pogawędki jak poprzednio. Pomachała mu i ruszyła dalej ulicą.

Will popatrzył na pudła przed domkiem Henry'ego i Judith Coldfieldów i przypomniał sobie rupiecie, które Jacquelyn Zabel wystawiła przed dom swojej matki. Choć nie do końca były to tylko rupiecie i śmieci – Charlie Reed powiedział, że musiał przegonić ciężarówkę Goodwilla przed przyjazdem Willa i Faith. Czy miał na myśli samochód tej konkretnej organizacji charytatywnej, czy też używał tego słowa w znaczeniu uniwersalnym, tak jak ludzie nazywają wszystkie odkurzacze elektroluksami?

Przez cały czas szukali jakiegoś powiązania między ofiarami, czegoś, co łączyłoby je wszystkie? Czyżby właśnie na takie się natknął?

Otworzyły się frontowe drzwi domku i na ganku pojawiła się Judith. Ostrożnie zeszła po schodkach z dużym pudełkiem w rękach. Will wysiadł z samochodu i podbiegł do niej. Udało mu się złapać ciężar, zanim go upuściła.

– Dziękuję – powiedziała. Była zdyszana i miała zaróżowione policzki. – Przez cały ranek usiłuję wynieść te rzeczy, a z Henry'ego nie ma żadnego pożytku. – Podeszła do chodnika. – Proszę je postawić przy innych. Tom ma wpaść później i je zabrać.

Will postawił pudło na ziemi.

– Jak długo jest pani wolontariuszką w tym schronisku?

– Och. – Zastanawiała się, idąc w stronę domu. – Nie wiem. Odkąd się tu sprowadziliśmy. Myślę, że kilka lat już będzie. Boże, jak ten czas leci.

– Widzieliśmy w schronisku broszurę. Widniała na niej lista firm sponsorujących.

– One nie rozdają pieniędzy za darmo. Nie wspomagają bliźnich, bo tak należy. Dla nich to kwestia wizerunku.

– Na broszurze, którą widziałem, było logo jakiegoś banku. – Nawet teraz pamiętał rysunek jelenia z rozłożystym porożem na dole broszury.

– O tak, Buckhead Holdings. Oni przekazują większość pieniędzy, których, między nami mówiąc, nigdy nie jest dość.

Willowi kropelka potu spłynęła po karku. Olivia Tanner była dyrektorem do spraw kontaktów ze społecznością lokalną w Buckhead Holdings.

– A co z kancelariami prawniczymi? – spytał. – Czy któraś pracuje *pro bono* na rzecz schroniska?

Judith otworzyła frontowe drzwi.

– Jest kilka, które nam pomagają. To jest schronisko dla kobiet. Wiele z nich potrzebuje rady, jak wypełnić pozew rozwodowy lub uzyskać zakaz zbliżania się męża. Niektóre weszły w konflikt z prawem. To bardzo smutne.

– Kancelaria Bandle & Brinks? – Will podał nazwę firmy zatrudniającej Annę Lindsey.

– Tak – potwierdziła Judith z uśmiechem. – Nie dalibyśmy sobie bez nich rady.

– Zna pani kobietę nazwiskiem Lindsey? Anna Lindsey?

Pokręciła głową i weszła do domu.

– Czy przebywała w schronisku? Wstyd się przyznać, ale jest ich tam tak wiele, że często nie mam możliwości porozmawiać z każdą z osobna.

Will wszedł za nią do środka, rozglądając się po wnętrzu. Rozkład pomieszczeń był dokładnie taki, jakiego można się było spodziewać, patrząc na dom z ulicy: Duży salon z oknami wychodzącymi na ganek i staw, kuchnia i garaż po jednej stronie domku, sypialnie, których drzwi były zamknięte, po drugiej. Cały dom wyglądał tak, jakby eksplodowało w nim wielkanocne jajo: dekoracje były wszędzie: na każdej dostępnej powierzchni siedziały wielkanocne zajączki w pastelowych ubrankach, na podłodze porozstawiano wielkanocne koszyczki z plastikowymi jajeczkami leżącymi na zielonej trawie z jedwabiu.

– Wielkanoc – skonstatował Trent.

Judith się rozpromieniła.

– To mój drugi najbardziej ulubiony okres w roku.

Will poluzował krawat, czując, jak zlewa się potem.

– Dlaczego?

– Z powodu Zmartwychwstania. Powstania z martwych naszego Pana. Odpuszczenia wszystkich naszych grzechów. Przebaczenie jest darem, który ma wielką moc zmieniania rzeczywistości. Widzę to w schronisku każdego dnia. Te biedne, złamane kobiety. Chcą odkupienia. Nie rozumieją, że to nie jest coś, co można po prostu dostać. Na przebaczenie trzeba zasłużyć.

– A one zasługują?

– Zważywszy na pracę, jaką pan wykonuje, myślę, że zna pan odpowiedź na to pytanie lepiej niż ja.

– Niektóre kobiety nie są godne?

Przestała się uśmiechać.

– Ludziom się wydaje, że wiele się zmieniło od czasów biblijnych, ale nadal żyjemy w społeczeństwie, które wyrzuca kobiety na margines, prawda?

– Jak śmieci?

– To trochę okrutne, ale wszyscy mamy wolną rękę.

Will poczuł, jak kolejne krople potu spłynęły mu po plecach.

– Zawsze pani tak lubiła Wielkanoc?

Poprawiła muszkę jednemu z króliczków.

– Myślę, że po części dlatego, że tylko wtedy i w Boże Narodzenie mieliśmy Henry'ego dla siebie. To zawsze był dla nas wyjątkowy czas. A pan nie lubi spędzać czasu ze swoją rodziną?

– Mąż jest w domu?

– Jeszcze nie. – Obróciła zegarek na nadgarstku. – Zawsze się spóźnia. Tak łatwo traci rachubę czasu. Mieliśmy pojechać do domu parafialnego, kiedy Tom odbierze dzieci.

– Henry też pracuje w schronisku?

– O nie. – Roześmiała się krótko, wchodząc do kuchni. – Jest zbyt zajęty korzystaniem z uroków emerytury. Ale Tom często mi pomaga. Trochę sarka, ale to dobry chłopiec.

Will przypomniał sobie, że syn Coldfieldów naprawiał kosiarkę, kiedy spotkali go w sklepiku.

– Pracuje głównie w sklepie?

– Uchowaj Boże. Nie cierpi stać za ladą.

– To czym w takim razie się zajmuje?

Wzięła gąbkę i zaczęła wycierać blat.

– Wszystkim po trochu.

– Na przykład?

Przestała ścierać.

– Jeśli któraś z kobiet potrzebuje pomocy prawnej, wynajduje jej prawnika, a jeśli któryś z maluchów coś rozleje, chwyta za mopa. – Uśmiechnęła się z dumą. – Mówiłam panu, że dobre z niego dziecko.

– Na to wygląda – zgodził się Will. – Co jeszcze robi?

– O, to i owo. – Urwała, zastanawiając się. – Zajmuje się darami i datkami. Jest rewelacyjny w załatwianiu spraw przez telefon. Jeśli wydaje się, że ktoś mógłby dać więcej, jedzie do niego furgonetką odebrać dary i w dziewięciu przypadkach na dziesięć wraca z czekiem na pokaźną sumkę. Myślę, że lubi wychodzić do ludzi, rozmawiać z nimi. W tej swojej wieży kontrolnej przez cały czas tylko gapi się na punkciki na monitorach. Może napije się pan wody z lodem? Albo lemoniady?

– Nie dziękuję. A Jacquelyn Zabel? Mówi pani coś to nazwisko?

– Wydaje się znajome, ale nie wiem dlaczego. Jest raczej nietypowe.

– Może w takim razie Pauline McGhee? Albo Pauline Steward?

Uśmiechnęła się, zakrywając usta dłonią.

– Nie.

Will powściągnął rozgorączkowanie. Pierwszą zasadą przy przesłuchaniu było zachowanie spokoju, ponieważ trudno ocenić, czy świadek się denerwuje, jeśli samemu jest się spiętym. Ponieważ Judith nie odpowiedziała na ostatnie pytanie, powtórzył:

– Pauline McGhee albo Pauline Steward?

Pokręciła głową.

– Nie.

– Jak często Tom odbiera dary?

W głosie Judith pojawiła się fałszywie pogodna nutka.

– Wie pan, nie jestem pewna. Gdzieś tu powinien być mój kalendarz. Zwykle zaznaczam dni odbioru. – Otworzyła jedną z szuflad i zaczęła w niej grzebać. Była wyraźnie zdenerwowana i wiedział, że zajęła się szukaniem po to, by nie musieć patrzeć mu w oczy. Trajkotała dalej: – Tom tak hojnie poświęca swój czas. Jest bardzo zaangażowany w działalność kółka młodych w swojej parafii. Całą rodziną raz w miesiącu pracują społecznie w jadłodajni dla ubogich.

Will nie pozwolił jej zmienić tematu.

– Czy sam odbiera dary?

– Chyba że trzeba zabrać kanapę albo coś dużego. – Zamknęła szufladę i otworzyła kolejną. – Nie mam pojęcia, gdzie się podział ten kalendarz. Przez te wszystkie lata marzyłam, by mąż był czymś więcej niż tylko gościem w domu, a teraz, gdy mam go przy sobie, doprowadza mnie do szału, bo nigdy nie odkłada rzeczy na miejsce.

Will wyjrzał przez frontowe okno, zastanawiając się, co zatrzymało Faith.

– Wnuki są w domu?

Otworzyła kolejną szufladę.

– Drzemią w sypialni.

– Miałem się tu spotkać z Tomem. Dlaczego nie powiedział nam, że był na miejscu wypadku?

– Co? – Przez chwilę wyglądała tak, jakby nie wiedziała, o czym on mówi, ale zaraz wyjaśniła: – Zadzwoniłam po niego, żeby przyjechał do ojca. Myślałam, że Henry ma atak serca i Tom chciałby tam być, żeby...

– Ale nie powiedział nam, że tam był – powtórzył Will. – Państwo też nie.

– To nie miało... – Machnęła ręką, zbywając pytanie. – Chciał być przy ojcu.

– Te porwane kobiety były bardzo ostrożne. Nie wpuściłyby do domu byle kogo. To musiał być ktoś, komu ufały. I wiedziały, że przyjedzie.

Przestała szukać kalendarza. Uczucia malowały się na jej twarzy wyraźnie jak na obrazie – wiedziała, że dzieje się coś strasznego.

– Gdzie jest pani syn, pani Coldfield?

Oczy wypełniły jej się łzami.

– Dlaczego zadaje pan te wszystkie pytania na temat Toma?

– Miał się tu ze mną spotkać.

Jej głos był niewiele głośniejszy od szeptu.

– Powiedział, że musi jechać do domu. Nie rozumiem...

Wtedy do Willa dotarło, dlaczego Faith jeszcze nie ma. Powiedziała mu przez telefon, że rozmawiała już z Coldfieldem, że wie o spotkaniu. Tom musiał wysłać ją do innego domu.

Jego głos był śmiertelnie poważny, kiedy zwrócił się do staruszki:

– Pani Coldfield, muszę natychmiast wiedzieć, gdzie jest teraz Tom.

Przyłożyła rękę do ust, z jej oczu płynęły łzy.

Na ścianie wisiał telefon. Will zdjął słuchawkę z widełek i zaczął wykręcać numer komórki Faith, ale nie dotarł do ostatniej cyfry. Poczuł piekący ból w plecach, potworny skurcz mięśni. Przyłożył rękę do ramienia, by rozmasować mięśnie, ale natknął się na zimny, ostry metal. Popatrzył w dół i zobaczył zakrwawiony koniuszek bardzo dużego noża wystającego mu z piersi.

ROZDZIAŁ DWUDZIESTY TRZECI

Faith siedziała przed domem Thomasa Coldfielda z telefonem przy uchu, czekając, aż Will odbierze. Powiedział, że będzie za dwie minuty, ale upłynęło już z dziesięć. Włączyła się poczta głosowa. Will prawdopodobnie zabłądził, krążąc po osiedlu i szukając jej samochodu, bo był uparty jak osioł i w życiu nie poprosiłby kogoś o pomoc. Gdyby miała lepszy nastrój, pojechałaby go poszukać, ale bała się, że nie wytrzyma i powie mu parę słów, gdy znajdą się sam na sam.

Za każdym razem, gdy myślała o tym, że ją okłamał, że spotkał się z Bermanem za jej plecami, musiała z całych sił zaciskać ręce na kierownicy, żeby nie wybić pięścią dziury w desce rozdzielczej. Nie mogą tak dalej funkcjonować – nie zamierza być kulą u nogi. Jeśli Will jest zdania, że Faith nie poradzi sobie w terenie, powinni się rozstać. Może znosić dużo dziwactw z jego strony, ale jeśli jej nie ufa, nic z tego nie będzie. Zwłaszcza że sam ma niejeden feler. Ot, choćby niemożność odróżnienia czegoś tak cholernie prostego jak strona prawa i lewa.

Jeszcze raz zerknęła na zegarek. Postanowiła, że da mu jeszcze pięć minut, a potem sama wejdzie do domu.

Lekarka nie miała dla niej dobrych wieści, choć Faith naiwnie takich właśnie się spodziewała. Gdy tylko umówiła się na wizytę u Delii Wallace, jej stan z miejsca radykalnie się poprawił. Rano nie obudziła się zlana zimnym potem. Stężenie cukru było wysokie, ale nie dramatyczne. Miała pełną jasność myśli. A potem Delia Wallace wszystko to rozbiła w drobny mak.

Wyniki badań, które Sara zleciła w szpitalu, nie były

dobre. Doktor Wallace powiedziała, że będzie musiała się spotkać z dietetykiem i planować każdy posiłek, każdą przekąskę i każdy moment swego życia, i to aż do śmierci, która zresztą mogła nastąpić przedwcześnie, ponieważ stężenie cukru skakało bardzo gwałtownie. Zdaniem lekarki, powinna wziąć kilka tygodni wolnego i nauczyć się kontrolować cukrzycę i żyć z nią.

Uwielbiała, gdy lekarze serwowali takie rady, jakby wystarczyło pstryknąć palcami i człowiek miał dwa tygodnie zwolnienia. Może mogłaby pojechać na Hawaje albo Fidżi lub zadzwonić do Oprah Winfrey po namiary na jej osobistego kucharza.

Na szczęście oprócz złych wiadomości była też jedna dobra. Zobaczyła swoje dziecko. No, może niedokładnie zobaczyła – było nie większe niż kropeczka – ale słyszała bicie jego serca, patrzyła na monitor USG i obserwowała delikatne falowanie maleńkiego kleksa i choć Delia Wallace upierała się, że jeszcze jest na to za wcześnie, Faith przysięgłaby, że widziała maleńką rączkę.

Ponownie wybrała numer Willa. Prawie natychmiast włączyła się poczta. Zastanawiała się, czy cholerstwo w końcu nie wyzionęło ducha. Nie mogła pojąć, dlaczego Will nie wymieni aparatu na nowy. Może miał dla niego jakąś wartość sentymentalną.

Tak czy siak, marnowała przez niego czas. Otworzyła drzwi i wysiadła z samochodu. Tom Coldfield mieszkał tylko dziesięć minut drogi od miejsca, gdzie jego rodzicom przydarzył się ten niefortunny wypadek. Dom stał na zupełnym pustkowiu, od najbliższych zabudowań dzieliła go spora odległość. Miał ten pudełkowaty wygląd charakterystyczny dla nowoczesnej podmiejskiej architektury. Faith zdecydowanie bardziej podobał się jej własny domek z krzywymi podłogami i ohydną imitacją boazerii w salonie.

Co roku, gdy dostawała zwrot podatku, obiecywała sobie, że zrobi coś z tą boazerią, i co roku Jeremy w magiczny sposób potrzebował czegoś dokładnie wtedy, gdy wpływał przekaz. Raz już myślała, że jej się upiecze, ale nicpoń złamał sobie rękę, usiłując udowodnić przyjaciołom, że zdoła zeskoczyć na deskorolce z dachu na materac, który znaleźli w lesie.

Położyła rękę na brzuchu. Boazeria będzie w salonie do jej śmierci.

Ruszyła do frontowych drzwi, szukając w torebce legitymacji. Była w szpilkach i jednej ze swoich najładniejszych sukienek, ponieważ z jakiegoś powodu uznała za ważne, by ładnie wyglądać podczas wizyty u Delii Wallace, co koniec końców okazało się głupotą, ponieważ spędziła ją w cienkiej jednorazowej koszuli.

Odwróciła się i spojrzała na pustą ulicę. Dalej ani śladu jej partnera. Nie rozumiała, dlaczego się spóźnia. Tom powiedział przez telefon, że poinstruował go w kwestii dojazdu. Pomimo kłopotów z kierunkami Will całkiem dobrze sobie radził z topografią. Powinien już tu być. A już na pewno powinien odbierać telefon. Może znowu zadzwoniła do niego Angie. Jeśli tak, Faith miała nadzieję, z uwagi na swoją aktualną złość na Willa, że jest po staremu przyjemna.

Zadzwoniła do drzwi. Zważywszy na to, że wcześniej stała na podjeździe prawie kwadrans, minęło zdecydowanie zbyt dużo czasu, zanim w końcu się otworzyły.

– Dzień dobry.

Stojąca na progu kobieta była wprawdzie szczupła i koścista, ale zdecydowanie nie grzeszyła urodą. Posłała Faith pełen zakłopotania wymuszony uśmiech. Blond włosy opadały jej prostymi strąkami na czoło, wyżej ukazywały się ciemne odrosty. Miała ten sterany wygląd matki małych dzieci.

– Agent specjalny Faith Mitchell – przedstawiła się Faith, pokazując odznakę.

– Darla Coldfield. – Mówiła chropawym szeptem kruchej osoby, skubiąc kołnierz fioletowej bluzki, którą miała na sobie.

Faith zauważyła, że brzeg jest wytarty, nitki wystają w miejscu wyskubanego szwu.

– Miałam się tu spotkać z Tomem.

– Powinien być za chwilę w domu. – Kobieta uświadomiła sobie, że stoi w przejściu. Odsunęła się na bok. – Może pani wejdzie?

Faith weszła do korytarza wyłożonego biało-czarnymi płytkami. Zobaczyła, że ciągną się na tył domu do kuchni i salonu. Nawet podłoga w jadalni i gabinecie znajdujących się po obu stronach drzwi frontowych była wykafelkowana.

Mimo to burknęła zdawkowo coś o ślicznym domu. W uszach rozbrzmiewał jej odgłos własnych kroków, kiedy szły do salonu. Zaskoczył ją męski wystrój pokoju. Stała tam brązowa skórzana sofa i fotel z regulowanym oparciem od kompletu. Podłogę zaścielał czarny dywan bez odrobinki kurzu czy meszku. Nie poniewierały się żadne zabawki, co było dziwne, zważywszy na to, że Coldfieldowie mieli dwójkę dzieci. Ale może nie wpuszczano ich do salonu. Zastanawiała się, gdzie wobec tego spędzają czas. W tej części domu, którą widziała, było nieprzytulnie i, pomimo chłodu na dworze, gorąco. Faith miała wrażenie, że zaraz zaleje się potem. Przez okna wlewało się słońce, ale i tak w środku paliły się wszystkie światła.

– Napije się pani herbaty? – spytała Darla.

Faith patrzyła na zegarek, nadal zastanawiając się, co się dzieje z Willem.

– Z przyjemnością.

– Słodkiej? Bez cukru?

Odpowiedź Faith nie była tak automatyczna, jak powinna.

– Bez cukru. Od dawna państwo tu mieszkacie?

– Od ośmiu lat.

Miejsce wyglądało na równie pełne życia co opuszczony magazyn.

– I macie dwójkę dzieci?

– Chłopca i dziewczynkę. – Uśmiechnęła się niepewnie. – Ma pani partnera?

Pytanie wydawało się dziwne w kontekście rozmowy.

– Mam syna.

Uśmiechnęła się, przykładając dłoń do ust. Prawdopodobnie przejęła ten gest od teściowej.

– Nie, chodziło mi o kogoś, z kim pani pracuje.

– Tak. – Faith popatrzyła na rodzinne fotografie na kominku. Pochodziły z tej samej serii co te, które Judith Coldfield pokazała im w schronisku. – Może mogłaby pani zadzwonić do Toma i spytać, co go zatrzymało.

Uśmiech spełzł jej z twarzy.

– O nie. Nie chciałabym mu przeszkadzać.

– To sprawa policyjna, więc muszę nalegać, by jednak mu pani przeszkodziła.

Darla zacisnęła wargi. Faith nie potrafiła odczytać jej spojrzenia. Było niemal całkowicie bez wyrazu.

– Mąż nie lubi, gdy się go pogania.

– A ja nie lubię, gdy każe mi się czekać.

Darla posłała jej ten sam niewyraźny uśmiech co wcześniej.

– Zaparzę pani herbatę.

Skierowała się do drzwi, ale Faith spytała:

– Mogłabym skorzystać z toalety?

Kobieta odwróciła się z dłońmi złożonymi na wysokości piersi. Jej twarz nadal była pozbawiona wyrazu.

– W korytarzu na prawo.

– Dziękuję.

Faith poszła we wskazanym kierunku, stukając obcasami na kaflach jak dzięcioł na drzewie. Minęła spiżarnię i drzwi, zapewne do piwnicy. Darla Coldfield zaczynała budzić w niej coraz nieprzyjemniejsze odczucia, choć Faith nie wiedziała dokładnie dlaczego. Może chodziło o instynktowną nienawiść, jaką czuła do wszystkich kobiet zbyt uległych wobec mężów.

W łazience natychmiast podeszła do umywalki i spryskała twarz zimną wodą. Oświetlenie było tu równie mocne i Faith nacisnęła wyłącznik, ale nic się nie stało. Wcisnęła go raz jeszcze i ponownie, ale światło dalej się paliło. Podniosła głowę. Żarówki miały chyba ze 100 watów każda.

Faith zamrugała kilka razy, dochodząc do wniosku, że gapienie się bezpośrednio na palącą się żarówkę nie jest chyba najmądrzejszym z jej dokonań. Chwyciła się gałki bieliźniarki, żeby nie upaść, póki nie odzyska wzroku. Może tutaj poczeka na Willa, zamiast siedzieć na sofie, popijać herbatę z Darlą Coldfiled i silić się na towarzyską rozmowę. Łazienka, ładna, choć spartańsko urządzona, miała kształt litery L. Na najdłuższym boku znajdowała się bieliźniarka, Faith domyśliła się, że po drugiej stronie ściany mieści się pralnia. Słyszała cichy pomruk pracującej suszarki dochodzący przez cienkie przepierzenie.

Ponieważ Faith była wścibska, otworzyła drzwiczki

szafy. Zawiasy zaskrzypiały przeciągle i Faith znieruchomiała, czekając, aż pojawi się Darla Coldfield i zruga ją za szperanie w nie swoich rzeczach. Ponieważ nic takiego się nie stało, zajrzała do środka. Wnętrze okazało się znacznie głębsze, niż się spodziewała, ale półki były wąskie, zapełnione starannie złożonymi ręcznikami i kompletem pościeli w samochody wyścigowe, który prawdopodobnie służył dzieciom.

Gdzie się podziały te dzieci? Może bawią się na zewnątrz? Faith zamknęła drzwiczki i wyjrzała przez małe okienko. Podwórko było puste – ani jednej huśtawki czy choćby drzewa. Może w takim razie śpią przed wizytą dziadków. Ona sama nigdy nie pozwalała spać Jeremy'emu, kiedy jej rodzice mieli ich odwiedzić. Chciała, żeby go tak wymęczyli zabawą, by spał długo następnego ranka.

Westchnęła ciężko, siadając na sedesie przy umywalce. Nadal kręciło jej się w głowie, pewnie z gorąca. A może przez cukier. W czasie wizyty u lekarki był podwyższony.

Położyła torebkę na kolanach i poszukała glukometru. W gabinecie Delii Wallace znajdowała się witryna z ich najróżniejszymi rodzajami. Większość była tania albo darmowa. Firmy produkujące sprzęt medyczny zarabiały na czymś innym – wszystkie wytwarzały inne jednorazowe paski do swoich glukometrów, zatem każdy diabetyk, który zdecydował się na model danego producenta, później regularnie zasilał mu kiesę, płacąc za akcesoria. Chyba że upuścił go na podłogę łazienki i zepsuł – wtedy musiał sobie kupić nowy.

– Cholera – szepnęła, schylając się, by podnieść glukometr, który wyślizgnął jej się z ręki i poleciał pod ścianę, wydając słaby, dźwięczny odgłos.

Faith podniosła urządzenie, zastanawiając się, co się zepsuło. Odczyt nadal wskazywał zero, czekając na pasek. Potrząsnęła glukometrem przy uchu, potem się schyliła, usiłując odtworzyć ruch, przy którym urządzenie zapiszczało. Dźwięk się powtórzył, ale tym razem przypominał bardziej odgłos rodem z placu zabaw – głośny i rozgorączkowany.

I nie dochodził z urządzenia.

Może to kot? Jakieś inne zwierzę uwięzione w kanałach grzewczych? W któreś Boże Narodzenie myszoskoczek Jeremy'ego zginął w suszarce i Faith sprzedała urządzenie sąsiadowi, żeby nie musieć usuwać śladów jatki. Ale cokolwiek wydawało odgłosy w tej łazience, było żywe i ewidentnie chciało takie pozostać. Pochyliła się po raz trzeci nad podłogową kratką wentylacyjną przy sedesie.

Tym razem odgłos był wyraźniejszy, chociaż nadal stłumiony. Faith uklękła i przycisnęła ucho do kratki. Zastanawiała się, jakie zwierzę mogłoby wydawać takie dźwięki. Brzmiały prawie jak słowa.

Ratunku.

To nie było zwierzę. To była kobieta wzywająca pomocy.

Faith wyciągnęła z torebki aksamitny woreczek, w którym trzymała glocka, gdy nie nosiła go na biodrze. Dłonie jej się spociły.

Ktoś nagle głośno zastukał do drzwi: Darla.

– Wszystko w porządku, pani agent?

– Tak – skłamała Faith, starając się mówić spokojnie i nie zwracać uwagi na fakt, że ręce jej się trzęsły, kiedy wyjmowała komórkę.

– Czy jest już Tom?

– Tak. – Kobieta zamilkła.

W pomieszczeniu rozbrzmiewało tylko to jedno słowo.

– Darla? – Nie było odpowiedzi. – Darla, mój partner już tu jedzie. Będzie za chwilę. – Serce waliło jej tak mocno, że czuła ból w piersi. – Darla?

Kolejne uderzenie w drzwi, tym razem silniejsze. Faith upuściła telefon i chwyciła pistolet oburącz gotowa wystrzelić do każdego, kto wejdzie. Glock nie miał zewnętrznego bezpiecznika. Z broni można było wypalić, tylko ściągając do końca język spustowy. Faith wycelowała w środek drzwi, przygotowując się do jak najszybszego ściągnięcia spustu.

Nic. Nikt nie wchodził. Gałka na drzwiach się nie obracała. Faith zerknęła szybko na podłogę, szukając telefonu. Leżał za sedesem. Trzymając pistolet wycelowany w drzwi, sięgnęła ręką i podniosła aparat.

Drzwi nadal były zamknięte.

Ręce Faith pociły się tak bardzo, że palce ślizgały jej się na przyciskach. Przeklęła pod nosem, kiedy wybrała źle numer. Próbowała drugi raz, kiedy usłyszała skrzypnięcie drzwi bieliźniarki z tyłu.

Odwróciła się, trzymając przed sobą broń. Zobaczyła fałszywe drzwi w szafie, pralkę po drugiej stronie i Darlę z taserem w dłoni.

Faith rzuciła się w bok, naciskając spust bez celowania. Elektrody przeleciały obok niej, cieniutkie metalowe przewody błysnęły w jaskrawym świetle i odbiły się od ściany.

Darla znieruchomiała z nienaładowanym taserem w dłoni. Nad jej lewym ramieniem w gipsowej ścianie widniało wgłębienie po kuli.

– Nie ruszaj się – ostrzegła Faith z bronią wycelowaną w pierś kobiety, starając się namacać gałkę u drzwi łazienki. – Nie żartuję. Ani drgnij.

– Przepraszam – wyszeptała kobieta.

– Gdzie jest Tom? – Kiedy nie odpowiedziała, Faith się rozdarła: – Gdzie, do jasnej kurwy, jest twój mąż?!

Kobieta tylko kręciła głową.

Faith otworzyła drzwi i trzymając ją na muszce, tyłem wyszła z łazienki.

– Bardzo przepraszam – powtórzyła kobieta.

Czyjeś ramiona owinęły się wokół Faith od tyłu: mężczyzna, mocne ciało, silny. To musiał być Tom. Podniósł i odruchowo nacisnęła spust, wypalając w sufit. Darla nadal stała w bieliźniarce i Faith ponownie nacisnęła spust, tym razem celowo, chcąc wpakować w nią kulę, którą można będzie później połączyć z bronią Faith. Glock przestrzelił, Darla dała nura do tyłu i zamknęła za sobą fałszywe drzwi.

Faith strzeliła znowu i raz jeszcze, kiedy Tom ciągnął ją przez korytarz. Jego ręka zacisnęła się na jej nadgarstku jak imadło, ból był tak ostry, że Faith była pewna, że popękały jej kości. Trzymała pistolet tak długo, jak długo zdołała, ale była bezradna wobec jego siły. Wypuściła z ręki broń i zaczęła kopać z całej siły, starając się złapać czegokolwiek: krawędzi drzwi, ściany, gałki u drzwi do piwnicy. Czuła ból w każdym mięśniu.

– Faith – stęknął Tom z ustami tak blisko jej ucha, że miała wrażenie, jakby siedział w jej głowie.

Czuła, jak jego ciało zareagowało na walkę, przyjemność, jaką czerpał z jej strachu.

Nagle zalała ją furia, która dodała jej sił, wzmogła determinację. Anna Lindsey, Jacquelyn Zabel, Pauline McGhee, Olivia Tanner. Faith nie będzie jedną z jego ofiar. Nie wyląduje w prosektorium. Nie opuści syna. Nie straci dziecka.

Wykręciła się do tyłu i zatopiła mu paznokcie w oczach, drapała twarz. Walczyła każdą częścią ciała – dłońmi, stopami, zębami. Nie podda się. Prędzej ukatrupi go gołymi rękoma, jeśli będzie musiała.

– Wypuśćcie mnie stąd! – krzyknął ktoś z piwnicy. Zaskoczona Faith na ułamek sekundy przestała walczyć. Tom również. Drzwi się zatrzęsły. – Wypuśćcie mnie, do jasnej kurwy!

Faith oprzytomniała. Znowu zaczęła kopać, młócić na oślep, robić wszystko, żeby się uwolnić. Tom trzymał mocno, jego silne ramiona były jak kleszcze zaciśnięte na jej ciele. Ktokolwiek znajdował się za drzwiami piwnicy, walił w nie, usiłując wyważyć. Faith otworzyła usta i krzyknęła najgłośniej, jak mogła:

– Pomocy! Ratunku!

– Zrób to! – wrzasnął Tom.

Na końcu korytarza stała Darla z naładowanym taserem w rękach. Faith zobaczyła swojego glocka na podłodze u jej stóp.

– Zrób to – powtórzył. Jego głos był ledwie słyszalny w łomocie dochodzącym zza drzwi. – Strzelaj!

Faith myślała tylko o dziecku rozwijającym się w jej łonie, tych maleńkich paluszkach, serduszku bijącym pod cienką jak bibułka piersią. Rozluźniła mięśnie, tak że zrobiła się całkiem bezwładna i wiotka. Tom się tego nie spodziewał i potknął się, kiedy nagle cały ciężar jej ciała zwalił się na niego. Upadli na podłogę. Faith rzuciła się na kolanach w stronę glocka, ale szarpnął ją i pociągnął do tyłu jak rybę na lince.

Drzwi pękły, kawałki drewna wyleciały w powietrze. Do środka wpadła kobieta, rzucając mięsem. Dłonie miała spętane na wysokości pasa, a stopy skute łańcuchem, ale poruszała się niemal z precyzją lasera, kiedy waliła się na Toma całym ciałem.

Faith wykorzystała zmianę sytuacji i chwyciła glocka.

Obróciła się i wycelowała w ciała szamoczące się na podłodze.

– Ty kutasie! – zapiszczała Pauline McGhee. Klęczała na piersi Toma, pochylając się nad nim. Ręce miała przykute do pasa na talii, ale zdołała jakoś otoczyć palcami jego szyję. – Zdychaj! – wrzasnęła, plując krwią z poranionych ust. Jej wargi były w strzępach, oczy dzikie, z całej siły napierała na szyję Toma.

– Przestań – wydusiła Faith charkotliwie. Poczuła głęboki, przeszywający ból w brzuchu, jakby coś pękło. Mimo to trzymała broń wycelowaną w pierś Pauline. W glocku zostało jeszcze co najmniej pół magazynka, zamierzała go wykorzystać, jeśli będzie musiała. – Zejdź z niego.

Tom szarpnął się, usiłował chwycić Pauline, ale ona nacisnęła mocniej. Obróciła się na kolanach i całym ciężarem ciała wbiła mu je w szyję.

– Zabij go – poprosiła Darla. Leżała zwinięta w kłębek przy drzwiach łazienki, taser spoczywał obok na podłodze. – Błagam... zabij go.

– Przestań – Faith ostrzegła Pauline, modląc się, by ręka jej się nie zatrzęsła.

– Pozwól jej to zrobić – błagała Darla. – Proszę, pozwól jej.

Faith z jękiem podniosła się na nogi. Przyłożyła pistolet do głowy Pauline i rzuciła możliwie najsilniejszym i najbardziej opanowanym głosem, na jaki mogła się zdobyć:

– Zostaw go natychmiast, bo pociągnę za ten pierdolony spust, jak mi Bóg miły.

Pauline podniosła na nią wzrok. Ich oczy się spotkały i Faith starała się przywołać na twarz wyraz absolutnej determinacji, choć chciała tylko upaść na kolana i modlić się, żeby życie, które w sobie nosiła, przetrwało.

– Puść go natychmiast! – rozkazała.

Pauline posłuchała, choć z ociąganiem, jakby miała nadzieję, że jeszcze sekunda naciskania załatwi sprawę. Usiadła na podłodze z ciągle zaciśniętymi rękoma. Tom przewrócił się na bok, krztusząc się i kasząc tak mocno, że całe ciało skręcało mu się z wysiłku.

– Wezwij pogotowie – powiedziała Faith, ale nikt się nie ruszył.

W głowie miała mętlik. Wzrok jej się rozmazywał. Musiała zawiadomić Amandę. Musiała znaleźć Willa. Co się z nim dzieje? Dlaczego go tu nie ma?

– Co jest z tobą? – spytała Pauline, obrzucając Faith nieprzyjemnym spojrzeniem.

Pokój zawirował jej przed oczyma. Opadła na ścianę, próbując nie zemdleć. Poczuła wilgoć między nogami, a zaraz potem kolejne ukłucie w brzuchu, prawie skurcz.

– Wezwij pogotowie – powtórzyła.

– Śmieci... – wymruczał Tom Coldfield. – Wszystkie jesteście śmieciami.

– Zamknij się – syknęła Pauline.

Tom wychrypiał:

– Wywiedźcie tę rozpustnicę zaraz precz ode mnie, a zamknijcie drzwi za nią*.

– Sam się zamknij – powtórzyła Pauline przez zaciśnięte zęby.

Z gardła Toma dobył się gardłowy dźwięk. Śmiał się.

– O, Absalomie, jestem wskrzeszony.

Pauline starała się podnieść na kolana.

– Pójdziesz prosto do piekła, chory sukinsynu.

– Nie – ostrzegła Faith, unosząc broń. – Przynieś telefon. – Zerknęła przez ramię na Darlę. – Przynieś mój telefon z łazienki. – Szybko odwróciła głowę i zobaczyła, że Pauline pochyla się nad Tomem.

– Nie – powtórzyła Faith.

Pauline wyszczerzyła się groteskowo, jej twarz przypominała halloweenową dynię. Jednak zamiast znowu chwycić go za gardło, splunęła mu w twarz.

– W Georgii obowiązuje kara śmierci, skurwielu. Jak myślisz, niby dlaczego się tu przeprowadziłam?

– Chwileczkę – powiedział Faith, skonsternowana. – Znasz go?

W oczach kobiety zapaliła się dzika nienawiść.

– Oczywiście, że go znam, ty głupia pindo. To mój brat.

---

* Parafraza słów Amnona, Druga Księga Samuela 13,17, Biblia Gdańska (przyp. tłum.).

ROZDZIAŁ DWUDZIESTY CZWARTY

Will leżał na boku na podłodze w kuchni Judith Coldfield, patrząc, jak starsza pani łka z twarzą w dłoniach. Dokuczał mu swędzący nos, co zakrawało niemal na kpinę, zważywszy na fakt, że w plecach tkwił mu kuchenny nóż. A przynajmniej Will myślał, że jest kuchenny. Za każdym razem gdy próbował odwrócić głowę, żeby to sprawdzić, ból stawał się tak wielki, że niemal tracił przytomność.

Nie krwawił mocno. Prawdziwym zagrożeniem była zmiana pozycji noża, każde przesunięcie w żyle czy tętnicy, w której tkwił, spowodowałoby masywny krwotok. Na samą myśl o metalowym ostrzu wciśniętym między mięsień a ścięgno kręciło mu się w głowie. Ciało miał zlane potem i zaczynały pojawiać się dreszcze. Co dziwne, najtrudniej było mu trzymać uniesioną szyję. Mięśnie były tak napięte, że głowa pulsowała mu od każdego uderzenia serca. Jeśli opuszczał ją choć na chwilę, ból w ramieniu sprawiał, że w ustach czuł smak wymiocin. Nigdy wcześniej nie zdawał sobie sprawy z tego, jak wiele części jego ciała powiązanych jest z ramieniem.

– To dobry chłopiec – powiedziała Judith głosem przytłumionym przez ręce. – Nawet pan nie wie, jak bardzo.

– To niech mi pani powie. Proszę mi powiedzieć, dlaczego uważa pani, że jest dobry.

Ta prośba zaskoczyła kobietę. W końcu popatrzyła na Willa i chyba dotarło do niej, że grozi mu śmierć.

– Bardzo pana boli?

– Dosyć mocno – przyznał. – Muszę zadzwonić do Faith. Sprawdzić, czy nic jej nie jest.

– Tom nigdy by jej nie skrzywdził.

Fakt, że czuła się zmuszona go o tym zapewnić, sprawił, że przeszły go lodowate ciarki. Faith była dobrą policjantką. Potrafiła o siebie zadbać, z wyjątkiem tych sytuacji, kiedy nie mogła. Kilka dni temu zemdlała – po prostu upadła na płyty krytego parkingu przy sądzie. A jeśli znowu zasłabła? Co jeśli straciła przytomność i ocknęła się w kolejnej norze, jeszcze jednej komorze tortur wykopanej przez Toma Coldfielda?

Judith otarła oczy grzbietem dłoni.

– Nie wiem, co robić.

Will nie sądził, by czekała na sugestie.

– Pauline Steward uciekła z Ann Arbor w stanie Michigan dwadzieścia lat temu. Jako siedemnastolatka.

Judith odwróciła wzrok.

Pozwolił sobie na ryzykowny domysł.

– W protokole zgłoszenia zaginięcia napisano, że uciekła, ponieważ brat ją wykorzystywał seksualnie.

– To nieprawda. Pauline po prostu... wymyśliła to wszystko.

– Czytałem ten raport – skłamał. – Widziałem, co jej robił.

– Nic jej nie robił – upierała się Judith. – Pauline sama to sobie robiła.

– Sama się krzywdziła?

– Tak, sama. Wymyślała różne niestworzone historie. Od chwili gdy tylko przyszła na świat, były z nią same problemy.

Will powinien był się domyślić.

– Pauline jest pani córką.

Judith kiwnęła głową, ewidentnie zniesmaczona tym faktem.

– Jakie dokładnie sprawiała problemy?

– Nie chciała jeść – wyjaśniła Judith. – Głodziła się. Chodziliśmy z nią od lekarza do lekarza. Wydaliśmy ostatni grosz, starając się jej pomóc, a ona odwdzięczyła się nam, idąc na policję i opowiadając okropne rzeczy o Tomie. Po prostu okropne.

– Że ją krzywdził?

Zawahała się, potem niemal niezauważalnie skinęła głową.

– Tom był zawsze taki słodki, wprost do rany przyłóż. Pauline była zbyt... – Pokręciła głową, nie mogąc znaleźć słowa. – Wymyślała takie potworności na jego temat. Okropieństwa. Wiedziałam, że to nie może być prawda. – Judith bez przerwy wracała do tego samego. – Kłamała już nawet jako małe dziecko. Zawsze patrzyła tylko, jak by tu kogoś zranić. Skrzywdzić Toma.

– Tom to nie jest jego prawdziwe imię, mam rację?

Patrzyła gdzieś nad jego ramieniem, prawdopodobnie na trzonek noża.

– To jego drugie imię. Na pierwsze ma...

– Matthias? – zgadł Will.

Znowu kiwnęła głową i na chwilę wybiegł myślą do Sary Linton. Wtedy żartowała, ale miała rację: „Jeśli pan znajdzie człowieka imieniem Matthias, znajdzie pan zabójcę".

– Po zdradzie Judasza apostołowie musieli zdecydować, kto im pomoże opowiedzieć dzieje Zmartwychwstania Jezusa. – W końcu spojrzała mu w oczy. – Wybrali Macieja – Matthiasa. To był święty człowiek. Prawdziwy uczeń Pana.

Will zamrugał, by pozbyć się potu z oczu.

– Wszystkie zaginione kobiety miały kontakt z państwa schroniskiem – powiedział. – Jackie przekazała rzeczy swojej matki. Bank Olivii Tanner sponsorował waszą działalność. Kancelaria Anny Lindsey służyła pomocą prawną. Tom musiał poznać je wszystkie właśnie przez schronisko.

– Nieprawda.

– To proszę mi podać inne wyjaśnienie.

Judith patrzyła mu w oczy i widział wyraz desperacji na jej twarzy.

– Pauline – zasugerowała. – Ona może...

– Pauline zaginęła, pani Coldfield. Została porwana z parkingu dwa dni temu. Jej sześcioletni synek został sam w samochodzie.

– Ona ma dziecko? – Judith otworzyła usta zszokowana. – Pauline ma synka?

– Feliksa. Pani wnuka.

Kobieta przyłożyła rękę do piersi.

– Lekarze mówili, że nie będzie... Nie rozumiem. Jak

może mieć dziecko? Mówili, że nigdy nie będzie w stanie zajść w ciążę. – Nie przestawała kręcić głową w niedowierzaniu.

– Państwa córka cierpiała na zaburzenia odżywiania?

– Próbowaliśmy jej pomóc, ale w końcu... – Znowu pokręciła głową, jakby sprawa była beznadziejna. – Tom dokuczał jej w związku z jej wagą, ale wszyscy młodsi bracia dokuczają starszym siostrom. Nie chciał zrobić jej krzywdy. Nigdy nie chciał. – Urwała, starając się powstrzymać zduszony szloch. Przez moment w jej masce pojawiło się pęknięcie, kiedy na ułamek sekundy dopuściła do siebie myśl, że jej syn może być potworem, którego Will opisywał. Ale zaraz się otrząsnęła, kręcąc głową. – Nie, nie wierzę panu. Tom nigdy by nikogo nie skrzywdził.

Will zaczął się trząść. Nadal nie tracił dużo krwi, ale nie był już w stanie ignorować bólu. Głowa mu opadała albo ocierał pot z oka, a wtedy ból wybuchał i zalewał go całego jak piekielne ognie. Kusiła go ciemność, słodka ulga zapomnienia. Pozwolił opaść powiekom na kilka sekund, potem jeszcze parę. Ocknął się gwałtownie, jęcząc z przeszywającego bólu.

– Potrzebuje pan pomocy – powiedziała Judith. – Sprowadzę panu pomoc. – Ale nie wykonała żadnego ruchu, żeby to zrobić. Telefon zaczął znowu dzwonić, a ona po prostu gapiła się na słuchawkę na ścianie.

– Niech mi pani opowie o tej pieczarze.

– Nic o niej nie wiem.

– Państwa syn lubi kopać w ziemi?

– Mój syn lubi chodzić do kościoła. Kocha swoją rodzinę. Uwielbia pomagać bliźnim.

– To proszę opowiedzieć o liczbie jedenaście.

– Co niby?

– Tom zdaje się ją lubić. Czy to z uwagi na swoje imię?

– Po prostu lubi.

– Judasz zdradził Jezusa. Apostołów było jedenastu, zanim pojawił się Maciej.

– Znam Biblię.

– Czy Pauline panią zdradziła? Czuła pani, że czegoś jej brakuje, dopóki nie urodził się syn?

– Nie mam pojęcia, o czym pan mówi.

– Tom ma obsesję na punkcie liczby jedenaście – powiedział Will. – Usunął Annie Lindsey jedenaste żebro. Wpakował jej jedenaście worków na śmieci do pochwy.

– Dosyć! – krzyknęła. – Nie chcę tego słuchać.

– Raził je prądem. Torturował i gwałcił.

– Próbował je uratować! – zapiszczała.

Słowa rozeszły się echem po małym pomieszczeniu, odbijając się od jego ścian.

Judith zakryła usta dłonią, przerażona.

– Wiedziała pani, powiedział Will.

– O niczym nie wiedziałam.

– Musiała pani oglądać relacje w telewizji. Nazwiska niektórych kobiet podano do wiadomości. Musiała je pani rozpoznać z pracy w schronisku. Zobaczyła pani Annę Lindsey na drodze, po tym jak Henry ją potrącił, i zadzwoniła pani po Toma, żeby się nią zajął, ale było zbyt dużo ludzi dokoła.

– Nie.

– Judith, wiedziała pani...

– Znam swojego syna – upierała się. – Jeśli miał coś wspólnego z tymi kobietami, to tylko dlatego, że próbował im pomóc.

– Judith.

Wstała. Will widział, że jest zła.

– Nie będę wysłuchiwała tych łgarstw na jego temat. Tuliłam go, kiedy był dzieckiem. Trzymałam go. – Złożyła ręce w kołyskę. – Trzymałam go przy piersi i obiecywałam, że będę chronić.

– Z Pauline pani tego nie robiła?

Na jej twarzy pojawił się beznamiętny wyraz.

– Jeśli Tom nie przyjedzie, będę musiała sama się panem zająć. – Wyjęła nóż ze stojaka. – Nie obchodzi mnie, że mogę trafić do więzienia na resztę życia. Nie pozwolę, żeby zniszczył pan mojego syna.

– Naprawdę mogłaby pani coś takiego zrobić? Znacznie łatwiej jest wbić komuś nóż w plecy, niż stojąc twarzą w twarz.

– Nie pozwolę, żeby go pan skrzywdził. – Trzymała nóż niezgrabnie, ściskając oburącz. – Nie pozwolę.

– Niech pani go odłoży.

– Dlaczego wyobraża pan sobie, że może mi dyktować, co mam robić?

– Moja szefowa stoi z tyłu z pistoletem wycelowanym w pani głowę.

Wydała stłumiony okrzyk, który uwiązł jej w gardle, kiedy się obróciła i zobaczyła Amandę stojącą za oknem. Nagle uniosła nóż i rzuciła się w stronę Willa. Okno eksplodowało. Zwaliła się na podłogę przed Willem z nożem ciągle zaciśniętym w dłoni. Na bluzce z tyłu wykwitła okrągła plamka krwi.

Usłyszał trzask wyważanych drzwi. Odgłos wbiegających ludzi, tupot ciężkich butów na podłodze, wywrzaskiwanych rozkazów. Nie mógł już dłużej wytrzymać. Opuścił głowę i ból przeszył całe jego ciało. Przed oczyma zamajaczyły mu szpilki Amandy. Uklękła przed nim. Ruszała ustami, ale nie słyszał, co mówi. Chciał zapytać o Faith, o jej dziecko, jednak łatwiej było zapaść się w ciemność.

TRZY DNI PÓŹNIEJ

ROZDZIAŁ DWUDZIESTY PIĄTY

Oczy bolały, gdy się patrzyło na Pauline McGhee, nawet kiedy trzymała dziecko na kolanach. Usta miała w strzępach, porozrywane przez metalowy drut, który przegryzła, więc mówiła niewyraźnie z zaciśniętymi wargami. Maleńkie szwy znaczyły całą czerwień wargową jak u jakiegoś Frankensteina. Mimo to trudno było wykrzesać z siebie współczucie, może dlatego, że zwracała się do Faith per „pindo" i „suko" częściej niż którykolwiek mężczyzna wcześniej.

– Pindo – powiedziała teraz – Nie wiem, co mam ci powiedzieć. Nie widziałam swojej rodziny od dwudziestu lat.

Will poruszył się na krześle obok Faith. Ramię miał na temblaku przyciśnięte do piersi i widać było, że jest bardzo obolały, mimo to upierał się, że przyjdzie na przesłuchanie. Faith nie dziwiła się, że pragnie poznać odpowiedzi. Niestety szybko stawało się oczywiste, że od Pauline ich nie dostaną.

– Tom mieszkał w szesnastu różnych miastach w ciągu ostatnich trzydziestu lat – poinformował ją Will. – Ustaliliśmy, że w dwunastu z nich miały miejsce podobne przypadki: porwania kobiet, których już nigdy potem nie odnaleziono. Zawsze ginęły parami. Dwie kobiety naraz.

– Wiem, co to jest pierdolona para.

Will otworzył już usta, ale Faith dotknęła jego kolana pod stołem. Ich zwykła taktyka nie działała. Pauline McGhee była twarda, gotowa po trupach ratować własną skórę. Kopnęła Olivię Tanner tak, że ta straciła przytomność, byleby tylko uciec z piwnicy jako pierwsza. Udusiłaby własnego brata gołymi rękoma, gdyby Faith jej nie powstrzymała. Nie była osobą, do której można było dotrzeć, grając na współczuciu.

Faith zaryzykowała.

– Pauline, skończ z tą szopką. Wiesz, że możesz w każdej chwili opuścić ten pokój. Siedzisz tu nie bez powodu.

Poraniona kobieta spojrzała na Feliksa, głaszcząc go po włosach. Przez ułamek sekundy wydawało się, że ma w sobie coś z człowieka. Kontakt z dzieckiem spowodował, że coś się w niej na chwilę zmieniło i Faith zrozumiała, że jej twarda zewnętrzna powłoka jest tarczą chroniącą przed światem, przez którą tylko Felix mógł się przebić. Chłopiec zasnął w jej ramionach, gdy tylko usiadła przy stole konferencyjnym. Jego kciuk bez przerwy wędrował do ust i Pauline wyjęła go kilka razy, zanim się poddała. Faith mogła zrozumieć, dlaczego nie chce spuścić syna z oczu, ale to nie była rozmowa, w której powinno uczestniczyć dziecko.

– Naprawdę byś do mnie strzeliła? – spytała Pauline.

– Co? – rzuciła Faith, chociaż doskonale wiedziała, o co kobieta pyta.

– Na tym korytarzu – powiedziała. – Zabiłabym go. Chciałam go zabić.

– Jestem funkcjonariuszem policji – odpowiedziała Faith. – Moim zadaniem jest chronić życie.

– To życie? – Pauline nie mogła wyjść ze zdumienia. – Wiesz, co bydlak zrobił. – Pokazała brodą na Willa. – Posłuchaj swojego partnera. Mój brat zabił co najmniej dwa tuziny kobiet. Naprawdę uważasz, że zasługuje na proces? – Przycisnęła usta do głowy Feliksa. – Powinnaś była pozwolić mi go zabić. Ukatrupić jak pierdolonego psa.

Faith nie odpowiedziała, głównie dlatego, że nie było o czym mówić. Tom Coldfield milczał. Nie przechwalał się swoimi zbrodniami ani nie proponował, że ujawni miejsce ukrycia zwłok w zamian za darowanie życia. Pogodził się z myślą, że trafi do więzienia, prawdopodobnie do bloku dla czekających na wykonanie kary śmierci. Poprosił tylko o chleb, wodę i swoją Biblię tak upstrzoną odręcznymi adnotacjami i uwagami na marginesach, że druk był ledwo czytelny.

Mimo to Faith przez kilka ostatnich nocy przewracała się w łóżku, odtwarzając w myślach tych kilka sekund w korytarzu, przeżywając je wciąż na nowo. Czasami pozwalała Pauline zabić brata. Czasami sama zabijała kobietę. Żaden z tych scenariuszy jednak nie bardzo jej się podobał i w końcu się poddała, pocieszając myślą, że tego typu emocje jedynie czas jest w stanie złagodzić. Ponadto sprawa nie leżała już w gestii Willa i Faith. Ponieważ zbrodnie Matthiasa Thomasa Coldfielda przekroczyły granicę stanu, były już teraz problemem FBI. Faith pozwolono przesłuchać Pauline tylko dlatego, że agenci federalni wierzyli, iż obie kobiety łączy więź. Potwornie się mylili.

A może nie.

Pauline spytała:

– Który tydzień?

– Dziesiąty.

Była na krawędzi szaleństwa, kiedy wreszcie ratownicy z pogotowia pojawili się w domu Coldfielda. Myślała tylko o dziecku, czy nic mu nie grozi. Nawet kiedy kardiotokograf zarejestrował prawidłową czynność serca, Faith dalej płakała, błagając ratowników, by zawieźli ją do szpitala. Była pewna, że się mylą, że niechybnie stało się coś strasznego. Co dziwne, jedyną osobą, której udało się ją przekonać, że jest inaczej, okazała się Sara Linton.

Korzyść z tego była taka, że cała rodzina już wiedziała, że Faith jest w ciąży, dzięki pielęgniarkom ze szpitala, które określały ją mianem „tej rozhisteryzowanej policyjnej ciężarówki" przez cały jej pobyt na urazówce.

Pauline pogłaskała Feliksa po włosach.

– Potwornie się roztyłam w ciąży. Byłam odrażająca.

– Nie jest łatwo – zgodziła się Faith. – Ale warto.

– No chyba. – Musnęła poranionymi wargami głowę chłopca. – To jedyna dobra rzecz, jaka mnie spotkała.

Faith tak często mówiła o Jeremym, ale teraz, patrząc na Pauline McGhee, zrozumiała, ile ma szczęścia: matkę, która ją kocha pomimo wszystkich wad, Zeke'a, który wprawdzie przeprowadził się do Niemiec, by od niej uciec, Willa i czy tego chce czy nie, ma Amandę. Pauline nie miała nikogo – tylko małego chłopca, który rozpaczliwie jej potrzebował.

– Kiedy urodziłam Feliksa – powiedziała Pauline – zaczęłam myśleć o niej. O Judith. Jak mogła mnie tak nienawidzić? – Popatrzyła na Faith, spodziewając się odpowiedzi.

– Nie wiem. Nie wyobrażam sobie, jak można nienawidzić własnego dziecka. Jakiekolwiek by było.

– No tak, niektóre dzieci są potworne, ale własne dziecko...

Zamilkła na tak długo, że Faith zaczęła się zastanawiać, czy znowu znaleźli się w punkcie wyjścia.

– Musimy wiedzieć, jak to się wszystko stało, Pauline – powiedział Will. – Ja muszę wiedzieć.

Patrzyła przez okno, trzymając syna blisko przy sercu. Odezwała się tak cicho, że Faith musiała wytężać słuch, żeby ją zrozumieć.

– Wujek mnie gwałcił.

Faith i Will milczeli, pozwalając kobiecie mówić swobodnie.

– Miałam trzy lata, potem cztery, pięć wreszcie – wyznała. – Powiedziałam babci, co się dzieje, myślałam, że suka mnie uratuje, ale odwróciła kota ogonem, robiąc ze mnie wcielonego diabła. – Wargi wygięły jej się w gorzkim uśmiechu. – Matka uwierzyła im, nie mnie. Stanęła po ich stronie. Jak zawsze.

– I co się stało?

– Przeprowadziliśmy się. Zawsze się przeprowadzaliśmy, gdy sprawy przyjmowały zły obrót. Tata złożył w pracy wniosek o przeniesienie, sprzedaliśmy dom i zaczęliśmy wszystko od nowa. Inne miasto, inna szkoła, ta sama przejebana sytuacja.

– Kiedy zaczęła się sprawa z Tomem? – spytał Will.

– Miałam piętnaście lat. – Znowu wzruszyła ramionami. – I przyjaciółkę. Nazywała się Alexandra McGhee. To na jej nazwisko zmieniłam później swoje. Kilka lat mieszkaliśmy w Oregonie, zanim przenieśliśmy się do Ann Arbor. To wtedy właśnie zaczęło się to z Tomem i sytuacja zrobiła się naprawdę zła. – Zaczęła mówić monotonnym tonem, jakby przedstawiała relację z drugiej ręki dotyczącą jakichś prozaicznych wydarzeń, a nie opowiadała o najpotworniejszych momentach swojego życia. – Miał obsesję na moim punkcie. Jakby się we mnie kochał. Wszędzie się za mną włóczył, wąchał moje ubrania, próbował dotykać włosów i...

Faith starała się ukryć odrazę, ale słowa Pauline sprawiły, że żołądek podszedł jej do gardła.

– Nagle Alex przestała do mnie przychodzić. Bardzo się przyjaźniłyśmy. Chciałam wiedzieć, czy powiedziałam albo zrobiłam coś nie tak. – Urwała. – Tom się nad nią znęcał. Nie wiem jak. To znaczy z początku nie wiedziałam. Ale wkrótce się przekonałam.

– Co się stało?

– Wszędzie pisała to jedno zdanie, w kółko to samo. Na książkach, podeszwach butów, grzbiecie dłoni.

– Nie wyrzeknę się – domyślił się Will.

Pauline skinęła głową.

– To było zadanie, które zlecił mi jeden z lekarzy w szpitalu. Pisząc je, miałam niby przekonać samą siebie, przestać się objadać i wymiotować, jakby wystarczyło nabazgrać jakieś pieprzone zdanie trylion razy, żeby to przeszło.

– Wiedziałaś, że Tom zmusza Alex do jego pisania?

– Była do mnie bardzo podobna – przyznała Pauline. – To dlatego tak mu się podobała. Była jak namiastka mnie: ten sam kolor włosów, ten sam wzrost, zbliżona waga, choć wyglądała na grubszą.

Te same cechy zwróciły uwagę Toma na ostatnie ofiary: każda z kobiet przypominała jego siostrę.

– Spytałam go, dlaczego zmusza ją do pisania tego zdania. Byłam wkurzona, darłam się na niego i mnie uderzył. Nie trzepnął dłonią, tylko walnął pięścią. Kiedy upadłam, zaczął mnie dalej okładać.

– I co się stało potem? – spytała Faith.

Pauline patrzyła pustym wzrokiem przez okno, jakby była w pokoju sama.

– Alex i ja byłyśmy w lesie. Chodziłyśmy tam zapalić po szkole. Tego dnia, kiedy mnie pobił, spotkałam się tam z nią. Na początku nie chciała nic powiedzieć, ale potem wybuchła płaczem. W końcu powiedziała, że Tom zabierał ją do piwnicy w naszym domu i robił jej różne rzeczy. Złe rzeczy. – Przymknęła powieki. – Alex to znosiła, bo Tom zagroził, że w przeciwnym razie zajmie się mną. Chroniła mnie. – Otworzyła oczy, patrząc na Faith z zaskakującym przejęciem. – Zastanawiałyśmy się, co zrobić. Powiedziałam, że nie ma sensu mówić o tym moim rodzicom, że to nic nie da. Postanowiłyśmy więc pójść na policję. Znałam takiego jednego gliniarza. Tyle że Tom chyba poszedł za nami do tego lasu. Bez przerwy nas obserwował. W moim pokoju ukrył na przykład elektroniczną nianię. Podsłuchiwał nas i jednocześnie... – Wzruszyła ramionami i Faith łatwo się domyśliła, co robił brat, gdy Pauline rozmawiała z przyjaciółką.

– Tak czy siak, znalazł nas w tym lesie. Uderzył mnie w tył głowy kamieniem. Nie wiem, co zrobił Alex. Przez jakiś czas jej nie widziałam. Myślę, że pracował nad nią, starał się złamać. Ta niewiedza była właśnie najtrudniejsza. Czy zabił Alex? Czy ją bije? Torturuje? A może puścił ją wolno, a ona trzyma usta na kłódkę, bo się go boi? – Przełknęła ślinę. – Ale to nie tak było.

– A jak?

– Znowu trzymał ją w piwnicy. Przygotowując na prawdziwe piekło.

– Nikt nie słyszał, że jest przetrzymywana tam na dole?

Pauline pokręciła głową.

– Tata wyjechał, a mama... – Jeszcze raz pokręciła głową. Faith była przekonana, że nigdy się nie dowiedzą, co tak naprawdę Judith Coldfield wiedziała o sadystycznych skłonnościach syna.

– Nie wiem, jak długo to trwało, ale w końcu Alex wylądowała w tym samym miejscu co ja.

– To znaczy?

– Pod ziemią – powiedziała. – Było ciemno. Miałyśmy zawiązane oczy. Włożył nam watę do uszu, ale mimo to się słyszałyśmy. Byłyśmy związane, a jednak wiedziałyśmy, że jesteśmy pod ziemią. To się czuje. W ustach pojawia się taki mokry, brudny smak. Wykopał ziemiankę. Musiał poświęcić na to wiele tygodni. Zawsze lubił wszystko planować, kontrolować w najmniejszym szczególe.

– I był wtedy z wami przez cały czas?

– Nie od razu. Chyba przygotowywał sobie alibi. Zostawił nas tam na kilka dni spętane. Nie mogłyśmy się ruszyć, nic nie widziałyśmy i prawie nic nie słyszałyśmy.

Z początku wzywałyśmy pomocy, ale... – Znowu potrząsnęła głową, jakby usiłując odpędzić wspomnienie. – Dawał nam wodę, ale nic więcej, żadnego jedzenia. Chyba trwało to tydzień. Ja się jakoś trzymałam, już wcześniej zdarzały mi się dłuższe głodówki, ale Alex się załamała. Przez cały czas płakała, błagała mnie, żebym jej jakoś pomogła. Pojawiał się Tom i wtedy ja błagałam jego, żeby ją uciszył, zrobił coś, żebym nie musiała tego słuchać. – Znowu zamilkła, pogrążona we wspomnieniach. – A potem, któregoś dnia, coś się zmieniło. Zaczął się zabierać do nas.

– Co robił?

– Z początku tylko gadał. Miał bzika na punkcie tych biblijnych historii. Mama wbiła mu do głowy, że jest następcą Judasza, który zdradził Jezusa. W kółko powtarzała, jak to ją zdradziłam, miałam być dobrym dzieckiem a okazałam się zepsuta do szpiku kości, ściągnęłam na nią nienawiść całej rodziny przez swoje kłamstwa.

Faith zacytowała ostatnie zdanie, które wymówił Tom Coldfield:

– O, Absalomie, jestem wskrzeszony.

Pauline się wzdrygnęła, jakby słowa smagnęły ją niczym bicz.

– To z Biblii. Amnon zgwałcił swoją siostrę, a później wypędził ją z domu jak kurwę. – Rozciągnęła poranione usta w namiastce uśmiechu. – Absalom był bratem Amnona. Zabił go za zgwałcenie siostry. – Zaśmiała się cierpko. – Szkoda, że nie miałam drugiego brata.

– Tom zawsze miał obsesję na punkcie religii?

– Nie zwyczajnej religii. Nie normalnej. Przekręcał Biblię według własnego widzimisię. To dlatego trzymał mnie i Alex pod ziemią, żeby móc zmartwychwstać jak Jezus. – Popatrzyła na Faith. – Czysty obłęd, nie? Gadał tak i gadał całymi godzinami, jakie jesteśmy zepsute i jak to on nas odkupi. Czasami mnie dotykał, ale nie widziałam... – Jeszcze raz się wzdrygnęła, tym razem całym ciałem.

Felix poruszył się na jej kolanach i chwilę go uspokajała, aż znowu zasnął.

Faith serce załomotało w piersi. Przypomniała sobie własną szamotaninę z Tomem, dotyk jego gorącego oddech w uchu, kiedy jej powiedział: „Walcz”.

– Co zrobił Tom, kiedy przestał do was przemawiać?

– A jak pan myśli? – spytała sarkastycznie. – Nie wiedział, co chce zrobić, ale wiedział, że lubi zadawać nam ból. – Przełknęła głośno, oczy napełniły jej się łzami. – To był nasz pierwszy raz, dla nas obu. Miałyśmy dopiero piętnaście lat. Wtedy dziewczęta nie puszczały się raczej na prawo i lewo. Daleko nam było do aniołów, ale nie byłyśmy dziwkami.

– Robił coś jeszcze?

– Głodził nas. Nie tak bardzo jak później te inne kobiety, ale głodził.

– A worki na śmieci?

Potwierdziła jednym, sztywnym skinieniem głowy.

– Miał nas za śmieci. Zwykłe śmieci, nic więcej.

– Nikogo nie zaniepokoiło wasze zniknięcie?

– Wszyscy myśleli, że nawiałyśmy z domu. Dziewczęta czasami tak robią, prawda? Dają nogę z domu, a jeśli rodzice twierdzą, że są zepsute, istne skaranie boskie, kłamią i nie można im ufać, to nikt się specjalnie nimi nie przejmuje, prawda? – Nie pozwoliła im odpowiedzieć. – Założę się, że Tom miał stóję, gdy w żywe oczy okłamywał policję, twierdząc, że nie wie, co się z nami stało.

– Ile miał wtedy lat?

– Był o trzy lata młodszy ode mnie.

– Czyli dwanaście.

– Nie – skorygowała Pauline. – Jego urodziny były później. Miał jedenaście. Dwanaście skończył miesiąc później. Mama wydała przyjęcie. Mały pojeb wyszedł za kaucją, a ona urządziła mu urodzinowe kinderparty.

– Jak wydostałyście się z pieczary?

– Wypuścił nas. Zapowiedział, że zabije, jeśli komukolwiek o tym powiemy, ale Alex i tak opowiedziała wszystko rodzicom i jej uwierzyli. – Zaśmiała się szyderczo. – No i, cholera, jej uwierzyli.

– Co się stało z Tomem?

– Został zatrzymany. Zadzwoniła policja i mama zawiozła go na posterunek. Nie przyjechali po niego. Nie skuli. Po prostu zadzwonili i powiedzieli, żeby go przywieźć. – Urwała, zbierając myśli. – Trafił na obserwację psychiatryczną, zrobiono mu badania. Mówiło się niby o umieszczeniu go w areszcie dla dorosłych, ale był jeszcze dzieckiem, a te konowały narobiły larum, że potrzebuje pomocy. Tom potrafił wyglądać na młodszego, gdy chciał, znacznie młodszego, niż naprawdę był. I oniemiałego, że niby nie rozumie, dlaczego ci wszyscy ludzie opowiadają o nim takie straszne rzeczy.

– Jaka była decyzja sądu?

– Rozpoznano coś u niego. Nie wiem co. Psychopatię pewnie.

– Mamy jego akta z Sił Powietrznych. Wiedziałaś, że służył? – Pauline pokręciła głową, więc Faith dodała: – Sześć lat. Został wydalony ze służby. Za porozumieniem stron.

– Co to znaczy?

– Czytając między wierszami, powiedziałabym, że wojsko nie chciało, albo nie wiedziało, jak leczyć jego chorobę, więc zaproponowano mu przeniesienie do rezerwy, a on się zgodził.

Akta Toma zawierały informacje zapisane hermetycznym kodem, który tylko doświadczony żołnierz mógł odcyfrować. Zeke, brat Faith, potrafił je odczytać. Ostatecznym przesądzającym dowodem był fakt, że Toma nigdy nie powołano do służby w Iraku, nawet w okresie największego nasilenia działań wojennych, kiedy kryteria poboru przestały niemal obowiązywać.

– Co się stało z Tomem w Oregonie?

Pauline odpowiedziała wyważonym tonem.

– Miał pójść do szpitala stanowego, ale mama porozmawiała z sędzią, powiedziała mu, że mamy rodzinę na wschodzie i moglibyśmy go umieścić w tamtejszym szpitalu, żeby był blisko ludzi, którzy go kochają. Sędzia się zgodził. Myślę, że chciał mieć nas z głowy. Trochę jak siły powietrzne, co? Czego oczy nie widzą.

– Matka załatwiła mu leczenie?

– Gdzie tam – zaśmiała się Pauline.– Miała jak zawsze jedno i to samo wyjaśnienie. Powiedziała, że Alex i ja kłamiemy, że uciekłyśmy z domu i skrzywdził nas obcy, a teraz usiłujemy zrzucić winę na Toma, bo go nienawidzimy i chcemy, żeby ludzie nas żałowali.

Faith zrobiło się niedobrze. Zastanawiała się, jak matka może być tak ślepa na cierpienie własnego dziecka.

– Czy to wtedy zmieniliście nazwiska na Coldfield? – spytał Will.

– Po aferze z Tomem zmieniliśmy je na Steward. Nie było to proste. Wymagało zmiany rachunków bankowych, wypełnienia całej masy dokumentów. Tata zaczął zadawać pytania. Nie uśmiechało mu się to, bo nagle musiał coś robić: pojechać do urzędu, zdobyć odpisy aktów urodzenia, wypełniać formularze. Byli w trakcie załatwiania zmiany na Steward, kiedy uciekłam. Podejrzewam, że kiedy wyjechali z Michigan, zmienili je z powrotem na Coldfield. Oregon nie interesował się Tomem. Dla nich sprawa była zamknięta.

– Miała pani później jeszcze kontakt z Alex McGhee?

– Nie. Zabiła się. – Głos Pauline był tak zimny, że Faith przeszedł dreszcz. – Chyba nie potrafiła tego znieść. Niektóre kobiety już takie są.

– Jest pani pewna, że ojciec nie wiedział, co się dzieje?

– Nie chciał wiedzieć – odpowiedziała Pauline.

Nie było sposobu, żeby to potwierdzić. Henry Coldfield przeszedł masywny zawał na wieść o tym, co się stało z jego żoną i synem. Zmarł w drodze do szpitala.

Will naciskał:

– Pani ojciec nigdy nie zauważył...

– Wiecznie był w trasie. Nie oglądaliśmy go całymi tygodniami, zdarzało się, że miesiąc. A nawet kiedy już niby był w domu, nigdy go tak naprawdę nie było. Latał samolotem, polował, grał w golfa albo po prostu robił to, na co go naszła akurat ochota. – Z każdym słowem mówiła coraz bardziej gniewnym głosem. – Mieli taki układ, wiecie? Ona prowadziła dom, nie prosiła go o pomoc, niczym nie zawracała mu głowy, a on mógł robić wszystko, co mu się żywnie podoba, po warunkiem że oddawał wypłatę i nie zadawał pytań. Fajne życie, nie?

– Czy ojciec kiedykolwiek panią skrzywdził?

– Nie. Za rzadko bywał w domu. Widywaliśmy go w Boże Narodzenie i Wielkanoc. I to było tyle.

– Dlaczego Wielkanoc?

– Nie wiem. Matka zawsze traktowała te święta specjalnie. Malowała pisanki, rozwieszała wstążki i tak dalej. Opowiadała Tomowi historię jego narodzin, jak bardzo jest wyjątkowy, jak mocno ona pragnęła mieć syna, jaką pełnią szczęścia się okazał.

– Czy to dlatego postanowiłaś uciec właśnie w Wielkanoc?

– Uciekłam, ponieważ Tom kopał kolejny dół na podwórku.

Faith dała jej chwilę na zebranie myśli.

– To było w Ann Arbor?

Pauline skinęła głową z nieobecnym wzrokiem.

– Z początku go nie rozpoznałam, wiecie?

– Kiedy cię porwał?

– To się stało tak szybko. Byłam wniebowzięta, że widzę Feliksa. Bo myślałam, że się zgubił. Potem zaczęło mi świtać, że to chyba Tom tam stoi, ale było za późno.

– Wtedy go pani poznała?

– Raczej poczułam. Nie potrafię tego wyjaśnić, ale po prostu każda część mojego ciała wiedziała, że to on. – Zamknęła oczy na kilka sekund. – Kiedy ocknęłam się w tej piwnicy, dalej go czułam. Nie wiem, co ze mną robił, kiedy byłam nieprzytomna. Nie wiem, co ze mną robił.

Faith stłumiła dreszcz na samą myśl.

– Jak panią znalazł?

– Myślę, że zawsze wiedział, gdzie mieszkam. Jest dobry w śledzeniu ludzi, obserwowaniu ich, poznawaniu ich zwyczajów. Zresztą nie bardzo chyba utrudniłam mu zadanie, przybierając nazwisko Alex. – Zaśmiała się smutno. – Jakieś półtora roku temu zadzwonił do mnie do pracy. Dacie wiarę? Jakie jest prawdopodobieństwo, że zadzwoni telefon w firmie, ja odbiorę i będzie to Tom?

– Poznała go pani po głosie?

– Nie, cholera. Chwyciłabym Feliksa i uciekła w tej samej chwili.

– Po co zadzwonił?

– Już mówiłam. To była taka akwizycja przez telefon. – Pokręciła głową z niedowierzaniem. – Opowiadał o schronisku, o tym, że odbierają własnym transportem dary i niepotrzebne rzeczy i wystawiają pokwitowania *in blanco*. Mamy całą masę bogatych klientów, którzy oddają stare meble na cele charytatywne, odpisując to od dochodu jako straty. To sprawia, że mają trochę mniejsze wyrzuty sumienia, wyrzucając zestaw wypoczynkowy wart pięćdziesiąt tysięcy i kupując nowy za osiemdziesiąt koła.

Faith nawet nie ogarniała myślą kwot, o których mówiła Pauline.

– Czyli postanowiłaś skierować klientów do schroniska?

– Byłam wkurzona na Goodwill. Nie przyjeżdżają po odbiór rzeczy o konkretnej godzinie, tylko wyznaczają ramy czasowe, na przykład między dziesiątą a dwunastą. Kto może tyle czekać? Moi klienci są milionerami. Nie będą siedzieć cały ranek w domu, czekając, aż jakiś bezdomny gość będzie łaskaw się pojawić. Tom powiedział, że schronisko umawia się na konkretną godzinę, a odbiór jest punktualny. I rzeczywiście tak było. Pracownicy byli uprzejmi i czyści, co, możecie mi wierzyć, wiele mówi. Polecałam ich wszystkim. – Uświadomiła sobie, co właśnie powiedziała. – Wszystkim.

– Włączając w to te kobiety z forum dyskusyjnego w sieci?

Milczała.

Faith powiedziała jej, co ustalili w ciągu ostatnich kilku dni.

– Kancelaria, w której pracuje Anna Lindsey, pół roku temu zaczęła świadczyć schronisku pomoc prawną. Bank Olivii Tanner w zeszłym roku został głównym sponsorem. Jackie Zabel zadzwoniła do schroniska, żeby ktoś przyjechał po odbiór rzeczy z domu jej matki. Wszystkie musiały się gdzieś dowiedzieć o schronisku.

– Ja nie... nie wiedziałam.

Nadal nie udało im się włamać do chat roomu. Witryna miała zbyt wymyślne zabezpieczenia, a złamanie kodu dostępu nie było już teraz priorytetem dla FBI, bo sprawca siedział w areszcie. Mimo to Faith potrzebowała potwierdzenia. Chciała je usłyszeć od Pauline.

– W którymś z postów napisałaś o schronisku, prawda?

Nadal nie odpowiadała.

– Powiedz – rzuciła Faith i z jakichś powodów prośba podziałała.

– Tak.

Faith nie zdawała sobie sprawy, że wstrzymała oddech. Wolno wypuściła powietrze.

– A skąd Tom wiedział, że wszystkie cierpią na zaburzenia odżywiania?

Pauline podniosła wzrok. Jej policzki nabrały już trochę kolorów.

– A wy skąd wiedzieliście?

Faith zastanowiła się nad pytaniem. Ustalili to, ponieważ prześledzili życie kobiet równie metodycznie jak Tom. Jeździł za nimi, podglądał je w najbardziej intymnych chwilach. A żadna z nich nie miała o tym pojęcia.

– Czy z tą drugą kobietą wszystko w porządku? – spytała Pauline. – Tą, z którą mnie więził.

– Tak.

Olivia Tanner miała się wystarczająco dobrze, by stanowczo odmówić rozmowy z policją.

– To twarda suka.

– Ty też – powiedziała Faith. – Rozmowa z nią mogłaby ci pomóc.

– Ja nie potrzebuję pomocy.

Faith nawet nie próbowała jej przekonywać.

– Wiedziałam, że prędzej czy później Tom mnie znajdzie – powiedziała Pauline. – Przygotowywałam się. Trenowałam. Żeby mieć pewność, że wytrzymam bez jedzenia. Że przetrwam. – Wyjaśniła. – Kiedy więził mnie i Alex, torturował tę, która krzyczała najgłośniej, która pierwsza się załamała. Zrobiłam wszystko, żebym to nie była ja. Tak sobie pomogłam.

– Pani ojciec nigdy nie pytał matki, dlaczego chce zmienić nazwisko i miejsce zamieszkania?

– Mówiła mu, że po to, by dać Tomowi szansę na nowy start. Żebyśmy wszyscy zaczęli od nowa. – Zaśmiała się gorzko, kierując swoje słowa do Faith: – Chłopcy zawsze są na pierwszym miejscu, prawda? Matki i ich synowie. Pieprzyć córki. To synów kochają naprawdę.

Faith położyła dłoń na brzuchu. Ewidentnie ów gest wszedł jej w krew przez ostatnie kilka dni. Przez cały ten czas wyobrażała sobie, że rozwija się tam chłopiec: drugi Jeremy, który będzie jej śpiewał i rysował obrazki. Kolejny berbeć, który będzie dumnie wypinał pierś, mówiąc kolegom, że jego mama jest gliną. Kolejny młodzieniec szanujący kobiety. Kolejny dorosły, który wiedział od swojej samotnej matki, ile siły musi mieć słaba płeć.

Teraz Faith modliła się, żeby mieć córkę. Wszystkie kobiety, które poznali w trakcie tego śledztwa, nauczyły się nienawidzić same siebie, na długo zanim wpadły w ręce Toma Coldfielda. Wszystkie dobrowolnie wyrzekały się tego, co w życiu najważniejsze: począwszy od pożywienia, przez ciepło, po coś tak istotnego jak miłość. Faith chciała pokazać swojemu dziecku inną drogę. Chciała wychować dziewczynkę, która miałaby szansę kochać siebie. Chciała patrzeć, jak wyrasta na silną kobietę, która zna swoją wartość. I za nic nie chciała, by którekolwiek z jej dzieci spotkało na swej drodze kogoś tak zgorzkniałego i poranionego jak Pauline McGhee.

– Judith jest w szpitalu – poinformował Will. – Kula przeszła o włos od jej serca.

Nozdrza kobiety się rozszerzyły, do oczu napłynęły jej łzy i Faith pomyślała, że może Pauline, choćby całkiem podświadomie, nadal pragnie utrzymać jakąś więź z matką.

– Mogę cię do niej zabrać, jeśli chcesz – zaproponowała.

Kobieta parsknęła śmiechem, ze złością ocierając łzy.

– Pindo, nawet tak nie żartuj. Nigdy jej przy mnie nie było i pewne jak cholera, że mnie przy niej też nie będzie. – Leciutko podrzuciła syna na ręku. – Muszę go zabrać do domu.

– Gdyby mogła pani tylko... – spróbował Will.

– Tylko co?

Nie potrafił jej odpowiedzieć. Wstała i podeszła do drzwi, starając się utrzymać syna jedną ręką, gdy drugą sięgała do klamki.

– Prawdopodobnie będzie się z tobą kontaktować FBI – rzuciła Faith.

– FBI może cmoknąć mnie w tyłek. – Udało jej się otworzyć drzwi. – I wy też.

Faith patrzyła, jak idzie korytarzem, podrzucając chłopca, gdy skręcała w stronę wind.

– Boże – rzuciła cicho. – Trudno jej żałować.

– Postąpiłaś właściwie – powiedział Will.

Faith jeszcze raz zobaczyła w myślach, jak stoi w korytarzu domu Coldfielda, z pistoletem wymierzonym w głowę Pauline, nad szarpiącym się na podłodze Tomem. Nie szkolono ich w zadawaniu ran. Szkolono ich w zadawaniu śmierci. Nie umieli postrzelić podejrzanego, umieli posłać szybką serię prosto w jego pierś.

No chyba że się było Amandą Wagner. Wtedy człowiek posyłał jeden strzał, który unieszkodliwiał, ale nie unicestwiał.

– Gdybyś jeszcze raz musiała podjąć taką decyzję, pozwoliłabyś Pauline zabić Toma?

– Nie wiem – wyznała Faith. – Działałam zupełnie odruchowo. Zachowałam się tak, jak mnie wyszkolono.

– Ale jeśli się pomyśli, ile ona przeszła... – zaczął Will, ale zaraz się powstrzymał. – Nie jest zbyt miła.

– To bezwzględna suka.

– Dziwię się, że się w niej nie zakochałem.

Faith się roześmiała. Widziała Angie w szpitalu, kiedy wywozili Willa z sali operacyjnej.

– Jak się miewa pani Trent?

– Sprawdza, czy mam opłacone wszystkie składki ubezpieczenia na życie. – Wyjął telefon. – Powiedziałem jej, że będę o trzeciej.

Nie skomentowała nowego aparatu ani ostrożnego wyrazu jego twarzy. Podejrzewała, że Angie Polaski wróciła do życia Willa. Faith będzie musiała do niej przywyknąć w ten sam sposób, w jaki się tolerowało irytującą bratową czy kurewsko niegrzeczną córkę szefowej.

Wstał.

– Chyba już pójdę.

– Chcesz, żebym podrzuciła cię do domu?

– Przejdę się.

Mieszkał wprawdzie tylko kilka przecznic dalej, ale niecałe trzy doby temu miał operację. Faith otworzyła usta, żeby zaprotestować, ale jej przerwał:

– Świetny z ciebie glina, Faith. Cieszę się, że jesteś moim partnerem.

Niewiele było słów, które zszokowałyby ją bardziej.

– Naprawdę?

Pochylił się i ucałował czubek jej głowy. Zanim zdążyła zareagować, powiedział:

– Jeśli kiedykolwiek zobaczysz, że Angie siedzi na mnie w ten sposób, nie ostrzegaj jej, dobrze? Po prostu pociągnij za spust.

EPILOG

Sara wstała, kiedy z sali zabiegowej wywożono jej pacjenta – ofiarę czołowego zderzenia z motocyklistą, który był zdania, że czerwone światło obowiązuje tylko samochody. Motocyklista nie żył, ale drugi mężczyzna miał spore szanse dzięki temu, że był w pasach. Sara nie przestawała się dziwić, jak wielu pacjentów urazówki uważa pasy bezpieczeństwa za niepotrzebne. Równie wielu widziała w prosektorium, w czasie gdy pracowała jako koroner okręgu Grant.

Do sali weszła Mary, żeby sprzątnąć stanowisko i przygotować je na przyjęcie następnego pacjenta.

– Świetna robota – powiedziała.

Sara poczuła, że się uśmiecha. Do szpitala Grady'ego trafiały tylko najgorsze przypadki. Nie słyszała tego często.

– Jak się czuje ta rozhisteryzowana policyjna ciężarówka, Mitchell?

– Chyba dobrze – odpowiedziała Sara.

Ostatni raz rozmawiała z nią dwa tygodnie temu, kiedy Faith została dostarczona helikopterem na urazówkę. Za każdym razem, kiedy myślała, żeby podnieść słuchawkę i sprawdzić, co u niej, coś ją powstrzymywało. Faith też nie dzwoniła. Prawdopodobnie wstydziła się, że Sara widziała ją w chwili takiej słabości: płakała jak dziecko, przekonana, że straciła swoje maleństwo, choć nie było podstaw do takich przypuszczeń.

– Czy przypadkiem nie powinnaś już iść do domu?

Sara zerknęła na zegar. Jej dyżur skończył się dwadzieścia minut temu.

– Pomóc ci? – Pokazała na najróżniejsze opakowania

i inne pozostałości, którymi zaścieliła podłogę, gdy starała się uratować życie pacjentowi.

– Idź już – powiedziała Mary. – Byłaś tu całą noc.

– Tak jak ty – przypomniała jej Sara, ale nie trzeba było jej dwa razy powtarzać, że ma się zabierać.

Ruszyła korytarzem do pokoju lekarskiego, ustępując na bok, by przepuścić nosze czy wózek. Pacjentów znowu poupychano jak sardynki na korytarzu i Sara zanurkowała pod ladą dyżurki, by nie musieć przechodzić obok nich. W telewizorze nad kontuarem leciało CNN. Media dalej wałkowały sprawę Toma Coldfielda.

Mimo że było o tym głośno, Sara dziwiła się, że nie pojawiło się więcej osób chętnych przedstawić swoją wersję wydarzeń. Nie spodziewała się, by Anna Lindsey kupczyła swoją prywatnością, ale fakt, że dwie pozostałe ofiary również uparcie milczały, był zaskakujący w dobie telewizyjnych wywiadów na wyłączność i natychmiastowych ofert sprzedaży praw do filmu.

Z tego, co widziała w serwisach informacyjnych wcześniej, domyśliła się, że GBI nie ujawnia wszystkich informacji o ostatnich wydarzeniach w sprawie i postępach dochodzenia, ale trudno jej było znaleźć kogoś, kto chciałby powiedzieć prawdę.

Choć z pewnością nie można było jej zarzucić, że nie próbowała. Faith nie potrafiła sklecić składnego zdania, gdy ją przywieziono na urazówkę, ale Will Trent został zatrzymany na noc na obserwację. Nóż kuchenny nie uszkodził na szczęście żadnych dużych tętnic, ale już o ścięgnach nie dało się tego powiedzieć i Willa czekały miesiące rehabilitacji, jeśli chciał odzyskać pełen zakres ruchu w uszkodzonej kończynie. Mimo to Sara poszła następnego dnia do jego pokoju z jasnym zamiarem wyciągnięcia z niego informacji. Zachowywał się jednak wobec niej zupełnie inaczej. Bez przerwy poprawiał pościel i w końcu podciągnął ją pod samą brodę dziwnie skrępowany, jakby Sara nigdy wcześniej nie widziała męskiej piersi.

Kilka minut później pokazała się jego żona i Sara natychmiast uświadomiła sobie, że ten niezręczny moment, który miał miejsce podczas wizyty Willa w jej domu, był tylko i wyłącznie wytworem jej wyobraźni. Angie Trent była uderzająco piękna i seksowna w ten niebezpieczny sposób, który doprowadza mężczyzn do skrajności. Stojąc obok niej, czuła się mniej interesująca niż szpitalna tapeta. Przeprosiła i wyszła tak szybko, jak na to pozwalała grzeczność. Mężczyznom, którym podobały się kobiety takie jak Angie Trent, nie podobały się kobiety takie jak Sara.

Poczuła ulgę w związku z tym odkryciem, ale i małe rozczarowanie. Świadomość, że jakiś mężczyzna uznał ją za atrakcyjną, była miła. Choć i tak nic by z tym nie zrobiła. Nigdy nie będzie już w stanie oddać swojego serca innemu człowiekowi, tak jak oddała je Jeffreyowi. Nie była po prostu zdolna do takiego zapamiętania się w miłości.

– Czołem. – Krakauer wychodził właśnie z pokoju lekarskiego. – Po dyżurze?

– Tak – odpowiedziała Sara, ale lekarz szedł już korytarzem, patrząc prosto przed siebie i próbując ignorować wołających go pacjentów.

Podeszła do swojej szafki i otworzyła ją. Wyjęła torebkę i położyła ją na ławce obok. Zamek był niezapięty. Zobaczyła brzeg koperty wetkniętej między portfel i klucze.

List. Wyjaśnienie. Usprawiedliwienia. Prośba o uniewinnienie. Zrzucenie winy.

Co mogła jej powiedzieć kobieta, która sama doprowadziła do śmierci Jeffreya?

Sara wyjęła kopertę. Przebiegła po niej palcami. W pokoju nie było nikogo. Została sama ze swoimi myślami. Sama z diatrybą. Z wynurzeniami. Z dziecinnymi tłumaczeniami.

Co tu można było powiedzieć? Lena Adams była jednym z detektywów policji okręgu Grant. Pracowała z Jeffreyem, który ją krył, wyciągał z kłopotów i naprawiał jej błędy przez ponad dziesięć lat. W zamian za co ona naraziła jego życie na niebezpieczeństwo, wplątała w kontakty z ludźmi, którzy zabijali dla sportu. To nie Lena podłożyła bombę w jego samochodzie, ona nawet nie wiedziała o jej istnieniu. Żaden sąd by jej nie skazał, ale Sara wiedziała – wiedziała bez żadnych wątpliwości – że to Lena ponosi winę za śmierć Jeffreya. To przez nią poznał tych zimnych zabójców. To ona postawiła Jeffreya na drodze mężczyzn, którzy go zamordowali. Jak zwykle Jeffrey chronił Lenę i zapłacił za to życiem.

I dlatego Lena była tak samo winna jak człowiek, który podłożył bombę. A nawet bardziej, zdaniem Sary, ponieważ wiedziała, że sumienie Leny jest już spokojne. Wiedziała, że nie zostaną wniesione żadne zarzuty, żadna kara nie spadnie na jej głowę. Nie zostanie zdaktyloskopowana, sfotografowana ani poniżona rewizją osobistą. Nie zostanie umieszczona w osobnej celi, żeby współwięźniowie jej nie zabili. Nie poczuje igły w ramieniu. Nie popatrzy na miejsca dla publiczności w sali śmierci stanowego więzienia i nie zobaczy tam Sary czekającej na to, by wreszcie zginęła za swoje zbrodnie.

Uszło jej na sucho zabójstwo z zimną krwią, za które nigdy nie zostanie ukarana.

Sara oderwała róg koperty i przesunęła palcem wzdłuż brzegu, rozrywając papier. List napisano na żółtym brulionowym papierze, wszystkie trzy arkusze były zapisane po jednej stronie i ponumerowane. Niebieskie litery prawdopodobnie skreślono piórem kulkowym.

Jeffrey lubił żółte notesy. Większość gliniarzy tak ma. Zawsze trzymają ich całą kupę na podorędziu i wyciągają czysty arkusz, gdy podejrzany jest gotów złożyć zeznanie. Przesuwają blok po stole, zdejmują skuwkę z nowego długopisu i patrzą, jak słowa spływają na papier, a podejrzany zamienia się w sprawcę.

Sędziowie przysięgli lubią przyznania do winy spisane na żółtym papierze. Wydają im się bardziej swojskie, mniej formalne niż te napisane na maszynie czy komputerze, choć zawsze towarzyszy im urzędowy dokument. Sara zastanawiała się, czy jest gdzieś oficjalna transkrypcja tych drukowanych, dużych liter zapełniających strony, które trzymała w dłoniach. Ponieważ było to właśnie przyznanie się do winy.

Ale czy to ma jakieś znaczenie? Czy słowa Leny mogą coś zmienić? Wskrzesić Jeffreya? Oddać Sarze jej stare życie – to życie, do którego należała?

Po trzech i pół roku już się nie łudziła. Nic jej nie wróci przeszłości – żadne błagania, tabletki czy kary. Żaden list nie odda nawet jednej chwili. Żadne wspomnienie nie odtworzy tego stanu absolutnej szczęśliwości. Pozostanie tylko pustka, ziejąca dziura w życiu Sary, którą kiedyś wypełniał jedyny mężczyzna na świecie, którego mogła pokochać.

Jednym słowem, nic, co Lena powie, nie da Sarze spokoju. Może ta świadomość ułatwiała sprawę.

Mimo to Sara usiadła na ławeczce i przeczytała list.

PODZIĘKOWANIA

Po pierwsze, chcę z całego serca podziękować moim czytelnikom za ich nieustające wsparcie. Historię Sary pisałam z ogromnym poczuciem wagi tego, co robię, i mam nadzieję, że było warto.

Od strony wydawniczej podziękowania należą się tym, co zawsze: obu Kate (odpowiednio M i E), Victorii Sanders i wszystkim z Random House w Stanach Zjednoczonych, Wielkiej Brytanii i Niemczech. Specjalne wyrazy wdzięczności kieruję do moich przyjaciół z De Bezige Bij – chciałam wam podziękować po holendersku, ale znam w tym języku same nieparlamentarne słowa. *Schijten!*

Biuro Śledcze Georgii pozwoliło mi oglądać od kuchni pracę swoich agentów i techników. W głowie się nie mieści, jaki kawał dobrej roboty odwalacie. Dyrektor Vernon Keenan, John Bankhead, Jerrie Gass, asystent agenta specjalnego odpowiedzialnego za dochodzenia Jesse Maddox, agent specjalny Wes Horner, agent specjalny David Norman i inni, niewymienieni z nazwiska – dziękuję wam wszystkim za czas i cierpliwość, zwłaszcza kiedy zadawałam co bardziej odjechane pytania.

Sara nadal korzysta z wiedzy medycznej i wieloletniej praktyki lekarskiej doktora Davida Harpera. Trish Hawkins i Debbie Teague jeszcze raz okazały się niezastąpione w rzucaniu kłód pod nogi Willa i pomogły mi znaleźć sposoby radzenia sobie z nimi. Donie Taylor, równy z ciebie gość, i prawdziwy przyjaciel.

Tata gotował mi zupę jarzynową, gdy byłam zbyt otępiała od lekarstw na przeziębienie, by sklecić choćby dwa zdania. D.A. zamawiał pizzę, kiedy palce mi odpadały od stukania w klawiaturę.

O, i jeszcze jedno. Znowu dosyć swobodnie poczynałam sobie z ulicami i miejscami. Na przykład droga 316 w Conyers to nie jest autostrada 316, która biegnie przez Draculę. To tylko fikcja, wiecie.